《审美阅读十五讲》

北京大学出版社　2013

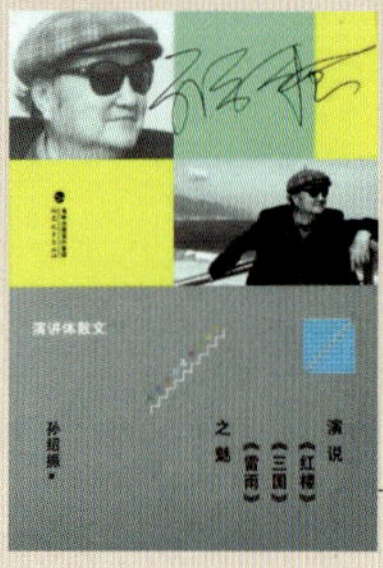

《演说〈红楼〉〈三国〉〈雷雨〉之魅》

福建教育出版社　2017

《孙绍振如是解读作品（小说、诗歌卷）》

福建教育出版社　2018

《孙绍振如是解读作品（散文及其他卷）》

福建教育出版社　2018

孙绍振文集

演说四大名著

海峡出版发行集团 | 海峡文艺出版社

图书在版编目(CIP)数据

演说四大名著/孙绍振著. —福州:海峡文艺出版社,2025.6
(孙绍振文集)
ISBN 978-7-5550-3823-8

Ⅰ. I206-53

中国国家版本馆 CIP 数据核字第 2024T15U29 号

演说四大名著

孙绍振 著

出版人	林 滨
丛书统筹	林可莘
责任编辑	邱戊琴
编辑助理	王清云
出版发行	海峡文艺出版社
经　销	福建新华发行(集团)有限责任公司
社　址	福州市东水路 76 号 14 层
发行部	0591—87536797
印　刷	上海盛通时代印刷有限公司
厂　址	上海市金山工业区广业路 568 号
开　本	787 毫米×1092 毫米 1/16
字　数	423 千字
印　张	20.5　　**插页** 1
版　次	2025 年 6 月第 1 版
印　次	2025 年 6 月第 1 次印刷
书　号	ISBN 978-7-5550-3823-8
定　价	110.00 元

出版说明

孙绍振先生是我国著名的文艺理论家、文学评论家、语文教育理论家、作家，是“闽派批评”的旗帜性人物。

他学贯中西、思通古今，全面梳理中国传统文艺理论中的重要命题，对当代西方文论进行了系统的分析和批判。他的文学研究贯穿着“实践真理论”的世界观和辩证方法论。他以一个“文学教练”的矫健身手，在“文学创作论”和“文学文本解读学”的坚实理论基础上，进行海量的经典文本分析，洞察小说、诗歌、散文等文类的艺术奥秘。由此，他建构了富有原创性的中国特色文学理论话语体系，在理论和实践结合方面发出中国声音。

他以先锋姿态投入“朦胧诗”大论战，业已留下重要的历史文献；以创新思维和精准表达，体现文学批评的力量与高度。

在语文教育改革中，他以犀利的思想拨乱反正，为语文教育的学科建设做出独特的贡献。其成就不仅深刻影响祖国大陆语文教育学界，还辐射至宝岛台湾，有力助推两岸学术、文化与教育交流。

作为一个作家，他钟情于诗歌、散文创作，产出丰硕的成果。其演讲体散文，卓尔成家。

为了全面展示孙绍振先生的研究成果和学术成就，我社组织出版“孙绍振文集”（20册），汇编其迄今为止的全部代表性学术著述和文学作品，涵盖文学理论建构、文艺评论、演讲、语文教育、文学创作等诸方面内容。希望这套文集能全面展示孙绍振先生的理论成就、评论成果和文学创作的整体风貌，呈现中国学派崛起的绰约风姿及其在世界学术话语体系中日渐突出的自主地位。

海峡文艺出版社

二〇二五年六月

目　录

第一辑　演说《红楼梦》

第一讲

贾宝玉：从痴爱、泛爱到无爱

讲这个题目我是有点担忧的。太难了。在我给你们讲过《水浒传》、《三国演义》、余秋雨、鲁迅，都是得心应手。有一次，我们讲一个题目是朱自清和闻一多，带了一个U盘来，打不开，怎么办啊？那就即兴而谈，你们老师告诉我，说讲的效果最好。（掌声）

但是，现在《红楼梦》不敢乱讲。为什么？这个经典是太丰富，太精彩，太神秘，太复杂了，到现在为止，不但我没有完全看懂，我看鲁迅啊、胡适啊、俞平伯那些大师，还有我的老师吴组缃先生，我觉得，好多地方都没懂。最近，我又花了差不多一个月的时间仔仔细细读了一遍，也还有些地方不是很懂，但是，好像，关起门来，在这里，可以吹一下，比他们多懂了一点。（笑声）不要笑嘛，鲁迅当年写《中国小说史略》，才四十多岁嘛，胡适当年弄《红楼梦》考证，才多大啊，三十岁左右呀，可老夫今年七十有七啊，在大学里，他们还只能算是中青年教师哦。（大笑声）老夫不但比杜甫的最高指望还多了七岁，而且比杜甫的学问大得多了，杜甫懂得黑格尔、马克思、康德、德里达、福柯吗？懂得莎士比亚的"To be, or not to be, that is the question"吗？杜甫读过《红楼梦》吗？杜甫会到互联网上查资料吗？（大笑、鼓掌声）都没有。有人可能觉得我太狂妄了，我可以坦率地告白，我狂而不妄。（大笑声）

读《红楼梦》啊，就是对自己智慧的考验。小人物要有排除大师们误读的气魄，就要有独立的，从直觉、初感直接形成观点，构成逻辑系统，这是严峻的考验。我向来是认为自己这方面有点优势的。（笑声）最近又陆陆续续又钻研一番，信心反而好像又有点不足了，有点心虚了。（笑声）读的时候正好在台湾访问。晚上有空都读一读。越读越觉得精彩，越读越觉得我自己理解力太差了。怎么搞的，这个曹雪芹生在18世纪，他那么聪明，照鲁迅先生的进化论，应该一代胜过一代嘛，现在好像应了九斤老太所说的一代不如一代了。但是我还是想通过讲座来磨炼我的智慧。

我相信歌德的一篇文章的标题，叫“说不尽的莎士比亚”。一代一代人研究莎士比亚，一代一代的论文写不完。对于俄国人来说，是说不尽的普希金，说不尽的托尔斯泰，说不尽的陀思妥耶夫斯基。对中国人来说当然是有说不尽的《三国演义》，说不尽的《红楼梦》，说不尽的鲁迅，说不尽的阿 Q。甚至是说不尽的《背影》，说不尽的《再别康桥》。

这说明什么问题呢？作为经典文本，它是民族智慧的、情感的、哲学的、生命体验和艺术表现的结晶，积淀着整个民族文化的精华。解读经典文本是民族智慧的历史的祭坛，每一个时代的人都把自己最高的智慧奉献到这个祭坛上。当然，也免不了泥沙俱下，鱼龙混杂，出现大量废话、蠢话。我非常不耐烦某些研究《红楼梦》的文章。怎么搞的？本来很简单的事情讲得很复杂，本来很复杂的事情讲得很简单，一辈子吃《红楼梦》的饭，越吃头脑越昏了。但是毕竟江山代有才人出，红学研究还是进步很大呀，我虽不是才人，可还是敢于在这个学术祭坛上燃烧一下，愚者千虑，必有一得，可能比有些蠢话还好一点。其中也许有些智慧的光彩，让你们一辈子忘不了，（笑声）也未可知。

一、《红楼梦》的主题：男性接班人的危机

鲁迅曾经讲过一句很有名的话，一部《红楼梦》，不同读者看到的东西是不同的。他说，经学家看见《易》，道学家看见淫，才子看见缠绵，革命家看到排满，流言家看到宫闱秘事。[①]他讲的是所谓索引派，里面都有一些稀奇古怪的东西，特别是康熙皇帝跟董小宛的恋爱故事。[②]今天就不去浪费时间了。

五四新文化运动以后，胡适、俞平伯这些红学的人说，作者是把真事隐去以假事、以虚构写他的自传。到了 20 世纪 50 年代呢，主流意识形态是阶级斗争推动社会发展。用阶级斗争的观点来解释《红楼梦》，结果就把《红楼梦》说成是意识形态的斗争。李希凡、蓝翎写了批评俞平伯的文章，引发了批判胡适思想的运动。李希凡他们说贾宝玉是中国资本主义萌芽时期新生力量的代表，其核心乃民主平等观念的萌芽。毛泽东干脆说，《红楼梦》

① 《鲁迅全集》第 8 卷，人民文学出版社 2005 年版，第 179 页。

② 鲁迅在《中国小说史略》中，列举过几种说法，如“纳兰成德家事说”，“清世祖与董鄂妃故事说”，“康熙朝政治状态说”（《鲁迅全集》第 9 卷，人民文学出版社 2005 年版，第 242—243 页）清代张新之在《石头记读法》中说，《红楼梦》“全书无非《易》道也”。清代梁恭辰在《北东园笔录》中说：“《红楼梦》一书，诲淫之甚者也。”清代花月痴人在《红楼幻梦序》中说：“《红楼梦》何书也？余答曰：情书也。”蔡元培在《石头记索隐》中说：“作者持民族主义甚挚，书中本事在吊明之亡，揭清之失。”清代“索隐派”的张维屏在《国朝诗人征略二编》中说它写“故相明珠家事”，王梦阮、沈瓶庵在《〈红楼梦〉索隐》中则说它写“清世祖与董小宛事”。

就是姓贾的、姓薛的、姓史的、姓王的四大家族兴衰败落的历史。阶级斗争，有好多条人命啊。最近我看到台湾的龚鹏程教授，“鹏程万里”的鹏程，他现在被北大请去当文艺理论教研组的组长。他总结说，《红楼梦》有人认为是毁僧谤道的小说，里面的僧道都是比较愚昧的。空空道人啊，渺渺大士啊，信道的贾敬啊，一直炼丹，炼丹就是炼毒，把自己毒死了。还有赵姨娘做的那个迷信活动，诅咒贾宝玉和王熙凤，让他们发疯了，都是对道教迷信活动的批判。我做大学生的时候，看到郭沫若的文章说其实不是发疯。郭沫若是学医出身的，他根据症状，断定是得了猩红热。（笑声）有的说是崇仰儒家的，还有说崇仰佛教的。[①]最近，有一位女教授突发奇想，说《红楼梦》的主题是女权主义。殊不知女权主义是20世纪中叶兴起在欧美的政治运动。作为文化思想应该是女性主义（femalism）。这位女教授大概是想让林黛玉在死了二百多年后复活去华盛顿领导游行，高呼“打倒贾政”的口号吧。（大笑声）对这些五花八门的学说，如果很系统地一一介绍，你们肯定会感到烦死人了。（笑声）这样的文章加起来比《红楼梦》还多，我翻阅红学家的文章，有两种感想：第一，觉得这些人真是呆，人生苦短，拿几十年的生命，只有一次的生命，不能打草稿的生命，耽溺在这么多胡话中，把生命这么挥霍掉，太令人悲悯了；第二，我不能像他们这样糊涂，与其被那些烂文章折腾，还不如节省一点生命，去享受阅读《红楼梦》那惊心动魄的体验。（笑声）

鲁迅说，在《红楼梦》中，经学家、道学家、才子、革命家、流言家所看到的不是《红楼梦》，而是他们自己，和《红楼梦》没有关系的。如上海话所说，四大金刚腾云——悬空八只脚。我想，这许多说法令人莫衷一是，真是一千个读者有一千个哈姆雷特。但是，福建师大的赖瑞云教授提出一千个哈姆雷特，还是哈姆雷特，不会变成罗密欧，我们的任务就是要在一千个哈姆雷特中找寻出那个相对最像的哈姆雷特。[②]

那么孙绍振看到什么呢，你知道吗？我是用带电的目光，高贵地透视了一番，（笑声）看到了封建大家族的接班人的危机。人的危机，人的精神的危机，人的生命力的危机，人的能耐的危机，尤其是男人，男性接班人的危机。这种看法，我是全国第一个，（大笑声）也是世界第一个。（大笑声，掌声）谁说中国缺少世界第一呢？鄙人可能就是一个。（大笑声）

这个大家族的祖上功勋盖世，是战场上血拼出来的，焦大讲主子是他背出来救活了，

① 龚鹏程归纳有以下几种：1. 毁僧谤道的小说。以空空道人等携石入世为纲、贾敬的炼丹而死、赵姨娘的符咒、贾雨村断案用扶乩。2. 批判礼教的小说。贾宝玉：除明明德之外无书。3. 情书。故在清代一度遭到查禁。4. 信崇儒家的小说。书中对孔子、孟子、程朱的儒家，学说大都不是轻慢的，而是尊崇的。5. 宗本佛道的小说。见刘梦溪等：《红楼梦十五讲》，北京大学出版社2007年版。

② 赖瑞云：《寻找相对最像的“哈姆雷特”》，《光明日报》2016年5月16日第13版。

焦大喝了马尿才没有死，才有宁国公和荣国公两府，“水”字辈，宁公演，荣公源。荣国府这边，第二代是“代”字辈，贾代善，也就是贾母的丈夫。第三代则是“文”字辈。老大是贾赦，还可以承袭他祖父的勋爵。贾赦的弟弟，贾宝玉的爸爸贾政，就不能够承袭了，照理应该是去科举考试，去考一个官，是吧？这有难度，皇帝同情，就赏了他一个“主事”，后来升任到“员外郎”，属于正员以外官员。可能是有职务，没有编制。是不是？我没有把握。宁国府那边呢，到了第三代是贾敬，成天在庙里修道，妄求长生不老，不管事。第四代乃是“玉”字辈的，宁国府那边是贾珍，辈分和贾宝玉是一样的。贾珍吃喝玩乐，寻花问柳，其中包括在《红楼梦》的原稿里，跟他的儿媳妇——贾蓉的老婆秦可卿通奸。这是乱伦嘛，被发现了，秦可卿上吊死了，回目上叫“秦可卿淫丧天香楼”，后来删节了。[①]这真是腐烂得可以了。第四代是草字头辈的，贾珍的儿子贾蓉，弄了尤二姐、尤三姐，父子两个一起鬼混，你们可以想象吧。整个贾家的男人一代一代地垮下去。既没有道德，又没能耐，更没有责任感。贾家两府，烂得最严重的是宁国府，这是曹雪芹说明了的：“箕裘颓堕皆从敬”，“敬”就是贾敬；“家事消亡首罪宁”，“宁”就是宁国府。宁国府在腐烂之中，没有一个人感到这危机。而荣国府却稍有不同，贾政有危机感，他还想振兴祖业。曹雪芹给贾政命名的谐音是假正经，可能太苛刻了，其实我觉得不是假正经，真有点正经的，比较正统就是了。

对这个正统的人，作为人，我觉得应该对他宽厚一点，对他人道一点，应该承认他是一个正派人。虽然他有两个姨娘。什么是姨娘？就是小老婆。按规矩，可以在结婚以前就“收房”的。但是，像贾琏那样偷偷去乱搞腐化，再去搞二奶、三奶、X 奶之类的，就不正派了。

贾政有严重的危机感，主要是接班人的危机。长房贾赦的儿子贾琏，就是王熙凤的丈夫，浪荡的淫棍，没什么当官作宰、治家的能耐。唯一的希望就是稍微正经一点的贾宝玉。他不能世袭爵位了，只能通过科举考试。按现在的说法，要通过高考，不过淘汰率很高，不像今天录取率达到百分之六七十。贾政拿钱给他捐了一个秀才，让他直接参加举人的考试。在贾宝玉梦游太虚幻境之时，作者借警幻仙子的口转述宁荣二公在天之灵所嘱：

> 吾家自国朝定鼎以来，功名奕世，宝贵传流，虽历百年，奈运终数尽，不可挽回。子孙虽多，竟无一个可以继业者。惟嫡孙宝玉一人，秉性乖张，生情怪谲，虽聪明灵慧，略可望。[②]

---

① 《红楼梦》靖藏本回前总评，参阅：朱一玄编《红楼梦资料汇编》，南开大学出版社 2001 年版，第 233 页。

② （清）曹雪芹、高鹗：《红楼梦》（上），俞平伯校，启功注，人民文学出版社 2000 年版，第 56 页。

这段意思是说，男性后生都没什么希望了，就是贾宝玉比较有希望，希望你警告他一下，不要沉湎于女色，好好地承担起责任，振兴家业。

这个唯一像样的男性，在第二回，冷子兴说他“其聪明乖觉处，百个不及他一个”，但是，不愿意读八股文参加考试。认为那些考试的人都是“禄蠹”，禄就是俸禄，就是拿官方工资，蠹就是蛀虫。连跟他们谈话都懒。

贾府接班人不仅是品行的危机啊，而且是能耐的、运用权力的危机。譬如说，秦可卿死了，做丧事要有很大的排场，要安排几百个人的分工。整个宁国府，居然没一个男人具有管理的能耐。在这边荣国府，本来贾琏应该是管事的，但是，这个家伙完全是个二流子，那怎么办？只好把王熙凤请过去。说明什么呢？男性接班人的精神的危机、能力的危机、生命力的危机。那么多男性还不如一个文盲女人会运用权力。这在封建社会叫什么呢？叫“牝鸡司晨”，“牝鸡”是母鸡，“司晨”就是打鸣，本来这是公鸡的职责，可男人的品种退化了，只好让女人承担。我声明一下，牝鸡司晨是两三百年前的事，没有性别歧视的意思，请女同学不要误解（笑声）。

这里曹雪芹大笔浓墨地展开潜在的双重矛盾：第一，非常豪华的丧礼，一方面却没有任何一个男人，能具有掌控这样繁重事务的能耐；第二，虽然这么豪华，但是，经济上早就入不敷出了，也就是所谓“内囊”上早就空虚起来了。“百足之虫，死而不僵”，虽然历年都是亏空，寅吃卯粮，可排场不能不照旧，稍有减省，面子上就过不去。危机的严重性在于，从经济到人才都没有未来，但是，谁也不在乎，谁也不想未来，就是王熙凤有弄权的智慧，也只能照这个惯性向崩溃的深渊滑下去。

这种向深渊下滑的危机，却是在表面上最奢华、最辉煌、最光彩的时刻发展到最严重。在这“忽喇喇大厦将倾”之时，却来了个贾妃省亲造大观园的盛举。前后花了五六万两银子。五六万两银子是多少钱？让你们感受一下吧，刘姥姥进大观园，正是贾府表面鼎盛的时候，人们捉弄她，让她吃鸽子蛋，但给她银筷子，刘姥姥一夹就掉到地上，她要去捡，马上就有下面的人处理掉了。刘姥姥得知一个鸽子蛋值一两银子，一个菜二十多个，刘姥姥感叹了：二十多两银子，够我们庄户人家过一年的了。那么，贾家的经济一年的收入是多少呢？第八十八回，管家的周瑞讲：“奴才在这里经管地租庄子银钱出入，每年也有三五十万来往。”[①] 平时动不动就是二百两三百两地花，光是让贾芸种花，就二百两；小尼姑，原来放在大观园里，元春省亲完毕，送回庵里去，又二百两；至于宫里太监来“借”，动不动上千两地花。经济危机越来越严重，谁都不关心，不担心，就这么醉生梦死。贾政

① （清）曹雪芹、高鹗：《红楼梦》（下），俞平伯校，启功注，人民文学出版社2000年版，第980页。

是掌管这荣国府家族的家长，也稀里糊涂。第一百零六回，等到抄家事发，“管总的家人将近来支用簿子呈上。贾政看时，所入不敷所出，又加连年宫里花用，账上有在外浮借的也不少。再查东省地租，近年所交不及祖上一半，如今用度比祖上更加十倍。贾政不看则已，看了急得跺脚道：‘这了不得！我打量虽是琏儿管事，在家自有把持，岂知好几年头里已就寅年用了卯年的，还是这样装好看，竟把世职俸禄当作不打紧的事情，为什么不败呢！’”[①]寅吃卯粮，这个时辰把下个时辰的钱吃掉了，这个月把下个月的收入吃掉了，今年把明年的花掉了。这有点像美国人用信用卡，这个月把下个月的工资花掉了。但是，人家是有下个月的收入来保证信用的，你一连几个月收入抵不上，你的信用卡就作废了。

贾政说，到这种情况下，还不把国家的俸禄当一回事，意思就是贾宝玉都不想做官，这个钱哪里来呢，怎么来挽救这个经济危机呢？所以说，《红楼梦》的第一个高潮，就是贾宝玉挨揍，贾宝玉跟金钏儿开玩笑，其实没多大事，金钏儿被赶走，自杀了，又加上宝玉在外面和一个戏子交往，弄得权势比贾府还有权势的派人来兴师问罪。贾政郁积已久，就下狠心把贾宝玉往死里揍，打得躺在那不能起床了，为什么那么狠，那么毒？贾母都哭了，你把我的孙子，命根子打死，我就不跟你过了，弄得贾政跪下来了，说儿子不敢，事态搞得这么严重，为什么呢？接班人危机，这个家族完蛋了，唯一的有希望的人，他不想高考，他没有光宗耀祖的责任心，这个家族就没有未来了。

贾宝玉和贾政的矛盾，在于家族责任感：贾宝玉既没有危机感，也没有责任感，厌恶八股文，不走仕途经济之道。“经济”的意思是经国济世，所以蒋介石的儿子才叫作“经国”呀。那些在官场里翻腾的人，即使对贾宝玉非常尊重，他也是感到发腻。比如贾雨村，本是贫苦出身，走了科举之路，很会钻营，跟贾家套近乎，要见见他，贾宝玉很厌恶。经国济世是男性接班人的天职，而他厌恶男人，专门在女孩子堆里混。他对女孩子的评价可能是全世界最高的，直到现在还没有人超过。西方骑士文学最基本的精神是忠于王室，为女性去牺牲，但是还没有贾宝玉这样，对女性做绝对化的赞美，贬低男性。贾宝玉最著名的话就是，女人是水做的，男人是泥做的。看见女人呢，就觉得整个眼目清凉，看见男人就是感到污浊。（第二回）不过有一个条件，就是结婚之前，结了婚就坏了，光辉就没有了。第七十七回，司棋被逐，贾宝玉看到那些结了婚的妇女，那么无情地执行，他指着恨道：“奇怪，奇怪，怎么这些人只一嫁了汉子，染了男人的气味，就这样混帐起来，比男人更可杀了！”第五十九回，春燕说：“怨不得宝玉说：‘女孩儿未出嫁，是颗无价之宝珠；出了嫁，不知怎么就变出许多的不好的毛病来，虽是颗珠子，却没有光彩宝色，是颗死珠

---

① （清）曹雪芹、高鹗：《红楼梦》（下），俞平伯校，启功注，人民文学出版社2000年版，第1156页。

了；再老了，更变的不是珠子，竟是鱼眼睛了。分明一个人，怎么变出三样来？”贾宝玉觉得在女孩子堆里，在大观园里边，最自由，最幸福，最快乐，最干净，离开了大观园，就感到恶浊不堪。

这一点，实际上也是贾宝玉和他父亲矛盾的核心，因为男性有经国济世的责任，女孩子没有。她们要遵循三从四德，在家从父，出嫁从夫，夫死从子，她们是男性的附属品。男性经国济世的成功是她们生存的前提。贾宝玉和她们一起，拒绝去沾染禄蠹，就摆脱了经世济国的压力，获得了自由，但是从根本上说，他这样一来，就失去了让女性附属他的经济基础。但是，他仍然成为女儿国的君王，这是因为，他的先人、他的父亲在做禄蠹，承担着经世济国的事业。

二、绝对专一的“情痴”和泛爱

《红楼梦》的核心当然是贾宝玉和林黛玉的爱情。其特点是绝对的、排他的、不可替代的，除了林黛玉，即使换了薛宝钗那样美丽端庄的人物，也是要发疯的。

《红楼梦》中反反复复地强调这种爱情专一的绝对化。

大观园里边那么多女孩子，为什么非林黛玉不可呢？园里的女孩子都很漂亮。漂亮集中在两个人身上：林黛玉和薛宝钗。在我想象中，薛宝钗应该更漂亮。为什么呢？林黛玉虽然漂亮，但是太瘦，那时还没有今天才时髦的“骨感美人”之说，当然也没有减肥的风气。（笑声）林黛玉的女性美，是娇娇滴滴，弱不禁风，多愁善感。这可能是因为心眼太细，把感情看得太重，过敏、多疑，又有胃溃疡、失眠、神经官能症，还有肺结核。薛宝钗，用今天的眼光来看，当然更漂亮，很健康，至于说长得比较胖么，应该是丰满更为贴切，用你们的话来说，就是比较性感的。（大笑声）贾宝玉对林黛玉情有独钟，林黛玉一生闷气就哭，一发脾气就哭，拿贾宝玉出气。贾宝玉不检讨，当然哭，检讨了，还是哭，翻来覆去，反正是拿贾宝玉当受气包。在那男权社会中，这是很奇特的。贾宝玉在林黛玉面前，不但没有男性的优越感，更谈不上平等，有理没有理，都先承认自己不好，一味自贬，自贬有时达到自卑的程度。在我看来，在林黛玉闹得很凶的时候，贾宝玉连男性起码的自尊都没有了。有一次林黛玉不理他了，贾宝玉这样说：

> 我也知道我如今不好了，但只凭着怎么不好，万不敢在妹妹跟前有错处。便有一二分错处，你倒是或教导我，戒我下次，或骂我两句，打我两下，我都不灰心。谁知你总不理我，叫我摸不着头脑，少魂失魄，不知怎么样才好。就便死了，也是个屈

死鬼，任凭高僧高道忏悔也不能超升。还得你申明了缘故，我才得托生呢！[①]

林黛玉生气，贾宝玉求饶，犯不着这样糟蹋自己嘛！不要说是当时女人是男人的附属品，就是在现在，男女平等了，也很少有男孩子这样自轻自贱，这样没有自尊，这样不要脸的。（笑声）这简直是无条件投降嘛，（笑声）实际上，比无条件投降还糟。你想想看，不管有错没有错，都是自己错，不管错大错小，都要林黛玉"教导"，不但恳求"教导"，而且请求体罚，"打我几下"，请示责骂，"骂我两句"。条件仅仅是林黛玉不要不理睬他。你们看看，贾宝玉这样还像个男人吗？（笑声）这就是贾宝玉爱情的特点，《红楼梦》第二回将之概括为"情痴"。

"情痴"这一点，曹雪芹是有意识的：第二回，贾雨村说到像宝玉这种人：

置之于万万人中，其聪俊灵秀之气，则在万万人之上；其乖僻邪谬不近人情之态，又在万万人之下。若生于公侯富贵之家，则为情痴情种。[②]

曹雪芹借贾雨村之口说明，情痴者并不是真痴。在通常情况下，"聪俊灵秀"是超越"万万人之上"的，但是，一旦到了情感世界，从世俗眼光来看，就"乖僻邪谬不近人情"了。这一点，诸多评点家也是心领神会的。第五回，甲戌本侧批：

贵公子不怒而反退，却是宝玉天分中一段情痴。[③]

第十九回，庚辰本双行夹批：

极不通极胡说中写出绝代情痴，宜乎众人谓之疯傻。[④]

"绝代情痴"，至情之情，在众人，在局外人看来，是"极不通极胡说"，"谓之疯傻"。

第十八回，庚辰本双行夹批：

按理论之，则是"天下本无事，庸人自扰之"。若以儿女之情论之，则事必有之，事必有之，理又系今古小说中不能道得写得，谈情者不能说出讲出，情痴之至文也！[⑤]

这里强调的是，第一，是理与情的矛盾，从世俗眼光观之，是无理的，庸人自扰，但是从儿女之间，则是合情的，实际上是说，纯粹的真正的爱情是非理性的；第二，这种儿女情感，不但今古小说未能表现，而且"谈情者不能说出讲出"，这才是"情痴之至文"。

"情痴"是不讲理的，这一点可能是中外皆然。莎士比亚在《仲夏夜之梦》第五幕第一场借希波吕忒之口这样说："疯子、情人和诗人都是想象的产儿。"（The lunatic，the lover，and the poet are of imagination all compact）莎氏的意思不过就是说诗人时有疯语。疯语当然

① （清）曹雪芹、高鹗：《红楼梦》，俞平伯校，启功注，人民文学出版社2000年版，第293页。
② （清）曹雪芹、高鹗：《红楼梦》，俞平伯校，启功注，人民文学出版社2000年版，第20页。
③ 朱一玄编：《红楼梦研究资料汇编》，南开大学出版社2004年版，第159—160页。
④ 朱一玄编：《红楼梦研究资料汇编》，南开大学出版社2004年版，第302页。
⑤ 朱一玄编：《红楼梦研究资料汇编》，南开大学出版社2004年版，第286页。

超越了理性，但近于狂，狂之极端可能失之于暴。而《红楼梦》中贾宝玉的“痴语”超越理性，不近于狂暴，更近于迷（痴迷）。痴迷者，在逻辑上执于一端也，专注而且持久，近于迷醉，即所谓执迷。照理说，痴迷、执迷是一种欢乐，一种幸福感，但是，不管贾宝玉多么痴迷于黛玉，可林黛玉总是欢乐不起来，总是哭。委屈了哭，被宝玉感动了，也是哭，没有把握要哭，有了把握也是哭。其实，在爱情的痴迷上，黛玉和宝玉是一样的。但是，宝玉的性格核心乃是着迷于痴，痴之极乃疯；而黛玉则是着迷于悲，悲之极而泣，而殒。黛玉的执迷总是痛苦多于欢乐，即使偶有欢乐也是转化为悲苦。眼泪是流不完的，为了突出这一点，曹雪芹虚拟了一种因果的必然性：说林黛玉前世是绛珠仙草，贾宝玉前生是神瑛侍者，每日为仙草浇水；林黛玉今生的眼泪就是偿还贾宝玉前世所浇的水的。你们想想，每天一大壶，加起来，没有一条小溪，也有几大缸了。可是林黛玉的眼泪，虽然像自来水，但是，并不是非常豪迈地哗哗而下，而往往无声的，就是一滴也要慢慢积累，最后非常优雅地落下面颊，所以就没完没了。这两个人的爱情就在哭哭啼啼中尝尽甜酸苦辣。

薛宝钗呢，不但很漂亮，性格也很大方，上上下下还很得人心。曹雪芹在第五回中，这样介绍她：

> 来了一个薛宝钗，年纪虽然大不多，然品格端方，容貌丰美，人多谓黛玉所不及；而且宝钗行为豁达，随分从时，不比黛玉孤高自许，目下无尘，故比黛玉得下人之心。便是那小丫头们，亦多喜与宝钗去顽。[①]

宝钗从来不像黛玉那样动不动就和宝玉发脾气，闹矛盾。性格这么随和，人缘这么好，为什么贾宝玉就偏偏不爱她呢？在一段时期，主要是20世纪50年代以来，主流的权威理论是，在贾宝玉要不要参加科举、走仕途经济之路这一点上，两人判然不同。这一点，我们讲薛宝钗的时候，再详加分析。宝玉挨打，林黛玉也哭着劝过贾宝玉“你从此可都改了吧”（第三十四回）。和贾宝玉有过生理关系的袭人也威胁过他，说是要回家出嫁了。贾宝玉就吓得不得了，求她不要走。袭人就提出条件：要好好读书，不要骂什么禄蠹之类的，听父亲的话，走仕途经济之路。贾宝玉一口答应，还说，那些话是年纪小，不懂事，从今以后，都改。（第十九回）这样的思想分歧，并没能影响他和袭人的亲密关系。[②]

贾宝玉选择林黛玉，完全是情感的，而不是理性所能完全解释的，这在中国古典诗歌理论中叫作“无理而妙”“入痴而妙”[③]。爱情就是不讲理的，是无理的，是痴迷的；讲理的，

---

① （清）曹雪芹、高鹗：《红楼梦》（上），俞平伯校，启功注，人民文学出版社2000年版，第48页。

② 参阅本书论薛宝钗部分。

③ 贺贻孙（1637年前后在世）《诗筏》提出“妙在荒唐无理”，贺裳（1681年前后在世）和吴乔（1611—1695）提出“无理而妙”“入痴而妙”。沈雄（1653年前后在世）在《柳塘词话》卷四中说：“词家所谓无理而入妙，非深于情者不辨。”

像薛宝钗那样理性的，就没有爱情。走不走仕途经济之路，是理性的，和无理、痴迷的爱情的关系，不是那么必然的。贾宝玉选择这种无理、入痴，就是在通常的人际交往中也是很难解释的。林黛玉那么不好侍候，对贾宝玉每每没来由地怪罪（“歪派”）、讽刺、挖苦，可宝玉就是心甘情愿受她的折磨。一旦发现这种折磨可能结束了，就活不成了。第五十七回，紫鹃为了试探宝玉，说林黛玉迟早是要离开贾府的，理由是：“大了该出阁时，自然要送还林家的。终不成林家的女儿在你贾家一世不成？”而且把时间说得很紧迫：

> 早则明年春天，迟则秋天。这里纵不送去，林家亦必有人来接的。前日夜里姑娘和我说了，叫我告诉你：“将从前小时顽的东西，有他送你的，叫你都打点出来还他。他也将你送他的打叠了在那里呢。”宝玉听了，便如头顶上响了一个焦雷一般。紫鹃看他怎样回答，只不作声。

写到这里，作者把紫鹃支到贾母那里去，用晴雯的眼睛看宝玉。

> 晴雯见他呆呆的，一头热汗，满脸紫胀，忙拉他的手，一直到怡红院中。袭人见了这般，慌起来，只说时气所感，热汗被风扑了。无奈宝玉发热事犹小可，更觉两个眼珠儿直直的起来，口角边津液流出，皆不知觉。给他个枕头，他便睡下；扶他起来，他便坐着；倒了茶来，他便吃茶。

一听说林黛玉要离开，就痴了，神经不正常了，医生说“这症乃是急痛迷心”。这一切是众所周知的。事实上，后来贾府安排薛宝钗冒充林黛玉当新娘，贾宝玉发现了以后，当着薛宝钗的面，就毫无顾忌地大哭大闹起来，说是要和林黛玉睡到一起，死也死到一起。这种痴迷无疑是绝对的、专一的、不可替代的、不要命的。

贾宝玉这样不顾体面，不顾身份，如果林黛玉也和贾宝玉一样，两情相悦，心心相印，水乳交融，这就跟唐宋传奇、宋元话本中的《倩女离魂》《碾玉观音》一见钟情，生死不渝差不多了，那么《红楼梦》在艺术上也就没有多大出息了。但是，《红楼梦》中最精彩的地方，最经得起欣赏的就是，这两个痴爱者却往往吵吵闹闹，忍受着无限的痛苦。

《红楼梦》的伟大发现就在于越是相爱，越是互相折磨。即使贾宝玉在行为上、在语言上有极其明确的暗示甚至表白，二人是有基本的默契的，但是，林黛玉还是时时刻刻警惕。《红楼梦》中的精彩就在于：让这一对痴恋者陷入苦恋，不断地在心理上、语言上发生“错位”，而且让这种错位时不时地衍生，连锁性地运动、发展。这一点在《红楼梦》第二十九回有明确的交代：

> 原来那宝玉自幼生成有一种下流痴病，况从小时和黛玉耳鬓厮磨，心情相对；及如今稍明时事，又看了那些邪书僻传，凡远亲近友之家所见的那些闺英闱秀，皆未有稍及林黛玉者，所以早存了一段心事，只不好说出来。故每每或喜或怒，变尽法子，

暗中试探。那林黛玉偏生也是个有些痴病的，也每用假情试探。因你既将真心真意瞒了起来，只用假意，我也将真心真意瞒了起来，只用假意；如此两假相逢，终有一真。其间琐琐碎碎，难保不有口角之争。即如此刻，宝玉的心内想的是："别人不知我的心，还有可恕；难道你就不想我的心里眼里只有你！你不能为我烦恼，反来以这话奚落堵噎我，可见我心里一时一刻白有你，你竟心里没我。"心里这意思，只是口里说不出来。那林黛玉心里想着："你心里自然有我，虽有金玉相对之说，你岂是重这邪说，不重我的？我便时常提这金玉，你只管了然自若无闻的，方见得是待我重而毫无此心了。如何我只一提金玉的事，你就着急，可知你心里时时有金玉，见我一提，你又怕我多心，故意着急，安心哄我。"看来两个人原本是一个心，但都多生了枝叶，反弄成两个心了。那宝玉心中又想着："我不管怎么样都好，只要你随意，我便立刻因你死了也情愿。你知也罢，不知也罢，只由我的心，可见你方和我近，不和我远。"那林黛玉心里又想着："你只管你，你好我自好，你何必为我而自失。殊不知你失我自失。可见是你不叫我近你，有意叫我远你了。"如此看来，却都是求近之心，反弄成疏远之意。如此之话皆他二人素昔所存私心，也难备述，如今只述他们外面的形容。①

"求近之心，反弄成疏远之意"对相爱者心理错位的描述和分析，但是并不是《红楼梦》的特长，曹雪芹坦承自己对于相爱的人物内在的"私心"是难以"备述"的。纯用西方小说的心理分析法，这么一些话，没有什么生动的，而在《红楼梦》作者看来，心理分析是看不见，摸不着的，是不可靠的。第三十六回，作者就对"宝玉心中所怀"明言抱着"不可十分妄拟"②的态度。故《红楼梦》中一些涉及心理的语言十分简短，其功能也只是说明性的。看得见，摸得着的，那就是行为和语言，主要在对话和动作上。第二十九回罕见地点明"如今只述他们外面的形容"，无心于心理描写和分析，把重点放在外部可感的动作和对话上，作者是自觉的。正是因为这样，在《红楼梦》中，林黛玉和贾宝玉之间，不到关键之时，都不直陈胸臆，心口如一，总是旁敲侧击地暗示。这就产生了相互在理解上的错位，正是因为这样，这一对绝对相爱的恋人，却是深深陷入不断衍生的心理错位之中：错位的幅度不断运动，时而扩大，甚至在口头上撕心裂肺，处在破裂的边缘；时而缩小，到心有灵犀的程度，但是，在口头上，仍然保持距离。

林黛玉对贾宝玉总是无端指责，用紫鹃的话来说就是明明白白的"歪派"贾宝玉，对薛宝钗则暗攻。绝对的爱，有时变成绝对无情的话语，但绝对无情恰恰因为把情感看得绝

① （清）曹雪芹、高鹗：《红楼梦》（上），俞平伯校，启功注，人民文学出版社 2000 年版，第 315—316 页。

② （清）曹雪芹、高鹗：《红楼梦》（上），俞平伯校，启功注，人民文学出版社 2016 年版，第 386 页。

对重要。把话说得刻薄，正是把情感看得高于一切的结果。这就把爱情变成对所爱者的折磨，同时也是对自己的折磨。即使到第四十回以后，林黛玉已逐渐明确薛宝钗不是竞争者，不是情敌，也改变了对薛宝钗“藏奸”的成见，而薛姨妈又说起，贾母觉得林黛玉和贾宝玉是一对。但是，不管怎样，林黛玉就是不放心，动不动就有所讽喻。即使明明贾宝玉是爱慕于她，她也歪扯上宝钗。把最深刻的爱意变成进攻，一切复杂的、微妙的、现场的、郁积的，都集中表现在林黛玉带着机锋的对话中。

比较典型的是，第十九回，宝玉在黛玉身上闻得一股幽香，问什么香，黛玉冷道：“难道我也有什么‘罗汉’‘真人’给我些香不成？便是得了奇香，也没有亲哥哥亲兄弟弄了花儿、朵儿、霜儿、雪儿替我炮制。我有的是那些俗香罢了！”这本来是宝玉对黛玉的欣赏，黛玉却含沙射影到宝钗身上去。宝玉笑道：“凡我说一句，你就拉上这么些。”

这可以说，讲出黛玉和宝玉对话语义错位的规律。其精彩在于三个方面的因素。第一，从客观环境上来说，不可缓解的警惕性，危机感。第二，从林黛玉主观上来说，这不仅是为了防御，为了嘴上痛快，为了在宝玉面前建立一种心理优势。乐意看到贾宝玉的驯服，让宝玉更大限度地流露出真心，无理的“歪派”几乎成了一种本能。第三，也许更为重要，这是小说艺术决定的。没有恋人之间的心理错位，就没有心理奥秘的间接的、微妙的透露了，小说就没有艺术生命可言了。小说和诗不一样，在诗中相爱的人可以心心相印，而充满了诗意，如果把心心相印搬到小说，就没有人物性格可言了。只有让相爱的心心相错，而且让这种错位造成无休无止的相互折磨，才有人物心理的深层奥秘透视，也才可能超越一般才子佳人小说的历史水准。

第二十二回，两人又吵了，宝玉无法获得原谅，只好先离开，林黛玉见他去了，说道：“这一去，一辈子也别来，也别说话。”这话说得非常狠，非常绝情，但是，内涵很丰富。言内之意是，这一去，意味着永远绝交；言外之意，则是威胁：你这样一走，严重的后果是，从此一刀两断。

第二十八回，写到林黛玉到贾宝玉门前，丫头们误会没有开门，林黛玉惩罚贾宝玉，对贾宝玉不理不睬，弄得他“摸不着头脑，少魂失魄”，对她说“就便死了，也是个屈死鬼”。黛玉和宝玉沟通了，明白是“丫头们懒待动，丧声歪气的”。宝玉接着又发誓，要是有意如此“立刻就死了”！这样错位不是重合了吗？主人公不是可以卿卿我我了吗？但是，曹雪芹即使在这种明明可以心灵无间的地方，也让林黛玉的话语中带着钩子：

> “你的那些姑娘们。也该教训教训，只是我论理不该说。今儿得罪了我的事小，倘或明儿宝姑娘来，什么贝姑娘来，也得罪了，事情岂不大了。”说着抿着嘴笑。宝玉听了，又是咬牙，又是笑。

《红楼梦》的伟大天才就在于此，他不但在整体上不让有情人终成眷属，而且在片段的场景中，也要保持错位，哪怕是心照不宣的错位，不让绝对爱情享受心心相印的幸福。贾林的爱情总是充满心与心的错位造成的苦楚，但是，为什么又生死不渝、缠绵不已呢？这里的“又是咬牙，又是笑”中，透露着答案。无理地牵扯到宝姑娘、贝姑娘，纯属调笑性质。正是因为这样，眼泪浸透了的爱情才并不完全是痛苦，而是在心照不宣地增进幸福感。

对于林黛玉来说，爱情就是独占贾宝玉的一切感知，甚至连贾宝玉多看薛宝钗一眼，也会引起她带着警告意味的调侃。第二十八回，宝玉看到宝钗雪白一段酥臂，不觉动了羡慕之心，暗暗想道：“这个膀子要长在林妹妹身上，或者还得摸一摸，偏生长在他身上。”正是恨没福得摸，忽然想起“金玉”一事来，再看看宝钗形容，只见脸若银盆，眼似水杏，唇不点而红，眉不画而翠，比林黛玉另具一种妩媚风流，不觉就呆了。此时恰恰林黛玉看到了：

嘴里咬着手帕子笑呢。宝钗道：“你又禁不得风吹，怎么又站在那风口里？”林黛玉笑道：“何曾不是在屋里的。只因听见天上一声叫唤，出来瞧了瞧，原来是个呆雁。”薛宝钗道：“呆雁在那里呢？我也瞧一瞧。”林黛玉道：“我才出来，他就‘忒儿’一声飞了。”口里说着，将手里的帕子一甩，向宝玉脸上甩来。宝玉不防，正打在眼上，“嗳哟”了一声。

这当然不仅仅是即兴调侃，更多的是林黛玉的妒意见风就着火。即使贾宝玉明明白白告诉她：“除了老太太、老爷、太太这三个人，第四个就是妹妹了。要有第五个人，我也说个誓。”[①]林黛玉道：“你也不用说誓，我很知道你心里有‘妹妹’，但只是见了‘姐姐’，就把‘妹妹’忘了。”即使发出“天诛地灭，万世不得人身！”这个的咒语来，也还是不能解脱林黛玉的警惕心。弄到贾宝玉对他说出：“你死了，我当和尚去”。这样明确的誓言，本该是最能使她放心，把她和宝玉之间理解的错位幅度缩小到等于零，也就是完全重合，错位消失的。但是，林黛玉现场的反应恰恰相反，而是：

林黛玉一闻此言，登时将脸放下来，问道：“想是你要死了，胡说的是什么！你家倒有几个亲姐姐亲妹妹呢，明儿都死了，你几个身子去作和尚？明儿我倒把这话告诉别人去评评。”（第三十回）

对这样明确的表白，林黛玉反而很正统地谴责宝玉，还严厉到要公开化的程度（把这话告诉别人去评评）。这不是错位的幅度扩大到危险的地步了吗？但是，并不是，为什么呢？第一，从客观环境来说，提醒宝玉这样明白的表态风险太大了。所以“林黛玉直瞪瞪

---

① （清）曹雪芹、高鹗：《红楼梦》（上），俞平伯校，启功注，人民文学出版社 2016 年版，第 304 页。

的瞅了他半天，气的一声儿也说不出来”。第二，从林黛玉主观心理上看，她当然是乐于听这样的表白的，是最明确的甜言蜜语，但是，她的警惕性超越了对这种甜言蜜语的享受：再甜蜜也不能这样“造次”哦，这样公开化，太鲁莽了呀。你这傻瓜！如果真是这样，把这话告诉别人评理，公开化，对林黛玉有什么好处呢？这句话的精彩在于，表面绝情，而内在的动机是维护爱情。在这一点上，贾宝玉并不傻瓜，立即感到“造次”了，脸红了。写到这里，不是很够了吗？第三，但是，在曹雪芹看来，两个人完全心领神会对于小说艺术是不利的。不能让恋人绝对亲密无间，就是意会了，也不能在口头上说出来，还要让这两心心相印的人物保持哪怕是最后一点的距离。曹雪芹的天才就在于，在这样一个关键场景中，并没有让这种错位幅度静止化，而是让它运动着，变化着，在瞬息之间，扩大，缩小，在缩小到一定限度之时，又让它保持心照不宣的、微妙的错位。不过用的不是刚才那样明确的语言，而是一句没有说完的话。

黛玉见宝玉憋的脸上紫胀，便咬着牙用指头狠命的在他额颅上戳了一下，哼了一声，咬牙说道：“你这——”刚说了两个字，便又叹了一口气，仍拿起手帕子来擦眼泪。

口头上的谴责和行动上的亲切（咬着牙用指头狠命的在他额颅上戳了一下），这还不够，曹雪芹又让黛玉说了半句话。“你这——”这半句话比之整句话内涵要丰富深邃得多了：这是不能公开说出来的呀！写到这里曹雪芹的才气还没有用完。作为小说家，他不会心慈手软，硬是不让两个人就此亲密起来，而是让贾宝玉感动得流下泪来。要用帕子揩拭，不想又忘了带来，便用衫袖去擦。林黛玉虽然哭着，却一眼看见了，见他穿着簇新藕合纱衫，竟去拭泪，便一面自己拭着泪，一面回身将枕边搭的一方绡帕子拿起来，向宝玉怀里一摔，一语不发，仍掩面自泣。

这样“一摔”的动作，显然和前面的威胁有截然相反的意味。是两人的错位的幅度又进一步缩小：在贾宝玉感到获得解放了，心心相印了，错位幅度应该是等于零了。

宝玉见他摔了帕子来，忙接住拭了泪，又挨近前些，伸手拉了林黛玉一只手，笑道：“我的五脏都碎了，你还只是哭。走罢，我同你往老太太跟前去。”

但是，曹雪芹的伟大就在于，不但不让他们的心理错位消失，相反让他们保持一定距离。

林黛玉将手一摔道：“谁同你拉拉扯扯的。一天大似一天的，还这么涎皮赖脸的，连个道理也不知道。”

这正是林黛玉细心的地方，她的警惕心，不但在于薛宝钗，而且在于这样的环境，在于贾宝玉的粗心。这时，又用堂而皇之的正统逻辑拒绝贾宝玉的亲切，错位的幅度在缩小的过程中，又突然扩大了。绝对的爱情，虽然充满了那么多的痛苦，但是，痛苦中又渗透着那么多的甜蜜。这种甜蜜与痛苦交织的艺术，用今天的话来说，堪称富有“可持续性”。

曹雪芹的天才不同西方小说大师，他不借助大起大落的事变，在几乎不营造什么情节，不借助心理描写，仅凭对话和动作，就显示了恋人的情感微妙的运动、震荡、起伏。曹雪芹对人物情感错位纵横捭阖，操纵自如，实在了得。

到了第四十回以后，随着林黛玉对薛宝钗的误解的消除，贾林之间的错位的发作也逐渐消失了，逐渐淡化了。这不是万事大吉了吗？但是，绝对化的情痴必然造成的爱的隔膜，还在持续性发展。林黛玉的敏感使得她的心理危机一点也没有缓解。外部环境劣势仍然是林黛玉愁苦的根源。她老是忧虑爱情外在保障的匮乏。林黛玉虽然在大观园中有特殊待遇，但是，这一切都与爱情无关，反倒让她感到自己是外人，没有父亲母亲兄弟，没有保护者。亲情的伤感，转化为爱情的伤感。第六十七回，薛宝钗因薛蟠从南方做生意带来了许多东西，众姐妹各一份，而林黛玉是双份。但是，林黛玉却因无兄弟姊妹而伤感起来了。哭得眼泪都干了。第八十三回。她在病中，忽听外面一个人嚷嚷。

”你这不成人的小蹄子！你是个什么东西，来这园子里头混搅！”黛玉听了，大叫一声道：“这里住不得了。”一手指着窗外，两眼反插上去。原来黛玉住在大观园中，虽靠着贾母疼爱，然在别人身上，凡事终是寸步留心。听见窗外老婆子这样骂着，在别人呢，一句是贴不上的，竟像专骂着自己的。自思一个千金小姐，只因没了爹娘，不知何人指使这老婆子来这般辱骂，那里委屈得来，因此肝肠崩裂，哭晕去了。紫鹃只是哭叫：“姑娘怎么样了，快醒转来罢。”探春也叫了一回。半晌，黛玉回过这口气，还说不出话来，那只手仍向窗外指着。

后来一了解，原来是一个老婆子在骂外孙女儿，偷吃了她分管的果子。不管大家如何劝说，她还是一味流泪，对自己的健康前景悲观。不管什么正面、负面的信息，都会引起她的患得患失。宝玉失了玉，她“反自喜欢，心里说道：‘和尚道士的话真个信不得。果真金玉有缘，宝玉如何能把这玉丢了呢。或者因我之事，拆散他们的金玉，也未可知。’想了半天，更觉安心”。第八十二回，听到老婆子嘟囔，说像黛玉这样的人，只有宝玉才配得上，她听了的感受是这样的：

一时晚妆将卸，黛玉进了套间，猛抬头看见了荔枝瓶，不禁想起日间老婆子的一番混话，甚是刺心。当此黄昏人静，千愁万绪，堆上心来。想起自己身上不牢，年纪又大了。看宝玉的光景，心里虽没别人，但是老太太舅母又不见有半点意思。深恨父母在时，何不早定了这头婚姻。又转念一想道：“倘若父母在时，别处定了婚姻，怎能够似宝玉这般人才心地，不如此时尚有可图。”心内一上一下，辗转缠绵，竟像辘轳一般。叹了一回气，掉了几点泪，无情无绪，和衣倒下。

同一回，作者让她做梦，说是后母将她许配了，接她回去。

（黛玉）问宝玉道："我是死活打定主意的了。你到底叫我去不去？"宝玉道："我说叫你住下。你不信我的话，你就瞧瞧我的心。"说着，就拿着一把小刀子往胸口上一划，只见鲜血直流。黛玉吓得魂飞魄散，忙用手握着宝玉的心窝，哭道："你怎么做出这个事来，你先来杀了我罢！"宝玉道："不怕，我拿我的心给你瞧。"还把手在划开的地方儿乱抓。黛玉又颤又哭，又怕人撞破，抱住宝玉痛哭。宝玉道："不好了，我的心没有了，活不得了。"说着，眼睛往上一翻，咕咚就倒了。黛玉拼命放声大哭。只听见紫鹃叫道："姑娘，姑娘，怎么魇住了？快醒醒儿脱了衣服睡罢。"黛玉一翻身，却原来是一场恶梦。

第八十三回，医生对她的论断是"六脉皆弦，因平日郁结所致"，"即日间听见不干自己的事，也必要动气，且多疑多惧。不知者疑为性情乖诞，其实因肝阴亏损，心气衰耗"。《红楼梦》很少直接做心理分析的，在必要时，只好借医生之口（对话），将黛玉的病理做心理分析。点明以后，心理就顺理成章彻底转化为病理了。林黛玉的健康状况恶化了，痰中有血了。这才是致命的。待到林黛玉自己看到吐出来血，"心已灰了一半"。在最为绝望的时候，完全是自我摧残，故意不盖被子。这说明把爱情看比生命更为重要，而不是把生命作为爱情的基础。这个悲剧的深邃在于，封建文化体制性和林黛玉心理个性的双重因果性。这里有《红楼梦》最深邃的特点。不像西方现实主义小说理论，把悲剧仅仅归结为环境，并不完全是大观园的典型环境造成了林黛玉这样多愁善感的典型性格。

至于后来贾母决策，也是出于爱，不过爱是复杂的、错位的。贾母肯定是特别钟爱宝玉和黛玉的，但是，所爱却是错位得厉害。黛玉临终说："老太太，你白疼我了。"你什么都特别地疼爱我，可是我最要命的一点上，你却没有疼我。贾母肯定是最爱宝玉的，正是为了疼爱他，才为他选择了身体健康、脾气又好的宝钗，但是，这种爱却导致了宝玉的疯傻。贾母道："林丫头那孩子倒罢了，只是心重些，所以身子就不大很结实了。要赌灵性儿，也和宝丫头不差什么；要赌宽厚待人里头，却不济他宝姐姐有耽待、有尽让了。"[①]这样的评价，应该是公允的。鲁迅在《中国小说史略》中说到选择薛宝钗，而不选择林黛玉的原因是"以黛玉羸弱，乃迎宝钗"。[②]婚姻的天平向薛宝钗方面倾斜，当然是贾母对宝钗的疼爱，但是，这种爱的结果却是让她守活寡。

---

① （清）曹雪芹、高鹗：《红楼梦》（下），俞平伯校，启功注，人民文学出版社 2016 年版，第 941 页。

② 《鲁迅全集》第九卷，人民文学出版社 2005 年版，第 241 页。

三、从泛爱到无爱

曹雪芹的伟大之处还在于，他没有把贾宝玉理想化，没有脱离历史条件，把他绝对纯洁化。相反，他为这种绝对专一的情痴营造了一种并不绝对的专一的两性关系的等级体制环境。在贾宝玉理想的乐园里边，都是漂亮的少女。可以说是青春少女的王国。国王就是他。但是，他并未擅用国王的最高权威。对于女性，尤其是青春女性的感情却是普泛的。在贾宝玉这里，主子与女性奴仆之间，森严的等级是淡化到几乎是不存在的，给人一种绝对平等的感觉。

他对一切年轻的女孩子的爱是一种“泛爱”，从不以他的权势地位去分别对待。

不管是自己房中的丫鬟如晴雯、小红，还是林黛玉房中的紫鹃、雪雁，抑或是他人的小妾如平儿、香菱，他都以平等待之。丫头们可以对他顶撞、生气，有时还会气得他手发抖，也没有什么严重的后果，他可以忘记主子的身份对之赔礼道歉。不但如此，每每以能为像平儿这样的小妾暗中做一点好事，尽一份心而自慰。第六十回，第六十一回，还为了保护柳五儿和彩云，顶替了偷玫瑰露的事。这种对女性的泛爱，有着某种超越生理的性质。对这一点，林黛玉似乎也是坦然接受的。哪怕是吃女孩子的嘴上的胭脂，也视为平常。曹雪芹将之与贾琏、贾珍、贾瑞等的肉欲做了严格的区分，叫作“意淫”。在第五回中，警幻仙子与宝玉对话：

> “自古来多少轻薄浪子，皆以‘好色不淫’为饰，又以‘情而不淫’作案，此皆饰非掩丑之语也。好色即淫，知情更淫。是以巫山之会，云雨之欢，皆由既悦其色，复恋其情所致也。吾所爱汝者，乃天下古今第一淫人也。”宝玉听了，唬的忙答道：“仙姑差了。我因懒于读书，家父母尚每垂训饬，岂敢再冒‘淫’字？况且年纪尚小。不知‘淫’字为何物。”警幻道：“非也。淫虽一理，意则有别。如世之好淫者，不过悦容貌，喜歌舞，调笑无厌，云雨无时，恨不能尽天下之美女供我片时之趣兴。此皆皮肤淫滥之蠢物耳。如尔则天分中生成一段痴情，吾辈推之为‘意淫’。‘意淫’二字，惟心会而不可口传，可神通而不可语达。汝今独得此二字，在闺阁中，固可为良友，然于世道中未免迂阔怪诡，百口嘲谤，万目睚眦。”

警幻仙子说“淫虽一理，意则有别”。她把“淫”分为两个档次。第一，“世之好淫者，不过悦容貌，喜歌舞，调笑无厌，云雨无时，恨不能尽天下之美女供我片时之趣兴。此皆皮肤淫滥之蠢物耳”，这是肉体欲望之“淫”。第二，宝玉的“意淫”，“在闺阁中，固可为良友”，良友乃是超越肉欲的，故警幻仙子答他为“天下古今第一淫人”。他就在这青春的女儿国里超越肉欲，逃离男性必然要走的仕途经济之路。他的理想是女孩子长大了，也不出嫁，永远年轻，永远无忧无虑相守。第八十一回，宝玉从外面回来，突然放声大哭起来。黛玉问怎么了？宝玉说，还不如早死的好。为什么呢？

> 我想人到了大的时候，为什么要嫁？嫁出去受人家这般苦楚！还记得咱们初结“海棠社”的时候，大家吟诗做东道，那时候何等热闹。如今宝姐姐家去了，连香菱也不能过来，二姐姐又出了门子了，几个知心知意的人都不在一处，弄得这样光景。我原打算去告诉老太太接二姐姐回来，谁知太太不依，倒说我呆、混说，我又不敢言语。这不多几时，你瞧瞧，园中光景，已经大变了。若再过几年，又不知怎么样了。故此越想不由人不心里难受起来。

第十九回，袭人说总有一天要回去出嫁，宝玉就求她不要走，永远厮守。

> 只求你们同看着我，守着我，等我有一日化成了飞灰，——飞灰还不好，灰还有形有迹，还有知识。——等我化成一股轻烟，风一吹便散了的时候，你们也管不得我，我也顾不得你们了。那时凭我去，我也凭你们爱那里去就去了。

他说，他藐视那些仕途经济者，口头上说什么“文死谏”“武死战”，实际上是“只顾邀名”。他的理想死亡则是：

> 比如我此时若果有造化，该死于此时的，趁你们在，我就死了，再能够你们哭我的眼泪流成大河，把我的尸首漂起来，送到那鸦雀不到的幽僻之处，随风化了，自此再不要托生为人，就是我死的得时了。（第三十六回）

贾宝玉这样“意淫”的理想显然是诗化了的，纯洁的。但是，《红楼梦》在这一点上，似乎并不回避纯洁的对立面，并没有完全让贾宝玉绝对超越肉欲，而是让他往往打擦边球。我的朋友刘再复先生，就把贾宝玉的理想化为“基督式的人物”。

> 在茫茫的人间世界里，唯有此一个男性生命能充分发现女儿国的诗化生命，能充分看到她们无可比拟的价值，能理解他们的重合暗示着怎样的精神方向，也唯有此一个男性生命能与她共心灵，共脉搏，共命运，共悲欢，共歌哭……[①]

还说在贾宝玉这个“基督式的人物”的内心：

> 心里没有敌人，没有仇人，也没有坏人，他不仅没有敌我界限，也没有等级界限，也没有门第界限，没有尊卑界限，没有贫富界限，甚至也没有雅俗界限。这是一颗真正的齐物的平常之心，一颗天然确认人格平等的大爱之心。[②]

① 刘梦溪等：《红楼梦十五讲》，北京大学出版社 2007 年版，第 353 页。
② 刘梦溪等：《红楼梦十五讲》，北京大学出版社 2007 年版，第 354 页。

这在我看来，这真是有点离谱了。首先，从意识形态来说，简直是毛泽东在《为人民服务》中所赞美的理想的“纯粹的人”。其次，这样的人，内心很贫乏，很抽象，只是一个“爱”的符号。这种爱，有点像黑格尔的绝对精神，而没有“敌我”“等级”“尊卑”“雅俗”的区别，则违背了黑格尔的对立统一律。说得明白一点，这样一个抽象“基督式的”贾宝玉，已经不是人，而是神。美国哥伦比亚大学教授夏志清先生在《中国小说史论》中说，贾宝玉在中国传统文化中要绝对平等、人道地对待女性是不可能的。除非他是处在“西方文化背景之中”，他才可能像陀思妥耶夫斯基在《卡拉马佐夫兄弟》中的长老佐西玛和阿廖沙那样“重新获得人类的美德使余生成为仁慈博爱的榜样”。只有在这样的情况下，“他一定会更加疼爱宝钗和袭人，更加同情她们惟有奉献而得不到补偿的状况。可是曹雪芹当然不可能创造出一个基督徒的故事，所以表面上看，他写了一个具有佛道色彩的喜剧，展示出为欲望和痛苦所纠缠的人类的无望，以及主人公和另外几个出色的人获得解救”①。

夏先生提示了我们，这种基督精神，只有在西方基督文化的土壤中才能开花，不可能在中国传统文化中产生。在中国传统文化土壤中只能产生佛道文化，以中国特有的模式去解决灵魂解脱的问题。

其实，只要回到文本中来研判，和宝玉接触的女性，显然有好坏之分的。像晴雯嫂子那样的骚包，把他强制性地拥抱，用腿夹住他，他不是吓得半死吗？②贾宝玉看着那些老牌女仆把司棋强行驱逐，“恨的只瞪着他们，看已去远，方指着恨道：‘奇怪，奇怪，怎么这些人只一嫁了汉子，染了男人的气味，就这样混帐起来，比男人更可杀了！’”（七十七回）贾宝玉眼中的人不是没有等级的，最明显的就是，第二十八回，贾宝玉对林黛玉说了掏心窝子的话：

> 我心里的事也难对你说，日后自然明白。除了老太太、老爷、太太这三个人，第四个就是妹妹了。③

第一层次，骨肉亲情是第一等级，性质是贵族宗法血统性质的。等级是森严的，就是林黛玉也只能排在第四。

第二层次，则是男人和女人，女人是高级的，男人是低级的，当然，这里除了他的父亲。

---

① 夏志清：《中国古典小说史论》，胡益民等译，陈正发校，江西人民出版社2001年版，第306页。

② 这里要说明一点，按脂砚斋本，这个嫂子虽然骚包，但是还是有限度地放了来看晴雯的宝玉；而按程乙本，则是这个骚包挟持宝玉不成，是由于外面有人喊叫打断。参阅曹雪芹、高鹗《红楼梦》，人民文学出版社1957年版，第1013—1014页。故夏志清先生在《中国小说史论》中，对程乙本此处对脂本的修改，特别赞赏。

③（清）曹雪芹、高鹗：《红楼梦》（上），俞平伯校，启功注，人民文学出版社2000年版，第304页。

第三层次，就是女人也是有等级的，结婚以前是高级的，结了婚，就变低级了。当然，除了他的母亲和祖母，还有他的嫂子李纨、王熙凤。而老婆子则是等而下之的。

就是在贾宝玉的女儿国中也并不是绝对平等的，这里有两个档次，第一档是贵族，有血缘关系的，林黛玉、薛宝钗，然后是其他众多姐妹、迎春、探春、惜春、表姐妹史湘云等。第二档是奴仆，以袭人为首，她和贾宝玉有过生理的关系，是他母亲有意放在他身边当妾，她是可以批评、威胁宝玉要出嫁的；其次，就是晴雯，最泼辣的，最尖锐的，最天真的，最不跟老规矩妥协的，眼睛里最揉不下沙子的。贾宝玉得罪了晴雯，晴雯生气了，贾宝玉跟她赔不是，晴雯不理他。因为扇子跌破了，扇子有什么了不起呢？你就这么发火。宝玉说没关系，拿去撕吧，家里一大堆，你撕。晴雯说拿来我就撕。那贾宝玉就把别的丫头的扇子拿给她，晴雯就一边笑，一边再撕，就听那个声音，感到快乐。

贾宝玉习惯了跟女奴仆有一些身体的接触，因为他是主子嘛，连吃女孩子的嘴唇上的胭脂都无所谓。但是，这可能限于女奴仆，要吃林黛玉、薛宝钗嘴唇上的胭脂就不可想象了。当然，有一些自尊心的女孩子就不让他碰。紫鹃是林黛玉的丫头，她有一次穿得比较薄，宝玉寻思摸摸。哎哟，这个太薄了吗？紫鹃说，不要动手动脚，一年大两年小的，要尊重一点。贾宝玉也没有怎么样她。

当然，这种平等是有限的，贾宝玉发起主子脾气来就不平等了。有一次贾宝玉从外面回来，叫门，丫头没听出来是他，不开。袭人去开，贾宝玉不知道袭人，一脚踢过去，袭人吐血了。他毕竟是个公子哥儿，虽然他自以为是平等的，但是，他是怎么想的呢？

> 宝玉一肚子没好气，满心里要把开门的踢几脚，及开了门，并不看真是谁，还只当是那些小丫头子们，便抬腿踢在肋上。袭人“嗳哟”了一声。宝玉还骂道：“下流东西们！我素日担待你们得了意，一点儿也不怕，越发拿我取笑儿了。”①

贾宝玉后悔不及，因为是袭人，如果是别的丫头，就谈不上后悔了。

显然，即便是对丫头们平等，也还是有等级的，远远没有达到刘再复先生所说的“大包容、大悲悯，大关怀的基督之心”，“没有等级的界限”。有基督之心的人，会把曾经睡过觉的女人和小丫头分成两类，一类是可以踢的，一类是不可以踢的吗？

贾宝玉周围的女孩子都特别漂亮，但是贾宝玉也不完全是看漂亮的。薛蟠后来的老婆，叫夏金桂，是非常泼辣的，心术非常坏，折磨香菱，弄得薛姨妈没办法。薛蟠关在监牢里要判刑了，她就勾引薛蟠的堂弟薛科，也没勾引成。这样一个坏女人，贾宝玉感到很奇怪，漂亮女孩子都是很善良的，怎么有这样的人呢？他看金桂，举止形容也不乖戾，一般都是

---

① （清）曹雪芹、高鹗：《红楼梦》（上），俞平伯校，启功注，人民文学出版社2000年版，第326页。

鲜花嫩柳。这么漂亮的人心术这么坏呢？漂亮的人就应该心术很好啊。这么说，硬要说在宝玉心目中，“没有雅俗的界限”，就有点站不住脚了。

刘先生说贾宝玉“只知爱，不知欲望为何物”①，也与文本不符。与袭人“初试云雨情”，（有一个版本上是“重试云雨情”）就说明一切了。他觉得每一个女孩子都是可狎昵的，她们应该喜欢自己的，应该天然地拥有每一个女孩子的情感。第三十六回写他碰了一个大钉子。他看见龄官用花瓣在地上铺了一个“蔷”字，蔷薇的蔷啊。他有一个远房的侄子，叫贾蔷，是戏班子的领头人。这个龄官就喜欢贾蔷，龄官表达爱情的方式有点像西方人的方式。我大学生时代看过法国艾吕雅的诗，表达爱情的，大意说在水上，在沙上，我写上你的名字，在哪里，在哪里，到处写上你的名字。贾宝玉很喜欢这个女孩子，就过去套近乎，龄官理都不理他，很烦他。这就给贾宝玉极大的刺激，本来他对袭人说过，他的理想是，他死了以后许多女孩子都来哭他一个人，眼泪把他飘起来，不管飘到哪里去了，都是幸福的。他说的眼泪包括所有的女孩子的眼泪。看到贾蔷和龄官这一幕，他感到错了，“我竟不能全得了。从此后，只是各人各得眼泪罢了”②。他为此深感遗憾。

刘再复先生讲贾宝玉非常的理想，几乎达到圣人的纯洁的境界。但是我认为，贾宝玉的这种泛爱，或者用《红楼梦》里的话来说，是“意淫”。一般来说，超生理的。但是，他跟女孩子关系也不是绝对纯洁的，他毕竟是一个男性，不可能绝对是个精神的“意淫”，更何况，《红楼梦》明确交代过，他跟袭人初试云雨。甲戌本第六回前总评曰：“宝玉、袭人亦大家常事耳，写得是已全领警幻意淫之训。”③这显然有点自相矛盾。既然是超肉欲的意淫，为什么要试云雨？按甲戌本回前总评，就是让他试了一回，就浅尝辄止了。肉欲一尝，是那样容易控制的吗？这是《红楼梦》留下的神秘之笔，有时候也是超越意淫的暗示的。晴雯死之前，贾宝玉去看她。晴雯最后把自己贴身的小背心，脱了件给他穿上，然后说，早知今天这样，白扣了一个空名。这就是说，他本来是对一切女孩子都可以有肉欲之欢的，但是，他没有。他对一切年轻女孩子基本上是好心对待，有时，还以拼尽一份心而自慰，连犯错误的也拉到自己身上，加以保护，是无条件的。发现五儿比较像晴雯，特地把五儿从王熙凤那边调到身边。他那时和薛宝钗结婚了。第一百零九回，他晚上要喝茶，五儿端茶过来，他看到她非常像晴雯，以至于盯着她看忘记接茶了。他说你坐下，坐到我边上，我要跟你说说话。那个五儿就讲，你这个躺在边上我没法坐啊。他就靠到里边去了，他说，你靠近点。五儿说不妥。

---

① 刘梦溪等：《红楼梦十五讲》，北京大学出版社2007年版，第354页。

② （清）曹雪芹、高鹗：《红楼梦》（上），俞平伯校，启功注，人民文学出版社2000年版，第386页。

③ 朱一玄编：《红楼梦资料汇编》，南开大学出版社2001年版，第166页。

宝玉道："这个何妨。那一年冷天，也是你晴雯姐姐和你麝月姐姐顽，我怕冻着他，还把他揽在一个被窝儿里呢。这有什么的！大凡一个人总不要酸文假醋才好。"五儿听了，句句都是宝玉调戏之意。那知这位呆爷却是实心实意的话儿。五儿此时走开不好，站着不好，坐下不好，倒没了主意了，因拿眼一溜，抿着嘴儿笑道："你别混说了，看人家听见这是什么意思。怨不得人家说你专在女孩儿身上用工夫，你自己放着二奶奶和袭人姐姐，都是仙人儿似的，只爱和别人混搅。明儿再说这些话，我回了二奶奶，看你什么脸见人。"①

宝玉碰了这么一个大钉子。这件事我非常怀疑，他和晴雯、麝月可能是绝对的柏拉图式的关系吗？《红楼梦》里用了一个词非常严重，五儿觉得他有"调戏之意"。他跟女孩子接触，我觉得主要是精神的。但是不排除生理的，因为他是男人，他是少爷嘛。他对性的感觉还是有的，说是圣人，可能是谈不上。但是，正是因为他不是圣人，他才是一个活生生的艺术形象。

《红楼梦》写这些并不是要揭露他超越"意淫"，而是表扬他。他是贵族，他本来有权对每一个丫头做任何事情。但是他还是比较尊重这个五儿的。你不给我面子就算了。这一点来说，应该说没有超越"意淫"的最后界限。这个意淫，也就是泛爱，就是每一个漂亮姑娘都喜欢。并不排除身体的亲密，有固然好，没有当然遗憾，但是没有强制。

和他所不爱的薛宝钗，当然不同，但是，《红楼梦》毫不回避贾宝玉的生理冲动。

发现了薛宝钗冒充林黛玉，他也曾大哭大闹，要死要活。但是，时间久了以后，贾宝玉看见薛宝钗贴近身边，也很漂亮，也动心，于是《红楼梦》就写了一句话，"旧病发作"。这种用语是贬义的。那"旧病"是什么呢？就是和袭人做的那个"病"。薛宝钗是非常冷静、非常理性，说，目前不行，你身体不大好，你好好养你身体。我们夫妻不在一日之长短，还是调养好再说。贾宝玉也没话说。时间久了，心里惭愧。原来睡在外面，然后就搬到里面跟薛宝钗住在一起了。两个人就相当缠绵了一番。在贾宝玉来说，是负荆请罪。在薛宝钗来说，算了，也好安慰他一下，让他忘了林黛玉。就半推半就，就恩爱缠绵。

缠绵到什么程度？贾宝玉开始对薛宝钗有些感情了。喜欢到什么程度？有一次薛宝钗跟他站在这个亭子里讲话。贾宝玉被父亲叫到外面应酬。书童焙茗陪他去，刚走了不久，焙茗又回来了，说二爷啊，也就是贾宝玉，叫我回，告诉二奶奶，就是薛宝钗。叫二奶奶，风很大，当心吹着，还是进去说话吧。所有人都大吃一惊，贾宝玉变得非常多情。这是一个矛盾。他虽然泛爱，但非常痴情专爱这个林黛玉。因为林黛玉而疯，而不省人事，变成

① （清）曹雪芹、高鹗：《红楼梦》（上），俞平伯校，启功注，人民文学出版社2000年版，第1182—1183页。

一个傻瓜。这个冒充林黛玉的人他是不喜欢的。但是时间长了以后，他也跟她有感情起来。当然，这种感情更像是礼貌，和与林黛玉那种生生死死不可同日而语。

从整个《红楼梦》来看，这种感情似乎是短时间的，即使欲望得到满足，还是要脱离这个家族去出家。这当然是大环境中，一夫多妻制所决定的。在这个封建大家族中有一个现在看来是绝对荒谬规矩，那就是男孩子少年时期，尚未正式结婚，就可以纳妾，把丫头"收房"，结婚以后，则更是名正言顺地可以继续收房。这种男性特权从根本上决定了贾宝玉把欲望和爱情加以分离，曹雪芹似乎对这种未能免俗似乎也无批评之意。女仆即使与少爷即使有肉体关系，甚至收了房，也还是奴隶，这和主子阶层的林黛玉和贾宝玉的感情，在性质上不同，故林黛玉对之并不在意，表现得很大度。贾宝玉和袭人，甚至晴雯，有着不一般的关系，林黛玉是心知肚明的，贾宝玉对一般女孩子的泛爱主义，她并不计较。她甚至和贾宝玉一起修改悼念晴雯的《芙蓉诔》，对贾宝玉的"红绡帐里，公子多情，黄土垄中，女儿薄命"中的"红绡帐里"，提出"未免熟滥些"，改成了比较含蓄的"茜纱窗下"（第七十九回）。林黛玉似乎胸无芥蒂，但是，对于明显带着同床意味的"红绡帐里"还是超出了她最大的容忍限度。

虽然体制如此，《红楼梦》仍把情和欲分得很清楚。没有让贾宝玉滥用这种体制放纵，没有让他和薛蟠、贾琏沆瀣一气，同流合污。对纵欲者贾瑞不惜以漫画式闹剧鞭挞。在曹雪芹心目中，爱情是专一的，性欲是可以不专一的。这种性欲的不专一，贾宝玉不以为意。曹雪芹并没有把贾宝玉的爱情绝对理想化。夏志清先生说：宝钗嫁给宝玉以后，虽然很委屈，但是她负起了妻子的责任，帮助他恢复健康和正常人的精神和情感。可是，"宝玉在恢复了知觉之后，却莫名其妙地冷淡她。她情愿放弃安乐、财富和地位，情愿弃绝夫妇之爱，她要求宝玉的（也是袭人要求的）是体贴和慈爱"①。

然而，宝玉生理的需求是有的，精神上对她却十分冷淡，无异于一块石头。从真正的基督的精神来看，这太残忍了。贾宝玉哪里还像刘先生所说的"发现女儿国的诗化生命，能充分看到她们无可比拟的价值"，这个"唯一男性"，哪里还有什么"人格平等的大爱之心"！夏志清先生觉得，贾宝玉对薛宝钗亏欠一个道歉。但是贾宝玉没有。他出家，只对父母跪拜道歉，说明他的内心仍然限于佛家和儒家"孝道"之间，故对于薛宝钗和袭人则毫无歉意。从某种意义上说，他连民间道教的精神都不完全。按民间传说，韩湘子得道，还要锲而不舍，"九度文公十度妻"呢。

正是因为儒家一夫多妻体制，贾宝玉的爱情专一（妻）和肉欲的多元（妾）结合得很自然。

---

① 夏志清：《中国古典小说史论》，胡益民等译，陈正发校，江西人民出版社 2001 年版，第 301 页。

这一点，他好像不如鲁迅。

你们可能不知道啊，包办婚姻，父母之命，媒妁之言，决定一切。我们父辈结婚前往往是连面也没见过的，有如摸彩。有时，摸到头彩；有时，就是末彩了。叶圣陶先生说，他就摸到了头彩。鲁迅可真的摸了个末彩。他在日本留学，有人回来说他在日本，跟一个日本女人在携手游园。他母亲感到很紧张，怕他不回来，就写信，说妈病重。鲁迅就回来了，发现张灯结彩。面对妈妈送他一个礼物，鲁迅无可奈何，三天以后就跑掉了。以后在北京也同住，但是不跟她发生关系。朱安就说，你们老说我不生孩子，但大先生不跟我同房。

从这个意义上说，贾宝玉没有鲁迅那么严肃。（笑声）对情欲的事，我为什么要讲这么多呢？我们来理解贾宝玉，应该严格地具体分析。他的爱有两个层次，第一个层次，是精神层次，纯粹精神的是林黛玉；第二个层次，就是生命的层次，生理的欲望的层次。但是，贾宝玉还是值得我们称赞。尽管和薛宝钗结婚了，尽管跟她缠绵了，让她怀孕了，我还是看破了；既然爱不到我最爱的，我就不爱了，当和尚去了。归根到底，贾宝玉的爱情，是非常专一的，把自己的爱情看得像生命一样。爱情没有了，虽然生理上可以满足，但精神上我就不能再忍受，生了个孩子留下来，那是为了报答亲情。所以许多论者，非常不满意后四十回，既然贾宝玉要出家，干吗又生个孩子呢？你干吗又中个举人呢？这不违背了前八十回拒绝科举、仕途的初衷吗？纯粹是续作者对曹雪芹的歪曲，那家庭的悲剧留下了个不和谐的尾巴。[①]

我想，后四十回这个肯定不是曹雪芹独自完成的，或者是有一些遗稿，但我觉得是比较现实的。因为贾宝玉除了爱情以外还有亲情，他觉得对他父亲母亲、对他祖母有责任。他曾经跟林黛玉表白。林黛玉你在我贾宝玉心目中什么地位你知道吗？是不是第一？不是。他说，除了老太太、老爷、太太，第四个就是你。老太太是谁——贾母，最疼爱他；第二是他父亲——贾政，他希望他继承家业；第三是他母亲——王夫人，身体发肤受之父母；林黛玉排第四。虽然可以为爱情牺牲世俗的生活，但是亲情还是排在爱情之上的。他留下个种子，为了亲情中了举人，亲情交代完了，我走我的路。我们讲审美价值的学者，往往有意无意地把情感价值仅仅限于爱情，殊不知，亲情也是情感，也属于审美价值。贾宝玉并没有突破“百善孝为先”儒家文化价值。他也曾想到自杀：“欲待寻死，又想着梦中之言，又恐老太太、太太生气，又不能撩开。”他对父母是有愧疚的，因而临别时要跪拜，而

---

① 最近的权威论述是冯其庸先生在《瓜饭楼重校评批红楼梦》（下）：“后四十回的评语，认为不反科举，反而去应试中乡魁这一点，是续作者的思想。与曹雪芹原来的构思是不合的。”青岛出版社 2013 年版，第 2012 页。笔者以为不然。主要是爱情本来就在亲情之下，居第四位，爱情没有了，但是亲情还是不能背离的。

妻子本该也是亲情，但是，他对妻子薛宝钗却不觉得有责任感，没有负疚感。

这个结局把孝道放在夫妻之道之上，其文化价值是中国独特的，相当深邃的。

在爱情专一上，他和薛宝钗是不同的；但是，在亲情上，两人是一样的。薛宝钗之所以不反抗把自己嫁给一个为别人发疯的男人，乃是因为她不想让母亲为难。在不想让长辈为难这一点上，林黛玉和他们不同。她没有父母亲，把爱情看为生命。爱情没有了，就自我摧残了，命也就不要了。贾宝玉有亲情的责任感，所以他没有像潘又安那样自杀，而是中了举才遁入空门。

这里还有一点，是不能忽略的，那就是贾宝玉的理想的女儿国本来是用来逃避仕途经济的。但是，这个理想国的存在，其政治和经济基础乃仰赖其祖父的功勋与父亲的为官。如果没有这些他认为是"禄蠹"的人，那就不可能有大观园，就是有了，大观园也是一天也维持不下去。如果贾宝玉坚持不走科举的路，他和大观园里的众姐妹，就可能陷于贫困，无以为生。故俞平伯先生在《红楼梦辨》中说，他肯定顾颉刚以为曹雪芹写甄士隐的晚年，透露出宝玉的末路："士隐乃读书之人，不惯生理稼穑等事。勉强支持一二年，越发穷了。士隐……急忿怨痛，已有积伤，暮年之人，贫病交攻，竟渐渐的露出那下世的光景来。"（第一回）从这里看去，宝玉出家除情悔以外，还有生活上的逼迫，做这件事情的动机。在书上说宝玉后来落于穷困，也屡见"蓬牖茅椽，绳床瓦灶""陋室空堂，当年笏满床；衰草枯杨，曾为歌舞场；蛛丝儿结满雕梁，绿纱今又糊在蓬窗上""金满箱，银满箱，转眼乞丐人皆谤"（见第一回）。①

从这里可以看出，有些学者认为后来贾宝玉与史湘云沦为乞丐，应该是有必然性的。据说，电视剧《红楼梦》的导演曾经设想过这样的结局，但考虑到难以为观众接受，最后还是让贾宝玉出家。

不取沦为乞丐的结局还有一个更为深邃精神，因为这完全是形而下的现实，那块一开头就突出表现的玉，就没有下落了。从结构上看，《红楼梦》要解决的不仅仅形而下的生活问题，而且是形而上的"玉"——也就是人类生存的欲望问题。

贾宝玉和薛宝钗生了孩子，又中了举人，有了那么温馨的亲情，似乎没有什么矛盾了。两个正派人在一起，情欲上也得到了满足。只是情感仍然不足，这个不足是无法弥补的。那怎么办？这样的人生就是个难题，无解的方程式。《红楼梦》把主题提升到形而上的层次，也是中国古典小说空前绝后的高度。夏志清先生在《中国小说史论》中说：中国晚清委实出了许多著名的小说，民国期间接受了西方影响，也有了新的发展。

但即使是最好的现代小说，在广度和深度上很难与《红楼梦》相匹敌。因为除了

---

① 俞平伯：《红楼梦辨》，商务印书馆 2013 年版，第 107—108 页。

少数例外，现代中国作家尽管拥有所有的新艺术技巧，但由于缺乏哲学方面的抱负和未能探索到更深的心理真实，依然更多的传统主义者。①

夏志清认为不但古典文学中，就是现代文学中，在形而上的哲理这个高度上，也没有一部作品可与《红楼梦》相比。他推崇王国维的《红楼梦评论》，特别肯定王国维的“作者对于人类在这苦难的世界生存的意义所作的不懈的探求”；同时又指出在《红楼梦》中，哲学和心理学是紧密相连不可分离的。②

王国维先生的解读和我们熟悉的解释，在方法上有很大的不同。我们习惯的思路大抵是从社会的、外部的原因去探索这个悲剧的根源，而王国维的解读则是从人性的内在深处去探索根源。

王国维根据的是叔本华的理论，人生的最大痛苦在于有欲望。欲望和痛苦二者为一。这可以提醒我们，爱情的悲剧不完全在外界社会原因，而在人的生存状态的困惑。人生的痛苦在于人有欲望，欲望是无限的，能够得到的满足是有限的。旧的欲望得到满足了，又有了新的欲望。因而不断地去追求，不断地痛苦。永远得不到绝对的满足，因而永远是痛苦的。特别是男女之欲，王国维说：

男女之欲，尤强于饮食之欲，则何？前者无尽的，后者有限的也；前者形而上的，后者形而下的也。又如上章所说，生活之于苦痛，二者一，而非二。③

贾宝玉，这个“玉”就是“欲”。欲望得不到满足，这是人生悲剧的原因。

在这里，我要请大家注意，王国维的解释，归结于人性的内部，他的这种内部又和我前面所说的不同。我前面所说的“情痴”“入痴而妙”“无理而妙”，是心理层次的。爱情是非理性的，不能仅仅用社会学的理性加以解释。王国维的说法，则是哲学化的，不是贾林两个人，也不是封建社会的特殊情况，而是人类本身欲望本身就隐含着不可排解的苦难。

所谓玉者，不过生活之欲之代表而已矣。故携入红尘者，非二人（按：僧道）之所为，顽石自己而已；引登彼岸者，亦非二人之力，顽石自己而已。此岂独宝玉一人然哉？人类之堕落与解脱，亦视其意志而已。④

这种苦难不可逃脱，就是自杀，也是不能解脱的。王国维说：

而解脱之道，存于出世，而不存于自杀。出世者，拒绝一切生活之欲者也……故

① 夏志清：《中国古典小说史论》，胡益民等译，陈正发等校，江西人民出版社 2001 年版，第 258 页。

② 夏志清：《中国古典小说史论》，胡益民等译，陈正发等校，江西人民出版社 2001 年版，第 258 页。

③ 傅杰编校：《王国维论学集》，云南人民出版社 2008 年版，第 429 页。

④ 傅杰编校：《王国维论学集》，云南人民出版社 2008 年版，第 428 页。

金钏之堕井也，司棋之触墙也，尤三姐、潘又安之自刎也，非解脱也，求偿其欲而是不得是也。彼等之所不欲者，其特别之生活，而对生活之为物，则因欲之而不疑也。故此书中真正之解脱，仅贾宝玉、惜春、紫鹃三人耳。①

要彻底摆脱苦难，最根本的办法就是放弃那永远不断滋生的欲望。贾宝玉的痴爱是强烈的，泛爱是无限的，都是不可实现的，正是这么多欲望带来了痛苦。故贾宝玉最终大彻大悟，“因空见色，因色悟空”，放弃了肉欲，丧失了爱情，放弃了亲情，把爱看破，把痴看破，把“玉”还给了那神秘的僧人，了结一切欲望，看破红尘，最后遁入空门。这样，就从一个极端走向另外一个极端，一切的爱是空的，一切的欲望是空的。这样，贾宝玉的绝对的痴爱、经过泛爱，最后就转化为绝对的无爱。

王国维的解释不一定很全面，但把悲剧的根源从人性本身去探究，可能是纯粹用社会客观的原因去解读的一种补充。

林黛玉的悲剧有社会体制的原因，还有她生理上病弱的原因，但是，生理的病弱恰恰是由于她强烈的爱造成的恶性循环。越是爱，越是无望，就越是病；越是病，在贾母看来，越是不能入选。这种悲剧，实质上是爱情执着的悲剧，不是社会体制所能解决的，从这个意义上说，这是生存的困惑。到五四新文化运动，把这个问题完全归罪于社会，如巴金、鲁迅等，但是，并没有解决问题。钱锺书在《围城》中又提出，自由恋爱，一旦结了婚，对方就变成了另外一个人，就不和谐了，又矛盾得不可开交了。故在改革开放以后，又产生了《在遥远的地平线上》，美满爱情和婚姻的障碍，不在社会，而在男女双方自己。

当然这里还有一个原则问题，人的欲望并不完全是消极的。人追求幸福的欲望，主要方面应该是积极的。这一点文艺复兴时期就解决了，欲望并不是罪，而是善，是美。要读懂《红楼梦》，应该把社会和人性的、外部的和内部的探求结合起来，才可能是比较全面的。

追求自由幸福的人生是人天生的权利。《红楼梦》提出的问题，第一，追求幸福的个人是离不开社会的，用马克思的话来说，人的本质是社会关系的总和。贾宝玉、林黛玉的爱情，受到家族、社会条件的限制。离开禄蠹的大观园，女儿国肯定要破产的。第二，在这种关系，《红楼梦》排斥了坏人、小人的破坏，而营造了一个对贾宝玉和林黛特别受宠的环境。但是，在爱的包围中，他们却走向了悲剧的结局。这里就有个人与人沟通的问题了。这就涉及人性的深处了。哪怕亲情，哪怕爱情，沟通是相当困难的，许多悲剧不仅仅是由于客观的原因，而是由于客观原因和主观的心理之间发生了错位。本来，人与动物的区别就是人有语言，而恰恰是在相爱的人之间，人的语言失效了，不但在贾母与贾宝玉、林黛

① 傅杰编校：《王国维论学集》，云南人民出版社2008年版，第429页。

玉之间，而且在贾宝玉和林黛玉之间，在贾宝玉和薛宝钗之间，并不能以理性沟通。按日本有一位大作家的说法，叫作“爱的徒劳”。

但是，我觉得不能苛求王国维，他所说的不是个体的问题，而是哲学问题，是普遍的人类生存的困惑。沟通不仅是爱情、亲情的问题，还是阶层、民族、国家的问题。

现代社会，欲望越是强烈，实现幸福可能越是大。拿破仑说，不想当将军的士兵不是好士兵。没有欲望、没有梦想的民族会灭亡。马丁·路德·金有个著名的演说《我有一个梦想》，美国黑人花了一百年的工夫才实现了自由选举的梦想。在这一点上是曹雪芹不如我们的。今天我们可以理直气壮地宣布，欲望是无罪的，无欲是消极的，自杀更是消极的。在欲望得不到满足时，关键在于设法来沟通，和亲人、爱人、朋友，和社会，和民族交流对话，那才是积极的。这是我们需要不断去实践中解决的。正是不会沟通，我们这个社会、这个世界乱得很。往近处看，那么多的罪犯；往远处看，从两次世界大战以来，局部战争从来没有断过。人为万物之灵，灵在什么地方呢？灵在有语言，能交流。可恰恰是我们和亲人、情人，和其他民族不能很好沟通，于是把许多宝贵的金钱，用在杀人武器的制造上。我也有一个梦想，未来有一天，有情人终成眷属；未来有一天，不同民族，不同宗教的万物之灵，不再用武器对话，而是用歌声，用诗。我的理想就是人为万物之灵，总会有一天真的会灵起来。但是，全世界，整个人类都沟通，那一天，大概我是看不到了。但是，在家里、在班级里、在单位里，沟通是可能的，虽然那也是挺累。我想你们可能有体会，和一些现代“林黛玉”沟通，也可能是挺累的，挺要命的。（笑声）但是，诸位请记住我这句话。要超越贾宝玉，要超越潘又安，超越尤三姐，达到一个新的境界。那是一个真正的人的境界，万物之灵的境界。这是非常艰巨的，我们如果不能度过这一关，我们就不像人了。（笑声掌声）谢谢大家。

附：

现场问答

问：老师您好，我有两个问题想请教您，今天的话题是谈到贾宝玉从痴爱、泛爱到无爱，探讨贾宝玉和林黛玉两个人的情感基础。许多前辈学者都认为贾林两个人相爱的基础是共同的思想，您给出了很有意思的证据。林黛玉也说过“你从此可都改了吧”，这样的思想和薛宝钗是颇为相似的。您说，爱上一个人是不一定要有清晰明白的理由的，情感是不是完全不讲理的，我想请您再阐释一下。

答：你这个问题太有意思了。爱上一个人是不是非要有理由呢？这个你有体会吗？有一首歌，这就是爱，糊里糊涂地，这就是爱，说也说不清楚的。（笑声）真正的爱是感情，感情是跟理性相对的，往往有许多非理性成分，是说不清楚的。一见钟情，贾宝玉看到林黛玉第一眼，说这姑娘我见过的。第一次嘛，哪有会见过的。活见鬼嘛！没有理由的。情感和理性是不同的，薛宝钗却是理性的，到什么程度？当贾宝玉挨打以后，所有人都哭，林黛玉眼睛都哭肿了，薛宝钗是唯一一个没哭的人，她拿来一点药，好好地敷，这是最有效的。屁股打烂了，哭有什么用。这就是我讲的，薛宝钗是把自己的感情压抑了，符合传统的对女子的规范。她有金锁，有和尚说，要配一个有玉的人，才是良缘，她从此以后见了贾宝玉觉得没意思，就躲避贾宝玉。特别是她知道家里有意把他们两个配成一对之后，她就不到王夫人那边去。照理她要多看几眼吧，多接触，增进感情嘛。她不。她妈妈问她，贾宝玉配你怎么样？她说，你这个问题怎么能问我呢？我们的婚事我不能做主的，是我父母决定的。她不是没有感情。她知道贾宝玉为林黛玉而疯，她有痛苦，但是，她不是感情的真空管，她有很强的亲情，她不愿因此让母亲伤心。她是非常孝顺、非常好心的一个人。她太理性了，太冷静了。她的理性是善的，但是，我们能说，她是丑的吗？显然不能。她是善的，也是美的，叫作善之美。我们只知道审美，却没有人敢说，审善。有的人因为她和林黛玉是对立的，就说她道德上坏，我无法想象，说林是美的，就非要说薛是丑的不可。我想这种二元对立是害人的。真善美是三元的，是三种价值，这是康德的学说。三者并不是完全统一的，但是也不完全是对立的，而是交叉的，我把这叫作错位。美和善，分布在不同位的部位，也有重叠的部分。善与美的统一，这就是薛宝钗。我把它叫作审善之美。这个问题比较复杂，我们下一次详细地阐释吧。

问：教授您好，您说贾宝玉对待男性的评价不是很高，而且他对待仕途的评价就更差了。但是在全书人物角色的设置中，有两个男性角色，他的评价是特别高的。一个是北静王，他是贵族；还有一个角色他的评价就更高了，而且对他的态度也很好，就是秦钟。我是想问您，您是怎样看待作者设置这两个角色的用意，然后您又是如何看待贾宝玉对待他们的这个态度和这种反差的。

答：这个问题，提得太深邃了。

北静王，与其说贾宝玉对北静王评价很高，不如说贾宝玉对他很尊敬。北静王非常喜欢贾宝玉，器重贾宝玉，认为他长得好。北静王地位很高啊，他是王啊，荣国府是公啊，王公侯伯子男，比他高级呢，作者借他的欣赏来抬高贾宝玉的品位，不是那个靠科举出身的贾雨村之类。第二，秦钟，他也很喜欢的。秦钟就是情有独钟之意，有感情的嘛。但是曹雪芹显然对秦钟，好像无动于衷，很快就把他送上黄泉之路。还有一个人贾宝玉很喜欢的，但后来不喜欢了。叫甄宝玉，这个甄宝玉原来也是喜欢女孩子，这个也是说女人是干净的，男人是脏的。被家里打了一顿，做了一个梦，说变得听话了。然后和贾宝玉谈天，谈些仕途经济、八股文，从此以后贾宝玉不想见他。这个甄宝玉是真的宝玉，贾宝玉是假的宝玉。但是这恰恰是反话，甄宝玉是一个肮脏的人，而贾宝玉是最清高的人。《红楼梦》里很多反话。假作真时真亦假，甄（真）世（事）隐去，贾（假）雨（语）村言，作者逼你去动脑筋。

问：老师您好，我想问一下，刚刚您说到去除人的困惑、人的欲望，除了自杀、出家之外，还有一个是沟通。我就想不明白了，沟通怎么能去除人的欲望呢？

答：我声明，我不主张，去除人欲。中国儒家有“存天理去人欲”的说法，是受到批判的。因为人呢，按照弗洛伊德的说法，总是自发地追求快乐的，快乐是来自欲望的实现，欲望不能实现就是痛苦。这个欲望包括爱情、亲情和友情等等。要去沟通，我爱你，你要爱我，你不爱我怎么沟通？设法、争取，你爱上我就很快乐嘛。贾宝玉泛爱很多人，不可能实现，他自己也知道。在贾宝玉那里，他和他所爱的人都不能沟通。他跟贾母不能沟通。他跟王夫人不能沟通。他实际上跟薛宝钗也不能沟通。他后来跟林黛玉的沟通也是不完全的。他是被骗去结婚的。如果他更自由一点，他跟贾母能沟通，贾母宠爱他嘛，他跟薛宝钗更有效地沟通，那么人生的悲剧就可能少一点。现在许多人天天看中央电视台社会与法频道，老是有夫妻、情人之间凶杀的。好多是沟通不了的嘛。我的意见就是，关键是人的本质特点，人区别于动物，就是人有语言，动物没有语言。语言就是为了交流，可是语言就是往往在多数情况下难以交流，这是生存的困惑。人希望快乐，但是有欲望。欲望往往叫人痛苦。实现了欲望，又有更大的欲望，更大的痛苦。结果欲望不能实现就更痛苦。消极的就是干脆消灭痛苦，消灭欲望。那么我们不能消灭自己。我们没有办法。所以只好你爱上谁，就要千方百计地去沟通。我们在20世纪50年代，做大学生，有了感情，我比较胆小，但有一个现在是名教授了，他就勇敢，就拿了一封信，给女同学，说，你看，同意就好，不同意我就从楼上跳下去。（大笑声）如果大家都能这样，就没有《红楼梦》了。但是，跳楼的也可能太多了。（大笑声）我如果一味鼓动你们这样率性，这样审美，你们父母亲就可能要到法院去起诉我了。（鼓掌声，大笑声）

时间不早了，已经九点钟了。再讲下去，我今天要失眠了，要做梦了。但是，我不想和贾宝玉一起到太虚幻境去，所以到此为止。谢谢。

（掌声热烈）

（记录：张晶莹）

第二讲

薛宝钗：艳冠群芳，任是无情也动人

美是德性的象征。[①]

——题记

一、林黛玉和薛宝钗在什么意义上对立

在开始演讲之前，我本来想坐下讲的，后来考虑到薛宝钗这个题目啊，对于我们文学理论、美学理论来说，是一个极大的难题。你们有没有感觉到，今天我有点特别？（众：看不出来）我穿得很派头，内心怀着一股委屈，不是为自己委屈，而是为薛宝钗委屈。我念大学的时候，那是20世纪50年代，绝大多数评论家都用种种理由说她是个反面角色，是和林黛玉对立的。我去听过何其芳先生给上一个年级开的《红楼梦》专题课，他比较执着地坚持，薛宝钗不是坏人，而是一个牺牲品。我当时就觉得这还不够，薛宝钗是个品德高贵的美人。不但外表，而且内心都是美的。如果要我选择妻子，我肯定选择她，而不选择林黛玉。（大笑声）

但是，这是我私下的想法，至于美学理论上，我还真是弄不明白，她究竟是美还是不美，一下子是说不清楚的。薛宝钗的形象，如何评价，如何分析，这是攻克美学、文艺学的难关，没有一种不同凡响行头是不行的（笑声）。但是，你们听完了我的讲座，肯定会得出共同的结论，这老头子讲得和衣着一样漂亮。（大笑声）

---

① ［德］康德：《判断力批判》，邓晓芒译，杨祖陶校，人民出版社2002年版，第198页。康德将美学与道德的关系，通过一个广为后人悉知的命题——“美是德性的象征”表述出来。康德在《判断力批判》第59节《美作为德性的象征》中说：“美是德性的象征。”

薛宝钗这个形象非常精彩，专家们没有争议，但是，对这个形象却缺乏一个基本评价：她是好人还是坏人，是善还是恶，是美还是丑，至今还没有一个得到广泛认同的、非常透彻的阐释。这可以说是文学理论和美学理论的一个哥德巴赫猜想。我今天所讲的呢，也可能是孙绍振猜想。（笑声）

我环顾一下，来了许多女士，漂亮不亚于薛宝钗。但是人长得漂亮，是不是就是美呢？是不是就是好人呢？从脸上是看不出来的。特别是，有没有用化妆品，很难断定。（大笑声）

薛宝钗跟林黛玉是对立的。文学史和文学理论都把林黛玉作为非常美好的形象、美的典型来加以肯定，这几乎是没有争论的。从 20 世纪 50 年代读高中时候开始，读《红楼梦》的评论，大都否定薛宝钗。可是从我的感觉上说，好像薛宝钗也蛮可爱。首先，她漂亮、体面且有才华，诗人蔡其矫生前对我说过，女孩子有才的没有貌，有貌的没有才，很是遗憾。而薛宝钗可是才貌双全。其次，她健康，不像林黛玉那样老是病病歪歪的，可能是肺结核，有传染性。（笑声）再次，她不自私、待人心眼好，凡事总是克己。最后，她没有脾气，不像林黛玉动不动就发作，越是她爱的人她越是要折磨，（笑声）越是爱你，越是“歪派”你，越是刻薄你，她就是嘴巴要过瘾，可是她自己并不快乐，而是很苦，流不完的眼泪。林黛玉就是流泪的美人。而薛宝钗却是一个端庄雍容的美人。

和林黛玉这样的人做朋友的话，一定够呛；如果做太太，那不知道落得什么样的下场。（笑声）钱锺书的《围城》里有一句话，你爱上一个人，恋爱时候这个人是一个样子，结婚了以后，发现是另外一个人。非常可爱的女郎结婚以后变得非常难侍候，非常折磨人。你若不能把某种功夫修炼到家，那日子是不好过的。这就是男人的命运。（大笑声）如果从这个角度来看，找对象要找什么样的人呢？我们来做一个调查，请男同学注意，要找终身侣伴，要组织一个“和谐”家庭，（笑声）选林黛玉呢，还是选薛宝钗？选薛宝钗的请举手。（大部分同学举手，部分同学相互张望，伴随着笑声）啊，相当不少，但好像不是全部。请放下。请选林黛玉的请举手。（小部分同学举手，相互张望，伴随着笑声）寥寥无几。嘿嘿，那么问题就来啦，作为终身的侣伴，作为灵魂和肉体的同盟，大多数选薛宝钗。可是作为文学评价来说，专家的论述，读者的共识，都感到林黛玉更可爱，艺术形象似乎更美。这是怎么一回事？

《红楼梦》研究上百年了，几代学问非常大的红学家写了许多文章，光是研究《红楼梦》目录就那么厚了，还出了《百年风云录》一本大厚书。光是看那些争议的文献，就要耗费许多年的生命，我才不干呢。就用一两个星期的时间，享受一下《红楼梦》。用自己的心灵去直接体悟，待到有了主见以后，再看看那些专家的说法，有理的吸收，无理的就当它是耳边风。

薛宝钗真是个谜。男同学大都喜欢她。女同学呢，喜欢薛宝钗吗？也挺喜欢！当然，更喜欢林黛玉。从美学上来说，无疑的，林黛玉的美学含量比薛宝钗更高。这怎么回事？这个问题，很惊险，很尖端。其实我也有点迷糊，你们已经看到啦，最早布告上我讲座的题目是“薛宝钗：美丽的空壳”，后来，我觉得不太准确，就改成了“美丽的奸险还是感情的自尽”。但是，我觉得还是不太准确。后来改为“薛宝钗：一朵冷艳的花”。现在我宣布加一个副标题“审善之美”。

我觉得，孤立地讲薛宝钗，是不可能讲清楚的，必须把她跟林黛玉联系在一起。流行的方法是，二元对立。林黛玉和薛宝钗对立。如果林黛玉是美的形象，那么薛宝钗是不是一个美的形象呢？我们讲美是美学上的美，不是长得漂亮，不是头发梳得花样翻新，做出宋祖英一样的细细弯弯的媚眼，或者到韩国去整成范冰冰那样的容长的瓜子脸，（满堂欢笑）而是内心的美。如果林黛玉是美的，那薛宝钗是不是丑的呢？美跟丑相对的嘛。如果薛宝钗是丑的话，那么她丑在哪里呢？如果她不丑，她也挺美，她跟林黛玉在什么意义上是对立的呢？她们是双峰对峙啊，是吧？

不少理论家、评论家、文学史家告诉我们，林黛玉和薛宝钗的对立，是思想上的对立。薛宝钗是支持贾宝玉去参加科举考试，投入仕途经济，走读书做官道路，做贾府的接班人，而林黛玉是反对的。这在贾府是重大的关键的问题。这个封建大家族，祖上立下了辉煌功勋。一代一代世袭下来，男性接班人能力上退化了、精神上腐败了。荣国府这一房，由老大贾赦袭了，贾政本来没有份，皇帝开恩特别赏了不大的官职。到了贾宝玉就不能世袭了，贾政就为他捐了个秀才，让他直接去参加举人的考试，就等于说没参加中考，就参加高考。如果他不去参加这种考试，中不了举，做不了官，这个贵族世家就变成平民，这就意味着不但政治上败落，而且是经济上崩溃。许多红学家就说，《红楼梦》的主题就是封建世族的政治危机、经济危机。这当然没有错，但是，这个危机不是没有救的，至少，在贾府后辈中，还有一个稍微像个人样的贾宝玉，如果他努力，走上仕途，成为接班人，还是可以重振家业的。但是，贾宝玉却不愿意做接班人，拒绝参加科举考试。林黛玉和薛宝钗的对立就在，对贾宝玉的反抗的支持与反对。这几乎成了文学史家的共识。

但是，我从念大学以来就一直对此怀疑，我想，对立的性质如果是政治上的、思想上的，应该相当的自觉的。可从我阅读的直觉来看，她们并没有什么政治上、思想上明确的自觉。我又想如果不是政治的，可能是另外一个方面，也就是在人品方面的对立，道德上的对立。如果说是道德性质的，那么林黛玉是好人，道德上纯洁无瑕；而薛宝钗呢，就应该是如一些红学家所说的，比较奸诈，性质上是坏人。可是说薛宝钗是坏人，和我的阅读感受绝对不符。另外一个可能性呢，既不是政治上对立，也不是道德上的对立，那么就应该是什么呢？在情感问题上对立。贾府的男性都腐败了，什么贾瑞、贾琏、贾珍，精神上都烂掉了，只有贾宝玉还比较像个人样。薛宝钗和林黛玉要找丈夫，别无选择，争取得到贾宝玉。有些论文断言她们在爱情上是竞争对手。林黛玉是个孤儿，既无父母，又无兄弟，寄人篱下。没有人为她作主，完全是孤军奋战，她把爱情看得比生命还重要。一旦得知贾宝玉要跟薛宝钗结婚了，爱情没有希望了，就不想活了。自己病得很重了，还作践自己，最后死于非命。那么薛宝钗呢，她觉得光自己努力不行，还要笼络人心，把各方面关系搞好，搞成一种统一战线，让上下大家都支持她，她就不难取得贾宝玉这个胜利果实。

是不是这样呢？抽象的理论回答不了这个复杂的问题。好吧，让我们从原文，从文本中寻求答案。

先讲第一个问题，薛宝钗支持贾宝玉走仕途经济，而林黛玉是反抗的。论据主要是这么一段文章，贾雨村要见见贾宝玉，贾宝玉觉得非常烦，好不自在。他一面穿着靴子，一面抱怨道："有老爷和他坐着就罢了，回回定要见我。"表妹史湘云笑道："主雅客来勤，"意思是你是高雅，人家客人就要见你嘛，贾宝玉道："罢，罢，我也不敢称雅，俗中又俗的一个俗人，并不愿同这些人往来。"湘云是比较直率，比较开朗的，就笑着批评他："还是这个情性不改。如今大了，你就不愿读书去考举人进士的，也该常常的会会这些为官做宰的人们，谈谈讲讲些仕途经济的学问，也好将来应酬世务，日后也有个朋友。没见你成年家只在我们队里搅些什么！"注意啊，所谓"仕途"，就是要当官啊，和一些当官作宰的交往，也算有些个历练罢。宝玉听了道：

> 姑娘请别的姊妹屋里坐坐，我这里仔细污了你知经济学问的。

这话很不礼貌啊，你给我走开，嘿嘿，我这里不干净，污染了你的仕途经济的学问。那个贾宝玉贴身的袭人道：

> 云姑娘快别说这话。上回也是宝姑娘也说过一回，他也不管人脸上过的去过不去，他就咳了一声，拿起脚来走了。这里宝姑娘的话也没说完，见他走了，登时羞的脸通红，说又不是，不说又不是。幸而是宝姑娘，那要是林姑娘，不知又闹到怎么样，哭的怎么样呢。提起这个话来，真真的宝姑娘叫人敬重，自己讪了一会子去了。

袭人觉得，薛宝钗毕竟是大家闺秀，这样粗暴对待，她这个局外人都有点过意不去了，以为薛宝钗受不了，（"只当他恼了"）但是，袭人说：

> 谁知过后还是照旧一样，真真有涵养，心地宽大。

注意啊，袭人的评价是"有涵养，心地宽大"，多难做到啊。我修炼到七十多岁，心地还算宽大，不过这么粗野地对待我，我就是不反击，也是要用无声的表情或者动作，例如拂袖而去，给他一点难堪的。当然，我不会吵架，我的涵养还是有一点点的。（笑声）不过，水平跟薛宝钗还差得远。袭人接着说：谁知这一个反倒同他生分了。

人家不见怪，说话没有礼貌的贾宝玉反而跟她不大好了。这种事要是发生在林黛玉身上，那可不一样了：

（袭人说：）“那林姑娘见你赌气不理他，你得赔多少不是呢。”宝玉道：“林姑娘从来说过这些混帐话不曾？若他也说过这些混帐话，我早和他生分了。”袭人和湘云都点头笑道：“这原是混帐话。”宝玉说：“不错，不错！”（以上均见《红楼梦》第三十二回）

这当然是一个证据，但是研究学问要形成一个结论，光有一个论据，还是孤证，可信度是不太大的。证据是无限的，举不完的，怎么办？最简单的办法就是，不但要有正面的证明，而且要有反面的证伪，论点才能初步确立。我们要看看，林黛玉是不是绝对没有劝过贾宝玉仕途经济呢？好像还不完全如此。第一，贾宝玉挨打，因为不学八股文，跟一些戏子混在一起，弄得人家更高门第的官僚差人上门兴师问罪，贾政恼火了，就打贾宝玉的屁股。打得好惨，鲜血淋漓，躺在那都不能动。贾母啊王夫人都出动，上上下下都来抢救、慰问贾宝玉。慰问的方式各式各样。林黛玉怎么慰问呢？她眼睛都哭红肿了，只讲了一句话：“你从今都改了吧。”你原来不念书，改了就要念啊，与其这样被打得这样惨，还不如将就一些，走走仕途经济之路啊。第二，说林黛玉从来没有让贾宝玉读八股文，但是，林黛玉对八股文有一个具体分析，而且多有肯定，请看我引用一段：

宝玉接着说道：“还提什么念书，我最厌这些道学话。更可笑的是八股文章，拿他诓功名混饭吃也罢了，还要说代圣贤立言。好些的，不过拿些经书凑搭凑搭还罢了；更有一种可笑的，肚子里原没有什么，东拉西扯，弄的牛鬼蛇神，还自以为博奥。这那里是阐发圣贤的道理。目下老爷口口声声叫我学这个，我又不敢违拗，你这会子还提念书呢。”（第八十二回）

请注意。贾宝玉原来对史湘云说林黛玉从来不劝他念八股文的，但是，以下林黛玉说：

我们女孩儿家虽然不要这个，但小时跟着你们雨村先生念书，也曾看过。内中也有近情近理的，也有清微淡远的。那时候虽不大懂，也觉得好，不可一概抹倒。况且你要取功名，这个也清贵些。（第八十二回）

刚才贾宝玉说林姑娘从来不讲这个，但是，林黛玉偏偏讲“要取功名”，作者不是让她随便讲讲，而是第一，让她强调不但“要取功名”，而且“也清贵些”。意思是并不俗气，还挺高雅的。第三，作者不让这番话轻轻带过，而且特别点明，贾宝玉内心反感：

宝玉听到这里，觉得不甚入耳，因想黛玉从来不是这样人，怎么也这样势欲熏心

起来？又不敢在他跟前驳回，只在鼻子眼里笑了一声。（第八十二回）

研究问题要抓住矛盾不放，论述要把证明和证伪结合起来。你看贾宝玉这个人啊，别人说他要走仕途经济，一言不合，抬起腿来就跑。但林黛玉讲了同样的话，甚至还比薛宝钗更明确地点到“取功名”，在贾宝玉感觉中是“势欲熏心”，思想上的矛盾比之和薛宝钗更加尖锐。但是，宝玉却“不敢在他跟前驳回”，就是反感，也“不敢”直接表达出来。可见情感比之思想更有力，爱情高于理性。所以说希腊的小爱神丘比特眼睛是瞎的，爱情是盲目的。爱情是一种心理病态，但是，不可缺少。人如果一辈子绝对理性，一点情感病态也没有，做人也就不像人，而像是机器人了。还有一点不可忽略，前面薛宝钗劝他，是他人的转述，间接的叙述，而这里却是正面的描写。可见作者对这一点的重视。

再举一个例子，怡红院里的海棠花本来枯了，后来忽然开了花，众人诧异，众人各有想法，有的觉得不祥之兆，有的认为是非常好，喜事。林黛玉这样想：

可见草木也随人异的，如今二哥哥认真念书，舅舅喜欢，那棵树也就发了。（第九十四回）

贾宝玉爱念八股文了，林黛玉心里喜欢，用她主观的喜欢来解释这枯木逢春的现象，可见念不念八股文，在林黛玉看来并不认为是什么大问题。

也许有专家要说，这是八十回以后的，是续书的作者歪曲了曹雪芹的原意。我们再看一个反例，是第十九回的，百分之百是曹雪芹的原作。

花袭人跟贾宝玉的关系不是一般的。“贾宝玉初试云雨情”的对象就是她，后来有没有再试我不知道，但是有一个本子的标题，不是“初试”，而是“重试”。（笑声）花袭人有一次跟贾宝玉闹矛盾。仆人、奴才敢跟主人闹矛盾一定是关系特殊的，特别亲密的。在洪昇的《长生殿》中，杨贵妃跟唐明皇因为感情非常好，就吃醋，闹矛盾。唐明皇火了，滚，把她赶回去，不要她了。结果怎么样呢？吃不下饭啦，睡不着觉了。高力士一看，这个不行啊，把她请回来。后来她又吃醋了，滚，又滚了一次。（大笑声）唐明皇又吃不下饭了，又把她请回来。感情好的人才有这个权利和胆量。

花袭人假意跟贾宝玉闹，我总是要出嫁的，要离开这个家的。贾宝玉就急了，不行不行，你不能走。花袭人就讲了，不走可以，条件。什么条件？袭人道：

你真喜读书也罢，假喜也罢，只是在老爷跟前或在别人跟前，你别只管批驳诮谤，只作出个喜读书的样子来，也教老爷少生些气。在人前也好说嘴。他心里想着，我家代代念书，只从有了你，不承望你不喜读书，已经他心里又气又恼了。而且背前背后乱说那些混话，凡读书上进的人，你就起个名字叫作“禄蠹”。

“禄”就是国家的俸禄，做官，拿钱，“蠹”就是蠹虫。

“又说只除‘明明德’外无书，都是前人自己不能解圣人之书，便另出己意，混编纂出来的。这些话，你怎么怨得老爷不气？不时时打你，叫别人怎么想你？”宝玉笑道：“再不说了。那原是那小时不知天高地厚，信口胡说，如今再不敢说了。还有什么？”袭人道：“再不许毁僧谤道，调脂弄粉。宝玉道：“都改，都改。再有什么，快说。”袭人笑道：“再也没有了。只是百事检点些，不任意任情的就是了。”（以上见第十九回）

这就妥协得比林黛玉更彻底了，只要花袭人不离不开，什么条件都答应，不但公开检讨，不再攻击八股时文，说那是小时候，不懂事，“胡说”，而且答应不再和女孩子胡闹。不要说林黛玉说他，他不敢反抗，连花袭人，他的侍妾，威胁他要走，他就妥协，就彻底投降啦。由此我们初步可以得个结论，他跟林黛玉跟薛宝钗的矛盾，好像不在科举不科举，也不在要不要念八股文，不在人生道路上，不在思想上。从这个意义上来讲呢，林黛玉和贾宝玉的关系主要是情感性质的，感情高于理念。另外，贾宝玉和薛宝钗的关系的亲密程度赶不上袭人，对袭人是投降，对宝钗则断然拒绝。

把林、薛的关系，仅仅定性为思想的对立，是站不住脚的。

但是，林黛玉和薛宝钗毕竟是对立的，那么对立的是什么呢？有人企图把她们说成是道德上的对立。林黛玉这个人很正直，胸怀坦荡，完全正派；而薛宝钗与之相反，则是一个虚伪的人。夏志清在他的《中国古典小说史论》中，对于几乎极少例外的对薛宝钗的否定性评价，表示十分不解：

除了少数有眼力的人之外，无论是传统的评论家或是当代的评论家都将宝钗与黛玉放在一起进行不利于前者的比较。在新近大陆批评里（除了一些重要的例外）宝钗遭到严重的贬低，如与“叛逆勇士”黛玉形成鲜明对照，宝钗被说成是一个封建主义道德培养出来的狡猾虚伪的阴谋家。这种稀奇古怪的主观反应如前面所指出的那样，部分是由于一种本能的对感觉而非对于理智的偏爱。宝钗是一个有德行的温顺的姑娘，特别因为她称心如意地得到了宝玉，她的德行便成了于她不利的因素，这一点是不难理解的。但是如果人们仔细检查一下所有被引用来证明宝钗虚伪狡猾的章节的，便会发现其中任何一段都有意地被加以错误的解释。①

这样的曲解实在太多了，夏志清所指出的“重要的例外”是陈涌的《关于薛宝钗的典型分析问题》（《红楼梦研究文集》），我想现有见地的是何其芳的《论〈红楼梦〉》（《论〈红楼梦〉》（《文学研究集刊》第5期）对薛宝钗的辩护，说她只是一个善良的牺牲品。我在20

① 夏志清：《中国古典小说史论》，夏益民等译，陈正发等校，江西人民出版社2001年版，第299页。

世纪50年代，听老师吴组缃先生分析薛宝钗，说这人非常奸诈，按他的分析，简直是个女曹操啊。薛宝钗在大观园里玩，听到两个丫鬟在对话：

“你瞧瞧这手帕子，果然是你丢的那块，你就拿着；要不是，就还芸二爷去。”又有一人说话：“可不是我那块！拿来给我罢。”又听道：“你拿什么谢我呢？难道白寻了来不成。”又答道：“我既许了谢你，自然不哄你。”又听说道：“我寻了来给你，自然谢我；但只是拣的人，你就不拿什么谢他？”又回道：“你别胡说。他是个爷们家，拣了我的东西，自然该还的。我拿什么谢他呢？”又听说道：“你不谢他，我怎么回他呢？况且他再三再四的和我说了，若没谢的，不许我给你呢。”半晌，又听答道：“也罢，拿我这个给他，算谢他的罢。——你要告诉别人呢？须说个誓来。”又听说道：“我要告诉一个人，就长一个疔，日后不得好死！”又听说道：“嗳呀！咱们只顾说话，看有人来悄悄在外头听见。不如把这槅子都推开了。便是有人见咱们在这里，他们只当我们说顽话呢。若走到跟前，咱们也看的见，就别说了。”

宝钗在外面听见这话，心中吃惊，想道：“怪道从古至今那些奸淫狗盗的人，心机都不错。这一开了，见我在这里，他们岂不臊了。况才说话的语音，大似宝玉房里的红儿的言语。他素昔眼空心大，是个头等刁钻古怪东西。今儿我听了他的短儿，一时人急造反，狗急跳墙，不但生事，而且我还没趣。如今便赶着躲了，料也躲不及，少不得要使个‘金蝉脱壳’的法子。”犹未想完，只听“咯吱”一声，宝钗便故意放重了脚步，笑着叫道：“颦儿，我看你往那里藏！”一面说，一面故意往前赶。那亭内的红玉坠儿刚一推窗，只听宝钗如此说着往前赶。两个人都唬怔了。宝钗反向他二人笑道：“你们把林姑娘藏在那里了？”坠儿道：“何曾见林姑娘了。”宝钗道：“我才在河那边看着林姑娘在这里蹲着弄水儿的。我要悄悄的唬他一跳，还没有走到跟前，他倒看见我了，朝东一绕就不见了。别是藏在这里头了。”一面说，一面故意进去寻了一寻，抽身就走，口内说道：“一定是又钻在山子洞里去了。遇见蛇，咬一口也罢了。”一面说一面走，心中又好笑：这件事算遮过去了，不知他二人是怎样。（第二十七回）

宝钗在外全听到了。宝钗按她的正统观念，当然认为是属于“奸淫狗盗”之流，但是，她首先考虑的是，窗子一开，见我在这里，“他们岂不臊了”。这明明不是先替自己着想，而是替小丫头着想，不能让人家害臊。其次，是为自己着想，有个小丫头平日“眼空心大”“头等刁钻古怪。今儿我听了他的短儿，一时人急造反，狗急跳墙，不但生事，而且我还没趣”，担心人家不喜欢，生出事来，没趣。其实，以薛宝钗的地位，就是小丫头狗急跳墙，生出什么事来，也损不了她一根毫毛。但是，薛宝钗既不愿意伤害小丫头，也不愿意自己惹事，就想赶紧躲起来，让她们以为没人听到。但是躲不及了，就使个“金蝉脱壳”的法子。有意放重了脚步，笑着叫道：“颦儿，我看你往那里藏！”颦儿是林黛玉，字颦颦。动机显然就是让对方放心，我的注意力不在你们这儿，而是在追赶林黛玉。“这件事算遮过去了”，她为没有伤害到小丫头而感到安心。

你们感觉怎么样？这个人虽然不是圣人，但是，对于下人体谅，也算是心地善良啊。可我的老师的分析却相反，你们是聪明人，你们猜猜，怎么分析的？（议论声）薛宝钗撞破了人家的秘密，怕人家恨她，对她有意见，她说颦儿，你往哪里走，就是暗示，你们的话都被林黛玉听去了，你们要恨就恨林黛玉去吧。得出的结论是，薛宝钗这个人善于藏奸，嫁祸于人，非常虚伪，完全是个女曹操。我当时听课的时候，我觉得是我非常尊敬的老师在嫁祸于薛宝钗。（笑声）人家薛宝钗明明是让她两个丫头放心，还笑着问：“你们把林姑娘藏在那里了？”说明，自己视线里没有，小丫头当然知道她们身边也没有。又说“我才在河那边看着林姑娘在这里蹲着弄水儿的”，提示她们，林黛玉刚才也不在这边，而是在做她自己的事：玩水。注意力也不在她们亭子里的说了什么。这完全是与人为善，洁身自好。你们有没有这种经验，有人身边在讲话，你的注意力在别的什么事情上，别人讲什么就充耳不闻，对不对？明明是不但为她们开脱，而且让她们放心，完全是良心好，大大的好呀。（笑声）当她走过这个亭子，作者又提醒读者，说宝钗“心中又好笑：这件事算遮过去了”。“遮”，就是事情不但没有闹大，而且断定小丫头们没有担心，才觉得为此费心思的“金蝉脱壳”，自己觉得很爽，才“好笑起来”。

公道自在人心，你们来考虑吧。这个曹雪芹真是天才，写薛宝钗，写她体贴小丫头的担心，一笔写了两个人，真是很精致。

但是，说薛宝钗坏心术，不单是我的老师有这种感觉，林黛玉也有这个感觉。“藏奸”这两个字是林黛玉发明的。意思是表面上装得非常大度、非常好心，实际上呢，奸计都藏在心里，坑你。但是，后来林黛玉为薛宝钗感动，化解了对薛宝钗的敌意。本来她一直把薛宝钗当作爱情的假想敌。贾宝玉有一块玉，薛宝钗呢，有一个金锁，最先是薛姨妈传出话来说，有个和尚讲的，这个金锁将来要配一个有玉的。林黛玉心里就有疙瘩了，就非常警惕，贾宝玉和薛宝钗有事没事都是在林黛玉紧张的、警惕的目光下；直接遭到讽刺、挖苦的是贾宝玉，间接影射的是薛宝钗。

后来有一次，行酒令的时候，林黛玉因为受了贾宝玉的影响看了《西厢记》《牡丹亭》这样的禁书。其中有些话，在行酒令的时候林黛玉脱口而出，别的人没有注意，薛宝钗也是看过这些禁书的，（笑声）知道林黛玉在公开场合犯了大忌了。薛宝钗当场不动声色，事后跟林黛玉讲：颦儿，你刚才讲什么话，哪里来的？林黛玉大吃一惊，糟糕了，想起昨儿失于检点，说了《牡丹亭》《西厢记》中的诗句，不觉红了脸。薛宝钗就非常真诚地规劝她，我们年轻时都调皮过，偷背着大人看那些禁书。后来大人知道了，打的打，骂的骂，烧的烧，才丢开了。所以咱们女孩儿家不认得字的倒好。做女儿，守本分。最怕读了这些杂书，“移了性情，就不可救了”，“说的黛玉垂头吃茶，心下暗伏”。林黛玉真诚地表示感激。（第四十二回）这是薛宝钗林黛玉关系转折的第一环节。

第二环节，是林黛玉生病，薛宝钗来探看。宝钗是很有文化的，也懂得医术，说：“昨儿我看你那药方上，人参肉桂觉得太多了。虽说益气补神，也不宜太热。依我说，先以平肝健胃为要，肝火一平，不能克土，胃气无病，饮食就可以养人了。每日早起拿上等燕窝一两，冰糖五钱，用银铫子熬出粥来，若吃惯了，比药还强，最是滋阴补气的。”薛宝钗主动建议，换一个药方，有利于病体。林黛玉听了，这样的好心啊，毋庸置疑，深受感动，立马自我检讨，叹道：

> 你素日待人，固然是极好的，然我最是个多心的人，只当你心里藏奸。（第四十五回）

我以为你是奸计满腹啊，原来不是，“从前日你说看杂书不好，”“又劝我那些好话，竟大感激你。往日竟是我错了”。你看看，这个检讨太彻底了，两个人在为人品性上完全沟通了。你说她两个人的对立是道德上的吗？

“实在误到如今。细细算来，我母亲去世得早，又无姊妹兄弟，我长了今年十五岁”。读到这里，我才感到，林黛玉和贾宝玉都很早熟啊，是不是？我十五岁的时候还不懂得恋爱，只是觉得班里有位女同学很漂亮就是了，美得耀眼，人家主动来和我说话，我眼皮都不抬，也没想写信。当然当时如果有手机的话就好了，发个短信之类的。（笑声）你知道，我是 1952 年进入高中的，加入了共产主义青年团，都是要为共产主义献身的。共产主义还没有实现，就追求个人幸福，这个太可耻了。（大笑声）我们团支部书记写一封信给一个女同学，团支部开会批判，团支部书记撤掉，这个同学还出身贫寒呢。而我呢，一是情窦似乎有点朦胧了，二是胆子不够哦，见了太美的女同学有点恐惧感。（大笑声）

曹雪芹为什么把他们年龄降得这么低？可能是年纪再大一点，男女授受不亲，就不可能老在一起了。

言归正传。这一回林黛玉不但认识到了，而且被感动了。真正说出了掏心窝子的话：因为自己是孤儿，没有父母兄弟，从来没有人像薛宝钗这样真心来“教导”。她不但被感动了，而且检讨自己的心地狭窄：过去就是听史湘云“说你好，赞你”，“自己还不受用”。这是主动暴露自己的妒忌啊，这还不算，又坦诚表露在品德上不如薛宝钗的与人为善。说，如果是薛宝钗在公众场合说漏了禁书的词句，自己是“不轻放过你的；你竟不介意，反劝我”实在是“自误”了。如果不是这一回自己“看出来”，也就是不会这样开诚布公的。对于薛宝钗主动提出她应该吃燕窝粥的事，她担心底下人那些婆子丫头，会嫌她又不是这里正经主子，这么“不知进退”，麻烦她们，惹“他们咒”。宝钗说：“这样说，我也是和你一样。”怎么一样呢？薛宝钗有母亲、哥哥，家财颇丰，岂是林黛玉一孤女可比。这完全是安慰林黛玉，缩短心理距离啊。宝钗主动提出由她家把燕窝粥做了送来。黛玉笑了：“东西事小，难得你多情如此。”（第四十五回）此时说出来的“多情”说明完全否定了一向闷在心里的“藏奸”。

这个“多情”，从林黛玉嘴巴里说出来，对理解林黛玉很重要，对理解薛宝钗更重要，这一点，我要请诸位特别记住。以后我们还要分析到。

你看这薛宝钗道德上有没有污点？你犯了错误，我暗暗提醒你；你有病，那个药不行，我提出个药方，这个药又贵，又怕老婆子们嫌烦，我替你做好送来。林黛玉实实在在地被感动了，诚心诚意地检讨了。她们后来完全地和解了。有一次袭人端了两杯茶来，说，啊呀，这个三个人，剩下一杯。你们谁先喝了，我再去端一杯。薛宝钗说我正渴，喝了。林黛玉说，你不要再端了，我就喝她剩下的吧。这个是感情亲密的表现，如果不是这样，那还了得，让我喝人家剩下的。有一次周瑞家的送花，一房一房分送，送到了林黛玉那里，林黛玉说，除了我还送了谁？周瑞家的说送了谁。林黛玉说，我知道，送给我的都是别人挑剩下的。那么多心的一个人，现在不多心了。林薛二人亲密到贾宝玉都莫名其妙，林黛玉解释：“谁知他竟真是个好人，我素日只当他藏奸。因把说错了酒令起，连送燕窝病中所谈之事，细细告诉了宝玉。”（第四十九回）

那么，最后，更雄辩的证明，在讲到贾宝玉的婚事，薛宝钗母亲说：

> “想着，你宝兄弟老太太那样疼他，他又生的那样，若要外头说去，断不中意。不如竟把你林妹妹定与他，岂不四角俱全？”林黛玉先还怔怔的，听后来见说到自己身上，便啐了宝钗一口，红了脸，拉着宝钗笑道：“我只打你！你为什么招出姨妈这些老没正经的话来？”宝钗笑道：“这可奇了！妈说你，为什么打我？”

这是林黛玉装傻啊，其实说得她心里甜滋滋的，但是，她却没来由地嗔怪薛宝钗，薛宝钗不但毫无妒忌之心，而且被林黛玉冤枉了，也不生气，只有情投意合的人才可能这样的不讲理啊。曹雪芹可能觉得花一点笔墨表现双方都胸无芥蒂还不够，又让局外人紫鹃，参与进来。这是林黛玉的心腹，让她顺水推舟，加紧落实：“姨太太既有这主意，为什么不和太太说去？”

> 薛姨妈哈哈笑道：“你这孩子，急什么，想必催着你姑娘出了阁，你也要早些寻一个小女婿去了。”紫鹃听了，也红了脸。

曹雪芹真是厉害，谈论婚事，本来丫头是插不上嘴的，却不但让紫鹃说了，而且让她和薛姨妈开起玩笑来，笑道：

“姨太太真个倚老卖老的起来。”（以上见第五十七回）

这还不够，还让黛玉和在场的婆子丫鬟一起笑起来。

讲的是婚姻大事，是非常严肃的，又是《红楼梦》中最重大的矛盾线索，却写得没有矛盾，没有争夺，全都是好心，互相打趣。曹雪芹为什么要花这么多笔墨营造欢乐的氛围呢？强调表现薛姨妈、林黛玉、薛宝钗都胸无芥蒂嘛。

前面说，思想并没有对立，道德上也没有分歧，在婚姻上有没有呢？贾府上的男性都不像样，那贾瑞、贾琏、贾珍，诸如此类，都滥。唯一像个人的样子的男人，就是贾宝玉了。（笑声）虽然如此，在婚姻上二人也无竞争啊。

那就成了一个尖端的课题啦。薛宝钗和林黛玉的关系特殊，特殊在什么地方呢？有一次，林黛玉去看贾宝玉，门关着林黛玉去敲门，不开，再敲门，不开。林黛玉透过窗子看，薛宝钗坐在里面，林黛玉气坏了，就对贾宝玉大发作。贾宝玉检讨了多次，当然都是口头的，没有书面检讨，（笑声）后来终于讲清楚了，原来是丫头们搞错人了，故意不开的。问题解决了，两个人就情意绵绵，唧唧哝哝。薛宝钗不经意看到，如果想争夺一下贾宝玉，当然要去偷听一下。但是，“宝钗分明看见，只装看不见，低着头过去了，到了王夫人那里，坐了一回，然后到了贾母这边，只见宝玉在这里呢。薛宝钗因往日母亲对王夫人等曾提过‘金锁是个和尚给的，等日后有玉的方可结为婚姻’等语，所以总远着宝玉”。（第二十八回）

“总远着宝玉”，这句话太重要了，离得远远的，免得啰唆啊。这是薛宝钗的性格核心。有这么唯一的合适的对象，又有这么好的僧道的启示，真所谓天作之合，不是天大的好事吗？可是她却很超脱，远远避开。她不是在一件事上这样表现，而是把这种精神贯穿到一切事情上去。只要是和金玉良缘有一点，哪怕是间接的暗示，她都感到不舒服。“昨儿见元春所赐的东西”，宝玉的大姐，皇妃，送礼，兄弟姐妹都只有一份，只有宝玉跟宝钗双份。对这样的好事，不但感觉不好，而且“心里越发没意思起来”。还为宝玉没有来纠缠她感到庆幸：“幸亏宝玉被一个林黛玉缠绵住了，心心念念只记挂着林黛玉，并不理论这事。”[①]（第二十八回）

注意啊，这么几句话，曹雪芹写得太精彩了，用中学课堂上常见的话就是“哇，太有才了！”（笑声）第一，这个人物太特殊了，个性太丰富、太深邃了。如果曹雪芹把她写成

① 尽管作者写得这样明白，可是还有评者认为宝钗坏心，连金玉之说，都是捏造的圈套。陈其泰《红楼梦回评》：“宝钗捏造金锁”，“明明圈套早成，贾母也无从做主矣”。见朱一玄编：《红楼梦资料汇编》，南开大学出版社 2001 年版，第 748 页。这个说法至今仍然为一些重要的学者所信奉。

一个感情枯窘、心灵贫乏的人物，那就没有才气可言了。可曹雪芹把她写得那么靓丽光鲜，那么才华横溢，那么善解人意，那么体贴下情，那么克己为人。也就是在德行上，在容貌上，在与人为善上，都是非常可爱可敬的，但是，偏偏又让她正当青春年华，对于爱情却似乎是一片空白。这样的人物，不要说在中国古典小说中是空前的，就是在中国现当代小说中，也是绝后的。第二，从小说的人物关系的设置来说，这也表现出非凡的魄力的，本来把薛宝钗写成和林黛玉竞争贾宝玉的三角恋爱，艺术上几乎是没有难度，这样写法，有许多套路可循。可是曹雪芹在艺术上是超越古今的雄心的。在小说一开头，就拒绝了才子佳人的爱情为第三者（小人）所破坏的套路。曹雪芹艺术上的伟大魄力就在于让薛宝钗对天下掉下来的“金玉良缘”营造的氛围，不但是无动于衷，而且避之犹恐不及，不卷入其中，宁静致远。这个人物对于爱情，她对自己可能产生的感情，采取什么态度？淡化，遏制。我的看法是：感情上的自我消灭、自我窒息，让它没有感觉，不让它发展。

这就对我们的美学出了一个难题。

对于古典文学，我们有一个准则，那就是审美价值，也就是情感价值，情感独特、丰富、强烈到超越实用功利的就是美，如林黛玉，这叫作美。反之，把情感价值放在实用功利之下，完全理性的，讲究实用功利的，则叫作丑。爱的反面并不是仇恨，而是冷漠。

但是，薛宝钗在爱情上的冷漠，是不是形象的性质上就是丑的呢？

好像不是。这个问题有点复杂，有点难度，我开头就说，是美学的哥德巴赫猜想。我们接着往下分析，也来猜想一下。

后来贾宝玉发病了，有点疯疯癫癫的了，表面上的原因很神秘，是莫名其妙地丢了玉，当然，和林黛玉不无关系，这一点，贾府上的人，多多少少心中有数的。王熙凤出了个主意说要用“冲喜”的办法，救贾宝玉，怎么个“冲”法？用结婚的喜事来冲。选定的对象是薛宝钗。但是，人们都知道，只有林黛玉才有这个能量。王熙凤就出了个调包计，让薛宝钗来冒充林黛玉。这个事呢，贾母拍板，薛姨妈应了宝玉的亲事，回来对宝钗说：虽应了，我还没有应准，关键是你愿意不愿意？这个母亲还是不错，父母之命，媒妁之言，还不能定，还要问问女儿愿意不愿意，蛮民主的嘛，也就是说，宝钗如果坚决不同意，还有翻盘的余地。但是，曹雪芹让宝钗“正色”回答道：

> “妈妈这话说错了。女孩儿家的事情是父母做主的。如今我父亲没了，妈妈应该做主的，再不然问哥哥。怎么问起我来？”所以薛姨妈更爱惜他，说他虽是从小娇养惯的，却也生来的贞静，因此在他面前，反不提起宝玉了。宝钗自从听此一说，把“宝玉”两个字自然更不提起了。（第九十五回）

薛宝钗是个漂亮的女性，是一个严守旧道德的人，没坏心，不是坏人，从善和恶的角度来说，她是善人，不是恶人。所以把她分析成女曹操是不符合文本实际的。从情感的角度来看，她对人也有感情，不是一个无情的人，连林黛玉都说她对自己“多情”，至于对哥哥，对母亲，对哥哥的妾香菱都体贴入微，甚至对下人，也是尽可能与人为善。但是，就是在自己的婚姻这个至关紧要的问题上，她却似乎没有感情，一片空白；在这个问题上，她非常理性，绝对尊崇三从四德。夏志清先生认为：

诚然，宝钗不是一个叛逆者。在一个崇尚儒学的社会里，她理所当然地承担起一个理想的妇女的角色。她相信文人的职责在于通过仕途经济之路来证明自己的价值……而宝钗接受儒学的道德则暗示着对于她自己的诗性情感的抑制。①

为了这种女德，她毫无痛苦地、舒舒服服地消灭了自己的青春的天性。遵守女德，在她不是外律，而是自律，自律甚至成了她的本能。

二、薛宝钗的无情和多情

从这里，我们终于找到了她跟林黛玉是对立的根源。

她并不是个绝对无情的人，而是相当有情有义的人，不过对母亲和哥哥是亲情，对下人是同情，对众姐妹是亲情加友情。当然，她对贾宝玉也不能说没有感情，但是就没有超越出亲情友情的性质，就是逃避着爱情。对黛玉，也是友情加上亲情，哪怕这个人可能是自己婚姻上的障碍，也无所谓。她对一切人都友好，在贾府里，没有一个人觉得她怀有恶意。

她和林黛玉的对立，其性质不是思想上、道德品性上的，甚至不是亲情和友情上的，仅仅在对待爱情上这一点上，她跟林黛玉是绝对对立的。

林黛玉爱上了贾宝玉，爱得如痴如醉，对贾宝玉的感情要全部占有，对贾宝玉的一切言行，都怀着高度警惕，百般挑剔，甚至有意“歪派”，完全不讲理，怪戾乖张，以折磨贾宝玉为快，可实际上折磨了自己。所以常常暗地里流泪伤感，为自己的爱情前景而忧虑，把感情看得比生命还重要，一旦发现贾宝玉将要和薛宝钗结婚，她就自我摧残，唯求速死。而薛宝钗呢，明明知道贾宝玉爱林黛玉，已经神经不正常了，还是遵从母命。而林黛玉，则是为了爱而生，为爱而死，没有爱，命都不要了。

超越了一切甚至生命的，才是真正的爱，才是最高的审美价值。爱是非理性的，不讲理的，超越功利的，不顾死活的，不要命的。你们不是有一首歌吗？叫作“这就爱啊，说

① 夏志清：《中国古典小说史论》，夏益民等译，陈正发等校，江西人民出版社 2001 年版，第 299 页。

也说不清楚，这就是爱啊，糊里又糊涂”。（哄堂大笑）

不要笑，我们都是这样的。爱是幸福的，也是痛苦的，爱是精彩的，也不是好玩的，真正爱起来，往往是要死人的。（大笑声）杜十娘死了，茶花女玛格丽特死了，安娜·卡列尼娜死了，还是要爱，这就是美。不会爱，情感空洞，就不美了。

那么，薛宝钗呢？她对贾宝玉，似乎没有爱情，她心里只有当时三从四德的道德规范，显然她很善。

那么这里有一个很严峻的美学问题了，就是说，什么叫美。漂亮，算不算美？林和薛都很漂亮，连那个坏女人，薛蟠的老婆夏金桂都蛮漂亮的，贾宝玉觉得她也具有蒲柳之姿嘛。说明外貌漂亮，也可能是很丑的。才华，两个人都很有才华，诗写的都比男人、比贾宝玉还好。当然，这也是一种美，但是，在《红楼梦》中这是不难学会的，那个香菱，很快就入门了。曹雪芹的立意不在这里，林黛玉和薛宝钗的矛盾，不在容貌和才华，不在道德善恶，在这方面，她们没有冲突。但是整个《红楼梦》的艺术生命就在于，她们两个人的矛盾，愈演愈烈，导致林黛玉的死亡，薛宝钗的守活寡。矛盾聚焦在对爱情的态度上，绝对相反。一个为了爱情，哪怕把老命豁上，死而无悔；一个是明明知道这个人不爱自己，还要自己冒充别人去嫁给他，虽然心里不愿意，但还是顺从了。两个漂亮的好人，在经过一番误解以后，十分友好，但是，相互的存在导致双方的悲惨结局。这就是曹雪芹的美学原则。不要说在中国文学史，就是在世界文学史上，都是横空出世的，甚至可以说是空前绝后的。

按我对美学的理解，善和美是两种价值观念，善是理性的，情是非理性的。善是实用功利的，而情是超越功利的。二者并不统一，绝对统一了，就可能是以道德的说教压倒情感。美就是情感价值，没有情感，只有实用价值，绝对的理性，就是概念化，那就不美，甚至是丑。然而，虽然薛宝钗在道德上是理性的，在婚姻上是绝对的服从，但是，她并不是一个丑角。曹雪芹为什么把薛宝钗写得那么善良呢，特别是对自己婚姻最大的对手那么好心？《红楼梦》还反复强调，大观园中，众姐妹众口一词都说她好，还有那些下人、那些小丫鬟老婆子，乃至于最没有地位、品位又不高的赵姨娘——贾政的小老婆，都称道薛宝钗。上上下下，都对她非常敬重，说真是薛姑娘好，不时地拿她的厚道和林黛玉待人处世言辞刻薄来对比。

一般来说，三角恋爱的小说，有个模式是曹雪芹一开始就反对的，才子佳人恋爱不成功，什么原因？“小人”（不善的人、恶人）挑拨离间。比如说“杜十娘怒沉百宝箱”，本来杜十娘跟这个李甲非常要好呀，李甲明明知道她是妓女啊，还是勇敢地带回家乡正式结婚。半路上冒出个小人孙富来，说不行啊，你回去你老爸肯定把你打死，你还不如把她卖给我，三百两银子，李甲就把杜十娘出卖了。杜十娘是把感情看得比生命还重要的，你不爱我了，我有百宝箱啊，远远超过三百两啊，没有爱情，我钱也不要了，命也不要了，怒沉百宝箱，成为名扬千古的美人。当然，这样的杰作，在西方也有，比如莎士比亚的《奥赛罗》，主角是个忠勇的黑人将军，他和白人女性苔丝狄梦娜相爱，美满良缘。有个坏人伊阿古，这个人非常妒忌，用一条手帕制造一种假象，让奥赛罗觉得这个苔丝狄梦娜跟别人有奸情。然后呢，奥赛罗就把苔丝狄梦娜掐死了。

这是一个模式，爱情的美为道德的恶所破坏，也出过伟大作品。

但是曹雪芹不取这个路数。他营造的爱情什么样的呢？也是个三角，但首先《红楼梦》一上来就宣布对小人破坏这种模式不屑。贾宝玉和林黛玉的爱情（美）没有小人（恶）来挑拨，其次，没有第三者的竞争。贾、林、薛实际上处于三角之中，但是并非恋爱三角。林黛玉本来把薛宝钗当作第三者、假想敌，后来切实感到薛宝钗不但没有参与竞争的意向，而且是主动退让、回避，就是对自己，也是极其真诚关爱。薛宝钗并不处在情感的三角之中，这就超越了争竞和坏人破坏的模式。但是，从婚姻的角度来说，薛宝钗却实际上处于三角之中，而且最终把林黛玉排除在外。导致贾宝玉和林黛玉爱情悲剧的原因不是道德上不堪的恶人，而是一个心地纯良的善人。对于林黛玉来说，这样的结局是悲惨的；对于薛宝钗来说，也并不幸福，和林黛玉一样也是悲剧。造成悲剧的原因，不是爱情三角，而是婚姻三角。造成婚姻天平向薛宝钗倾斜是悲剧性的：和一个明明不爱自己的人结婚已经是很痛苦的了，加上还要冒充自己丈夫所爱的人去做假新娘。

但是，最高决策者贾母也不是出于恶意，而是出于善意。

首先，造成林黛玉和贾宝玉相亲相爱的原因，是贾母对两人的超越一般礼法的钟爱，让他们从小同吃同住，长期耳鬓厮磨。其次，林黛玉和薛宝钗，贾母对之疼爱是不相上下的："林丫头那孩子倒罢了，只是心重些，所以身子就不大很结实。要赌灵性儿，也和宝丫头不差什么；要赌宽厚待人里头，却不及他宝姐姐有耽待、有尽让了。"（第八十四回）后来，贾母对于林黛玉的感情"略猜着了八九"（第九十回）以后，说得更是明确了："林丫头的乖僻，虽也是他的好处，我的心里不把林丫头配他，也是为这点子。况且林丫头这样虚弱，恐不是有寿的。只有宝丫头最妥。"（第八十九回）应该说，这是心平气和，挺有远见的：贾林就是成了婚，以林的"心重""乖僻"，婚后的日子很难太平。再加上，林的身体"不大很结实"，"虚弱"，"恐不是有寿的"，这样的决策，完全是为了贾宝玉的幸福，她并不是不爱林黛玉，只是比之林黛玉，他更爱贾宝玉。就是王熙凤出馊主意，让薛宝钗冒充林黛玉，也是为了替贾宝玉的神秘的病（丢了玉，莫名其妙地变得呆头呆脑）"冲喜"。当然贾母为宝玉选择宝钗，也有为自己考虑的一面，那就是如果选不好，日后在地下无法面对自己地下的丈夫。

这个悲剧的最大特点，造成悲剧的人，没有一个是出于坏心，但是，不管多么好心，结果是对所有的人（贾、林、薛）都是悲剧。林黛玉死了，贾宝玉疯了，最后当了和尚，薛宝钗守活寡。以这样的结果，贾母日后如果真的在地下见到自己丈夫，也是无法交代的。

《红楼梦》的悲剧不仅是林、贾和薛的悲剧，这当然与体制有关。

在这个体制里，人与人，不要说钩心斗角，就是真心实意地爱，也不可逃避情感毁灭的结局。

许多专家解读《红楼梦》往往要强调其集中表现了封建大家族的经济危机、政治危机，乃至于封建社会从兴盛走向衰亡，像毛泽东讲的，是四大家族的兴衰史、阶级斗争史，冤假错案，十几条人命。这都没有错，它背后的理论是什么呢？美的就是真的，真的就是本质地反映了进步势力和一个保守势力之间的斗争。按这样的理论，那林黛玉代表反抗这个旧的、封建的秩序，道德的、文化的传统，家长统治；而薛宝钗呢，是顺从的，维护、成全这种封建家族的秩序的，薛宝钗体现了反动势力的意志。林黛玉是善的、美的、真的，那么薛宝钗是她对立面，就只能说她是恶的，是虚伪的，工于心计的，奸诈的“女曹操”。她的好心好意是装出来的，为了笼络人心，为了最后婚姻取得胜利。

但是，从形象的实质上来看，薛宝钗和林黛玉的矛盾，并不是实用、道德理性的善恶，而是审美价值的情感。林黛玉，把感情看得比生命还重要，感情没有了，爱情不成功了，老命就不要了，这叫美！美，就是爱，爱是非理性的，不讲实用价值的，爱是不科学的。如果从科学的、实用理性来看，如果我们选对象，有林黛玉和薛宝钗两个人放在我面前选，我们男同学选谁？当然是选薛宝钗。长得漂亮不漂亮，都很漂亮；有没有才华，都很有才华；从传宗接代的角度来讲，薛宝钗更可靠。（大笑声）林黛玉又是肺结核，又是胃溃疡，又失眠、神经衰弱，（大笑声）脾气又不好，成天闹矛盾，还有一点，能不能生孩子还是一个极大的问题。（大笑声）但是，林黛玉是美人，又漂亮，情感又丰富的美人；那薛宝钗呢，从某种意义上来说呢，她是个美丽的，但是，在爱情上，她是比较淡漠的。到了要决定终身大事的时候，妈妈问她怎么样，她居然说妈妈你错了，这个问题不应该问我。要她冒充林黛玉嫁给别人，她虽然痛苦，但是，服从了。如果拿这个问题去问林黛玉，她会这么驯服吗？这么无所谓吗？薛宝钗的在感情上的冷漠，原因在于，她在封建伦理道德上的驯服。她不是一个没有道德的人，而是把三从四德看成是天经地义，自己的感情与之相比，简直是微不足道。这种驯服已经成为她的本能，在这一点上，她一点也不虚伪，她是真诚的，在道德上，她已经将三从四德内化为内心的最高准则。正等于真诚的尼姑没有爱情，难道不是善的吗？用康德的观念来套，可以称作审善之美。[①]她对人也不是没有感情，而是普遍有感情，但是她在感情最为强烈的爱情上却是空洞的。从严格意义上来说，无情应该是美的反面，但是，如果说她是丑的，你们不同意，至少男同学不同意，我内心深处也不同意。我现在放眼望去，这么多女同学，至少有百分之五十以上的，没有薛宝钗那样超群的美丽，是不是？（笑声）但，我相信，百分之九十以上，不会把自己的感情像薛宝钗那样轻易地牺牲。薛宝钗这个形象的深刻就在于，她并非在外部强大的压力下被迫屈服，而是主动将自己的感情舒舒服服地消灭掉了。所以有一句话，你们要记住，爱的反面是什么？（“冷漠。”有同学小声回答）你太棒了，你太懂得美学了，爱的反面是冷漠。

如果说，我跟个女孩子谈恋爱，谈崩了，我很恨她，说明我还爱她；我跟个女孩子谈了，结果离婚了，我见了她心里还恼火，说明还爱她；如果我跟一个女孩子，结婚了，生了孩子，离婚了，我见了她没感觉，像看到一个木头一样，那就没有感情了。爱的反面是冷漠，冷漠是最可怕，冷漠就是丑（最极端的就是张爱玲《金锁记》中的曹七巧）。那么从这个意义上来说，薛宝钗这个人物呢，至少在情感世界来说，她似乎是空洞的，原来我给她命名，叫什么啊，美得空洞，是一朵美丽的纸花。

但是，这样的说法呢，还嫌太简单。因为薛宝钗是有自己的感情的，不是一点没有，只是她舒舒服服地遏制了自己的爱情，这一点呢，我们要复杂一点看。她几乎对一切人都怀着好意的，我们前面说了，亲情、友情、同情都不缺乏；就是对林黛玉，也有感情，也在心理上帮助她解脱孤儿自卑，在物质上主动提供药物，一点妒意都没有。我前面提醒过，林黛玉说她对自己“多情”，这是她道德上的优点，但是在自己爱情上呢？似乎是个缺点，她把自己的感情看得太不当一回事了。

薛宝钗是很美丽的，有一次，贾宝玉毕竟是个男人嘛，有时候也发现薛宝钗相当美丽。他闻到她身上有一股味道，很香嘛，就说你身上好香啊，就想闻一闻。那当然薛宝钗是不让他碰的，“没什么香，我最讨厌那个香水了，打扮那么花哨。”后来想了半天，“哦，那是吃的药香。”“吃了什么药？”冷香丸，这太对了，“香”就是非常美丽呀；“冷”就是刚才那同学说对了，冷漠，冷艳的美人。在给贾宝玉祝寿的时候，行酒令时，每人抽一支签，她抽到牡丹花。这是曹雪芹有意派给她的啊。牡丹花是花中之王啊，正标题是“艳冠群芳”，花中最美艳的，下面的小字是“任是无情也动人”。（第六十三回）这句话很关键啊，

① 关于道德的善，在这里本该下个定义，但是这是个难题。因为这是个历史的范畴。至少具有普遍性与特殊两个侧面。从普遍性来说，薛宝钗对林黛玉，对一切人与人为善，在道德上是美的；从特殊性来说，她遵从的三从四德，本是恶的，但是，她将之内化了，自觉化了，没有害人，甘愿自我消灭爱情，正等于古代许多民族英雄，如岳飞，把忠君内化为最高道德一样，因而不是丑的，从历史来说，也是一种美，我把这叫作审善之美。

我刚才讲，无情就是丑，但是我们伟大的曹雪芹啊，在美学上提出了一个反例，虽然无情，也还是动人，也还是美。薛宝钗并不是丑，简单讲薛宝钗是丑，是没有根据的，任是无情她也动人。金庸的小说里有一个女性人物，我名字忘掉了，就很“冷艳”，非常艳，但是非常冷。没有感情又很美。

这是曹雪芹给美学出了一个难题：从美学的角度来说，有情是美，感情丰富是美，为感情而不要命是美；反过来说，没有感情是丑，把感情消灭的一干二净是丑。栊翠庵里的尼姑都说，说薛宝钗是个“冷人”，也就是金庸所讲的“冷艳”，这个“冷人”非常值得研究。至今我们的美学没法解释。我的猜想是什么呢？请注意，我们讲“真”是一种价值观念，它的相对是“伪”，或者是“假”；“善”是一种价值观念，它的反面是“恶”，是吧；那么美的价值观念，它的反面是“丑”。那没有感情就是丑喽，但为什么产生“任是无情也动人”呢？这里我要对康德的真善美三元价值的美学做一个发挥：薛宝钗是善的，薛宝钗心地不坏，因而我们做一个补充就是，真、善、美三种价值体系，并不是完全重合的，也不是绝对的分裂的，而是有交叉的，形象一点说是三个交叉的圆。也就是美和善在交叉部分中，互相重叠。碰到这种情况，康德的审美这个范畴是不够用了，无情而动人，因为她善，我想我们不能被审美这个范畴束缚住了，我就为这个审美所不能概括的情况给出一个新的命名：审善。她也是美的，是一朵花，不过是一朵冷艳的花。

在一般情况下，有感情的是美，没有感情的是丑，感情不讲理性，感情不讲善恶的。有一种说法，男人不坏，女人不爱，这当然是笑话，但是，也不无道理。贾宝玉就绝对善吗？他发起少爷脾气来，一脚把袭人踢得吐血。在林黛玉死了以后，又对五儿有意，不能得手，这是恶，但是，在表现他的多恋这一点上，是很艺术的。如果要绝对讲善，比对下人、对弱势者的同情的话，林黛玉肯定不如薛宝钗。但是，从情感角度讲，她比薛宝钗更美。曹雪芹发现了一种特殊情况，这种人虽然在男女之爱没感情，但是，她的理性不是绝对的，除了爱情，在其他方面是挺有情的。从理论上说，理性的无情往往不是孤立存在的，而是与其对立面，和情感潜在地联系着的。她的无情是对自己的，哪怕是最珍贵的爱情，都可以放弃的，都可以牺牲的，对别人却有情的，最明显的就是连林黛玉都为她的“多情”而感动。

当然，对于比林黛玉地位低的丫鬟金钏儿就有些不同。由于跟贾宝玉稍微调情了一下，给王夫人赶了出去，就自杀了。王夫人讲起来，都觉得是心里不安、痛苦，给了五十两银子，还流下眼泪，说毕竟她服侍我这么多年，待她像女儿一样。薛宝钗就安慰她，太太你不要太伤心了，也许这个孩子啊，是在我们这里过惯了，出去不习惯，有的时候到外面去野一点，到井边玩，说不定不小心，“扑通”一下掉下去了；另外呢，如果真是她自杀的话，这样的孩子不值得你伤心。好端端一个女孩子死了，她这样讲话是很无情的，但是，在安慰王夫人这个长辈这一点上，她还是有感情的。表面上，每逢死人的时候，出事的时候，薛宝钗都非常冷峻。柳湘莲因为尤三姐自杀了，就出家了。薛宝钗的妈妈“心甚叹息”。薛宝钗怎么反应呢？

（薛宝钗）并不在意，便说道：“俗语说的好，‘天有不测风云，人有旦夕祸福’，这也是他们前生命定。前日妈妈为他救了哥哥，商量着替他料理，如今已经死的死了（尤三姐），走的走了（柳湘莲），依我说，也只好由他罢了。妈妈也不必为他们伤感了。”

这可真是高度的理性主义者。说她冷漠，这个可能绝对化了一点，她这样讲对死者固然是无情，但是，在安慰母亲这一点上，又是有情。认真细究起来，薛宝钗对贾宝玉，只是比较克制而已。例如，宝玉挨打以后，宝钗送药来吩咐袭人：

“晚上把这药用酒研开，替他敷上，把那淤血的热毒散开，可以就好了。”说毕，递与袭人，又问道：“这会子可好些？”宝玉一面道谢说：“好了。”又让坐。宝钗见他睁开眼说话，不像先时，心中也宽慰了好些，便点头叹道：“早听人一句话，也不至今日。别说老太太、太太心疼，就是我们看着，心里也疼。”刚说了半句又忙咽住，自悔说的话急了，不觉的就红了脸，低下头来。（第三十四回）

这里，显然是不让自己内心萌芽状态感情流露出来，不让它发展起来。她的无情乃是对自己的感情的无情牺牲，对别人，往往是有情有义的，这就是情与义、美与善的交融。从这个意义上说，精神还是蛮光彩的。我把她列入“审善”范畴，你们大概是可以接受的吧。

此外，更不可忽略的是，她无心与林黛玉争竞，为的是坚守她的德行，但是不是奴隶式的，而有尊严的，有精神底线的。特别是在林黛玉面前，不容忍贾宝玉口无遮拦地轻薄。一日，林黛玉和贾宝玉摆脱了误会，宝玉说了“你死了我当和尚去”，和好了，被凤姐拉到贾母房中，薛宝钗也在，闲谈之间，宝玉搭讪：

“姐姐怎么不看戏去？”宝钗道：“我怕热，看了两出，热的很。要走，客又不散。我少不得推身上不好，就来了。”宝玉听说，自己由不得脸上没意思，只得又搭讪笑道：“怪不得他们拿姐姐比杨妃，原来也体丰怯热。”宝钗听说，不由得大怒，待要怎样，又不好怎样。回思了一回，脸红起来，便冷笑了两声，说道：“我倒像杨妃，只是没一个好哥哥好兄弟，可以作得杨国忠的。”二人正说着，可巧小丫头靛儿因不见了扇子，和宝钗笑道：“必是宝姑娘藏了我的。好姑娘，赏我罢。”宝钗指他道：“你要仔细！我和你顽过，你再疑我。和你素日嘻皮笑脸的那些姑娘们跟前，你该问他们去。”

说的个靛儿跑了。宝玉自知又把话说造次了，当着许多人，更比才在林黛玉跟前更不好意思，便急回身又同别人搭讪去了。（第三十回）

这说明她虽然与世无争，但是，仍然保持着很强的自尊，特别是在林黛玉面前，她是有精神的底线的。这表现在她很罕见地“不由得大怒”，而且借小丫头指桑骂槐。这一章的回目就是“宝钗借扇机带双敲”。这个大怒就是感情嘛，不过很难得就是了。她的无情是有心灵上的尊严结合在一起的。善与美就这样交融起来。构成了“审善”的庄严内涵。

美就是把感情放在最高，它是不实用的、非理性的，但是它是最美的。我们在西方文学里看到很多的例子，比如我看过屠格涅夫的《贵族之家》，拉夫列茨基爱上了他的外甥女丽莎，俄国人莫名其妙，舅舅和一个外甥女谈恋爱，还可以结婚。舅舅的妻子是一个堕落的女人，早就跟别人私奔，音信杳无了。拉夫列茨基跟丽莎准备结婚的时候，那个浪荡老婆阴差阳错、鬼使神差又回来了。这个丽莎，虽然非常爱她的舅舅，但是从此非常崇高地遁入空门，不过不是中国的尼姑庵，而是俄国的修道院。拉夫列茨基有一次到修道院去，迎面走来一个戴着黑头纱穿着黑衣的修女，那就是丽莎。两个人迎面相遇，拉夫列茨基就盯着她，希望她有反应，丽莎却目不转睛地比肩而过，只有非常细心的人才能发现她的肩膀抖动了一下。从这里可以看出，丽莎的道德观念把自己的爱情抑制了，但是，爱情并没有消灭。

在法国文学中，茶花女玛格丽特是个高级妓女。后来，突发爱情，爱上了阿尔芒，就放弃了她做富人情妇的享受，两人同居。阿尔芒花光了父母给的钱还是不顾一切地爱。后来玛格丽特突然就离开了阿尔芒，为什么啊？他的父亲偷偷地去要求玛格丽特离开他的儿子，要不然会毁了他的前途。玛格丽特因为爱阿尔芒才离开阿尔芒，而蒙在鼓里的阿尔芒痛苦得不得了。等到她死了，拍卖她的家产的时候，阿尔芒才知道。这个妓女非常堕落的一面，跟有钱的人睡觉，卖身，过花天酒地的日子。但一旦有了爱情之后，为了爱他，离开他，不惮堕落的恶名。这个形象非常美，因为有情啊，为爱情而牺牲啊。这有点像《红楼梦》中的尤三姐，在污泥浊水之中，保留一份超越实用功利的爱情。尤三姐是公开以命殉情，茶花女则是暗中以宁愿付出为情人误解的代价。这些人物都把爱情放在生命、名誉之上。当然是美的，但是，薛宝钗却不是，她没有强烈的爱情，她克制了可能产生的爱情。但是，她还是美的。

这还让我想到托尔斯泰的安娜·卡列尼娜，她本来嫁了卡列宁，是一个级别颇高的官员。这个官员道德上没有问题，但是，就是缺乏感情嘛。安娜也不觉得有什么不足，但是，偶然遇到了伏伦斯基，起初也不喜欢他，逃避他的追求，后来，安娜内心饱满的感情被他唤醒了。她不能窒息自己的感情，就爱上了他，就陷进去了。不顾脸面，还怀了孕，成为声名败坏的女人，遭到上流社交界的拒绝。两个人疯狂了一阵以后，就被钱锺书言中了，同居以前是一个样子，同居以后，安娜发现伏伦斯基并不是全心全意爱她。他有他的生活圈子，他跟军官混在一起的时候，还有更为宽广的精神世界。而安娜追求的是他要把感情百分之百地放在她身上。安娜认为，虽然没有第三者，你爱得不够，我就不活了，我惩罚你。怎么惩罚？不是拿一把刀把你捅死，那是实用价值的善恶，太低级，我去自杀，让你后悔一辈子，这是最高的惩罚，是审美的惩罚。后来是伏伦斯基也自杀了，不过被抢救活了。这个最审美的惩罚，只能欣赏，你们可不要模仿，你们哪怕有一个人模仿，我可能要被你们家长起诉。（笑声）

我还读过俄国作家车尔尼雪夫斯基的《怎么办》，也是三角的，两个朋友同时爱上了一个女性，其中一个就伪装自杀，成全朋友。这当然很崇高。但是，写得比较概念，以后就没戏了，不像薛宝钗这样，爱情的非三角和婚姻的三角错位在一起，道德的善和情感的美交融在一起，这绝对是人性的独特而深邃的探险。

更复杂一些的是《战争与和平》中的娜塔莎，一下子和安德烈公爵陷入疯狂的热爱，如果就这样爱下去，就没有什么可写的了。老托尔斯泰让安德烈的父亲让他出国一年考验一下。娜塔莎简直不能忍受这样的长期的分离。但是当一个花花公子出现的时候，她又疯狂地爱上了，而且要和他私奔。幸而后来得知此人已经结了婚而未果。等到安德烈从前方归来，已经受了重伤，而且生命垂危，最后就死在娜塔莎的面前。

在世界文学上似乎还没有薛宝钗这样的女性。西方人是要么就爱，要么就死，不死就进修道院，如果不爱了，怎么办？就换一个。（笑声）不要笑，想换一个就换一个，换得自由也还是美的。还有经典的，如梅里美的《卡尔曼》，则更是这样的。但是薛宝钗这样的是绝无仅有的，这是中国文学给世界文学的一个伟大的贡献，

也许，从美学来看《红楼梦》的丰富，比之我们熟知的真善美的统一更丰富，更复杂。在这里，固然有林黛玉这样真善美统一的，也有假丑恶统一的，如贾赦、贾瑞、贾珍、夏金桂、鲍二家的之流，道德的恶就是形象的丑，这些形象似乎都太单调，多少有点漫画化，如贾瑞、鲍二家的之类。更鲜明的，道德的恶却在形象上并不完全是丑，如王夫人，可以说美丑交融，邢夫人则更丑一些。更有一种“恶之花”，如王熙凤，明明作恶多端（正如小厮兴儿所说：“嘴甜心苦，两面三刀；上头一脸笑，脚下使绊子；明是一盆火，暗是一把刀。”），但是，曹雪芹还是把她写得不但外表美，而且在人际关系上、在语言应对上，才干超群，胜过男性。这有点像雷雨中的蘩漪，都是恶之花，和薛宝钗作为冷艳的善之美，形成对比。我以后还要专门讲。

我想，从《红楼梦》的文本出发，道德的理性和情感的美，并不是绝对统一的，也不

是绝对对立的，绝对对立了，就可能是诲淫诲盗。情感的美与道德理性，是错位的，是个交叉的圆，那不相交的部分，就是不同的价值的空间，错位的幅度越大，越是显示出情感的超越性，就越是美，如林黛玉；交叉的圆中，美与善也有重合的部分，统一的部分。那就是情感与理性的善的统一。这就是薛宝钗。

在这里，康德的“美，是道德上的善的象征”①和黑格尔“美是理念的感性显现”②汇合了。

三、《红楼梦》对小说模式的贡献

曹雪芹的伟大还在于，在小说模式上有突破。

俄国形式主义者提出了一个模式，爱情小说有一个基本的模式，它这样讲啊，诸位把耳朵像猫一样竖起来。(笑声)我结合着自己的理解说一下。当一个男主人公譬如说A，爱上了B，如果B爱上A，我爱上你了，你爱上我了，还有什么戏啊，没东西可写。当A爱上B的时候啊，B不爱他，如果就干脆拒绝了，故事到此为止，也没有戏。这个A经过一番努力，B就爱上了A。如果说这样成功了，大团圆啦，百年好合，用我们传统小说里面有一个公式叫“五男二女，七子团圆”。这是非常庸俗的公式。那么这个俄国形式主义怎么说啊，当B爱上了A的时候，A却不爱B了。③(大笑声)

这个俄国形式主义者的公式，没有进一步提升为更普遍的理论，我给它概括起来，叫作相爱、相亲的人物之间的情感“错位”。

不过，这个公式还有局限，因为只涉及两个人，但是小说经常不是两个人，往往都是要有第三者的嘛。但是，一般的第三者都进入，都造成了各方面的焦灼状态。琼瑶的小说基本就是这样。将来你们有志于电视剧创作啊，写谈恋爱，不要让他们顺利，还没有成，就来一个第三者。A爱上了B，B呢，还在犹豫不决，正在准备爱上A的时候来了一个C，C爱上A，A又觉得我不大爱他，又来了个D(大笑声)，如果再来一个E、F、G，就可以写电视连续剧，写三十集。为什么是三十集？一集两集观众的胃口吊得不够，广告不多，

① 康德将美学与道德的关系，通过一个广为后人悉知的命题——“美是道德的象征”表述出来。康德在《判断力批判》第59节《美作为德性的象征》中说：“美是德性的象征”。[德]康德：《判断力批判》，邓晓芒译，杨祖陶校，人民出版社2002年版，第198页。

② [德]黑格尔：《美学》第一卷，商务印书馆1981年版，第142页。

③ “故事需要的是不顺利的爱情。例如当A爱上Б，Б觉得她并不爱A；而Б爱上A时，A却觉得不爱Б了……可见故事不仅需要有作用，而且需要有反作用，有某种不一致。”[俄]维·什克洛夫斯基：《故事和小说的构成》，[英]乔治·艾略特等著：《小说的艺术》，社会科学文献出版社1999年版，第86页。

三十集，吊三十次，广告就多了嘛。好像爱又好像不爱，过去爱，今天不爱了，过一阵又爱了，这个才叫戏。如果互相都不爱，都很冷的，没戏还好说，没有广告，就砸锅了。

但是曹雪芹在《红楼梦》中，开头就批判过三角恋爱中小人捣乱的公式。他创造的模式是，当 A，就是贾宝玉，爱上了 B，就是林黛玉。按照俄国形式主义者那个公式，林黛玉不应该马上爱他，对不对，要拒绝一下嘛。不，林黛玉也爱他，虽然嘴巴上呢，经常折磨他，心里却爱得不要命，那这就有点戏啦。来一个 C，薛宝钗，照理说薛宝钗应该参与这个竞争才更有戏嘛。但是，薛宝钗既不爱贾宝玉，也不妒忌林黛玉。这个模式才叫伟大，多精彩呀。你们去爱好啦。你身体不好，我帮你治好；你说话不合女孩子规范，说漏了嘴，我帮你掩盖，一点不妒忌，道德非常高尚。但是这个不爱 A 的 C，却要冒充 B 去嫁给 A，这个太伟大了。这个曹雪芹的想象力太超群了，我研究文学研究到七十七岁了，到前几年才悟出来，原来曹雪芹的艺术想象力，他的智慧，超过了俄国形式主义者，也超越了小仲马、屠格涅夫、托尔斯泰，曹雪芹让并不相爱 A 和 C 阴差阳错地结婚了，闹得天翻地覆，所有的人，都没有好下场。听了这么伟大的想象，你们怎么还不鼓掌？（掌声热烈）

讲到这里，我要站起来讲，如果坐着讲，太对不起曹雪芹了。（热烈掌声）

这就是我的猜想的第一个结论，爱情小说模式的世界性的突破。

四、为什么没有凶手

《红楼梦》的悲剧固然有客观的封建家长制、封建礼法上的原因，但是，并不是唯一的原因。

悲剧也不是由于坏人造成的，不是像《奥赛罗》那样，有坏人，恶意给他搞坏的；也不是家族世仇，像罗密欧与朱丽叶那样，是吧？而完全是一个说不清的道理。在很大程度上，是相爱的贾宝玉、林黛玉之间不能沟通；即使是最后沟通了，林黛玉还是神经质，林黛玉时而觉得有信心，时而觉得悲观绝望、自我摧残。特别是最后，听了傻大姐的话说，贾宝玉和薛宝钗要结婚了，林黛玉先是腿软了，走不动路了，突然变得很坚强起来，跑到贾宝玉的那个房间里，两个人痴痴地笑，回去就那样慢慢死了。

这个悲剧，很奇怪，没有凶手。你说凶手是最后决定婚姻的贾母吗？贾母之所以决定选择薛宝钗，是因为她非常爱贾宝玉；贾母之所以不选择林黛玉，也不是因为她恨林黛玉，而她非常爱林黛玉，只是贾母考虑得比较实际："心重"，身体"虚弱"，"恐不是有寿的"。那么，你们可以说王熙凤是个坏人，是她提出来要薛宝钗冒充林黛玉去嫁给贾宝玉。但是出发点是好的啊，贾宝玉都已经疯了，她明明知道是因为林黛玉，而林黛玉身体是那个样子，那怎么办呢？叫薛宝钗冒充林黛玉去冲冲喜，冲一下，贾宝玉就健康了。果然冒充了一下，贾宝玉稍微好了一下，她当然没有想到，一旦发现不是，更糟糕了。[①]

从这个意义上来讲，这是我们中国古典小说，在世界小说史上的一个伟大的发明。第一，如此凄惨的悲剧，美好生命的毁灭，却很难从外部环境找到凶手。第二，最深刻的是，悲剧的根源和悲剧主人公自身有关。薛宝钗没有爱，因为被贾母爱而倒霉。如果她也像林黛玉那样"心重"，那样"乖僻"，不是那样"有耽待"，那样驯服，身体也像林黛玉那样"虚弱"，"恐不是有寿的"，就没有委屈和痛苦了。贾宝玉被贾母格外的宠爱，不管多么任性，都可得到贾母的庇护。如果他仗着这种特权，把话挑明，我就是为林黛玉而疯的，贾母也不可能不考虑。这一点王国维倒是说到了："宝玉之于黛玉，信誓旦旦，而不能言之于最爱之祖母，则普通之道德使然。"[②]当时的道德约束太严酷了，这话可能只对了一半，其实贾宝玉造次了，也不会有多么严重的后果。而林黛玉的身份不如贾宝玉那样重要，既然贾宝玉都不敢，王国维就说了："况黛玉一女子哉！"[③]当然这种客观情况也不是绝对的，早在《西厢记》里，崔莺莺干脆抱着被子到张生房间里去把事情做出来，以曹雪芹的天才，也不是不可想象的。

但是，这样去理解《红楼梦》是太过形而下了，太过浅薄了，要知道引领贾宝玉梦游太虚幻境的警幻仙子，就在"离恨天之上，灌愁海之中"，二层门内是"痴情司""结怨司""朝啼司""夜怨司""春感司""秋悲司"。所有的这些春秋、日夜不断的怨、悲，皆因情痴而来，故其"薄命司"题诗有"春恨秋悲皆自惹"。在王国维看来《红楼梦》的悲剧，不是坏人作恶，也不是古希腊的命运，这一切都是外在的，而人生情欲才是内因。因为有了情欲，就充满了不幸，正是因为这样，《红楼梦》的悲剧，不是个别、偶然的故事，相反，"彼示人生最大之不幸，非例外之事，而人生之所固有故也"[④]。这种悲剧，有其内因的宿命性质，其主题就是寻求人生宿命悲剧的普遍解脱。

《红楼梦》里的悲剧，并不只是贾宝玉和林黛玉。在爱情方面，还有尤三姐、司棋、潘又安，以生命殉情；在人情方面，还有金钏儿、晴雯、鸳鸯，不屈而死。唯独贾宝玉没有死，作者让他看破红尘，遁入空门。贾宝玉为什么不死呢？难道他的爱情还不如潘又安强烈吗？王国维就曾有过这样的提出问题：

---

① 当然，王国维在《红楼梦评论》中认为凤姐怕林黛玉成为宝玉媳妇，会威胁到自己的权力，这种猜想有点不着边际。

② 傅杰编：《王国维论学集》，云南人民出版社 2008 年版，第 433 页。

③ 傅杰编：《王国维论学集》，云南人民出版社 2008 年版，第 433 页。

④ 傅杰编：《王国维论学集》，云南人民出版社 2008 年版，第 433 页。

今使为宝玉者，于黛玉既死之后，或感愤而自杀，或放废而终其身，则虽谓此书一无价值可言也。[1]

当然，他没有柳湘莲的剑，但是，撞墙，跳楼、投湖，都是太容易不过的事啊。读者们不可忽略《红楼梦》中，那些僧僧道道的人物。今天的读者看来很神秘，莫名其妙。其实，作者是寄托着深意的。按佛家的学说，生活的七情六欲都是梦幻泡影，沉溺于其中，乃是妄执无明。人生的一切痛苦都来自自己的欲望，这一点与王国维所师承的叔本华是一致的。人都是为自己的欲望所苦，人生的最高境界乃是从欲望中解脱。自杀，结束梦幻，这是很简单的，但是，并不是真解脱。王国维这样说：

而解脱之道，存于出世，而不存于自杀。出世者，拒绝一切生活之欲者也……

故金钏之堕井也，司棋之触墙也，尤三姐、潘又安之自刎也，非解脱也，求偿其欲而不得者也。[2]

王国维认为，就是自杀，也是因为“求偿其欲而不得”，也就是说，还没有从欲望中解脱出来。在《红楼梦》中达到“真正解脱”的，只贾宝玉。

而柳湘莲之入道，有似潘又安，芳官之出家，略同于金钏。故苟有生活之欲存乎，则虽出世而无与于解脱；苟无此欲，则自杀亦未始非解脱之一者也。如鸳鸯之死，彼固有不得已之境遇在。[3]

你们不要小看这样的说法，《红楼梦》中，要达到真正解脱的是很困难的，就是自杀了，也不见得就是解脱了，甚至就是遁入空门了，也不一定。我觉得王国维忽略了一个人物——妙玉，她已经是入庵修行了，是个不剃掉头发的尼姑了，自称是槛外人，也就世外人了，应该是六根清净了。可是，她和宝玉交往一番，就心猿意马，心旌摇摇，不能克制了。她回去后，尽量宁静下来，“把禅门日诵念了一遍”，“跏趺坐下，断除妄想，趋向真如”。“坐到三更过后，听得屋上骨碌碌一片瓦响，妙玉恐有贼来，下了禅床，出到前轩，但见云影横空，月华如水”，“独自一个凭栏站了一回”：

忽想起日间宝玉之言，不觉一阵心跳耳热。自己连忙收摄心神，走进禅房，仍到禅床上坐了。怎奈神不守舍，一时如万马奔驰，觉得禅床便恍荡起来，身子已不在庵中。便有许多王孙公子要求娶他，又有些媒婆扯扯拽拽扶他上车，自己不肯去。一回儿又有盗贼劫他，持刀执棍的逼勒。只得哭喊求救。

这明显是神志失常了，请了大夫来看，论断是打坐后“走火入魔”了。惜春得出的结

① 傅杰编：《王国维论学集》，云南人民出版社 2008 年版，第 436 页。
② 傅杰编：《王国维论学集》，云南人民出版社 2008 年版，第 429 页。
③ 傅杰编：《王国维论学集》，云南人民出版社 2008 年版，第 429 页。

论是："妙玉虽然洁净，毕竟尘缘未断。"用今天的话来说，在潜意识里，她的青春的欲望不但没有断绝，而且蠢蠢欲动。从这个意义上说，要求得人生痛苦的解脱，是很不容易的，就是自杀，出家，都不一定。

警幻册中指妙玉："欲洁何曾洁，云空未必空。"其实，妙玉可以是能指，而其所指可指向一切人。要达到悟透色空，是不容易的。就是贾宝玉在林黛玉死后，王国维也指出，对于色欲，"屡失于宝钗，几败于五儿，屡蹶屡振，而终获最后之胜利"[①]。应该说，还要补充一点，最后，还没有从亲情中解脱，故在决计离去之前，中个举人，留个儿子。这也许是一种妥协吧，一种折中吧。

现在可以回到我们的论题——薛宝钗上来了。从佛学来说，相比起来，薛宝钗在大观园中，不但比妙玉强，而且比一切人强。她身处情感的逆境，婚礼上冒充别人当新娘子的尴尬，也没有痛苦得失态。在一片混乱之中，她的理性，固然有冷峻的一面，但是，不能不说，也有刚强的一面。甚至在贾宝玉精神稍有恢复，在生理上对她有所欲求的时候，她相当克制，劝他先保养身体为上，来日方长。在贾宝玉出家以后，她成了活寡妇，所经受的应该是最大的伤痛，也没有表现出任何林黛玉式的神经质，没有像林黛玉那样自戕，当然更不会自杀，她有她责任担当，也不可能用出家这种形式来表示绝望，她的境界似乎可以借用无欲则刚来形容。她对自己的情欲克制得很自然、坦然，似乎与外界关系不大，在大观园中，不管是繁荣、热闹，还是败落、凄凉，不管是顺境还是逆境，她都以一种很从容的姿态浮现在众人的精神氛围之上。从这个意义上说，她和林黛玉的确是大观园中的两大奇葩。故按俞平伯先生早年的"钗黛合一论"，二者在《红楼梦》作者心目中，是平行的，是同等的悲剧，故《红楼梦》引子中有"悲金、悼玉"之言。俞平伯认为二者是"两峰对峙，双水分流，各极其妙，莫能相下。必如此方极情场之盛，必如此方尽文章之妙"。[②]不过，更精细地比较一番的话，她的审善比之林黛玉的审美形式缺少一些光彩而已。如果讲艺术的审美，那最理想的是林黛玉；如果讲美学的"审善"，薛宝钗可能是最理想的人物了。艺术和现实是不一样的。在现实中，曹雪芹连贾宝玉的水平都没有达到，他不但是结了婚，而且是生了儿子的，还为儿子的去世而悲痛不已。他的水准也就是薛宝钗的水准。可能他不太满意自己这样的水准，才写了《红楼梦》来表达对自己的批判。

好吧，今天一开始，我就说，薛宝钗这个形象在美学上是个谜，我的解读，不过是孙绍振猜想。屏幕上打出的题目本来是"薛宝钗：美丽的'藏奸'还是感情的自尽"，我本来要说她是一朵美丽的空壳，讲到这里，好像不太对头，俞平伯先生的钗黛合一，是审美和

① 傅杰编：《王国维论学集》，云南人民出版社2008年版，第429页。
② 俞平伯：《红楼梦辨》，商务印书馆2013年版，第110页。

审善遥遥相对，息息相通，比较接近《红楼梦》的整体。当然，我的这个说法，还带有猜想的性质，提供大家参考。我们下面留一点时间跟大家交流一下，希望大家质疑吧。（热烈鼓掌声）

附：

现场问答

问：教授您好，您说，您讲《红楼梦》其实就是要把《红楼梦》从一些学者的庸俗社会学的阐释，回归到人性上。我是非常赞同您这观点的，但就您说贾母或者王熙凤，让薛宝钗嫁给这个贾宝玉，是出于爱。这个觉得还是要一分为二看问题。我认为，贾母或者王熙凤会不会是考虑封建礼教，以及为了振兴家业，而冲喜。我觉得，她们好像不是很喜欢这个林姑娘，更喜欢一个懂事的人。不知道您怎么看？

答：你这话是有道理的，可能给我启发……请坐请坐，你站着我很不安，（笑声）你站着我就要陪你站着，才平等。（笑声）上次讲贾宝玉，强调了社会学的一面；这次讲薛宝钗呢，强调了人性的一面。就是人性的局限，相爱的人之间不能沟通。贾母，认为女儿不应该考虑自己的终身大事，考虑自己的事情就违背原则了。林黛玉临死前对贾母讲，“老太太你白疼了我了”；贾母也说，“我真是白疼了”。疼就是爱嘛，爱到相当深度才叫疼。林黛玉知道贾母是爱她的，贾母也说，我疼爱她的，但是白疼了。这个爱、这个疼啊，我刚才没有分析。贾母疼，是因为她是女儿的孩子而疼她，她聪明、伶俐，而且长得又好，有才华，很有个性，她的疼爱是作为骨肉亲情来疼爱的，当然也希望她幸福。林黛玉后来说“白疼了”，就是说，你在骨肉亲情方面都疼到了家，就是我那个要命的爱情你没疼到，对吧？那贾母也说“我也白疼了”，我疼你这么多，但是，贾母不能疼她自己找对象，这是第一。第二，贾母还说她身体“不大很结实”，“虚弱”，“恐不是有寿的”。你说，林黛玉那样的身体，如果寿命不长怎么办，这个人能不能生孩子啊？贾府男性的接班人一个个都是混蛋、浪荡公子、犯罪分子，特别是贾瑞、贾珍、贾赦那样的人，淫棍啊，都堕落了，唯一像样的人就是贾宝玉，如果这个人再没有孩子，那这贾府就完蛋了嘛。在你的启发下，我再补充一点，这两个“白”的内涵是错位的。林黛玉说你都爱了，就没爱到我所爱；贾母说我都爱了，你那个爱我不能爱。是不是？你们同意不同意？同意就请鼓掌。（掌声热烈）

问：孙教授，您好。您为薛宝钗做总结，就说她比较冷漠，是一种感情冷漠。但是我觉得，她在关心许多人，如果冷漠的话，她就不会关心下人甚至黛玉。我认为，她可能就是在感情方面的一种不主动，或者就是不太会自己到处宣扬，不像林黛玉那么间接地表现得淋漓尽致吧。您说她冷漠是不是有一点过了？

崔永元讲他女儿。他们有一次坐电梯，他女儿是很小，电梯里面有个负责按钮的阿姨。出来之后，他女儿跟那个阿姨说："阿姨，谢谢您。"崔永元就问她："你是看这个阿姨辛苦，跟她说谢谢；还是因为，你觉得你要显示一下你有礼貌，跟她说谢谢？"我想这个故事是说，薛宝钗有没有一个可能，就是她的家教或者她的教养导致她待人处事是挺大方的；不一定是因为她性情绝对善良，绝对为别人着想的，所以她的冷漠和这个是不是有点关系的？

答：你提出的是一个好题目。这里有个特殊性问题，如果薛宝钗她所有的性情，包括她的理性，在某些时候的冷漠，你说完全归结于客观环境的教养，依我之见啊，不太全面。因为同样处在一个家庭，她的哥哥薛蟠，结果是个大流氓，是吧？薛宝钗却在当时是一个典范，那她现在来看也是一个好人，是吧？

此外，我们觉得遗传是很奇怪的，同样一母所生，生出来是十个指头有长短，个性不一样，再加上自己对自己要求不一样。那么，这一切呢，我觉得用家庭教养来解释呢，只能解释一个普遍性，如果解释一个具体的个人，那我们不能完全归结于客观；同时呢，要看到主观，还有许多偶然性，还有许多我们现在不知道的原因。那同样，比如我母亲生了四个孩子，我是第四个，我的大姐、大哥、二哥和我，个性完全不一样。那如果讲教养的话，一样的啊，那么到现在为止，为什么不一样，老天知道。比如说我们念书，我的记忆力特别好，小时候他们念书念古文，每天背一篇，我还没有资格念古文呢，他们背不上的都是我提，他们在那念的时候我背上了，他们没背上。（笑声）这个什么原因呢？不知道什么原因，这是老天注定的。不知道上帝怎么设计人的，为什么就这么青睐我。所以我在中学念书的时候，我喜欢文科，但数理化也非常好，为什么呢？我也不知道怎么回事，非常会考试，理科水平不怎么样，考试分数很高，后来那些女同学很崇拜我，叫我"考试机器"。（笑声）非常可惜，我没有利用女同学对我的崇拜，谋什么发展。（大笑声）有一个女同学很漂亮，她对我有些特殊的，我有所感觉。但是，我反倒不太敢看她，当时我感到她太漂亮了，看多了，心里会乱糟糟。这可能是受了薛宝钗的影响。现在想起来，这个薛宝钗真是害死人。好吧，谢谢。（掌声热烈）

问：孙教授，您好。今天晚上您的演讲非常的幽默。我都笑了好长时间了，我直接说我的问题。我的观点是，我是很喜欢薛宝钗的，我觉得她是个很勇敢的人。我同意孙教授说她是无情的，但我觉得她是对自己无情的，对自己最无情的人往往对别人是饱含情谊的，她把自己的情感留给了林黛玉和贾宝玉。我觉得她最后之所以选择答应了贾宝玉的婚事，她自己也有个考虑，她是想奉献自己。（笑声）我觉得这个观点确实很颠覆，但我确实觉得，薛宝钗很坚强，她应该知道会守活寡。她很坚强地面对着严峻的现实，她就是为了尝试一下，最后能不能救贾宝玉和林黛玉。(鼓掌)我的问题是，(大笑声)贾宝玉到底心里面是不是在乎过薛宝钗？（大笑声，鼓掌声）

答：你说你直接提问题，可在提问题之前讲了好长的“序言”，(笑声)好像不是很直接。所以我希望你们以后向我提问题的时候啊，直接落到实处。一上来，“老师我问你一个什么问题”，这句话是多余的，我的问题是，你讲得不对啊。这样就比较节约时间，要知道，你讲多了，等于剥夺了别人的提问机会。但是，你这问题提得深刻，是今天最深刻的啊，(笑声)充满了辩证法。她这无情是对自己，把自己的感情消灭掉了，是为了对别人更有情了。比如说，首先不是贾宝玉，首先是对自己母亲，一个寡母，须要善解人意，适时安慰，是吧？其次是，对所有的长辈吧，例如说贾母；再次是平辈，对贾宝玉，对林黛玉。我不干扰你。你提供了一个思想方法，不能孤立地、片面地说无情，应该是无情中有情，是对自己无情，非常理性，对别人呢，有情。特别是值得关注的是，对下面的弱势群体，包括赵姨娘那样的没地位的人她都同情，这是善的。对林黛玉有情，是从亲情的角度来说是“多情”，对她的爱情是不是有情，难以一句话来回答，应该是，至少是旁观，也不完全冷眼旁观，而是洞若观火，避免介入。你讲对贾宝玉有情，这个情是用一种理性的形式表现的。比如说，她和贾宝玉结婚了，所有的人都不敢告诉贾宝玉黛玉死了，怕他再疯，只有薛宝钗，告诉贾宝玉，“老实告诉你吧，林妹妹已经死了”，贾宝玉痛哭，发疯了一段，反而好了。当初她在讲的时候，所有人都怪她，怎么可以这样呢？你刚才问，贾宝玉是不是在乎薛宝钗，你的意思是不是玷污薛宝钗是吧。(大笑声)有没有在乎，哦，我想想看。(大笑声)在乎不在乎？关键是到什么程度，应该是有点在乎。作者用王熙凤的眼睛看，薛宝钗外出一段时间，贾宝玉还很关切呀。贾宝玉毕竟是个男性嘛，薛宝钗很漂亮，他曾经看着她也发过呆嘛。结婚以后，贾宝玉身体比较好了，《红楼梦》里写，贾宝玉“旧病发作”，就是向薛宝钗表示要做夫妻之事，这就是在乎嘛。至于是什么性质的，至少是夫妻性质的嘛。那么，后来至少是在乎的，觉得很对不起薛宝钗，这边呢是负荆请罪啦，那边是半推半就啦，最后就生下一个儿子来。不管怎么样，这就是很在乎了。但是，后来又不在乎了，因为贾宝玉觉得精神上没有解脱，结果当和尚去了。这个用叔本华的学说：人生就是苦闷，苦闷来自欲望。为什么叫贾宝玉呢？“玉”就是“欲望”的“欲”。为什么叫林黛玉呢？也是“欲望”的“欲”。两个人都有欲望。为什么薛宝钗没有“玉”呢？薛宝钗没有欲望。但是，贾宝玉的欲望呢，后来是有些变化，就要消灭导致人生苦闷的欲望，彻底解脱，彻底解放，是吧。当然，我这样说，不是要你们都去当和尚。(掌声，笑声)

问：孙教授，您好。就是“金玉良缘”是从薛姨妈嘴里说出来的，她的用意其实也很明显，就是说想将薛宝钗和贾宝玉配婚。但是，之前也有一个细节，就是薛姨妈也基本上是很早就想将林黛玉和贾宝玉配婚的，就是说，闲时要去老太太处说他们俩的婚事。这个前后我觉得是有矛盾的，曹雪芹为什么要这样安排呢？您怎么看？

答：谢谢啊。前后有矛盾是正常的，人就是矛盾的，是吧。关于婚姻大事啊，随着事情的发展，包括情感的起伏、形势的变化，人的心理也会发生很重大的变化。如果不是王熙凤提出来，我想薛姨妈不会把自己的女儿，唯一的女儿去嫁给一个疯子。这对于薛姨妈来说是很痛苦的一件事，不得已的。你可以想象，唯一的贴心的女儿，懂事的女儿，嫁一个为了别的女人发疯的人，薛姨妈也是强忍悲痛的。所以，后来结婚的时候，薛宝钗不讲话，只是无声地哭。为什么无声地哭？她不让妈妈，还有长辈伤心。

我最后总结一下，我们传统的，包括毛泽东肯定的那种评判《红楼梦》的办法，就是贾宝玉跟林黛玉是一条线，薛宝钗跟贾政他们是另一条线，意识形态矛盾啦，这是一种理论。还有一种理论，最初由俞平伯先生提出来，他提出来的是薛宝钗跟林黛玉，两个人是遥遥相对、息息相通。所以到了第四十二三回的时候，冰释前嫌，就有一个“钗黛合一论”，这种理论，在50年代遭到大规模的批判的。我现在看来俞平伯先生基本上是对的。我的整个指导思想，就是倾向应该是“钗黛合一论”，都是美的。《红楼梦》创造了一个爱情和婚姻错位的三角模式，这两个人之间没有争夺，两个人都很美。这样的艺术，比之写那个两个人争夺一个男人，或两个男人争夺一个女人，要难写得多。这个艺术是全世界目前为止，还没有第二个，让我也解放一下，下个不怕绝对化的结论，这是空前绝后的。

谢谢大家！（鼓掌热烈）

谢谢坐在过道里的同学，坐地板两个小时，还腾出手来鼓掌。

（更热烈的掌声）

（整理人：李优）

第三讲

王熙凤：美女谱系中之恶之花

一、男性生命力退化中的女强人

《红楼梦》里有一个非常复杂的难题，就是对王熙凤的评价。我请诸位先思考一下，王熙凤是好人还是坏人？问题很简单，但是，好像非常难以回答。小孩儿看电影问爸爸妈妈，这是好人坏人。往往越是精彩的、生动的、深刻的人物，越是难以回答。王熙凤就是这样的人物。从某种意义上来说，我们可以说她是坏人，坏到什么程度呢？她收了贿赂，买通官方，导致一对有情人自杀，还引诱她丈夫的二奶，进入她的圈套，此人不堪凌辱，自杀身亡。20 世纪 50、60 年代，按正统文艺理论，以阶级斗争、意识形态为纲，王熙凤是剥削阶级的凶犯。

但是，这样说，似乎并不完全符合读《红楼梦》时复杂的、丰富的审美感受。曹雪芹对王熙凤并不是抱着非黑即白、非好即坏、非善即恶的态度。歌德说，说不尽的莎士比亚。顺理成章，也就有了说不尽的王熙凤，甚至说不清的王熙凤。关于《红楼梦》我已经讲了两次，我之所以敢对诸位再来讲一次，就是自己觉得还是说得清的，如果明知说不清，还有脸来忽悠人吗？说不尽的王熙凤，是有道理的，但是，说得清的王熙凤更有道理。（笑声）王熙凤这个形象值得讲，值得我这样的、有档次的人来讲，（笑声）因为她的内涵实在太丰富、太神秘了。在有些人士看来，王熙凤这个人物给文学理论出了个大难题，但是，我觉得王熙凤没有多大的难度，为什么呢？我觉得简单地问，好人还是坏人，这个问题的提法本身就有问题。

鲁迅讲过，一部《红楼梦》是：经学家看见“易”，《易》是六经之首；道学家看见淫，道学家，实际上是满口仁义道德，一肚子男盗女娼，虚伪而僵化的冬烘，只看见淫荡；才子看见缠绵；革命家，这里指的是辛亥革命时期的，看见的是自己心里的排满；流言家看到宫闱秘事，就是所谓的索引派，考证出许多清朝宫廷里面的秘事。但是，你们知道吗，我从《红楼梦》里看到什么？我看到接班人的危机，尤其是男性接班人的危机。第二回，冷子兴演说荣国府，说贾氏家族，有两大危机。第一是，“生齿日繁，事务日盛，主仆上下，安富尊荣者尽多，运筹谋画者无一，其日用排场费用，又不能将就省俭，如今外面的架子虽未甚倒，内囊却也尽上来了”。“百足之虫，死而不僵”，这是经济危机，是很严重的事。但是，冷子兴认为，“这还是小事”，相比起来，“更有一件大事。这样钟鸣鼎食之家，翰墨诗书之族，如今的儿孙，竟一代不如一代了”！鲁迅《风波》里九斤老太的“一代不如一代”，原来是出自《红楼梦》。

冷子兴说的是“儿孙”，男性（不含女性）接班人的退化，在男性接班人的危机背景下，冒出一个巾帼英雄来。

她在能耐上远远超过男性。这一点，曹雪芹是很舍得花笔墨的。在正面展开之前，就反复借助人物的语言强调她的能耐远远超过了男性。她是贾琏的老婆。贾琏无能仕进，用钱捐了个“同知”，住在贾政这边，掌管家务；没有什么出息。冷子兴说：“自娶了他令夫人之后，倒上下无一人不称颂他夫人的，琏爷倒退了一射之地。说模样又极标致，言谈又爽利，心机又极深细，竟是个男人万不及一的。”第六回，刘姥姥和周瑞家的谈起：“这凤姑娘今年大还不过二十岁罢了，就这等有本事，当这样的家，可是难得的。”周瑞家的听了道：“我的姥姥，告诉不得你呢。这位凤姑娘年纪虽小，行事却比世人都大呢。如今出挑的美人一样的模样儿，少说些有一万个心眼子。再要赌口齿，十个会说话的男人也说他不过。”第十三回，秦可卿托梦给王熙凤说：“婶婶，你是个脂粉队里的英雄，连那些束带顶冠的男子也不能过你。”

《红楼梦》一开场不久以后秦可卿就死了。要主持一个规模盛大的葬礼，调动上百的人，还要惊动到宫廷，要封她一个什么“龙禁尉”，安排复杂的仪式，管理上上下下人事和种种财务等。这本来是宁国府里面的事，贾珍是家长，应该管这个事嘛；秦可卿的丈夫贾蓉，也可以主持这个丧礼呀，居然两个男人就管不了，要从荣国府里请一个女人来管，只有这个女人才能把这么上上下下有序地调停。贾珍对王夫人说：“从小儿大妹妹顽笑着就有杀伐决断。如今出了阁，又在那府里办事，越发历练老成了。我想了这几日，除了大妹妹再无人了。婶子不看侄儿、侄儿媳妇的分上，只看死了的分上罢！说着滚下泪来。”“杀伐决断”的“杀”，是杀人的“杀”；“伐”，就是讨伐的“伐”，实际上惩罚；“决断”，就是干事非常果断，快刀斩乱麻，也就是严刑峻法，冷面无情，手段很辣的。从小这样还不算，“如今出了阁，又在那府里办事，越发历练老成了”。这里，是对王熙凤的间接刻画，由一个兄长辈的人来请她，不成，恳求，甚至弄到流下泪来，这是很出格的。一连用了四次笔墨，表述的差不多是同样的观念，在西方小说中，重复可能是大忌，但是，却是《红楼梦》常用的，属于中国画的多层“皴染”之法。从不同身份的人口中，以不同的视角为人物点染多层次的感情色彩。强调的是，王熙凤的四个特点，第一，巾帼英雄，指的是，行政管理能力，束带顶冠的男子都不如；第二，非常美丽，模样极标致；第三，聪明，少说也有一万个心眼子；第四，口才非常好，十个男人都赶不上。其中贾珍说的王熙凤的“杀伐决断”，本是男性的行事风格，恰恰是贾府男性所缺乏的。

贾家荣宁二公，原是打天下，立下汗马功劳的功臣，从死人堆里爬出来的，非常有血性的，居然弄到一代不如一代，所有的男性接班人都腐败了，生命力都退化了，连一个二十岁上下的文盲女人都不如了。曹雪芹用反衬的方法对她称赞，上纲是很高的，只有这个女人有能耐独立顶起这座忽喇喇将倾的大厦。

但是，曹雪芹对王熙凤的态度，又并不完全是赞扬的，同时，对她也有批判。有时，批判并不太严厉，如对贾瑞毒设相思局。贾瑞是个色鬼，看见王熙凤的美色，就动她的脑筋。换一个人，拒绝就算了，不，她挑逗他，弄得那个家伙心痒痒的。又约会他晚上到后花园相见，那个家伙在黑暗当中，看见一个人就抱起来，结果是王熙凤派进去的一个仆人。从那以后，贾瑞就得了恶性相思病，后来又来了一个“风月宝鉴”，正面看是王熙凤在那里招手笑，反面看是一个骷髅。叫他不要看，他忍不住看了，结果贾瑞就被她整死了。王熙凤太狠了，你不理人家就完了嘛，你还把他整死了，很歹毒。

导致这个色鬼的死亡，是喜剧性的，这不过是让她的“杀伐决断”小露锋芒而已。由于贾瑞本身就是个坏蛋，王熙凤的歹毒，带着以毒攻毒的性质，又带着风月宝鉴的讽喻性，狠毒就被淡化了。但是，曹雪芹对她的人品，她的自私贪财，用笔是很重的。最突出的是利用贾府的权势，接受贿赂。本来人家两情相悦，已经订婚。但是女方被官位稍高一点的公子看中，一定要娶，要人家退婚。双方打起官司，事情就僵在那里。王熙凤收贿三千两银子，用贾府的权势，走了官府的后门，强制人家把婚退了。没想到那个女孩子非常钟情，上吊自杀。男的呢？一听说未婚妻自杀了，也不活了，投河自杀了。王熙凤贪财的后果不仅仅是拆散了一对生死鸳鸯，而且是两条人命。从这个意义上来说，曹雪芹对王熙凤的批判，是很尖锐的。按当时普遍认同的观念是要遭因果报应的，但是，她说自己“从来不信什么是阴司地狱报应的”（第十五回）。特别不能忽略的是，曹雪芹点了一笔，这一切“王夫人等连一点消息也不知道。自此凤姐胆识愈壮，以后有了这样的事，便恣意的作为起来”

（第十六回）。这一笔概括她胆大妄为，造成严重后果，但是又有恃无恐，非常自得，毫无当时一般人敬天命，畏鬼神之心。可以说，完全是黑心的。最深刻的批判，还在于让王熙凤在捞取了很多的金银，造成了严重的政治后果，导致贾家被抄家。结果是一场空，这是曹雪芹对她最严厉的惩罚。

在表现王熙凤的恶上，曹雪芹是很舍得花笔墨的。

从阶级斗争的观点来看的话，她搞死的这一对有情人，还属于中下层官家，属于统治阶级的内部矛盾，更能说明问题的是，她搞死一个下层人物。贾琏包了二奶尤二姐。这个风尘女子，非常善良，非常软弱，非常轻信。为了生存，为了比较有保障的生活条件，放弃了自尊，对自己上不得场面的、低三下四的身份心甘情愿，只求平安无事过日子就好了。王熙凤是一个醋坛子，她得知以后，没有直接采取"杀伐决断"的办法，也没有用贾母所说"凤辣子"的手段，曹雪芹的惊人之处在于，让她含而不露，只说了一句"这才好呢"，然后让读者的想象力经受层层深入的意外冲击。她装得低声下气地对尤二姐说，今日二爷私娶姐姐在外，若别人则怒，我则以为幸。正是天地神佛不忍我被小人们诽谤，故生此事。我今来求姐姐进去和我一样同居同处，同分同例，同侍公婆，同谏丈夫。喜则同喜，悲则同悲，情似亲妹，和比骨肉。不但那起小人见了，自悔从前错认了我，就是二爷来家一见，他作丈夫之人，心中也未免暗悔。所以姐姐竟是我的大恩人，使我从前之名一洗无余了。若姐姐不随奴去，奴亦情愿在此相陪。奴愿作妹子，每日伏侍姐姐梳头洗面。只求姐姐在二爷跟前替我好言方便方便，留我个站脚的地方儿，就叫我伏侍妹妹梳头洗脸我也是愿意的。说着还"呜呜咽咽哭将起来"。（第六十八回）曹雪芹揭露她的毒辣，真是笔墨淋漓，居然让她这样低声下气，把假话说得这么甜蜜，把恶意说得这样善良，怀着一肚子阴险毒辣的诡计，还装得这么贤良，居然还流下泪来。更精彩的是她的戏演得竟如此之成功，让她的情敌，感动得流下泪来。哪知道一被她引进了贾府，就对她百般虐待，软刀子杀人不见血，最后就被她搞得不得不吞金自杀。从这个意义上来说，对王熙凤的批判是非常的严厉的。

这在表面上，似乎和曹雪芹前面弄了那么多人来称赞她是矛盾的。但是，曹雪芹还是留下了伏笔，高级管家的老婆周瑞家的，虽然也称赞她很有本事吧，也说了一句保留的话，虽然她本事很大，心眼儿很多，很聪明，但未免对下人太严苛了一点。

曹雪芹揭示王熙凤对下面，对小人物，非常凶残，不人道到什么程度呢？有一次到庙里去进香，小道士、小和尚都要回避的。其中一个小道士才七八岁吧，躲避不及，撞上了。王熙凤一个巴掌打过去，那孩子就跌了一个跟头。这样的事经常发生。有一次贾琏跟了一个下层女人偷情，派了个小丫鬟在门口放风，王熙凤发现了，又是一巴掌把她打了一个趔趄。有一次抄检一种丢了的香料。贾宝玉说，查出什么人来都是很受苦，还不如就说我偷的，跟他们弄着玩的。王熙凤说不行，要查到底，怎么查法？叫所有的丫鬟都跪在碎砖头上，什么时候讲出来，什么时候结束。（第六十回）所以下层对她的评价怎么样呢？脸酸心硬，两面三刀。贾琏的跟班小厮，叫兴儿，对尤二姐说，王熙凤是“心里歹毒，口里尖快；嘴甜心苦，两面三刀；上面一脸笑，脚下使绊子；明是一盆火，暗是一把刀。如今全家大小，除了老太太、太太，没有一个不恨她的”（六十五回）。这个评价当然是相当深刻，当然也不是很全面。除了太太、老太太，其他人不一定就是很恨她，是吧？譬如说贾宝玉也不会恨她，譬如林黛玉也不恨她，因为她知道这是贾母的心肝宝贝，一定要讨好。

从这个意义上说，曹雪芹突出这个女人的恶，从美学上说，应该是丑。

但是，曹雪芹对她无情地批判的同时又充满了惋惜。可续书的作者最后还是把她送上了死路，在太虚幻境里属于王熙凤的一段曲子叫作《聪明累》：

机关算尽太聪明，反算了卿卿性命。生前心已碎，死后性空灵。家富人宁，终有个，家亡人散各奔腾。枉费了，意悬悬半世心；好一似，荡悠悠三更梦。忽喇喇似大厦倾，昏惨惨似灯将尽。呀！一场欢喜忽悲辛。叹人世，终难定。

这样有本事的，很聪明的，有心机的女人不管怎样“机关算尽”最后还是送了性命。挽救不了“忽喇喇似大厦倾”。曹雪芹说得很明白，不管对她有多高的期望，最后也挡不住崩溃的结局。

正是在“生前心已碎”“枉费了，意悬悬半世心”中，读者看到了曹雪芹对她的同情、惋惜。因而，行文中常常流露出对她笔下留情，导致生死鸳鸯的和尤二姐的死亡，也并不是在她主观意图之内的。就是出主意让薛宝钗冒充林黛玉和贾宝玉结婚加速了林黛玉的死亡，也很难说是她的主观恶意。王熙凤提出结婚可以冲一冲喜。贾母已经决策，选择了薛宝钗，而不是林黛玉，大家明明知道，林黛玉才是贾宝玉的意中人，薛宝钗不是。怎么办呢？叫薛宝钗冒充林黛玉跟贾宝玉结婚，这个主意是王熙凤出的。这能不能说明她有意坑害谁呢？但是，第一，她的主观意图是为了贾宝玉的病体能够好转，第二，如果说王熙凤是破坏美满佳缘的坏人的话，这有悖于曹雪芹一开始就宣布的文学主张。他批评当年流行爱情小说，有一个套路，就是才子佳人，搞一些淫词艳赋，弄出一个“小人”从中挑拨，他认为这个套路是绝对低俗。如果说王熙凤是导致了贾宝玉和林黛玉的悲剧，那么她就是“小人”喽。这就完全违背了曹雪芹心目中爱情悲剧不是由一个小人造成的原则。不能说她坏心眼。为什么呢？我们看，王熙凤并不恨林黛玉，王熙凤为了什么出这个馊主意？一是为了讨好贾母，二是为了救贾宝玉。

如果曹雪芹要把王熙凤写成一个坏人，为什么又让那么多人在一开头说她那么多好话呢？再说，如果她真是一个坏人，为什么又特别强调她有超凡的才干，又长得十分美丽呢？

曹雪芹既然把她写得这么恶，完全可以把她写得很不堪嘛，长丑一点，也可以嘛。但是，为什么反复强调她“模样又极标致”？外加又非常聪明，怎么聪明？“少说也有一万个心眼子”，夸张得不得了哇。再说，要说口齿，“十个会说的男人也说不过她”。这样写明明是要诱导读者对她欣赏。问题在于欣赏她什么呢？难道是欣赏她的恶吗？

这里，我们明显感到曹雪芹把她放在外表的美和内心的恶的两个极端上。把她的丑恶和她的过人的才能放在两极上。这就是为什么我们很难回答孩子式的问题，她是好人还是坏人了。

坏属于什么一个范畴呢？属于道德范畴。如果说道德范畴来衡量，那王熙凤是负面的，是不是？但是，曹雪芹为什么对这个负面形象、负面道德的人物，他用了这么多美好的语言来评价她，又赋予她这么高明的本领呢？

这跟《红楼梦》的王熙凤在贾府的地位和曹雪芹的心灵探胜有关。

在贾府在男性生命退化、精神萎靡的时候，出现一个能够顶起大厦将倾的重任的女人，这是贾氏生命力危机的一种回光返照。男人都不行了，由女人来当家，在封建时代叫什么呢？你们女同学请原谅，这叫牝鸡司晨。(听众：“哦——”）母鸡打鸣，本来这个报晓是公鸡的事情，公鸡的喉咙，像我这样哑掉了，要母鸡来喊大家起床。这不是一个人的问题，而是一代人的现象。一开始作者就说，想我一世碌碌无为，没什么成就，愧对父兄，“忽念及当日所有之女子，一一细考究过去，觉其行止见识，皆出于我之上”。从继承家业来说，这一代女孩子的代表就王熙凤。曹雪芹觉得在这样一种腐败、烂透了的环境中，要让一个女性承担起重振家族雄风，要让她出污泥而不染是不太可能的。虽然，他对她的才能是很欣赏的。不但欣赏她才能，而且欣赏她整个的生命，各方面的表现，包括她的口才，因而克制不住地美化她。既然《红楼梦》中众姐妹，甚至丫鬟都是漂亮的，那凤姐当然更该有与她才能相称的仪表。

让她出彩的第一个场面就是办秦可卿的丧事。她一去了以后，她的行政能力上杀伐决断的表现，就是先拣拣那些有头有脸的，有一点权势的开刀，来个下马威，杀鸡给猴看，镇得他们一个个都紧张起来。事先总管就打了招呼，我们这里散漫惯了，如今东府里请来了凤姐，你们要小心啊，那是个著名的“烈货”，“脸酸心硬，不认人的”。脂砚斋甲戌本第十四回前总评说：这一回全“写凤姐之珍贵，写凤姐之英气，写凤姐之声势，写凤姐之心机，写凤姐之骄大”。非常自信，非常骄傲，非常有把握。凤姐自己呢，威重厉行，十分不客气，十分严厉，一来就宣言自己不怕得罪人：“既托了我，我就说不得要讨你们嫌了。我可比不得你们奶奶好性儿，由着你们去。再不要说你们‘这府里原是这样’的话，如今可要依着我行，错我半点儿，管不得谁是有脸的，谁是没脸的，一例现清白处治。”把宁国府里那些无头绪、混乱、推托、偷闲、窃取等积重难返的弊端，一下子都解决了。第二天，一个女仆，睡过了头，稍稍来迟了一点，凤姐便说道：

“明儿他也睡迷了，后儿我也睡迷了，将来都没了人了。本来要饶你，只是我头一次宽了，下次人就难管，不如现开发的好。”登时放下脸来，喝命：“带出去，打二十板子！”一面又掷下宁国府对牌：“出去说与来升，革他一月银米！”众人听说，又见凤姐眉立，知是恼了，不敢怠慢，拖人的出去拖人，执牌传谕的忙去传谕。那人身不由己，已拖出去挨了二十大板，还要进来叩谢。凤姐道：“明日再有误的，打四十，后日的六十，有要挨打的，只管误！”说着，吩咐：“散了罢。”窗外众人听说，方各自执事去了。彼时宁府荣府两处执事领牌交牌的，人来人往不绝，那抱愧被打之人含羞去了，这才知道凤姐利害。众人不敢偷闲，自此兢兢业业，执事保全。

这样的表现，就不属于道德范畴上的好人和坏人，而是从这个人的才智中表现她的情感世界，她非常自大、非常自信，完全是一种有权则威的精神境界，这种精神境界渐渐地吸引了我们。

当然她所遇到的不仅仅是下人的刁滑，而且也有来自更高权势者的压力。就在这经济非常紧张的时候，宫里的大太监派来了个小太监，说买了个房子，还差二百两银子，向你家借一借。这个时候，凤姐心里是很烦的吧，以前此人已经借过一千二百两还没还呢，拒绝是不可能的，不能得罪宫里人，但是，又得提示下不为例。凤姐怎么应对呢？她说：哎呀，别讲借了，不要那么见外了，我钱有的是，你来拿就是了嘛。然后叫那个鲍二媳妇：“你到外面去支一下，随便哪个账上，先拿二百两银子。”鲍二媳妇心领神会，说：“我就是外面支不到钱才到这里来支的，家里没钱了。”王熙凤就骂她了：“叫你们去弄钱，什么地方都弄得到，真正要的时候你们就没本事了，那怎么行呢？一定要给！平儿，把我的金项圈去拿来。”“先去典当里押一下，押它四百两银子，先给老爷拿去。”王熙凤的装神弄鬼真有一套。她的下手配合得也滴水不漏。那个小太监说，老大人讲一千二百两银子过了春节再来还。王熙凤说，讲什么话啊，自家人嘛，不要了，不要了。你看她说话，她装穷，她说谎，完全是即兴的，不打草稿，就成功地向太监暗示，一是家里实在没有钱了，二是，即使没有钱，典当也要借，三是，上次借的，还没有还呢。话说得这么甜，最关键的暗示是，这样何时了得啊，一次又一次的。面子要给你的，不能不给你，但是钱是用我的金项圈去当来的。下次你再想“借”，就没门了。她应付这种上上下下的关系，真是游刃有余。你明明知道她是在说谎，但是，你却不能不惊叹她说谎的超级智慧。

事情写到这儿，在一般人那里可能是相当到位了。但是，在曹雪芹则笔力未尽。他还要进一步展示这个女人的内心，主要是她的自鸣得意，自我欣赏。

事情办完，大获成功。贾琏谢她操持劳碌。王熙凤怎么讲？

我哪里管得了这些事啊，我见识又浅，口角又笨，心肠又直率，人家给个棒槌，我就拿着当作针了。脸又软，搁不住人家两句好话儿。心里又慈悲了，况且又没经历过大事，胆子又小。

读者和贾琏心照不宣，她所说的和事实显而易见相反，她明知丈夫佩服得不得了，却说自己没有本事，口才又差。明明手狠心辣，却说自己心慈手软。这一切明明是得意非凡，口头上却说自己诚惶诚恐，“太太略有些不自在”，贾宝玉的妈妈啊，觉得你办事不好嘛，“就吓得我连觉也睡不着了”。把自己描写得很可怜，很无能，很软弱，很笨，很胆小的样子，“一句话也不敢多说，一步也不敢妄行”。凤姐这样一个心高气傲的人物居然用自我贬低来自我表扬，这种口才真是绝了。然后进一层提示任务的难度：“你是知道的，咱们家这些所有的管家奶奶们，哪一位是好缠的？错一点儿她们就笑话打趣。”的确是这样的，那些人都要看她的洋相，巴不得你把事情搞砸了。“偏一点儿她们就指桑骂槐的抱怨。坐山观虎斗，借刀杀人，引风吹火，站干岸儿。”就是站在岸上看你的洋相。“推倒油瓶不扶，都是全挂子的本事。况且我年纪轻，不压众，怨不得不放我在眼里。”又说自己把事情办砸了。“被我搞了个人仰马翻，更不成个体统。”“至今珍大哥还在抱怨后悔呢。”实际上是，读者在前面已经看到她一上任就来了一个下马威，把那些老油条整得战战兢兢，服服帖帖的。

这样的话，其精彩不但在与事实相反，而且在用自我贬低来表现自鸣得意。这是对自己的成功绝对有把握的人才可能说的话。更特别的是，她还装作心虚、害怕的样子。“明儿你见了他，好歹赔释赔释，就说我年纪小，没见过市面，谁叫你大爷错委了他呢。”把自己贬抑得越彻底，越是心虚得要老公道歉，越是显得对自己的成就有把握。她用了那么多的俗语、谚语、口语，还用了日常对话中非常少用的排比，顺便带出自己是如何克服了那些艰巨的困难的。看到这个地方，你们是不是有一种感觉，这个恶人不再那么恶，和我们的距离不是那么八竿子打不着，而是离我们的心理比较近了。我们做成功一件事，取得一些成绩，不是也有这样自鸣得意过，但是，又不好意思直说，而是间接提示吗？我们是不是也有这样的经验：有一点成功，忍不住自己吹嘘起来，这一吹，反而让人感觉俗气。但是，我们哪里会像她有这样的魄力，用自我贬抑来淋漓尽致地自我表扬啊。这不能不使我们感到，就算是她是个坏人，可是作为人，她的心机，她的自鸣得意啊，是不是和我们这些好人是很相通的啊？甚至比我们这些好人还聪明啊。她说得那么轻松，那么自如。那种反中有正，话中有话的修辞工夫是不是让我们情不自禁地佩服？

她很少正面自吹，更多的是自贬，难得的是，越是自贬，越是精彩。往往是在骂自己的时候，显出骂出自信来。她不管讲什么话，都很得体，都很有趣。

二、“丑恶”通过艺术化为美

这里请注意，我用了一个“有趣”。仔细分析起来，之所以有趣，是因为带着王熙凤特有的感情。准确地说，应该是情趣。说到情趣，就有点接近学术了。文学，至少古典文学的特殊性就在于情，有学者甚至把古典文学归结为“情本位”，这个情本位，从陆机的《文赋》开始就定位于“诗缘情”，在古希腊情感是与理性相对的，但是，没有专门的学术。到了18世纪，德国的鲍姆嘉通就把它定位为aesthetics，日本人就用汉字把它翻译成美学。在康德的《判断力批判》中也有这个范畴，不过有人把它翻译成审美价值，有人就把它翻译成情趣判断。这种价值并不依附于科学的真和道德的善，是独立的，与真和善是并列的。那就是说，情趣/审美可以是不真的。艺术都是想象的，虚拟的，绝对真的，科学的，就不是艺术了。和道德的善是并列的，这就有点疑问了，难道文学能够教人男盗女娼吗？但是，你们有没有注意到，在经典文学作品中，强盗、妓女往往都是好人。杜十娘就比知识分子李甲好，李香君就比侯方域好，茶花女玛格利特就比阿尔芒的爸爸好。至于《水浒传》里的好汉，大都比当官的好。李逵初见宋江，想招待他又没有钱，就说谎向宋江借钱，拿去赌钱，想赢了再来请客，不想输了，又去江边抢人家的鱼。这都是不道德的，但是，很可爱，很有喜剧性趣味。这是因为，在文学中，并不是以道德理性为唯一标准来衡量人的。文学最忌的就是道德说教。《儒林外史》中理想人物王冕，虽然道德品位甚高，可是在艺术上还不如那个完全没有道德观念的屠户有生命。

曹雪芹的伟大就在于，把这个狠毒的女人写得让你感到有这么可爱，不能不被她吸引了，被她迷住了。我不知道这主要是男同学，还是女同学。（笑声）这时，我们就不忍心说她是一个坏人、恶人。为什么她做了这么多坏事，还会得到读者的欢心呢？有一位论者说到了点子上：“如果抛弃道德评价，她的手腕和魄力的确‘是个男人万不及一的’。”[①]我想这位学者说得不错，但是，还要补充一点，不仅仅是手腕和魄力，而且是实现这种手腕和魄力的口才。

林黛玉第一次进荣国府，礼仪是非常隆重的。先是苏州船到了，就有一台轿子把她抬到门里边，进了以后，换另外一台轿子，由年轻的小厮抬上，放下以后，又有一群丫鬟在

---

① 胡艳平：《脂粉英雄——“双性同体”透视下的王熙凤》，《现代语文》（学术综合版）2015年第9期。

等着她，说："终于来了，刚才老太太还念叨呢。"进了以后，贾母一下子抱在怀里边，心肝肉地哭起来，女儿死了嘛，外孙女来了。大家陪着流泪，一个个垂手伺立，没有一个人敢出一声。但是王熙凤还没出现，就突然一声："我来迟啦！"看了林黛玉说，哎呀，长得这么标致，我还没见过呢。这哪里像是外孙女儿，简直就是孙女儿啊！然后就问起妈妈怎么就过世了呢？就哭起来了。然后贾母就批评她，说我们刚才刚哭过，你一来了又惹。她说，啊，我看见欢喜还来不及了，太欢喜了，我就哭了。把贾母搞得非常开心啊，整个场景气氛突然一变。这个人真是会讲话。第四十六回，贾赦欲纳鸳鸯为妾，鸳鸯宁死不从，贾母听了气得浑身乱颤，错怪起王夫人来。幸亏探春、宝玉打了圆场，贾母才觉得自己错怪人了。又怪王熙凤不提醒她，王熙凤说道：

> "我倒不派老太太的不是，老太太倒寻上我了？"贾母听了，与众人都笑道："这可奇了！倒要听听这不是。"凤姐儿道："谁教老太太会调理人，调理的水葱儿似的，怎么怨得人要？我幸亏是孙子媳妇，若是孙子，我早要了，还等到这会子呢。"贾母笑道："这倒是我的不是了？"凤姐儿笑道："自然是老太太的不是了。"贾母笑道："这样，我也不要了，你带了去罢！"凤姐儿道："等着修了这辈子，来生托生男人，我再要罢。"贾母笑道："你带了去，给琏儿放在屋里，看你那没脸的公公还要不要了！"凤姐儿道："琏儿不配，就只配我和平儿这一对烧糊了的卷子和他混罢。"说的众人都笑起来了。

贾母在贾府是最高的权威，谁敢反驳她，而王熙凤表面上是顶回去，实质上的因果关系是：因为贾母把鸳鸯调教得水葱似的，才逗起贾赦的歪心思，贾赦的错误是贾母造成的。大家，包括贾母心照不宣的共识是：鸳鸯长得出色，并不是贾母调教的结果。说话的前提是虚假的，而王熙凤反反复复地歪理歪推，贾母也将错就错，接受这样的调侃中的赞扬。在这显而易见的因果荒谬中引起双方的笑，这不仅进一步缓解了贾母的怒气，而且逗得在场众人一齐欢笑起来，就连读者也不能不为她的妙语而莞尔。

就这样，你不由自主地被她吸引，觉得这个人挺机智、挺精彩的。当然读者心里也明白，她这样说的最高目的不过是讨好贾母。讨好的动机，当然是获得信任，巩固其权势。动机是谈不上道德的，但是，读者会为她的言词所感染，此时，道德理性被情感的审美所同化。

读者不知不觉不再孤立地厌恶她的恶，反而觉得就是奉承、讨好，其心窍也是挺玲珑、挺可爱、挺能耐的。在潜移默化之中，读者的批判与欣赏互渗。艺术就在于不仅仅从道德的观念来看她了。不知不觉之中，就超越了理性的善恶，超越了好人坏人的二分法。为什么呢？这里有奥秘，第一，就是距离产生美。现实与艺术的距离，现实的好坏、善恶是功利的，而艺术是假定的，这里有个真与假的距离，实用价值和审美价值的错位；第二，还有个对艺术形式驾驭的惊叹——曹雪芹写对话，怎么这样出神入化？没有什么心理描写，也没有什么表情的描写，竟能这么精彩！中国古典小说和西方小说的精彩相比，完全是另外一条路子，其精彩程度有过之而无不及呀。

我们不知不觉被曹雪芹的另外一种价值观念所俘虏了，那就是对王熙凤的情感世界的展示感染了。这个时候我们看到另外一个王熙凤。她不再是一个剥削阶级的、媚上凌下的弄权者，不再是一个心毒手辣的王熙凤，而是一个有自己的雄心、有自己的情感、有自己的能耐的人，对任何场面，不管多么尴尬、紧张，都能在谈笑间应付裕如。读者认识到这是一个有本事的，要强的，连自己生病都要隐瞒起来的，自我欣赏得不要命的王熙凤，这种不要命和林黛玉为了爱情而不要命同样是人的本性。就这样，读者的心理就经历了一种潜在的审恶为美的过程。

我们不能不觉得她可爱了。虽然她害过人命，虽然她贪污，虽然她凶残，虽然她口蜜腹剑，但是……唉，不能不觉得她恶得可爱。这就涉及一个理论问题。为什么这么一个坏人会吸引我们呢？通常我们说“真善美的统一”。真的就是善的，善的就是美的，是不是啊？那么，真和善都是理性的，尤其是善，是道德理性。所以有道德的就是善的，不道德的、恶的，就是丑的，是不是啊？但是这个不好的人、恶人，做了很多坏事，我们却被她感染了。我们明明看到她在胡说鸳鸯的水灵是贾母调教的结果，我们明明看到她在说谎，拿她的金项圈去当钱，她是在骗人，她甚至在杀人。但是我们还是觉得她有她非常精彩之处，这就是一个美学问题了。

在这里，曹雪芹给我们显示的是什么？真、善跟美是不完全统一的。在王熙凤这里用三者的统一的理论不能解释。我们只能感觉到，真善和美不绝对统一。她明明不真不善，但是她也是一个美的形象。这个形象值得我们理论上研究。

在生活当中，如果是一个恶人，我们看是批判的眼光去看他，我们不会欣赏他。在《红楼梦》里是有不止一个这样的恶女人，完全是坏人，有一个谁？夏金桂，那个薛蟠的老婆，长得也蛮漂亮的。贾宝玉看见了以后，觉得她的容貌跟众姐妹差不多，读者为何无法对她产生美感呢？第一，心非常恶，很“妒”啊，曾经想办法把香菱——薛蟠的小妾卖掉，卖给妓院。第二呢，薛蟠不是坐牢了吗？她看薛蟠的堂弟蛮漂亮的，就想去勾引人家，想人家和她发生肉体关系。薛蟠的堂弟比较正经，她又还反过头来污蔑人家。这个人是恶到底了，从这个人身上，我们看到假、丑、恶是统一的。

可是王熙凤身上我们觉得不简单，她虽然是恶的，但是她并不给我们一种绝对的丑的感觉，反而有些时候会不由自主地会欣赏她。尤其是贾母面前，她一讲话，就满堂欢笑。

她是贾母的开心果。以至于后来那个贾家有点败落了，有个什么聚会，贾母就感叹了："偏又把凤丫头病了，有他一人来说说笑笑，还抵得十个人的空儿。可见天下事总难十全。"（第七十六回）没有她，整个场面就欢乐不起来。

我们会发现，一个做尽坏事的人，一个凶悍的人，一个甚至于说草菅人命的人，她还有可爱之处，曹雪芹还把她写得非常漂亮。从某种意义上来说，她不真、不善，但并不丑，至少并不完全是丑，她同时有一种美的成分。如果我们承认这个经典的形象，就得把通常所说的真善美的统一稍加修改，真善美不是完全统一的，而是有点"错位"的。也不是完全分裂的，分裂了，假丑恶了，就是夏金桂。她处在假恶与真美交叉的区位。除了假的、恶的以外，她还有她自己生命的非同小可的情趣：真的、美的部分。包括她的讨好贾母，包括她的杀伐决断，她的本领，她的才华，她的口才，她的智慧，她的机灵，以及她对种种复杂关系的游刃有余，我们感觉到她有趣。

有时候，在艺术作品里面，做坏事的人，会显得有趣、可爱。你们同意吗？你们的阅读记忆里有没有？这个人明明干坏事，还挺可爱的，挺好玩的。举一个例子，赵本山创造的那种角色。他做过好事没有？都是坏事。卖拐啊，坑蒙拐骗啊。我们用什么眼光去看他？如果用工商局的眼光去看，理性的，实用的，这家伙要打击，抓起来，是吧？我们看过陈佩斯的小品，是吧？他的一个小品，那个角色要演主角，可他明明是汉奸本性嘛。他一当主角，汉奸本性就流露出来了。我们从公安局、法院的眼光看来，这个家伙应该抓起来，漏网汉奸嘛，是吧？但是，我们不但不觉得他是恶，而且觉得他挺好玩的。这就是欣赏艺术的起码规律。有些人他已经在做坏事了，已经沦落到这种程度了，他还有自尊心，他还觉得我比你强，我还怪可爱的。人沦落到这种地步还有他的自尊，这一点自尊，这一点自得，这一点自慰，这一点自我感觉良好，这终究还是一个人的底线啊。有了这个底线，坏人就坏得很可爱。

《西游记》里的猪八戒，干了一些坏事嘛，是吧？白骨精来了，被孙悟空打死了，本来是好事嘛，但这个猪八戒很色啊，他们师徒四人西天取经，一路上碰到妖怪都是同心合力战胜了，战不胜，有观音菩萨，再战不胜，有如来佛，同心协力就解决问题了。碰到妖怪都是男的，现在来了个女妖怪，这一下子几个人分化了：孙悟空看来，这个是个妖怪，就把她打死；唐僧看来，是善良的妇女，真是作孽哦；猪八戒一看，哇，（笑声）一路上，这么多日子，都没见过一个女生，好容易碰到一个，都没来得及讲话，就给打死，好可惜哦，好遗憾哦！（大笑声）于是挑拨离间把孙悟空开除了，导致了取经事业差一点惨败，自己和唐僧都差一点被白骨精弄到蒸笼里去蒸，差一点呐。猪八戒干的是坏事，但是很可爱。波德莱尔在《论泰奥菲尔·戈蒂耶》中说"丑恶通过艺术的表现化而为美……这是艺术的奇妙特权之一”。[①]

从创作实践来看，这里有个理论问题。我们看一个人，并不是只有一种价值观念，而是有三种价值观念，按康德的理论，真是讲究科学的，理性的，它的反面是假；善也是理性的，它反面是恶；美是讲究情感的，它的反面是无情。情感是非理性的，情感是“非逻辑”的，这是康德说的啊。我们前面讲贾宝玉，提到过中国古典诗话有“无理而妙”“入痴而妙”，《红楼梦》开头也提出“情痴”之说。“痴”就是非理性的。善是实用的嘛，情感是不实用的。

欣赏文学作品的时候，不能完全从反映社会生活的真去看它反映了什么。比如说《红楼梦》反映了封建社会的没落之类的，一个家族的没落不等于一个社会的没落。《红楼梦》也不是一本道德教科书，不是像刘再复先生所讲的那样，它是爱情的圣经，都是叫你为善的。黑格尔都说过“教训、净化、改善”和“谋利、名位追求”一样是和文学艺术“毫不相干的”。[②]

因为道德的善是理性的，而《红楼梦》主要是表现人的情感世界的。

在古希腊的学问里面，把学问大致分为两类：第一类是理性的，physics，你们都知道，物理学；比物理学更高深的，在物理学背后，还有更深刻的原因的，叫作后物理学，metaphysics，即形而上学。那么形而下的呢？人的感情呢？也有一门学问，就是 aesthetics，美学。很可惜没有得到很好发展。美学是人的情感学。physics、metaphysics 讲的是理性的科学，那么关于美的、情感的研究却一直未能成为科学体系，一直到 18 世纪才有一个德国人鲍姆嘉通让它成为一种学术，命名为 aesthetics。中国原本并没有这个名堂，这是一门讲情感和感知的学问，不是用理性来衡量，而是用人的生命的感觉来衡量的。很难翻译，是日本人拿汉字去翻译，用了一个词叫“美学”，这很符合古典文学的总体形象。但是这个美学一翻译出来就带来了后遗症，以为文学作品就是写美的，以为真善美一定是绝对统一的，其实不是这样的。用科学的真去看事物，假的就没有价值。像易中天先生讲《三国演义》不好，因为它不真，它歪曲了《三国志》的历史，是吧？有的人批判曹操道德堕落，可以。但是，从情感学的角度来看，错杀了人还自鸣得意，还敢说“宁叫我负天下人，不叫天下人负我”等等，其艺术上是很精彩的，这种精彩，不是道德的，它的价值属于另外一种范畴，叫作审美价值。

从这个意义上来讲，用审美价值观念来看王熙凤，这是一个非常丰满的人物。我给你

---

① ［法］波德莱尔：《论泰奥菲尔·戈蒂耶》，《波德莱尔美学论文选》，人民文学出版社 2008 年版，第 78 页。

② ［德］黑格尔：《美学》第一卷，朱光潜译，商务印书馆 2015 年版，第 69 页。

们讲过安娜·卡列尼娜，后来你们老师告诉我你们不太熟悉。我简单说明一下，安娜·卡列尼娜原来是一个贵族妇女，嫁了一个高官，卡列宁。为什么叫卡列尼娜呢？就是说俄国人跟美国人一样，嫁给丈夫以后要改姓的。她丈夫叫卡列宁，卡列尼加个“A”，就叫卡列尼娜。连希拉里那样的女权主义者，非常aggressive的，就是非常泼辣，她嫁给克林顿几年以后，就顶不住了，也把她的姓改了——希拉里·克林顿。安娜·卡列尼娜原来是安分守己，但后来被伏伦斯基吸引，起初她逃避，后来就慢慢地爱上了他。爱得如痴如醉，不要名誉，不要家庭，不要孩子，什么都不要，被上流社交界所抵制，一心一意地做伏伦斯基的情妇。托尔斯泰原来想写这个坏女人，邪恶的女人，因为从俄国东正教来说，背叛婚姻是背叛上帝的，当然是不道德的。但是托尔斯泰写安娜越写越觉得她越美，越写越显得女性的生命魅力四射。这一点跟这个王熙凤有相近之处，她做的虽然是坏事，当然这个安娜·卡列尼娜没有去杀人，没有去贪污，没有搞阴谋诡计，是吧？虽然她违背了托尔斯泰的宗教的婚姻观念，但用审美的眼光来看安娜·卡列尼娜，越来越看到她的美，以至于安娜·卡列尼娜现在成为世界公认美的典型了。

那么这个是从正面来讲，越来越美，从反面来讲呢？她做了坏事，如果她有那个生命力，她的感知、她的情感得到非常饱和地发挥，我们就渐渐感觉到，这是一个人，她的内在精神的、生命的丰富，不是狭隘的道德理性所能完全概括的。她感染着我们，让我们不由自主地不再纯粹用道德的眼光，不纯粹用理性的眼光看她，而是把她作为一个人，惊叹于她情感世界的丰富和饱和，这个叫美。

从这里，我们可以得出一个结论，她的美是由于生命的、情感的质量很高。

这里面就产生一个问题，一方面王熙凤是恶的，一方面她是美的。她不是夏金桂那样的，从头到尾是恶的，恶之丑。但是，王熙凤给我们的感觉，她有相当程度的恶，同时她又有情趣的感染力，她的生命的旺盛，她的智慧，包括她的自得，她的自信，她的自我感觉，都是非常丰满的一个人。波德莱尔所说的“丑恶通过艺术的表现化而为美”，[①]这从理论上好像太抽象，不好理解，但是，拿王熙凤和猪八戒比较一下，她是恶多了，坏多了，但是，形象也丰满多了。所以说，我大胆给它一种命名，美恶交融。这在文学当中的普遍现象，叫“恶之花”。非常恶，但是又非常美。这种现象从理论上说起来有点纠结，幸亏有个猪八戒、赵本山、陈佩斯，我们联系一下，要不然你们很难理解，很难有感觉，是吧？当然，我要提醒同学们，我这样分析是艺术形象，是假定的，不是现实的。你们不要误解了，以为在生活中可以做坏事，可以做得很美。你们如果有人当了汉奸、猪八戒做了王熙凤那

① [法]波德莱尔：《论泰奥菲尔·戈蒂耶》，《波德莱尔美学论文选》，人民文学出版社2008年版，第78页。

样的人，我不负责任。你们的家长、校长要追责，最好是去找曹雪芹，找吴承恩。（笑声）当然他们都化为灰了，没有办法找，那找陈佩斯，找赵本山，打官司，告他一个教唆犯，让他赔一点银子，发一点小财，还是有希望的。（大笑声）

三、理性压倒爱情之美：薛宝钗

为了彻底阐明这一点，还要从反面想想。你说有感情丰富、生命魅力四射，超越善的，就有美，那么反过来，另外一个美人，谁啊？薛宝钗。薛宝钗怎么解释？很漂亮啊，又健康，是吧？没有做过坏事，品性纯良，很有理性。在《红楼梦》里面，薛宝钗跟林黛玉是对立的。那么，怎么去解释这个现象呢？有些老师，包括我当年的老师是非常有学问的、非常有才华的啊，他们想，既然是对立的，要想办法说薛宝钗是坏的，在道德上有问题。现在至今还有市场。怎么坏呢？就说她阴谋诡计，叫“藏奸”，把那个奸计藏在心里。她四面八方的人都不得罪，她没有要什么阴谋诡计去陷害别人。她是非常善良的，不像林黛玉的那个嘴巴那么尖。往往是有什么坏事，她主动顶了，跟贾宝玉有点一样，是吧？譬如说有一次发现了有一个丫头捡了一张当票，丫头不识字，什么东西？一传到薛宝钗手里，原来是她的堂弟的未婚妻邢岫烟家里穷，当了被子，当到哪里去了？当到了薛宝钗的哥哥开的当铺里去了。薛宝钗觉得，把这个事情公开出来，对她未来的弟媳妇是很没有脸面的，人家会说“人还没有来，当票来了”。她就拿起来，没有吱声。人家问什么东西啊，就说：“没什么啊，过了期的当票。”薛宝钗是个道德上很高贵的，她还救了香菱，不是她坚决反对，香菱就被卖成妓女了。

薛宝钗做了许多的好事，从道德上说是善的。她跟林黛玉没有矛盾。你不能说林黛玉是道德是善的，薛宝钗一定是道德是恶的，也不能说林黛玉是美的，因而她是丑的。那她们在道德上没有矛盾的话，那有什么矛盾呢？情感。就是，情感在生命中的地位。林黛玉把情感看得比老命，不，小命，都重要。明明和贾宝玉交过心了。贾宝玉说话说得这么明白：“你死了我当和尚去！”林黛玉假装哭了，“哎呀，你要死了，你怎么这样啊。唔唔地哭了。（笑声）女孩子都是这样的嘛，她们的话语，往往是要有聪明的翻译的，是吧？（大笑声）

我在美国南俄勒冈大学里面参加一个 hearing，听证会。美国大学里有一个很特别的词叫 daterape，就是“约会强奸”。处理的时候，够不上刑事，也没什么证据，就有一个团体的所谓评判会，叫听证会。那女的说，我跟你约会，你强奸了我。那男的说，你同意的。

那么女的就说，我说了“no”。那男的就说，你们说“no”就是“yes”的意思，（笑声）你们什么都是“no”，你同意也是“no”，后来你就没“no”了嘛。（大笑声）

从这个意义上来讲呢，我们说啊，刚才讲到哪里去了。（大笑声）哦，林黛玉和薛宝钗之间的矛盾，不是一个是女曹操，阴谋诡计，八面玲珑，一个是胸怀坦荡，洁白无瑕。而在于什么？对情感，对情感的价值，这一点是关键中的关键。林黛玉即使亲眼看到贾宝玉为她发疯了，一听说她要走就好像是不省人事了，她死了贾宝玉就做和尚去，但她还是不放心。她觉得情感不能有任何一点的水分，不能有任何一点的勉强，不能有任何一点的可疑，不能有任何一点的危险，她的心里老是悬悬的。她身体不好，可能还有点肺结核、胃溃疡，还失眠、神经衰弱，是吧？越想得多身体越不好，身体越不好越没有竞争力，对不对？但是，从总体来说，她的情感质量很高。那薛宝钗体态丰满呐，非常漂亮，是不是？从实用价值来说，（大笑声）从善的价值来说，身体好才有竞争力嘛。真的，贾母就是这样考虑这个问题嘛，为什么要选择薛宝钗呢？她说林黛玉“心重了一点”。就是想得太多，感情太重，不好侍候。第二呢，在寿数上就不好了，就是可能会短命呐。那我想现在你们都不能不考虑这个问题嘛，是吧？娶了个老婆要生孩子嘛，两个人比较一下谁会生孩子呢？当然是薛宝钗，对不对？（大笑声）林黛玉这个身体怎么能生孩子呢？就是怀孕，很可能是难产，小命都没了。（笑声）

林黛玉把感情看得比什么都重要，她的感情超越实用，她越是这样执着，她越是损害健康，她越是不健康，越得不到认可，越是没有竞争力，她越是要坚持到底。一听到贾宝玉跟薛宝钗结婚，一口血吐出来，奄奄一息。她就不想活了，被子不盖了，但求速死。这就是审美价值，把自己的感情、自己的心灵看得高于生命，那薛宝钗呢？她道德上没有问题，她是善人，大大的好人，她不但没有去陷害，相反善待林黛玉。原来林黛玉也把她当作假想敌，觉得薛宝钗是一个最可怕的敌人。但是后来《红楼梦》，在四十回以后，八十回以前，是曹雪芹自己写的，她们两个误解消除了。

那么她们之间的矛盾在哪里呢？在什么方面对立呢？对立在感情上。林黛玉所忌讳的是什么呢？就是贾宝玉有玉，薛宝钗有一个金锁，而且有一个和尚讲了，将来这个金啊要配一个有玉的。林黛玉心里就是一块石头了。那这个薛宝钗呢？知道这个事以后，“反而觉得没意思起来”。“没意思”，你们可能不太懂，如果是“有意思”，你们就心领神会了吧。（大笑声）没意思就是不但不感兴趣，而且觉得多了一层嫌疑，故有意地躲着贾宝玉，避免跟他单独在一起。这个青春少女很理性的，修养很高的，一点不妒忌。她在任何时候都是成全着现在的规范秩序，绝对不制造矛盾，绝对不伤害人，更不栽害任何一个人。

特别是最后，贾宝玉的玉丢了嘛，丧魂失魄，决定拿薛宝钗和他结婚“冲喜”。薛姨妈这个时候还是有点民主啊，来征求薛宝钗的意见。你知道薛宝钗怎么回答？她说：妈妈，你这话就错了。这种事你怎么来问我？儿女之事由父母决定的，父亲在的话要问父亲，现在父亲不在了，你说了算，如果再要问的话，问哥哥。她哥哥坐在监牢里了。你看看这个薛宝钗，她跟林黛玉的对立就是这个，对情感（核心是爱情）价值的对立。她不把自己感情当一回事，她认为个人的感情，跟贾宝玉有没有感情是不值一提的。只根据现成的规范，根据家长，“父母之命，媒妁之言”，这就够了。

曹雪芹把薛宝钗写得非常漂亮，品德也非常善良，身体也很健康，是吧？但是，曹雪芹给她加了一条，她把自己感情不当一回事。她舒舒服服地把自己可能的爱情消灭得一干二净。明明在贾府周围，她要找一个稍微过得去的，只有贾宝玉。其他男性都烂透了嘛，不是色鬼就是浪荡鬼，是吧？但是，薛宝钗就是这样，让她嫁给一个为了林黛玉而发疯的人，让她冒充林黛玉去和贾宝玉结婚，她也干。在婚礼上，贾宝玉还在那里嚷嚷，要找林妹妹去，把两个人放在一起死掉。贾母不过意，叫薛宝钗到一边去安息，就是让她不这样难堪啦。薛宝钗居然“置若罔闻”，而“和衣而睡”，这个修养多高啊。贾宝玉不知道林黛玉死了，大家都不敢告诉他，他已经有点疯了嘛，再告诉他不是更疯了嘛？倒是薛宝钗，非常理性地说：“林妹妹已经死了。”大家都怪她你怎么能告诉他呢？这不是完蛋了吗？她说：反正要让他知道，晚知道不如早知道。事情居然就慢慢地就平息下去了。这是极端的理性，极端不讲感情，讲实用的，把感情看得不重要。跟林黛玉的对立不是理性的，不是真假、善和恶的对立，而是情感的对立，而是审美价值的对立。从这个意义上来说，薛宝钗是一个漂亮的人，也是一个有血有肉的美人。她可以说是一朵花。当然，她不是王熙凤那样的“恶之花”，她是一个冷艳的花。她吃一种药，叫什么啊？冷香丸。香者，香艳也，冷者，感情冷淡也。所以，栊翠庵的老尼姑来拜访她之前，知道薛宝钗是一个“冷人”，“冷”啊，就是缺乏热情。当然这只是限于在爱情方面，至于在亲情方面，在友情方面，她还是有相当深厚的感情的，连林黛玉都被她感动，说她“多情”。但是，情感的质量不高。

四、理性压倒亲情之美：探春

在理性、无情方面，还有一个美人，探春。她在曹雪芹的美人谱系里，在性质上，在层次上，处于什么样的地位？

王熙凤生病了，不能治家了，就叫李纨，贾宝玉的寡嫂，和探春来理家。探春的本领不亚于王熙凤。她是赵姨娘的女儿。赵姨娘是小老婆，为贾政生了儿子贾环，女儿探春。

按当时的体制，儿女是主子，妈妈仍然是半个奴才。探春理家的时候正好她的亲舅舅死了，要开销丧葬费，就请示探春说该给多少银子。有人说一般分内外两种啦，他属于外面的，给四十两银子。本来很简单，照章办事嘛。但是，探春精明、厉害。她说，我们才上台，你们随便说说不行，把账册拿来给我看。一查，按照惯例，属于外面的（不是贾府的）人应该是二十两银子。

这时候，王熙凤虽然不能理事，还是比较关切探春，就通过平儿来说，按老规范，应该是二十两，但这事，由探春定夺。探春非常严肃地说：拿着太太公家的银子乱浪费，不行！就二十两。她的妈妈赵姨娘火了，自己亲女儿在掌权，怎么就二十两银子，还不如袭人家里什么人死了多啊。

赵姨娘就说：我受欺负了，受不了了！一面说一面就哭出来。探春就说："你什么事？姨娘。"她不叫她妈妈，因为她是奴才啊。赵姨娘就说：现在啊，很多人踩我，你又不来帮我，你也来踩我。探春说：我不敢呐。赵姨娘说了：熬了这么大年纪，这会子连袭人都不如了，我还有什么脸呢？连你也没脸。"探春笑道"，你看这个曹雪芹用笔，居然用了一个"笑"字，写探春对母亲冷漠用笔太狠了。她把账本翻给赵姨娘看，念给她听，又说："这是祖宗手里的规矩，人人都依着，偏我改了不成？也不但是袭人，将来环儿收了外头的，（她的弟弟，贾环，如果收了一个丫头做妾，就不是外头的，而是里面的，也就是贾家的了）也是同袭人一样的（因为袭人已经摆明了是宝玉的人，是属于家里的，而她的舅舅则不是家里的，而是外面的）。这原不是争大争小的事，讲不到有脸没脸的话上。他是太太的奴才，（太太指的是王夫人，奴才指她自己的舅舅）我是按照规矩办的。""依我说"，这是对她妈妈讲了："太太（王夫人）不在家，姨娘（自己的妈妈）安静些养神罢，何苦只要操心？太太满心疼我，因姨娘每每生事，几次寒心。太太如今因看重我，才叫我管家务。还没做过一件好事，姨娘，倒先来作践我。倘或太太知道了，怕我为难不叫我管，那才正经没脸，连姨娘也真没脸！"一面说，一面不禁滚下泪来。这里母女俩争执了这么一大篇，好像是家里和外面，老规矩和亲舅舅的问题，但是，关键词是什么？你们听出来没有？是"有脸"和"没脸"的问题。赵姨娘认为自己女儿掌权，按老规矩给银子，连袭人家里死人都不如，是没脸，自己的女儿掌权，超越老规矩，多给银子，就"有脸"了。而探春则相反，她的逻辑是，第一，奴才就是奴才，主子就是主子；自己的母亲，因为是奴才，就不是母亲，而是姨娘；王夫人不是自己的亲生母亲，因为是主子，就是母亲。满心感激其疼爱。因而，明明是亲舅舅，是奴才就不能算是舅舅，明明不是亲舅舅（王夫人的哥哥王子腾），因为是主子，就是堂而皇之的舅舅。这才"有脸"。第二，家里的奴才（如袭人）和家外的奴才（如赵姨娘的兄弟），等级不能混淆。自己舅舅的丧仪，有丝毫的含糊，就没脸了。第三，最关键的，自己掌权了，更不能偏袒赵姨娘和他兄弟，不合祖宗的老法，这样的徇私会引起人们联想到自己和奴才母亲的关系。这就更加没脸了。这个探春，才十几岁吧，在大庭广众之间，面对自己的母亲，一通理直气壮的道理，对等级体制的真诚认同，不是一般的认同，而是认同到骨头里。这样的逻辑，铁面无私，毫无亲情。一面是义正词严，一面却“不禁滚下泪来”。她哭什么呢？哭自己不是嫡系，很感激被王夫人当作嫡系重用，而自己的生母，品位这样低下，偏偏又来提醒众人自己的卑贱出身，探春感觉是很没脸的。偏袒血亲，是双重的没脸，越是拒绝母亲的要求，越是对她无情，就越是表现出对于王夫人的忠心，就越是有脸。正是因为这样，当自己的母亲说出指望她照顾的话时，她才把话说得这么绝情：“那一个主子不疼出力得用的人？那一个好人用人拉扯的？”第一，自己受宠若惊，办事有效率，得到主子的疼爱，才有脸；第二，就更厉害了。要人拉扯的人，就不是好人。言外之意就是说自己的母亲不是好人了。这样冷酷的话，连李纨也感到太不像话了，连忙打圆场：探春心里还是想照顾照顾的，只是口头上说不出来。但是，探春的有脸的原则是毫不含糊的，连对好心掩盖矛盾的李纨也正面批评起来：“这大嫂子也糊涂了。我拉扯谁？谁家姑娘们拉扯奴才了？”这句话太刻薄了，自己舅舅是奴才，妈妈是奴才，她自己是主子。在这样大庭广众之中，把自己的主子身份和自己母亲的奴才之分，划得一清二楚，至少在礼貌上有所欠缺的。但是，在探春觉得，这是最有脸的。曹雪芹在这种场合下，就是手不软，硬是把探春冷酷反复公开化地表现出来。赵姨娘根本听不懂她的等级逻辑，仗着自己母亲的身份，用语就比较尖锐了：‘如今你掌权，你多给了二三十两银子，难道太太就不依你？分明太太是好太太，都是你们尖酸刻薄，可惜太太有恩无处使。”赵姨娘用“尖酸刻薄”骂她，还没有出嫁就“忘了根本”，“拣高枝儿飞”。应该说，赵姨娘不顾这种话对于一个未出嫁的姑娘的伤害性，她完全是豁出去了，把恶意超额地发泄出来：日后你出嫁了，我也跟你没有什么利害关系了。探春被气得哭了，但是，她的哭不是因为亲情上的恩断义绝，而是自己的脸面又遭到打击，她马上更加冷酷地反击：“谁是我舅舅？我舅舅年下才升了九省检点，那里又跑出一个舅舅来？”这个九省检点，王夫人的哥哥，她认为，这才是最有脸的。

曹雪芹把探春写得势利到了骨头里，可还是把她写成一个美人，为什么呢？曹雪芹接下来提示她内心的软肋“姨娘养的”：“何苦来，谁不知道我是姨娘养的，必要过两三个月寻出由头来，彻底来翻腾一阵，生怕人不知道，故意的表白表白。也不知谁给谁没脸？”（第五十五回）“有脸”和“没脸”，是探春内心的情结，“姨娘养”的，赵姨娘这么一再闹事，就是反反复复地提醒她感到给她没脸。赵姨娘的发飙，在她看来，都是在触动她内心的隐痛/自卑。她哭不是为了母亲，而是为了自己的自尊受到侵害的无奈。姨娘养的，是不能改变的，她的自尊，是不能侵犯的，故她不管多么义正词严，六亲不认，斩钉截铁，也不能改变“姨娘养的”这个事实。因而她理直气壮中含着无可奈何的性质。实际上，她的内心是有点狼狈的，因而，她不能不委屈得哭了。这个曹雪芹真是太狠心了，把一个好端端的女孩子写得这样不堪，如果让我参与脂砚斋的点评，我一定加上一句夹评：用笔歹毒之极矣。(笑声)

这也是曹雪芹提供的一个美学难题。这个人和王熙凤有相同之处，那就是有本事，治家严明，完全胜任王熙凤的接班人，但是，又跟王熙凤不一样，她没干过坏事，她堂堂正正。这个人又跟薛宝钗有点一样相似，很理性，但是，她没有薛宝钗那么善良，宽容大度，尽量成全、保护别人。她也是一个美人，但是，她的美，是正派地坚持她的原则。她的亲情几乎等于零，但是，她对王夫人的重用则充满了感激之情。她不是坏人，她是一个美人。这样的理性的美人，没有薛宝钗的艳，却有薛宝钗的冷，但是，薛宝钗的无情是对自己，而探春的无情则是对她的骨肉。她是一朵比较干巴的花。

虽然干巴，曹雪芹仍然觉得她是一个美人，因为，她的才能超越男性，当男性接班人一代不如一代的时候，她却是一个反例。

五、美女的四种类型

曹雪芹在写他心目中超越男性的美女的时候，显然是有系统的。我用审美价值论来分析，理论基础是真善美，是三元的，既不是完全统一，也不是完全分裂的，而是交叉的，用我的话来说，就是错位的。在不分裂的前提下，错位的幅度越大，审美价值就越高。第一美人是林黛玉，情感价值和实用理性拉开了最大幅度的错位距离，为爱情而不要命。第二美人，薛宝钗，亲情、友情都不缺乏，对一切人都有情，甚至“多情”，却自动化地窒息了自己的爱情，理性的善几乎全部覆盖了爱情，美与善，错位的幅度比很小，她代表着美与善的统一。为什么也是美呢？因为在真善美的交叉的三圆中，除了错位的，还有重合部分。薛宝钗的形象处于美与善的重合。从性质上说，薛宝钗是属于“审善”范畴的，但是从程度上说，其审善大于审美。第三类美人是王熙凤，做了许多缺德的事，属于恶的范畴，应该是丑的，但是，内心世界仍然发出情思的光华，她是美与恶的交融。而探春的无情，六亲不认，有恶的成分，但是，她并不丑，因为她表面的“无情”乃是出于为妾所生的自卑，因而她时时刻刻对自己“姨娘养的”高度紧张，堂堂正正保持着距离，毫不含糊地避免自尊受到伤害。这种潜在的、被扭曲的、病态的自尊使得她的恶也具有审美性。她的美是带刺的，这种刺在刺向亲情时，同时是刺向无可奈何的自己的不可摆脱的自卑，这种双向的刺上是既有母亲又有自己的眼泪的。

从美学性质上说，探春和王熙凤接近，在于其“审恶”范畴。王熙凤是一朵恶之花，说得通俗一点，乃是一朵罂粟花，是有毒的。波德莱尔说“丑恶通过艺术的表现化而为美”①，可惜，没有在理论上充分论证丑恶化为美的原因。在我看来，乃在于其结构的张力：一方面是美与善的错位幅度达到极限，另一方面美与恶重合使其间的错位趋近于零。曹雪芹通过王熙凤把《金瓶梅》中潘金莲那种毫无情感的、性欲泛滥的恶之丑，提升到美恶交融高度，王熙凤的形象以其丰满和深邃在中国小说史上占据空前绝后的位置。有人拿她和美国小说《飘》中的赫思嘉相比，我觉得，赫思嘉在美与丑、善与恶的反差上，人性的内在张力上，远远比不上王熙凤。在中国现代小说中，勉强可以与之比美的只有老舍的《骆驼祥子》中的虎妞，她追求祥子，不惜伪装怀孕，此人在美丑交融上与王熙凤有近似之处，但是，在对待小福子的残酷上，纯具恶的性质，并没有王熙凤统驭全局的魄力与八面玲珑的智慧、精灵的气质，还有外貌的美丽。至于张爱玲的《金锁记》中的曹七巧，在其恶毒方面与王熙凤有相近之处，但是，其恶只是毒化了亲子之爱，却毫无与善的反差。与王熙凤相比起来，不但比较单薄，而且太黑暗。

虽然美女各有不同，但是薄命总是相同的。不管是林黛玉、薛宝钗，抑或是王熙凤、探春，乃至那个表面上是世外人的妙玉，不仅命运都是悲惨的，而且精神是破产的。这使我想起俄国作家契诃夫以《跳来跳去的女人》为代表的女性主题，叫作“美的毁灭”。不过契诃夫的“美的毁灭”，是没有社会原因的，而曹雪芹笔下的“美的毁灭”，却直接、间接与社会环境，特别是宗法体制相关。表面上，这个大家族，在老祖宗贾母享有绝对权威之下，对儿孙（女）充满了爱心之下，温情脉脉，欢声笑语，其乐融融，但是，正是在这种亲情至上的笼罩下，美女一个个毁灭。林黛玉的悲剧是其爱情为家长制所约束，不能明言；薛宝钗的悲剧，是对家长制的权威成规的无条件认同；王熙凤的悲剧是即使有掌管封建大家族的能耐，却只能在腐败的体制中苟延残喘，出污泥而尽染；至于探春的可悲之处恰在于认同封建的等级制度，徒劳无益地的挣扎却终至泯灭亲情。

所有这一切，归结到理论上，有人也许认为我的理论还是现实主义：环境决定性格。但是，我要宣布，我与传统的现实主义理论不同，我不是从反映现实的宏大叙事出发，而是从美女的谱系出发，在对人物精神系统进行了微观的梳理以后，从其系统的光谱中抽象出一个核心发现：在千头万绪的琐事的叠加中社会环境、潜在的文化成规，固然形塑着人

---

① ［法］波德莱尔：《论泰奥菲尔·戈蒂耶》，《波德莱尔美学论文选》，人民文学出版社 2008 年版，第 78 页。

物的命运，但人物自身个性的内因才是起了决定作用。

总的来说，在这美女谱系中，王熙凤作为“恶之花”是空前的，但是，是不是绝后的呢？这是需要研究的。夏志清先生在《中国古典小说史论》中说，不要说古典小说，就是中国现代文学也没有一部比得上《红楼梦》。我想就整体来说，夏志清先生是对的，但是，就局部的人物来说，可能还有商榷的余地。我想说的是，在现代文学中，唯一能够与王熙凤比美的，达到王熙凤的丰富复杂、深邃的乃是《雷雨》中的蘩漪。这个问题，我想今天时间不允许了，下次讲罢。

讲了差不多两个小时，都是我满堂灌，滔滔不绝，迫使你们只有洗耳恭听的份，这太不民主了，太专制了。留一点时间供你们向我挑战吧。来，来，来。(鼓掌声)

附：

现场问答

问：孙教授，您好。

答：基本上挺好。(笑声)

问：我想问的问题是，您讲了这么多，都是讲审美啊什么的，而审美的情感又是不科学的、不真的、不实用的，我们听得很着迷。但是听完以后，我又担忧，我们这里，大都是学理工的，都是要讲真的、理性的、实用的。您这样讲，不是把我们的思想和学业都搞乱了吗？

答：谢谢。你这个问题提得很学术水平。因此我要加倍地感谢你。请同学们和我一起鼓掌。(笑声、掌声)

真和善都是理性的，我们从小学中学到大学，绝大部分的课程，都是理性的学问，因为人是理性的动物嘛。但是，人又是感情的动物，理性只是人的一半。人类为了生存必须理性，把天上飞的、地上走的、水里游的弄来满足自己的生存需求，因而发展科学，以提高生产效率。效率就是有用，就是善，让大家活得更好。不过，进行科学研究或者提高生产效率的时候，不但不能讲感情，而且必须抑制感情。坚持理性才有科学的真、实用的善。善的高级层次就是道德。道德就是对人的本能的约束。你结婚了，就没有自由恋爱的权利了，人家的漂亮太太，你不能老是念念不忘，是吧？你要有道德，以理性把要自己那种自由、本能的冲动消灭掉。

但是吃饱了，穿暖了，社会安定了，就发现光有理性好像不太够啊，在发展理性的科学，以道德的善平衡秩序时候，我们把感情就是搁在一边，压抑到潜意识里去了。如果满足于这样，人就和动物差不多了。人觉得还有一半要恢复起来。因而在德智体以外，理性的教育以外，要增加一门，叫作美，美就是感情，人的另外一半。要不然人最好的理想就是机器人了，非常理性。没有感情，没有爱情，也没有友情，也不爱家乡，也不爱孩子，也不爱老婆，也不爱母亲，甚至于不爱祖国。你在南京不爱南京，到了福州就不爱福州，这样的人也是不像人了。所以文学艺术的教育就是把为了科学和道德暂时搁置的人的感情还给人。尽管它是非理性的，没有实用价值的，但是，没有它，人就是半边人，不完整的。

所以才有文学、艺术。在文学里，老是写不完的爱情，着迷到极点的爱情，悲惨的、痛苦的、倒霉的、可怕的、恐怖的，有时，还是要命的、要死人的。(大笑声)你看，安娜·卡列尼娜死了，林黛玉死了，再往前想，那个杜十娘死了，再往后讲，茶花女死了，现在还在不断地死下去。(笑声)但是，死得很美，比如林黛玉，就是死得最美了，这就叫作审美。科学理性的，又加上审美情感，人才是全面的，所以我们的教育方针是，德智体美，这叫全面发展。人生不过百年，从自然史的宏观视野看来，真正是白驹过隙，一下子就永远没有感觉了。正如李金发所写："生命是死神唇边的微笑。"生命太短，在笑一下之前，之后，都是死亡。你只能潇洒走一回，潇洒笑一回。在这一回中，一心甘当机器人，如果没有体验一下爱情，不知道什么叫作痴迷的欢畅，什么叫作心有灵犀的妙悟，什么叫作撕心裂肺，痛不欲生，要死要活的爱情和亲情，那是不是活得不够丰富，不够潇洒，不够全面，是不是有点白活了的遗憾？是不是对不起这七尺男儿风流倜傥的风神，是不是辜负了妙龄女郎风姿绰约、巧笑倩兮、美目盼兮的青春？但是，并不是每个人都有碰上前世冤家的机遇和勇气啊。那怎么办呢？到文学经典里去潇洒走一回。要体验一下情感世界、非理性的入痴而妙的神秘。包括痛苦的精彩，精彩的痛苦。法国的象征主义者强调，忧郁和痛苦是最美的，因为这个东西人们往往是逃避的，可是在文学里却让人着迷的，让人享受的。

从这意义上讲，读《红楼梦》的目的，就是恢复我们完整的自由的、丰富的精神世界。

问：我想问的就是王熙凤的判诗里面写的是：一从二令三人木。听说那个"人木"是代表休的意思，然后那个"一从二令"没有懂。

答：对，一从，二令，两百多年来红学界众说纷纭，对此，差不多有不下二十种解释。[①] 到现在还有学者纠缠"一从二令"是怎么回事。我比较认同的是，一从，就是第一，开始，二令，好像就不是第二，而是两点水加上一个令字，就是"冷"，她的日子越来越严峻。"三人木"，三就是第三，最后被休了。后面还有一句"哭向金陵事更哀"，按照曹雪芹

① 参阅姜洪涛：《论王熙凤形象的悲剧意义———兼解"一从二令三人木"》，《天津职业院校联合学报》2014年第1期。

原来的设想，王熙凤最后被休了，“哭向金陵”，回娘家，应该是没有死。续写的《红楼梦》把她的结局改成病死了。俞平伯先生和一些早期的学者，都认为这违背了曹雪芹的原意，不好，“是胡闹”[①]。但是，我认为，改得好。你想，王熙凤放高利贷，收受贿赂，甚至导致人命，干了很多坏事。最后被休，谁有资格休她呢？贾琏。这个家伙，又没有本事，是个浪荡鬼，甚至是个淫棍嘛，也是个大坏蛋嘛。让他来惩罚王熙凤，也就是说，把贾府的败落，账全算在王熙凤身上，好像贾琏倒是个好人似的。这在逻辑上也太莫名其妙了。所以我倒是认定让她自己在后悔中，凄凉地死掉更好一点。再说，她身体本来不大好，一度还休假，让探春、李纨理家嘛。何况，《红楼梦》曲子里，对她早有暗示：“机关算尽太聪明，枉费了卿卿性命”，“前半生心已碎，死后性空灵”，那就说最后她要死的嘛，是吧？所以，要是让我来续写，我就毫不犹豫地把她送上死路，从正面写，让她死得更悲惨一点，更痛苦一点，不像续书这样，侧面写，突然，宝玉夫妇听说她死了。我想，正面写她死的悔恨，甚至让她在幻觉中看见尤二姐的鬼魂，恐怖一点，让读者也感受一下她从轰轰烈烈到死亡的恐怖，甚至让贾瑞到她梦里来和她纠缠，这才够味。（笑声）

问：孙教授您好，听了您的讲座之后，我对《红楼梦》的理解又上了一个层次。尤其就是您对薛、林两位美女的对立的分析让我觉得耳目一新。您说她俩的对立不在于理性层面上的对立。我以前对薛宝钗的理解就是她比较功利主义，所以贾宝玉不爱她，因为薛宝钗劝他走仕途之路而不屑一顾。而他跟林黛玉比较要好，他也说过他视林黛玉为知己就是因为林黛玉说不出薛宝钗那样的混账话来。如果林黛玉像薛宝钗那样，说那种话，他早就不跟她好了，是吧？

答：这些都是我说过的，大家都已经知道了，现在请你说自己话。（笑声）

问：可是听了您对她俩的对立分析之后，我还是不太明白贾宝玉为什么喜欢林黛玉了。

答：我一直在等待你提问，可你讲那么长的“序言”，重复我的说法，觉得你是不是有点傻。（笑声）听到最后，我才感到，你不傻，而是很有礼貌。你把最关键的反对我的话放在最后，表面上是轻描淡写，但是，我却感到对我的打击很大。（笑声）为什么呢？我讲得口干舌燥，差不多两个小时，可是根本就没有说服你，是不是？这太有点伤我的“自尊”了。（用宋丹丹小品中的东北口音，引起大笑声、掌声）

我刚才忘掉了一个材料，就是有一次她们几个姐妹给宝玉祝寿的时候，行酒令，抽签，薛宝钗抽到的是“任是无情也动人”。这个人是无情的，但是也是很动人的。她并不是个坏人，而是好人，她就是无情，但是很漂亮，很善良的。善之美就比不上林黛玉那个情之美了，是吧？那么所以说这两个人的对立不能从道德的善恶去考虑，应该从情感来解决。你

① 俞平伯：《红楼梦研究》，江苏文艺出版社 2010 年版，第 21 页。

的意思是说，你原来以为一定是由于理性的，一个是思想上要他去参加科举，是吧？当官去。那么，实际上林黛玉也叫你“你从此都改了吧”，林黛玉也说八股文也不一定都是坏的，你们这些人将来也“清贵”一些。其实，林黛玉就爱贾宝玉，贾政把宝玉往死里打，她心疼。与其让他打得皮开肉绽，小命不保，还不如妥协一点。她完全没有把参加不参加科举考试，当成思想路线的斗争。薛宝钗当然，比林黛玉更正统一点，劝他去走仕途经济之路。至于，他听不听，薛宝钗也无所谓，也没有觉得这是个大问题。

她们两个人是有些对立，但不是思想上自觉的对立。真正和贾宝玉思想的对立是谁呢？贾政。这造成了贾政的无情，因为贾政觉得任其发展下去，不但没有接班人，而且可能要弄到“弑父杀君”、大逆不道的程度。这才是思想对立。相比起来，这两个女孩子都讲过劝解的话，都是为了宝玉安全，免得被打得皮开肉绽，屁股流血，那是很疼的啊。（笑声）

所以从这个意义上来讲，我坚持一个审美价值观。假丑恶有统一的一面，比如说恶的就是丑的，夏金桂；没有感情的就是丑的，贾政。但是，真善美也有错位的一面，如薛宝钗，爱情空白，但是，很有亲情、友情的，她没有做坏事，尽量做利人的事，她也是美的，善之美，是一枝冷艳的美。有感情的，哪怕做了坏事，如王熙凤，也是美的，“恶之花”，罂粟花，有毒的花也是花呀。

我们本来今天要讲周蘩漪，我今天没讲，为什么呢？要讲就还要两个小时了，到十一点了，那岂不是既折磨你们，又让自己回去失眠吗？那么预报一下，下次再来吧，好。周蘩漪也是一朵“恶之花”，那更加恶了，那不得了啊，乱伦呐。（笑声）但是曹禺对她非常佩服，非常敬仰，非常赞美，那朵“恶之花”才是真正的“恶之花”。

问：去年您讲“唐诗高峰”，今年讲“薛宝钗”我就特别喜欢。但是，您曾经说了一句话，说：“巴金他写得并不好，像中学生的作文，只是感情充沛一些而已。”您也说到一种文学技巧层面上的匠心，有好多名堂在里面。您觉得从写作的角度，在艺术上面，是技术更重要一点呢，还是真情的流露更重要一点？是那种草蛇灰线的布局、匠心独运更重要，还是说感情才是第一位的？

答：请坐。我想补充一下，可能是我讲得不太充分，那不仅仅是技术，也不仅仅情感，而是——第一，对人的理解；第二，对人的心灵深度的表现力，是从这个角度。你刚刚讲的那句话是什么？你刚才说我昨天讲了一句什么话？哦，“巴金作品像中学生的作文”。（笑声）这个是我的老师——20 世纪 50 年代北大中文系主任杨晦先生的教导。他认为巴金的作品就像中学生作文一样，为什么？它太不精练了。相对于中国古典小说，以《红楼梦》为代表，师承我国的史传文学的传统，寓褒贬，大都是用叙述和对话，很少直接抒情，很少像西方小说那样花那么多篇幅做环境描写、心理分析。表现人的情感是很间接在渗透在叙述和对话中的。巴金的问题是太浪漫了，情感太泛滥了，没有节制。没有节制的情感叫作滥情。五四时期引入了一个西方的词汇叫 sentimentalism，原来翻译的是什么？感伤主义。到了 20 世纪 50 年代以后就翻译成“滥情主义”。在表现感情的时候，要防止滥情。滥情很容易变成矫情，过分渲染，导致虚浮。矫情很容易变成虚情假意。也就是用词太浪费了，太挥霍了。余秋雨早期的作品里面有一些感情过分泛滥，就被一些苛刻的读者骂了。我另外一个老师吴小如先生，他在 20 世纪 40 年代，二十多岁的时候，就批评巴金不精练，他的原话是“费词”，浪费语言。在 20 世纪 40、50 年代早期，我们的文学批评是很讲究艺术性的，后来就只讲思想，只讲意识形态了，以至于许多大学生，甚至学者，对语言艺术的感觉都没有了。我的老师杨晦先生就认为巴金的《家》《春》《秋》，根本不用拉拉杂杂写那么长，三本删节成一本就好了。你们不相信，去看看，我相信，你们之中起码有三分之一的同学，能够把这个三部曲删掉一半。（大笑声）

我们来看，探春非常无情，连自己的亲生母亲、舅舅都不认，说着非常冷酷的话，哪里主子给奴才讲情啊？只知道自己是主子，而母亲和舅舅是奴才。我哪里冒出来个舅舅啊？我的舅舅早升了九省督检去了。她这样说话的时候，曹雪芹只是叙述——探春“笑”道，后来还“哭”了。这一“笑”一“哭”，写出了探春自认为自己的冷酷是最“有脸”的，就两个字，表现力太强大了。绝对是 20 世纪海明威的“电报文体”的坯子。要是让巴金来写，就可能展开一大堆心理描写，起码是“探春奸邪地笑道”，（笑声）“探春委屈得脸都发白了，双肩颤抖，断断续续地说道：‘你，你你，你……’”那就完了嘛。巴金写小说成名还年轻嘛，三十多岁，没有我这样老练嘛。（大笑声）真的，我今年七十八了，比他大了一倍以上的年纪呐，是吧？语言上不比他老辣一点嘛，中国还有什么希望呢？（笑声，鼓掌）

问：老师您好，我的问题很简单，老师说那个人如果不为爱情要死要活一把，就活得没意思，那我想问老师年轻的时候有没有为爱要死要活一次？（大笑声，鼓掌声）

答：你这个问题有个缺点，就是不够恶毒。我老老实实回答，太简单了，我绝对是经历过的。（笑声）惊心动魄，刻骨铭心，痴迷的欢畅又痛不欲生啊，（大笑声）差一点跳下去。（掌声）可是，现在回忆起来，非常甜蜜。（笑声）这是普希金的一首诗嘛：“假如生活欺骗了你，年轻人不要伤心，不要难过，一切都会过去，而那过去的一切，就会变成亲切的怀恋。”（掌声）

问：您今天晚上说薛宝钗和林黛玉之间的对立问题是感情问题。在这里我想提到的是史湘云。其实薛宝钗进京，是因为要选秀入宫，做皇帝的妃子，而有玉的不一定是宝玉，

皇帝身边也有玉，很多的玉。至于金麒麟，也不只有一个。史湘云也有个金麒麟的。她的小丫鬟就说道，麒麟有一个阴的，有一个阳的，而贾宝玉发现人家送的礼物中有一个麒麟，就偷偷藏起来。周汝昌先生的《红楼别样红》这本书，是比较赞成最后是史湘云和宝玉是一对，而不是薛宝钗。而且在最后高鹗后四十回的续书里面，史湘云也是“打个酱油”就走了。您对此这么看？

答：谢谢你，你讲得很有道理，不少大学者都认为，最后贾宝玉和史湘云结合了，因为没饭吃了嘛，沦为乞丐了嘛。贾宝玉有一个矛盾，我在这里讲过，他希望一直在女儿国乐园里待着，死了化成灰在女孩子的眼泪水里流过去，那是最幸福的。去考试的话就是禄蠹了，就是堕落了。但问题在于，你要在女儿国里自由自在，必须有经济基础，不然，这大观园怎么能维持呢？必须有一个禄蠹，就是他爸爸，贾政。贾政死了，没有禄蠹，大观园就要破产，所以有一个设想，有一个考证，就是最后贾宝玉和史湘云都沦落为乞丐了，两个人就只好泡到一起了，相濡以沫，金麒麟可能是个伏笔，是吧？

我想问题可能比较复杂。曹雪芹写作经历了十年，最初的构思和后来写成的，肯定会有些变化。他本来埋伏下去的一个金麒麟，而且让贾宝玉有一次看到礼物有一个麒麟，就偷偷藏起来准备送给史湘云，林黛玉看见了还吃醋，是吧？这个都是伏笔，也许他曾经想到，贾宝玉不去考科举，不当和尚，他吃什么饭？那史湘云家里又不富，贾府又不能靠了。沦为乞丐。只好相依为命，只好实用主义一点了。也许沦为平民，生儿育女，养个大胖儿子再说。（笑声）但是，这样一来，有两个问题，第一个，就是在宝玉和湘云的关系多留下一些情感的瓜葛，让林黛玉多吃点醋，使之成为多元情感线索中一条比较突出的一条。第二，如果这样写，在主题上就太现实了，太形而下了，而《红楼梦》的主题是形而上学的，不仅是写贾府的兴衰，不仅是写封建主义必然衰败，而是写人生的苦痛，乃是人的欲望，不断递增的欲望造成的。要摆脱痛苦，连自杀都不是办法，最好的办法是消弭欲望。故最后让贾宝玉出家，让史湘云打酱油。

我想周汝昌先生绝对是红学的权威，他学问肯定比我大一万倍，他那些考证也精细，我非常佩服他，但是他不是很懂文学创作。（笑声）作家在写作中，包括你们写文章，主意改变是常事。何况他没有写完。高鹗其实很有才华的，他所续的文学水准大致相当。我觉得续得特别精彩的就是林黛玉之死，绝对不亚于前面林黛玉的出场，甚至比林黛玉的出场更好，特别是两个“白疼”。林黛玉说“老太太你白疼了”，贾母说“我真的白疼她了”。来了七八批人，每个人都在哭，可是每个人哭的原因和逻辑都不一样，这是中国文学的不同于西方文学的精彩。

我想，我们只能读眼前这个作品，评价这个作品。有时候，有些困难，希望从一些考证的材料里得到帮助。但是，一些专家虚无缥缈地说它本来应该是那样的，没写成这样，那怎么办？你想象中的作品，比眼前的好，你拿不出来。可是考证文章又那么多，论述又基本上从猜想到猜想。那你去想你的，我还是读眼前这个作品。如果你学学刘心武也好啊。你再写一篇《秦可卿之死》，是吧？可是现实很残酷，再写也没用，没几个人看，还有人骂。你的那些考证，还要纠缠不休，没完没了，鬼话连篇。可是我的生命有限，那我只好说，菩萨保佑，你饶了我吧。（笑声，掌声）

问： 孙教授您好，刚才您讲到了那个探春，然后我记得就是有一个回里面是探春抽到的签语是"日边红杏倚云栽"，说她可能会嫁得贵婿，就是说除了元春进宫当了皇上的妃子之后，她可能是这个家里面第二个要得贵婿的人，但是最后她嫁得也不是特别特别好，对探春的结局，您怎么看？

答： 这是第六十三回，姐妹们为宝玉祝寿，行酒令时，探春抽得的签："日边红杏倚云栽。注云：'得此签者，必得贵婿。'"众人笑道："我们家已有了个王妃，难道你也是王妃不成？大喜大喜。"但是，在曲子判词中，贾宝玉看到的是：两人放风筝，一片大海，一只大船，船中有一女子掩面泣涕之状。也有四句写云：

才自精明志自高，生于末世运偏消。

清明涕送江边望，千里东风一梦遥。

这说的是，探春是有才有志的，但是，生于末世，也就是贾家败落之世，运气不好。最后，只能远嫁。"千里东风一梦遥"，说是女性的命运如"断线风筝"，嫁得很远，就是完全由父亲做主，别无选择。探春呐，心再高也没有用，从此飘摇不定，听天由命了。这么高的才智，命运不掌握在自己手里，这是时代的悲剧。哦，我建议给那位男同学一个机会，刚才我发现主持人有倾向，把提问权全都给女同学，有点像贾宝玉了。（大笑声）

问： 谢谢教授，其实本来刚刚一开始的时候是准备了好长一段话的，刚才您说不要长篇大论地表达自己序言，只提问题，我就憋回去了。（笑声）现在觉得如果不说的话就对不起我这么前排的座位。

我想再替您回答一下刚才那个同学的问题，她不明白贾宝玉为什么喜欢林黛玉。我最近听蒋勋讲《红楼梦》比较多，受他的影响比较多。他说其实贾宝玉跟林黛玉都是有一种很叛逆的性格，然后其实这种叛逆的性格在当时的社会里不太被世人容纳的，所以两个孤独的人遇到一起就会产生一种相知相惜的感觉。包括那种他们一起偷读那个《西厢记》，也是他们情感上交流比较多。

对于您之前说的王熙凤，我听得比较心疼，因为您把王熙凤批得太狠了，我其实蛮喜欢她的。（笑声）然后，蒋勋说，其实作者在那本书里没有太多表现自己观点，就是他不给那些人定性，他就很自然地叙述他做了好事也好，坏事也好，他就那样叙述，他不带什么视角的，他让读者自己去看他们，不同的读者有不同的看法。我觉得您这样将她们定性为“恶之花”“冷艳的花”，对人家太不公平了。

答：非常欣赏你的对我挑战时表现出的道德的善，（笑声）也非常同情你这个说法。（笑声）你提问题时，来了一段序言，那么长，我对你的勇气表示崇高的敬意。（笑声）不过，我更愿意设法欣赏你的想法，就是说两个孤独的人之间最容易接近，这是一种可能性。《红楼梦》中，有不止一个孤独的人，如惜春，她就是信佛，最后出家。“可怜绣户侯门女，独卧青灯古佛旁”，她的使女司棋被逐，求她救一把，连宝玉都着急，但是，她就是无动于衷。这不是很孤独吗？其实，薛宝钗从内心深处来说，也是很孤独的，有谁理解她闭着眼睛嫁给为别的女人发疯的丈夫的痛苦呢？嫁给宝玉以后，宝玉要出家，她不是更孤独了吗？两个人都很孤独，林黛玉又死了，两个孤独的人，为什么不能相爱呢？这是一。第二，孤独的人相处，互相接近，可不一定是相互有爱情。如妙玉那么孤高，她对宝玉有某种程度的动心，但是，宝玉没有感觉。第三，孤独的人之间互相排斥也是一种可能性，邢夫人协助丈夫欲将鸳鸯收房，鸳鸯在贾母死了以后，也是很孤独的，她们两个人是不是互相接近了呢？恰恰相反，鸳鸯宁愿死也不跟她妥协。所以你这个立论的前提，如果是蒋勋的，在我看来是不严密的，或者说不能成立的。我们讲的是爱情啊，宝玉和黛玉一见钟情，是没道理的，他一见面，就大声嚷嚷出来：“这个姑娘我见过的。”林黛玉看到贾宝玉心里就想：“哎呀，这么面熟啊。”这就是无意识、潜意识，这就是人的意识里面没法说清楚的。不是有一首歌吗？“这就是爱啊，说也说不清楚。”（大笑声）当然也有部分是可以说得清楚的，那就是从小就吃住在一起，青梅竹马，耳鬓厮磨，感情就在实践中积淀起来了。当然，这也是一种可能性，并不是充足理由。我觉得情感就不是理性的，而是非理性的。故古罗马的小爱神丘比特，长着翅膀说明是自由的，可是眼睛是瞎的。你的，或者说蒋勋的思想方法是线性的，一因一果，直线相通的。这就给丘比特加了一只眼睛，独眼龙丘比特。这就大煞风景了。还不如曹雪芹给他们一个神话性的因果，因为前世她是绛珠仙草，欠了神瑛侍者每日浇灌的水，所以用眼泪来还。曹雪芹为什么设计这样一个超现实的因果呢？因为现实的逻辑是说不清楚的。好吧，时间在警告我了，不能讲了，我看到有些同学都站起来，准备开溜了，我不是丘比特，我是有眼睛的，我看到了，还讲就讨人嫌了，一些同学就用脚在威胁我了。谢谢这些有情绪还没有走的同学，他们至少是人道主义者，同情我，不走，给我留足了面子，但是，站起来，又给我以非常含蓄的警告。（掌声热烈）

（整理：蒋烨林）

第四讲

《红楼梦》中八个美女之死和安娜·卡列尼娜之死

今天给我的感觉是盛况空前，引起了我非常矛盾的思考。大家这么踊跃，还在过道上加了座，能够进来的人是比较幸运的，还有那么多进不来的人，很丧气，但甘愿坐在地上听，对我是一个很大的鼓舞。第二呢，我也有一点怀疑，是我有吸引力呢，还是这八个美女有吸引力？（笑声）我想我老头子和八个美女竞争，肯定是一败涂地。（笑声）在座也有不亚于八个美女的女士，请不要高兴得太早，我讲的是美的毁灭，美女没有好下场。（笑声）

一、爱和死的艺术法门：内心的体验和外部的错位反应

我在这里曾经讲过《鲁迅笔下的八种死亡》。为什么选这个论题呢？鲁迅写的八种死亡都是不一样的，是很丰富的。我觉得，鲁迅有一个局限，就是他不大会写爱情，因为鲁迅直到四十多岁，许广平和他好了很久，他才有信心说："我是可以爱的。"他原来觉得自己不能爱，什么原因？可能跟他的无爱的婚姻有关系。在这方面，跟诸位比起来是差得很远了。（笑声）

可我觉得会写爱情不算什么本事，差不多每个作家都会写爱情，不会写爱情就不算作家，是不是？当然也有不会写爱情的，司马迁就不会写爱情，他把项羽之死写得那么英雄，最后快完蛋了，才让美女虞姬出来亮相一下，就让她死了。这太不尊重女性了。后来，唐宋传奇、宋元话本就渐渐会写爱情了。为了爱情不要命的，才有艺术生命。现代作家，阿

毛阿狗都会写爱情。不管是精英的，如革命加恋爱；还是通俗的，从金庸到琼瑶，都把爱情当作法宝。写爱情的第一法门，在20世纪30年代鲁迅通过张资平的小说总结出来：一个三角形。两个人谈恋爱，没有什么戏，三角、四角的才有东西可写。第二法门，就是让有情人不成眷属。越是有情，越要把他们拆散，越让读者纠结，才越有卖点。

但是，会写死亡的人是很少的，因为爱可以爱好多次啊，（笑声）是不是？这一个不够味，再换一个，是吧？（笑声）结婚了，失败了，可以离婚，结婚，离婚，再结，再离，多少次，都是你的自由，失败乃成功之母，对吧？（笑声）当然，也有更严肃的，日本大作家写了“爱的徒劳”，爱就是犯傻，病态心理，爱是空的，要看破。人与人是很难沟通的，爱了就更难沟通，这一切，都不难写，因为每个人都有体验，一次以下的很少，多次体验比较多。但是死亡对于人来说就太不一样了，爱错了可以重来；死了不能爬起来再重死。（笑声）死就是一去不回头，死过了，又爬起来重死，那是很可怕的嘛！（大笑声）如果有人告诉你他怎么死的，就证明他没有死，对不对？死亡就是一次性的，不可重复的，没有人可以告诉你，待到你自己真正体验到，你已经睁不开眼，拿不动笔了。

鲁迅不善于写“爱情”，可写“死亡”成就很高。他写的唯一的爱情，就是《伤逝》，是失败的爱情。他对浪漫爱情采取一种讽喻的态度，在《野草》里，《我的失恋》就是调侃浪漫爱情的，是吧？实际上，最伟大的作家往往是既会写爱情，又会写死亡的。在中国传统小说中，除了《红楼梦》以外，把爱情写得回肠荡气、惊心动魄的太少了。可写死亡，在世界文学史中，它也是独领风骚，民族特色极其鲜明。中国古典小说里，《三国演义》不会写爱情，里边的美女都是政治工具。刘备三顾茅庐，什么都见了，都看到了他丈人了，可就是没有看到他老婆，女人在艺术里如此没有地位，真乃咄咄怪事。（笑声）但是，《三国演义》很会写死亡，其精彩在于主要人物的死亡都是不一样的，每个人表面上都是死于他人之手，实际上是死在自己手里。周瑜死于自己对战友的才智的妒忌，临死不检讨自己，还要怪老天，发出“既生瑜，何生亮”这样的傻话。曹操的个性特征是多疑，最后死于对华陀医术的多疑，这我以后讲《三国演义》时再讲。《三国演义》对关公极尽称颂之能事，甚至最后把他神化。但是，作为人，他死于多傲，孙权是他反曹统一战线的对象，人家本来要和他联姻，他不同意就算了，却说“虎女焉嫁犬子”。这种侮辱性话语出自一个身负军事和外交重任的军区司令之口，实在是幼稚可笑，但是，也足见其傲得发昏。当他威震华夏，吓得曹操要迁都的时候，孙权袭了他的后方，结果是败走麦城，人头落地。他死亡的精彩在于，让其引起了一系列的戏剧性的连锁反应。

关公被推出去斩了。这么重大的事件，孙刘联盟和曹操对抗的均势的转折，如果光是“斩”字，既没有关公的感觉，也没有孙权他们的感觉，以西方古典小说的观念来看，就很不艺术了。但是，中国小说有中国小说的传统法门。主要不是写当事人物的感知世界，而在于相关人物的行为和语言的连锁性的错位，在多重错位中揭示出人物丰富复杂的精神、不可重复的个性。

第一重错位是，孙权把关公杀了，却把人头送给曹操。孙权知道，孙刘只有联盟才可以对抗曹操，如今和刘备分裂了，战略上势单力孤，难以和曹操对抗。刘备肯定要复仇，他就把关公的头送给曹操，第一，是讨好，第二，是转移仇恨。当时，皇帝还没被推翻，曹操代表中央政权的合法性。曹操如果大喜，完全接受他的好意，就毫无小说艺术可言了，因为双方的情志只有重合，没有错位。曹操接下了人头，却把关公加以厚葬，二人既有重合的一面，又拉开了距离，这就叫作“错位”。

第二重错位是刘备和诸葛亮的。关公之死刺激了刘备的意气（“义气”）用事，声言为兑现桃园结义“不求同日生，但愿同日死”的誓言，为关公复仇去攻打孙吴。赵云、诸葛亮劝阻，是为了刘备的事业，这和刘备的情志是重合的，但是，刘备不听，结果败在年轻的陆逊手里，郁郁而死，蜀汉小朝廷从此一蹶不振。这个错位幅度相当大，艺术效果就强烈得多。

张飞和刘备一样，不顾一切地要复仇，下令部队都要穿戴白盔白甲，命令裁缝做白盔白甲，不完成任务就杀头。这和刘备的意志是重合的。但是，这个裁缝想，任务肯定完不成，与其被你杀头，还不如我杀了你的头。他偷偷跑到营帐里，把他的头割下来，投降去了。这就和刘备的意志拉开了最大的距离。《三国演义》的高明在于错位不是静止的，而是运动的，是连锁反应的，这是第三重错位。

对于关公之死，孙权的反应和曹操的反应，有一致之处；刘备的反应，张飞的反应，诸葛亮的反应，也有一致之处。如果都是一致，就没有性格，没有小说艺术可言。只有在重合中拉开距离，有了错位，而且是各自不可重复的错位，才有艺术的感染力。在错位结构中，显示出每个人的情志逻辑的不同，人物的特殊个性才能突现出来。当然，这里还有一个尾声，有点迷信，关公死了以后，变成了神。那个搞死关公的吕蒙，正在盛宴欢庆的时候，突然“关公显圣”，打吕蒙，骂孙权。吕蒙疯了，死掉了。在孙权集团一同欢宴的人物却没有多少错位，因而人物是比较单薄的。

《三国演义》表现了中国古典小说写死亡的传统。什么传统呢？史传文学的传统，中国的历史从孔夫子《春秋》开始的规范就是：寓褒贬于客观的叙述之中。叙述只限于记言和记事，作者的褒贬只能隐藏在字里行间，除了记言和记事以外，人物的心理是不能直接讲出来的，这叫作“春秋笔法”。故《三国演义》不正面写关公临死之前心里怎么想，也不写孙权、吕蒙的内心感受，只反复写死亡引起的言语和事变，突出死亡引起的非常戏剧化的、多元的、错位的反应，这就构成了中国小说艺术特殊的震撼力。

《三国演义》以后，我国传统小说写死亡似乎有一种退步的倾向。我觉得写得最差的，是《封神演义》。所有的人死了以后，不管好人坏人，都是一道阴魂飞往封神台去也。血拼的双方，最后都由姜子牙一视同仁地拜将封神，完全重合，没有错位，是最缺乏艺术性的。

我觉得，欧美作家写死亡是另外一条路数：例如托尔斯泰。他在年轻的时候参过军打过仗，还受过伤，写死亡很有一套。

我举个例子。现在有个地方——最近新闻上很热门的一个城市，叫塞瓦斯托波尔，克里米亚半岛上的。（众：哦——）在这个港口塞瓦斯托波尔，俄国人跟英法、土耳其打死仗，反反复复，好不容易把它弄过来了。托尔斯泰就在那儿打过仗，受了伤，差一点丢掉老命。他有死亡的体验。在《塞瓦斯托波尔的故事》中，他写一个军官死亡的感觉。这个军官叫柏拉斯库欣，他跟另外一个军官走在路上，看到炮弹在离他不远的地方旋转着，他感到的是“令人心惊胆寒的恐怖，排斥其他一切思想感情的恐怖——他浑身都被恐怖纠缠住了”。在一秒钟之内，“他的心里涌上了各种各样的不计其数的感情、思想、希望和回忆”①：

> “炮弹会打中谁呢？——米哈伊洛夫？我？还是打中我们两个？如果打中我，打在哪里？脑袋上？那我就完蛋了。可是如果打在腿上，他们会把腿割掉的（我一定要求用麻醉药），而我就还可以活下去。但也许只打中了米哈伊洛夫。那么我就要告诉大家，我们怎样并肩前进，他怎样被打死，我身上怎样溅满了他的血。不对，炮弹离我更近——要打中我了。”
>
> 于是他想起了他还欠米哈伊洛夫十二个半卢布，也想起了他在彼得堡欠的一笔早该偿还的债务，以及那天晚上他唱过的吉卜赛歌曲。他所爱的女人戴着一顶紫色缎带的帽子，出现在他的幻觉里。他想起了五年前曾经侮辱过他、而他至今还没有加以报复的那个人。

然而，这些个回忆，以及其他的无数回忆，跟当前的思想是分隔不开的，眼看着要被打死的思想没有一刻离开过他的心头。

> “也许它不会爆炸吧。”抱着不顾死活的决心，他决意张开眼睛。但，就在这一刹那之间，一道红色的火光射进了他的还没有张开的眼睛，在可怕的砰的一声之中，有什么东西打中了他的胸膛的中部。他跳起身来，开始奔跑，但军刀夹到他的两腿中间来了，他在军刀上一绊，就侧身摔倒在地上了。
>
> “谢谢上帝，不过是挫伤罢了！”这是他最初的想法。他想要用手去摸摸胸膛，但

① ［俄］列夫·托尔斯泰：《塞瓦斯托波尔故事》，吴岩译，新文艺出版社 1955 年版，第 64 页。

他的两臂好像被缚得牢牢的，动弹不了，并且觉得脑袋仿佛被老虎钳夹紧了似的。兵士们在他的身边掠过，他不自觉地数着他们“一个，二个，三个兵士！还有个军官，拢起着大衣，”他想。接着，一道火光在他的眼前闪过，他搞不明白是什么炮火：臼炮，还是大炮？“大炮，大概是大炮。又打了一炮了，这儿有的是更多的兵士——五个，六个，七个兵士。……他们都走过去了！”他突然担心他们会践踏他。他想喊叫：他受伤了，但他的嘴唇是那么干燥，他的舌头黏在上颚上，一阵难熬的口渴折磨着他。他觉得胸膛上有一片潮湿，这种感觉使他想到喝水，哪怕是那一片潮湿的东西，他也很想喝。“大概我摔跤时摔出血来了。”他想。他愈来愈害怕来来往往的兵士要踩在他身上，他用足全部力量想要叫喊：“带我去！”但他叫喊不出来，哼出来的却是那么可怕的呻吟声，使他自己也惊惶了。红色的火焰开始在他的眼前跳动，他觉得兵士们在把石头堆在他身上。火焰愈跳愈少了，但堆到身上来的石头却愈压愈重了。他竭力推开石头，挺直身体——于是就再也看不见听不见了，再也没有思想和感觉了。弹片击中了他的胸膛的中部，他当场牺牲了。[①]

看到炸弹，他首先是担心，继而又怀疑，也许这不是真的，也许自己是无缘无故地惊慌失措。看到了导火线在附近闪光，才感到了恐惧，就在那短短的一秒中，他想象中闪过的不完全是恐怖，而是希望（可能活下来）、回忆（欠人家的债、相好女人的帽子）。这一切和死亡的感觉好像相去甚远，然而，是死亡极度威胁造成的。等到弹片真的打中了他，他最初的想法仍然与死亡的恐怖没有直接关联，而是：“谢谢上帝，我只不过是挫伤罢了。”后来，他的意识开始瘫痪，可仍有部分处于半清醒状态，居然还自发地数起身旁走过去的士兵。这时，他的感觉离恐怖更远了，他担心士兵会踩到他。他感到渴，他呻吟起来。那声音，他自己听起来也感到可怕。他最后的感觉变异了、歪曲了：士兵们把石头往他身上推。这样一直持续到什么也听不见、看不到，完全失去感觉为止。所有这一连串的感觉、知觉、幻觉、回忆的扭曲、变幻、转化、消失，是如此的复杂纷纭。

托尔斯泰伟大，他笔下的死亡就是一系列的负面的变异的感知。在这以前还没有人能够写得这么丰富，这么奇异。

在中国呢，我们讲鲁迅有八种死亡，只有一种死亡是正面写的，就是阿 Q 的死亡，他那个死亡写得比较讨巧，或者说比较偷懒，不像托尔斯泰这样复杂的，阿 Q 的死亡就是“耳朵里嗡的一声，觉得全身仿佛微尘似的迸散了”[②]。微尘本来就是细小的，像灰霾一样的，迸散开来，轻飘飘的，就没了。如果光是这样写的话呢，鲁迅的艺术也就平庸得很了。好

① ［俄］列夫·托尔斯泰：《塞瓦斯托波尔故事》，吴岩译，新文艺出版社1955年版，第64—66页。
② 《鲁迅全集》（第一卷），人民文学出版社 2005 年版，第 552 页。

在，他接着用第二种办法，中国式的办法来写，写阿Q死了以后，外界的纷纭的反应，这是鲁迅写死亡的一个重要特点：

至于当时的影响，最大的倒反在举人老爷，因为终于没有追赃，他全家都号咷了。其次是赵府，非特秀才因为上城去报官，被不好的革命党剪了辫子，而且又破费了二十千的赏钱，所以全家也号咷了。从这一天以来，他们便渐渐的都发生了遗老的气味。

至于舆论，在未庄是无异议，自然都说阿Q坏，被枪毙便是他的坏的证据：不坏又何至于被枪毙呢？而城里的舆论却不佳，他们多半不满足，以为枪毙并无杀头这般好看；而且那是怎样的一个可笑的死囚呵，游了那么久的街，竟没有唱一句戏：他们白跟一趟了。①

城里没有人悲伤，没有人同情，当然，没有人哭，反而觉得不如预期的好玩，不过瘾，这是鲁迅非常厌恶的“看客心态”。举人和秀才全家都“号咷”了，但不是哭阿Q，而是秀才进城去报官，辫子给革命党剪掉了。阿Q被枪毙了，举人家的损失捞不回来了。都是为自家的损失而哭。鲁迅写死亡的第一种手法，直接写微尘一样迸散了，轻飘飘的，如果都这么轻松，全人类，起码是我，就可以视死如归了，甚至像登上月球的宇航员，那样，身体没有重量感，乘风归去，飘飘欲仙，简直是苏东坡向往的享受嘛。（笑声）但是，这好像没有什么创造，说得严重一点，就是显不出才气，可能也是有点藏拙。第二种死法就是用外部的反应，对同一件事情的不同反应，不同的感受和不同的逻辑，形成一种错位的感知，这种错位显示了荒谬性，和死亡的悲剧性发生双重错位，其间的荒谬，构成喜剧性。

这就是鲁迅的笔法，第一，不写死亡本身的感觉；第二，写死亡引起的纷纭的错位感知；第三，把这种错位感构成荒谬感，构成喜剧性，把悲剧当成喜剧来处理。这才是鲁迅的创造。

这种创造是不是凭空的呢？不是的。鲁迅的这种写法有中国史传文学传统的渊源，史传文学是不做托尔斯泰式的心理分析的，只管记言、记事。显然，鲁迅拒绝了《封神演义》的传统，接受了《三国演义》的传统，又增加了喜剧感。

但我觉得，鲁迅写死亡，如果跟《红楼梦》和托尔斯泰相比，还是有差距的。

---

① 《鲁迅全集》（第一卷），人民文学出版社2005年版，第552页。

二、死亡的多元反应和莫言的故事

《红楼梦》写八个美女死亡，是很冒险的。第一，八个美女要死得不一样才艺术，如果死得一样呢，那就没戏了。比如巴金的《家》，写美女的死亡是比较好的，最有名的就是鸣凤的死亡，是吧？她知道自己要被嫁给一个老头子为妾，跟觉慧没很好地沟通，决心殉情自杀，等觉慧惊醒过来，追过去一看，已经浮在水上了。错位幅度大了，悲剧就强烈了。觉新的老婆——瑞珏临产了，陈姨太说有“血光之灾”，要送到城外去，觉新明明知道那是迷信，却不敢反抗，结果难产而死，这两个死亡包含的错位很大。《春》《秋》以后的死亡都差不多了，就没戏了，这就说明巴金的文学修养还是不够。他又很自信，老是说，他不知道什么是文学技巧。（笑声）我的老师杨晦——20 世纪 50 年代北大中文系的主任，我那时年轻，对他说巴金的小说很好，老师说：“巴金是什么东西？巴金的作品就像中学生的作文一样，就写得比较热情、流畅一点罢了。”我就反驳他说：“《家》《春》《秋》还是不错的吧。”他想了想说：“《家》《春》《秋》是不错，但是，三本压缩成一本就好了。”他的意思是说后面重复太多了，就不够艺术了。文学切忌重复，创作就是要花样翻新。

这句话你们一定要记住啊，我很得意的是，三十年前，我就讲过这样的话，讲了就忘掉了。后来一个偶然的机遇啊，我要吹一下牛了，你们相信就相信，不相信就拉倒。（笑声）最近我们福建一个企业家把莫言请到福州附近一个县里去，这是不容易的，莫言不是什么于丹啊，给钱就请得到的，（哄堂大笑）档次不一样。我也凑热闹去了，也不敢说我曾经跟他有过一段“关系”。（笑声）你们误解了，不是男女之间的那种关系，我以人格保证，绝对不是。（大笑声）当然也不是同性恋关系。（笑声）那是 1985 年，解放军军事学院才复办，莫言当时名不见经传，当他发现招生简章，内部的，人家已经考过了。他就拿了两三个短篇小说从河北保定到系主任（叫徐怀中）那里，说：“我要来。”徐怀中一看，小说虽小，颇有才气，有潜力，就说：“这个学生我们一定要收！”就给他一个补考文化课的机会。那个时候，他们没有教师，就东拉西拉请全国一些名家做报告，不知道为什么把我也拉进去了。其他的大家包括王蒙啊，刘再复啊，都是做一次报告，我却是上一门课，叫“文学创作论”。我就是看着他从无名小卒，到大红大紫。他得了诺贝尔奖以后啊，我就不敢讲了。你要知道，我这个人，一般说，有点牛气，有时，也胆小啊，我敢讲吗？（笑声）三十年前，我教过莫言的书，我是他的老师，如果他忘掉了呢？那就很狼狈哦。（笑声）

那天莫言的对话会，场外乱哄哄的，我拿出吃奶的力气，愣挤。（笑声）有人看我是老头子，大概有来头，就把我放进去了。又有一个好心人，在一个角落上，给了我一个位子，莫言坐在台上，看到了，他开场白的第一句就是“尊敬的孙绍振老师和各位朋友们”。哇，大家的目光都转过来，哦，还有一个孙绍振，我真是感到有点舒服了，他还认得我。（大笑声）然后，他就把我鼓吹了一番，甚至于说他受了我的影响。[①] 当然，我如果说，当时我宁静致远，宠辱不惊，就虚伪了。（大笑声）但是，我还是以为他可能在讲客气话，不要太认真啦。后来有一个读者就把莫言和评论家王尧的对话的书中的一页复印给我看，莫言果然在那里面说：“我记得在军艺读书时，福建来的孙绍振先生对我们讲，一个作家有没有潜能，就在于他有没有同化生活的能力。有很多作家，包括‘红色经典’时期的作家，往往一本书写完以后自己就完蛋了，就不能再写了，再写也是重复。他把自己的生活积累、亲身经历写完以后，再往下写就是炒剩饭。顶多把第一部书里剩下的边边角角再来写一下。新的生活，眼前火热的生活，别人的生活很难进入他们的头脑，进入了也不能被同化……”[②] 他所说的“红色经典时期的作家”指的是他的同班同学李存葆，先写出了当时红极一时的《高山下的花环》，还被拍成了电影，可谓红得发紫；再写《山中那十九座坟茔》，从严格的艺术意义上说，就是重复了，无以为继了。你们去看莫言的作品，从《透明的红萝卜》《红高粱》，一直到后面的《丰乳肥臀》，从写实到鬼鬼怪怪的，每一次都不一样。看到他对我的赞扬以后，又想到，临别他握着我的手说“谢谢栽培”，我就相信他是真的不忘师恩了，我的自我感觉就相当地好，更加自信了。我把在你们这里讲的《鲁迅笔下的八种死亡》拿到《名作欣赏》上去发表，没有想到《新华文摘》还转载了呢。

三、八个美女死亡的多元错位反应：“犯”和“避”

但是，鲁迅笔下的八种死亡，和《红楼梦》里美女的八种死亡，在艺术上还是有差距的。

这八种死亡啊，不一样得惊人，这在中国古典小说里还上升为一种极其重要的理论。就是你写过这个事情以后，如果再写类似的事情，一定要不一样；如果是一样的，类似的，就叫“犯”，冒犯了艺术的神圣性。你要写得丰富，就要避开原来的样子，叫作“避”。如果你敢于“犯”，硬是不“避”，就要“犯”而“不犯”，写出新的名堂来，那就很艺术了。这是毛宗岗在评点《三国演义》的时候提出来的：

> 《三国》一书，有同树异枝、同枝异叶、同叶异花、同花异果之妙。作文者以善避

① 详见筱娅：《孙绍振和莫言的1984》，《东南快报》，2014年2月24日，B2版。
② 莫言、王尧：《莫言王尧对话录》，苏州大学出版社2003年版，第204页。

为能，又以善犯为能。不犯之而求避之，无所见其避也。①

他举了许多例子，最突出的是写战争之火的：

> 吕布有濮阳之火，曹操有乌巢之火，周郎有赤壁之火，陆逊有猇亭之火，徐盛有南徐之火，武侯有博望、新野之火，又有盘蛇谷、上方谷之火：前后曾有丝毫相犯否？②

当然不仅限于战争之火：

> 甚者，孟获之擒有七，祁山之出有六，中原之伐有九：求其一字之相犯而不可得，妙哉，文乎！譬如树同是树，枝同是枝，叶同是叶，花同是花，而其植根、安蒂、吐芳、结子，五色纷披，各成异采。读者于此，可悟文章有避之一法，又有犯之一法也。③

毛宗岗比曹雪芹早一百多年，他的“同树异枝、同枝异叶、同叶异花、同花异果之妙”，曹雪芹是不是看到过，我没有把握。但是他在创作实践中确实做到了八个美女的死亡——美的毁灭都是以“善犯为能”，“犯”中有“避”的。许多把生命奉献给《红楼梦》的学者，做了很多了不得的文章，却没有一个看懂曹雪芹在这方面的艺术匠心。大多拘泥于单个死亡，做孤立的描述，充其量只能看出其社会文化价值，鲜有能涉及其艺术之高。要真正领悟《红楼梦》艺术之妙，当在系列美女死亡之“同枝异叶”“同花异果”之谱系中展开。

第一个是秦可卿的死亡，可惜是一个艺术上没有完成的死亡。她莫名其妙地死掉了，没有原因的。据考证原来的稿子叫“秦可卿淫丧天香楼”，是跟她的公公贾珍通奸被发现了，没脸了，自杀了。曹雪芹听了他朋友脂砚斋的劝告：钟鸣鼎食之家，诗书簪缨之族，这么大的丑事，太黑暗了，太肮脏了，就让她非常神秘地死掉了。④她的死，只是凤姐做梦中惊醒得知的，没有原因，事前没有任何暗示。从小说艺术来说，对于这个列入金陵十二钗的人物，这样随意地处置，从严格意义上说，在人物刻画和情节构造上是有缺陷的，而且在文字上留下了痕迹——第十三回，得知秦可卿死了，“合家皆知，无不纳罕，都有些疑

---

① 朱一玄、刘毓忱编：《三国演义资料汇编》，百花文艺出版社 1983 年版，第 300 页。

② 朱一玄、刘毓忱编：《三国演义资料汇编》，百花文艺出版社 1983 年版，第 301 页。

③ 朱一玄、刘毓忱编：《三国演义资料汇编》，百花文艺出版社 1983 年版，第 301—302 页。

④ 甲戌本第十三回前有云“封禁尉，写褒中之贬，隐去天香楼一节，是不忍下笔也。”按原本《风月宝鉴》秦可卿和贾敬通奸，为贾宝玉发现而自杀。其中还牵涉到宝玉和秦可卿的私情。畸笏叟审阅时指出：“秦可卿淫丧天香楼，作者用史笔也。老朽因有魂托凤组贾家后事二件，嫡是安富尊荣坐享人能想得到处？且事虽未漏，其言其意则令人悲切感服。姑赦之，因命芹溪删去‘遗簪’‘更衣’诸文，是以此回只十页，删去天香楼一节，少去四五页也。”见朱一玄编：《红楼梦资料汇编》，南开大学出版社 2004 年版，第 233 页。又见俞平伯：《脂砚斋红楼梦辑评》，中华书局 1960 年版。曹雪芹删节，将贾敬改成贾珍。

心”[①]。曹雪芹用了“疑心”这两个字，就说明连他自己都感到情节不可信。为了弥补这一点，曹雪芹花了极大的篇幅写秦可卿的死亡引起了盛大的出殡典礼，把主题转移到请王熙凤过来主持这个盛大豪华的仪式：让王熙凤和各式各样的人物，包括宫里的太监、各种官僚打交道，治理府里的各种弊端。上上下下的人物关系的安排，显示了王熙凤这个女人治家的才能，远远超越贾府的男性接班人。[②]当然，这神秘的死，也带来一些看点，比如，刘心武就来劲了，幻想性地索引出许多非常离谱的情节，那大多是骗鬼的，我不是鬼，当然，就不会被骗。（笑声）除此以外，曹雪芹又把她写成一个很有远见的人物，托梦给王熙凤，说贾家赫赫扬扬，鲜花着锦之盛，已将百载。不过是瞬息的繁华，一时的欢乐，很难避免“盛筵必散”“树倒猢狲散”。提出广置田产，“便是有了罪”，家私入了官，此等财产是不会没收的，可保证祖坟四时祭祀不绝，足够立家塾，供给子孙读书务农，“后日可保永全”。（第十三回）从死亡的表现来说，这不能说是成功的。

第二个是金钏儿的死亡，这是第一个直接写的死亡。王夫人午睡，金钏儿给她捶腿，贾宝玉跑来跟她开玩笑。金钏儿说：要不要吃女孩子嘴唇上的唇膏？这个我实在读不懂，吃女孩子的唇膏达到什么目的？吃到什么深度我也不知道。嘿嘿。（笑声）宝玉和金钏儿以为王夫人睡着了，哪知王夫人半醒着，马上给金钏儿一个耳光，“好好的爷们，都叫你教坏了”[③]，立马把她赶走，也就是开除。后来得到消息，她自杀了。金钏儿的死亡呢，不是从正面，而是从侧面写的。不像托尔斯泰那样去展开心理变幻，而是事后用几句话带过去，这是很难动人的啊，对不对？但是，金钏儿的死却很动人啊。她的死亡引起了一连串的错位反应。这是中国古典小说和鲁迅常用的一种手法。“错位”的特点：人物相互之间，并不是敌对的，如果一味敌对，就太简单了，相反，在情感上是相当统一的——在爱护贾宝玉这一点上是一致的，甚至包括贾政。如果都一致就重合了，心心相印，就是诗了，就没有个性了，也就谈不上小说艺术了。错位是在某种程度上相重合，又拉开距离。好像两个（甚至以上）交叉的同心圆，我把这叫作“错位”。请记住，这是我从小说艺术中归纳出来的一个基本范畴。

金钏儿死后，王夫人感到很后悔，甚至于流泪了，还给了几十两银子，很不小的一笔钱。在王夫人以为，这么多钱，和生命的价值相抵，她已经很慈悲了。这是一重错位。薛宝钗说，也许并不是你的原因，可能是她自己失足掉到井里去了，为了安慰王夫人，不惜说谎，把死亡与王夫人的因果关系脱开。这是第二重错位。金钏儿的死，更高的艺术价值

① （清）曹雪芹、高鹗：《红楼梦》，人民文学出版社1982年版，第175页。

② 王熙凤这一朵恶之花、罂粟花的艺术奥妙，见本书第一辑第三讲。

③ （清）曹雪芹、高鹗：《红楼梦》，人民文学出版社1982年版，第424页。

还在于导致贾宝玉被他爸爸狠狠地打了一顿，打得皮开肉绽，引起贾母和王夫人的抢救。王夫人说我就剩下这么个儿子，你这要把他打死，我怎么办？在对待贾宝玉的问题上，这是王夫人和贾政的错位。这是第三重错位。贾母说你要把他打死还不如把“我”打死算了，我不跟你过了，弄得贾政马上跪下。这第四重错位。一连串的人都来慰问。特别是林黛玉跟薛宝钗。林黛玉是什么话也说不出，眼睛都哭得红肿了，只说了一句话：“你从此可都改了罢！”[①]你不要再老不念书，在我们中间混。许多《红楼梦》的研究者都回避了这一点。其实，这里有林黛玉和贾宝玉的错位，这是第五重错位了。更深的是和薛宝钗的错位。薛宝钗没哭，拿了一些治伤的药，说涂一下，就不疼了。同样是对贾宝玉的好意，薛宝钗和林黛玉的感知是错位的。一个是哭得泪人似的，宁愿贾宝玉改了，也不能把命丢了：一个是相当理性，哭有什么用，给你点药，屁股就不疼了嘛，是吧？（笑声）这是第六重错位，是实用价值观念和情感审美价值的错位。

第三个是晴雯之死，这是正面写的。这在《红楼梦》中是一个小的高潮。这里的看点是曹雪芹“犯”和“避”的功夫。王夫人把她驱逐出去毫无道理。就看她水蛇腰，长得漂亮，比较张扬，“浪”，看到小丫头还要骂。晴雯身份下贱，心比天高，秉性坦荡。不像那个袭人那样，和贾宝玉睡觉，又做出安分守已、一本正经的样子。写晴雯之死，没有采取全能全知的叙述，而是通过贾宝玉的眼睛去看。她在哥哥嫂子的家，非常贫困，嫂子对她很恶劣，连水都不端给她喝，让她去死，贾宝玉去看她的时候她要求他端一点水给她喝。在贾宝玉面前可以顶嘴的，可以撕扇子取乐的，如今落到这步田地，贾宝玉无限的同情和现实如此的严酷形成强烈的反差，这是第一重错位。

第二重错位，晴雯把她自己的内衣脱下来给贾宝玉：其实我们没什么亲密关系嘛，白担了一个空名。把贴身的内衣给你，你贴身穿上。那这什么意思，用最近流行的一句话来说，就是“你懂的”。是吧？（笑声）早知道，我们就干脆像袭人那样也好，非常后悔，对吧？贾宝玉接受了。这第二重就比较深邃了，纯洁的精神关系和躯体的关系的错位。

写到这个份上，再写死亡，要不“犯”，难度就比较大，在一般作者那里，可能就要“避”了。没有“犯”和“避”的自觉，勉强写下去，有两种可能：第一，让晴雯赶快死掉，那悲剧性就成强弩之末了；第二，就是两个人进一步亲密一番，就很俗气了。曹雪芹的精彩就在于，在贾宝玉看着晴雯奄奄一息的时候，安排了一个人进场，晴雯的嫂子，这是个绝对的大骚包，（笑声）风骚女人一看这么漂亮的小伙子。好啊，你们两个的好事，都给我看见了，赶快跟我上床，要不然我大叫起来。一下子就双腿把贾宝玉给夹住了。贾宝玉吓得半死，好不容易溜掉了。从人物关系来说，这个错位比较复杂。首先是，晴雯和宝

① （清）曹雪芹、高鹗：《红楼梦》，人民文学出版社 1982 年版，第 464 页。

玉的关系，在贾宝玉眼中是纯洁的，而在下流无耻、肉欲放纵的女人看来肯定是肉欲的。[①]其次，从风格上看，晴雯垂死的悲剧高潮，平添一个喜剧小丑，高雅和恶俗构成某种荒诞的错位。曹雪芹在正剧发展到高潮之际，弄出一个小丑来，而不是如他在小说开头所不屑的破坏才子佳人爱情的小人。这第三重错位，实在是太独创了，太有才了。这样的穿插，似乎并不是偶然的，而是很有匠心的。下面我们讲到司棋、王熙凤、鸳鸯之死，还会遇到。

中国古典小说多有大团圆之正剧结局，悲剧性与喜剧性皆有不足。《儒林外史》颇富喜剧性。范进中举以后家私暴富，范母本以为系借来，得知全系人赠，乃大笑而死。吝啬鬼严贡生临死，口不能言，为着两根灯草，伸着两个指头不肯死，等到小妾领悟，把灯草去掉一根，才合上眼。这在喜剧性上弥足珍贵，但是，范母、严贡生之死无悲剧性，而严贡生弥留之际对灯草之关切，具戏笔性质。至于《说岳全传》，岳飞冤死，对手金兀术对之尊崇，偷偷去墓前祭拜，岳飞生死兄弟牛皋后到，金兀术被牛皋所骑而气死，而牛皋则因而笑死。此系在岳飞悲剧之后，与晴雯之悲喜交融双重错位相比，虽不及，但稍可望其项背。可在错位的丰富、深邃上，和《红楼梦》不可同日而语。曹雪芹的笔墨到此还没有用完。接着写贾宝玉对晴雯非常怀恋，一直追问晴雯是怎么死的，一个小丫头骗他，说晴雯临死时说，她不是死，而是“天上少了一位花神，玉皇敕命我去司主”（第七十八回）。宝玉去探看一下灵柩，而她哥嫂等她一咽气便从贾府拿了十两烧埋银子。雇人入殓，抬往城外化人场上去了。宝玉扑了个空，写了悼文——《芙蓉诔》，把晴雯的死亡升华到仙化的层次。这是第四层次，是恶俗和诗化的错位。

曹雪芹作为艺术家，伟大在悲剧性、喜剧性和诗化的水乳交融。如果说秦可卿那个美人的毁灭是未完成的话，这一次是全面完成了美的毁灭。既有正剧、悲剧，又有闹剧，更有虚幻的成仙和高雅的诗化，错位的幅度之大、层次之多，在中国小说中可谓前无古人，就是和西方经典小说相比，也堪称独领风骚。

三个美女之死都没有“犯”，再要第四个，“犯”的风险就递增了。曹雪芹的魄力就在于，再一次别出机杼，写司棋之死，由抄检大观园引起。最初，读者对司棋一点同情心都没有。傻大姐拿出来一个绣春囊，王夫人觉得很严重，有伤风化，这么淫荡的东西，毒害小姐、少爷，那还了得。王宝善家的想用抄检大观园的办法，打击一下这些平时对她不怎么客气的丫鬟，结果抄出了自己外甥女司棋和其表兄潘又安的情书，铁证如山，搬起石头砸自己的脚，不是大快人心吗？二人都非常狼狈。这是一重错位。司棋的主子迎春也是一个美人，但是心很冷，和大观园中其他小姐不同，司棋就要被赶走了，求她，她无动于衷，

---

① 此据程乙本《红楼梦》，人民文学出版社 1957 年版，第 1013 页。而庚辰本中的晴雯嫂子则比较不同。

就是不保，而宝玉欲救无方，这是第二重错位。这时，作为一个读者，对迎春之冷，略感不安，对司棋有所同情。此后，有一句话我感觉是很值得注意的：

凤姐见司棋低头不语，也并无畏惧惭愧之意，倒觉可异。①

司棋面临着被开除，身败名裂，居然无所谓。这个时候，我的感觉是：这个女人还挺有担当啊！是吧？后来呢，情人潘又安溜掉了，这家伙绝对混，这小子可恨，是吧？（大笑声）那么，读者这个时候对司棋的同情就增强了。

后来，潘又安回来了。实际上已经发财，但曹雪芹不让他告诉她，如果告诉她发财，在价值观念上就不是情感的审美了，而是世俗的实用功利了，就很俗气了。曹雪芹的魄力在于，要让相爱的人物与人物之间拉开心理上最大幅度的错位，提高小说的审美价值。潘又安一副穷困潦倒落魄的样子，来跟司棋和好，司棋的妈妈就大骂他，给我滚出去！司棋虽然觉得潘又安太不像话了，但是潘又安要迎娶她，她就是要嫁他，不管妈妈怎么反对。这时，读者不能不对她刮目相看，曹雪芹为潘又安选的这个丈母娘很差劲，有点像上海的丈母娘。（大笑声）更精彩的是，妈妈不同意，司棋就一头撞死了。这是非常震撼的一笔，读者不能不对她的刚烈感到肃然起敬。原来她把情感看得比物质、比生命还重要。这个时候，妈妈大哭。潘又安说，糟糕，我本来是外面发了财了，怕你们因为我有钱了，才嫁我。不过想考验她一下，现在她死了，我再有钱也没用了，那我也不活了，也自杀了。这个错位是审美情感和实用功利性质的，其幅度可谓达到了最大限度。

实际上，曹雪芹是一种“犯”而“不犯”。关键在于曹雪芹为潘又安选择的这个丈母娘，和为晴雯垂危之际选的浪荡嫂子一样，在艺术上太棒了。没有她的势利，就没有这个震撼人心的悲剧了。这里有司棋、潘又安之间的情感错位，加上司棋母亲的观念错位，等于将艺术感染力乘了二次方。这种死法跟《罗密欧与朱丽叶》是一样的，罗密欧跟朱丽叶也就是时间上的一点错位，是吧？长老给她吃了一种药，就说暂时是死了，叫她等着，等她醒来一看，罗密欧自杀了，她也自杀了。曹雪芹和莎士比亚都没有商量过，曹雪芹不懂英文，不可能是抄袭的。（笑声）怎么搞的，为什么不约而同哟？这是错位的艺术规律在起作用。

这就是曹雪芹的厉害了，这里有一个小说的艺术规律，相爱的人一见钟情，这个不是小说。相爱的钟情了以后又不钟情，不钟情了又钟情，这才有点小说的味道。（笑声）关于这个，俄国形式主义者叫什克洛夫斯基的，曾经总结过小说原理，说得比较简单：

故事需要的是不顺利的爱情。例如A爱上B，B不爱A；而当B爱上A时，A已

① （清）曹雪芹、高鹗：《红楼梦》，人民文学出版社1982年版，第1059页。

不爱B了……可见，形成故事不仅需要有作用，而且需要有反作用，有某种不相一致。[①]

他的核心观念是：爱情小说的关键在“不顺利”“反作用”“不一致”，也就是不能一见钟情、心心相印、生死不渝，这的确有道理，在西方文论中难得有这样触及小说的内在规律的。在20世纪80年代，我最初接触到这种理论的时候，是非常信服的，但是，后来越来越觉得，它不完善。首先，如果是完全的“不顺利”“不一致”，绝对的“反作用”，就没有戏了，应该是一致中的不一致，反作用中的正作用，又爱又不爱。其次，把小说中的恋爱仅仅归结为两个人之间是以偏概全的。20世纪30年代，鲁迅把张资平的小说概括为一个三角形。那就是说，光有A和B，还很难写好小说，最好还得有个C。司棋和潘又安之死，就得力于她母亲的介入，林黛玉和贾宝玉的悲剧艺术，得力于薛宝钗的存在。我把它改进了一下，概括为多重的错位范畴。人的精神内涵很丰富，瞬息万变，在时间上，在空间上，在相互理解上，统一而又不统一；错过了时间，错过了地点，错过了理解，导致了悲剧，这就叫小说。我觉得俄国人什克洛夫斯基的说法很聪明，但将之局限于爱情，太狭隘了，作为叙事文学，爱情、亲情、友情，都是一样的，艺术感染力不仅仅是当事人的感知行为错位，而且还有周围人的看法、想法、说法、做法等的错位。

如果从错位准则上比较一下的话，司棋和晴雯的死亡，我的感觉是：司棋的死亡略逊一筹，晴雯的死亡更震撼。为什么呢？其一，司棋之死是直书其事，情节于高潮处，纯用简括叙述，转折过速。其二，司棋的悲剧发生了，就过去了，没有引起他人一连串的错位反应；而晴雯的死亡呢，一连串的错位，从极端高傲到极端可怜，从极端高雅到极端恶俗，从随意的谎言到极正经的诗化。

从这里可以得出一个结论：写人的死亡，并不一定要直接渲染其感受过程；把重点放在不同人的眼里，做多重的错位的叙述，扩大错位的性质和幅度，是提高艺术感染力的法门。如果人死了以后就没下文了，虽然事情本身是动人的，但是并不一定能把艺术潜力发挥到极致。

第四个就是人们印象颇深的尤二姐之死。这是个软弱的女性，身份下贱，三陪女之类吧，过着给人家卖笑、供人家调戏的生活。曹雪芹写到这里，对贾府就不再像写秦可卿那样客气了，不但让贾珍、贾蓉父子两个搞同一个女人，还加上贾琏——贾蓉的叔叔，让他也搞这个女人。尤二姐就忍受着这样卑下的、龌龊的生活。但是，她非常善良，又非常轻信。她甘于做贾琏的“二奶”。（笑声）王熙凤发现了以后，讲了一句话，“这才好呢”，充满了杀机。她没有大闹，而是表面上非常贤惠，啊呀，妹妹呀，你这住到外面，像什么

① ［俄］维·什克洛夫斯基：《故事和小说的构成》，［英］见乔治·艾略特等著：《小说的艺术》，社会科学文献出版社1999年版，第86页。

话？我也不好看，你也不好看，你二爷脸上也不好看，还是到家里来吧。用怀柔的办法把她骗到一个偏房里，然后就虐待她。这个软弱的、善良的、没有抵抗力的、不想往上爬的、没有自己精神生活的女性，一个很平凡的女人，就这样被王熙凤折磨致死。将其折磨死以后，王熙凤竟然还哭道："狠心的妹妹！你怎么丢下我去了，辜负了我的心！"[①]我想你们看到这样软弱的女性的死亡，应该会持有更大的同情。

金钏儿是无辜的，晴雯是冤屈的，司棋是殉情的，都是有自己的精神原则的，而尤二姐，则是被侮辱与被损害的、软弱的、轻信的、不洁的、几乎没有自己的精神光彩的，但是，仍然是值得同情的。

那，第五个死亡就有光彩了，尤三姐。因为很精彩，震撼人心，所以两三百年前的故事，至今仍然很有生命力，不断被改编成地方戏、京剧，甚至电影。为什么呢？那可以说是贾府黑暗王国的一道精神之光啊。她也是三陪女，但和她姐姐不一样，她利用她的美丽，拿准了男人——都是很贱的。（笑声）她知道凭着"美丽"这种本钱，她不要脸，她很凶、很悍地折磨男人，弄得那些色鬼男人对她没有办法。跟潘又安和司棋比，都是殉情而死，但尤三姐之死要高明很多。高在哪里呢？首先，尤三姐是一个很复杂的人。在原来的一个版本上，尤三姐和尤二姐本来就是近乎妓女的角色，陪酒，卖笑。实际上是不是仅仅"三陪"，我不知道。（笑声）后来改了，但是有些地方还留下了痕迹。《红楼梦》庚辰本，第六十五回（和程乙本、三家评本中有差异）如下：

> 看官听说：这尤三姐天生脾气，和人异样诡僻。只因他的模样儿风流标致，他又偏爱打扮的出色，另式另样，做出许多万人不及的风情体态来。那些男子们，别说贾珍贾琏这样风流公子，便是一班老到人，铁石心肠，看见了这般光景，也要动心的。及至到他跟前，他那一种轻狂豪爽，目中无人的光景，早又把人的一团高兴逼住，不敢动手动脚。所以贾珍向来和二姐儿无所不至，渐渐的厌了，却一心注定在三姐儿身上，便把二姐儿乐得让给贾琏，自己却和三姐儿捏合。偏那三姐一般和他顽笑，别有一种令人不敢招惹的光景。他母亲和二姐儿也曾十分相劝，他反说："姐姐糊涂！咱们金玉一般的人，白叫这两个现世宝玷污了去，也算无能！而且他家现放着个极利害的女人，如今瞒着，自然是好的；倘或一日他知道了，岂肯干休？势必有一场大闹。你二人不知谁生谁死，这如何便当作安身乐业的去处？"他母女听了他这话，料着难劝，也只得罢了。因此一说，他母女见不听劝，也只得罢了。那尤三姐天天挑拣穿吃，打了银的，又要金的；有了珠子，又要宝石；吃的肥鹅，又宰肥鸭。或不趁心，连桌一推；衣裳不如意，不论绫缎新整，便用剪刀剪碎，撕一条，骂一句，究竟贾珍等何曾

① （清）曹雪芹、高鹗：《红楼梦》，人民文学出版社 1982 年版，第 984 页。

随意了一日，反花了许多昧心钱。[1]

尤三姐在极污秽、极污浊的精神环境里，并不想如二姐那样同流合污，“异样诡僻”，身上可以有污泥，但她力图精神上不染。她可以把那些色鬼“逼住”，使其“不敢招惹”她。这一点是正面写了的，但不是正面写感觉，曹雪芹以记言的原则让她自己讲出来。有的版本不一样，尤二姐当了二奶，就问尤三姐是否也有个安身立命的问题。尤三姐就哭了，讲道：

姐姐今日请我，自有一番大礼要说。但妹子不是那愚人，也不用絮絮叨叨提那从前丑事，我已尽知，说也无益。既如今姐姐也得了好处安身，妈也有了安身之处，我也要自寻归结去，方是正理。但终身大事，一生至一死，非同儿戏。[2]

过去的事——“从前丑事”，她也不回避。还有一段：

向来人家看咱娘俩细微。都不知安怎么心。所以，我泼着眉脸，人家才不敢欺负我。

“细微”就是地位低下，但是，“泼着眉脸”，很泼辣啊；你要坏，我就跟你坏到底，以至于贾珍和贾蓉看了都害怕。不在乎保持干净，她以污抗污，以恶求善，以丑求美。最后，她道出了她的人生理想和追求：

我如今改过守分，只要我拣一个素日可心如意的人方跟他去。若凭你们拣择，虽是富比石崇，才过子建，貌比潘安的，我心里进不去，也白过了一世。[3]

为了自己的理想和追求，她立志“改过守分”，坚决要拣个如意的人才跟他。若别人选的，不管多么有钱有势，都不行。她的原则是：如果“心里进不去”，就“白过了一世”。[4]

她看中了柳湘莲。尤三姐的放浪、泼辣和她爱情的专一构成了性格的张力。婚约被毁了，因为人家认为贾府上下除了石狮子以外都不干净。她和司棋一样重情超越生死，其刚烈完全在瞬间爆发，她一听说柳湘莲悔婚，就马上自杀了。柳湘莲发现自己误解了人家，就出家了。情节似乎跟司棋、潘又安是一致的。不过多了一个死前的自白，其他死者都没有自白的机会。她的自白，把自己的性情、刚烈都讲出来了。

尤三姐形象的光彩在于：第一，因为和柳湘莲的情感错位，从极其放荡到极其刚烈；第二，她的死又引起柳湘莲的忏悔不算，还出家了，看破了红尘。一个是为纯情而死，一个是为情而看破情，双重错位的幅度太大了！反差非常强烈——她的殉情和尤二姐的软弱、

① （清）曹雪芹、高鹗：《红楼梦》，（清）护花主人、大某山民、太平闲人评，上海古籍出版社1988年版，第1079页。

② （清）曹雪芹、高鹗：《红楼梦》，人民文学出版社1982年版，第932—933页。

③ （清）曹雪芹、高鹗：《红楼梦》，人民文学出版社1982年版，第933页。

④ （清）曹雪芹、高鹗：《红楼梦》，人民文学出版社1982年版，第933页。

自贱形成了强烈的反差。和司棋的死相比，其精神光彩也超过了司棋。一个下贱的女人，一个脏女人，居然有这样一种刚烈的、纯洁的情怀。她的精神光彩是从最卑污处发出的，故特别耀眼。是这个社会、这个环境，造成了她和柳湘莲精神的错位，曹雪芹非常残忍地让她走上了死路。

《红楼梦》中这个美的毁灭显示了精神的高贵，曹雪芹把最高贵的精神给了生活在阴沟里的、从世俗眼光来看是最卑污的女人。这个实在是曹雪芹美学思想最深邃、最辉煌之处，他的审美价值观念太超前了。怪不得在小说一开头，他就对流行的才子佳人小说嗤之以鼻。

尤三姐是大观园外的一个插曲，不在十二钗“正册”“副册”之中，故曹雪芹用笔不多。孤立地看，她的形象似乎不如晴雯那么丰满，但是，就精神光彩来说，则超越了晴雯。在中国女性的殉情史上，还超越了怒沉百宝箱的杜十娘。杜十娘身为妓女，但作者并未写其与李甲之外嫖客周旋的丑恶，也未将情感追求作理想化的表白，更没有让李甲做出柳湘莲式的遁入空门，形成错位。

中国的经典小说跟西方的小说不同，它一般不像列夫·托尔斯泰、司汤达那样着重写人的心理过程（这一点，本文稍后将有论述），而是着重写外在的表现，主要用外部的言和行来表现内心感情的深和邃。这为什么呢？中国的小说有一种讲史的传统，中国的史家有个特点，就是记言记事。这是孔夫子的“春秋笔法”，只讲事实，没有评论，更不能有心理分析。但“乱臣贼子惧”，褒贬的倾向性就在言和行的叙述中，这就叫“春秋笔法”。

第六个是鸳鸯之死。鸳鸯是贾母的贴身丫头，心腹，是吧？贾母离不开的。贾母的大儿子贾赦是个色鬼，已经有了妻子、小老婆，又看中了鸳鸯。自己不敢去跟妈妈讲，叫谁去讲？叫大老婆邢夫人去讲。这个邢夫人居然就非常认真地去讲，被人家拒绝了还怪人家不好，她的修养也真是到了家了，我可以说这种修养在座的女生没有一个可以达到。（大笑声）鸳鸯拒绝了，得到贾母的支持。贾赦就讲：你嫌我老，自古嫦娥爱少年，肯定是看中宝玉了。鸳鸯就剪下一缕头发，说：我就终身不嫁，等老太太死了我就死。事情搁在那里。等到贾母一死，轮到写鸳鸯之死了，你们想想看，已经写了五个人的死亡都“犯”而不“犯”了，是吧？再写的难度是以几何级数递增的。第六个死亡的难度就是金钏儿难度的六次方，但是，没有难倒曹雪芹。“只见鸳鸯已哭的昏晕过去了，大家扶住捶闹了一阵才醒过来，便说‘老太太疼我一场我跟了去’的话。”[①]这回，曹雪芹干脆正面写她死亡时的感觉。

顺便说一说，有人说《红楼梦》写阶级斗争，我就不相信。鸳鸯呀、晴雯呀、司棋呀、金钏儿呀，只要被开除回家，就要自杀。如果是阶级斗争的话，在贾府受奴役，把我开除回家，我解放啦！（大笑声）但不！我看更多是阶级调和。虽然在贾府做丫鬟，她的地位

① （清）曹雪芹、高鹗：《红楼梦》，人民文学出版社 1982 年版，第 1525 页。

还是很高的。被贾府开除出来，那么，从社会阶层上来说，是掉下去了，是很丢脸的。以下是直接描写鸳鸯心理的：

谁知此时鸳鸯哭了一场，想到"自己跟着老太太一辈子，身子也没有着落。如今大老爷虽不在家，大太太的这样行为我也瞧不上"。[①]

鸳鸯口头上说，活着没意思。实际上呢？她感到没保障。邢夫人是个非常猥琐的、奴才性格的人，连丈夫娶小老婆她都"乐观其成"，当然修养是"蛮高的"。（大笑声）曹雪芹难得直接正面写人物的内心，他用鸳鸯的语言做心理剖白：

老爷（按：指贾政）是不管事的人，以后便乱世为王起来了，我们这些人不是要叫他们掇弄了么。谁收在屋子里（按：当小老婆），谁配小子，我是受不得这样折磨的，倒不如死了干净。[②]

《红楼梦》很少直接写临死时内心的感觉，但是，鸳鸯之死却很特别，曹雪芹居然像托尔斯泰一样，写死亡过程中的幻觉。她走到房间里想自杀，不知道怎么个死法，便走回老太太的套间。这时，幻觉开始了。只见灯光惨淡，隐隐有个女人拿着汗巾子，好似要上吊的样子。鸳鸯也不惊怕，想：这个是谁啊？和我的心思一样，倒比我走在前头啦。便问道："你是谁？咱们两个人是一样的心，要死一块儿死。"[③]那个人也不答言。鸳鸯走到跟前一看，并不是这个屋子里的丫头，仔细一看，觉得冷气侵人，那个人不见了。我讲到这儿，身上都有点冷。（笑声）鸳鸯呆了一会儿，退出，在炕沿上坐下，仔细想道：哦，是啦，这是东府上的小蓉大奶奶啊。她早就死了的，怎么会到这里来？必是来叫我来了。想了想，是啦，她是教给我死的法儿啊。鸳鸯这么一想，邪气入骨，便站起来一面哭，一面打开妆箱，取出当年铰的那绺宁死不嫁的头发，揣在怀里，从身上解下一条汗巾，按着秦氏方才比画的那个地方，穿上，自己哭了一回，听见外头有客人散去，恐有人进来，急忙关上屋门，然后端了一张脚凳自己站上，把汗巾拴上，扣套在咽喉，便把脚凳蹬开。在"咽喉气绝，香魂出窍"[④]之际，曹雪芹把死亡在幻觉中尽情展开：

正无投奔，只见秦氏隐隐在前，鸳鸯的魂魄疾忙赶上说道："蓉大奶奶，你等等我。"[⑤]

在幻觉中死亡，似乎有点像托尔斯泰了，但是，还有中国特色。不像托尔斯泰那样带着基督教向天国去的幻觉，而是带着中式的神话、仙话色彩。秦可卿说，我是警幻仙子的

---

① （清）曹雪芹、高鹗：《红楼梦》，人民文学出版社 1982 年版，第 1526 页。
② （清）曹雪芹、高鹗：《红楼梦》，人民文学出版社 1982 年版，第 1526 页。
③ （清）曹雪芹、高鹗：《红楼梦》，人民文学出版社 1982 年版，第 1526 页。
④ （清）曹雪芹、高鹗：《红楼梦》，人民文学出版社 1982 年版，第 1527 页。
⑤ （清）曹雪芹、高鹗：《红楼梦》，人民文学出版社 1982 年版，第 1527 页。

妹妹，现在管着痴情司，封你一个司情的掌管。

鸳鸯的魂道："我是个最无情的，怎么算我是个有情的人呢？"

那人道："你还不知道呢。世人都把那淫欲之事当作'情'字，所以作出伤风败化的事来，还自谓风月多情，无关紧要。不知'情'之一字，喜怒哀乐未发之时便是个性，喜怒哀乐已发便是情了。至于你我这个情，正是未发之情，就如那花的含苞一样，欲待发泄出来，这情就不为真情了。"①

这种幻觉，幻到从"仙化""幻化"到"情""淫""性"的哲理上来，就是中国特有的风格了。"情"跟"性"是两回事。喜怒哀乐没有找到对象，没有发展、发生出来，那是"性"；喜怒哀乐一发，便是"情"了。这种"情"和"欲"的对立太哲学化了，让鸳鸯来感受就有了两种色彩。一是现实性，不能委屈自己，我不能随便让人配个小子，做个小老婆干啥的，这样窝囊地活着，还不如死；二是幻想性，这是很刚烈的，乃在幻觉中，给她一个"痴情司"的神职。把鸳鸯之死用幻觉来提升到神仙的高度，曹雪芹的花样真是太多了。

但是，花样完了没有？没有！光是这样，曹雪芹就把她作为一个概念化的符号了。然后呢，等发现鸳鸯死了，底下的一系列的、一连串的错位反应来了。几乎所有的人都是正面的反应，但是，人人不一样，错位很丰富。邢夫人，就是贾赦的老婆，说：

我不料鸳鸯倒有这样志气，快叫人去告诉老爷。②

这个修养很"行"的夫人，觉得她很有"志气"，完全是从奴才伦理出发的。"快去告诉老爷"，话中有话，你们听出来了没有？（众"没有"）不行啊，你们就是不如我。这里的意思很清楚嘛：小老婆娶不成了。（大笑声）短短两句话，错位的意味很不单纯。而在贾宝玉眼中，错位的幅度就更大了：

只有宝玉听见此信，便唬的双眼直竖。袭人等慌忙扶着，说道："你要哭就哭，别憋着气。"宝玉死命的才哭出来了，心想"鸳鸯这样一个人偏又这样死法"，又想"实在天地间的灵气独钟在这些女子身上了。他算得了死所，我们究竟是一件浊物，还是老太太的儿孙，谁能赶得上他。"复又喜欢起来。那时宝钗听见宝玉大哭，也出来了，及到跟前，见他又笑。袭人等忙说："不好了，又要疯了。"③

在宝玉看来，这是极其悲痛，又是极其高贵的（"天地间的灵气独钟"）而自己却是不及其万一的"浊物"。贾宝玉先是哭不出来，哭出来以后是悲，但他又喜；袭人她们不理

---

① （清）曹雪芹、高鹗：《红楼梦》，人民文学出版社 1982 年版，第 1527 页。
② （清）曹雪芹、高鹗：《红楼梦》，人民文学出版社 1982 年版，第 1528 页。
③ （清）曹雪芹、高鹗：《红楼梦》，人民文学出版社 1982 年版，第 1528 页。

解，以为他疯了。这样的错位，弄得阖府又紧张起来。宝钗，栊翠庵里的尼姑说她是个“冷人”，真不愧是一个冷艳的人，其反应是很理性的。

宝钗道：“不妨事，他有他的意思。”宝玉听了，更喜欢宝钗的话，“倒是他还知道我的心，别人那里知道。”①

鸳鸯死了，那些跟她没有多少关系和特殊情感的人哭了，最珍惜美女的宝玉却笑了，听到自己的妻子说“他有他的意思”②，就更喜欢了。贾宝玉和薛宝钗本来是不知心的，但在这一点上，宝玉觉得她知心了。这种知心完全是歪打正着的错位。可谓错位中的错位。这个错位多么复杂啊。接着换一个角度：

正在胡思乱想，贾政等进来，着实的嗟叹着，说道：“好孩子，不枉老太太疼他一场！”③

这个贾政，曹雪芹原意是暗示他是假正经，但是，他假得很真诚。贾政连忙吩咐买好的棺材给她厚葬一番。少女死了，还说“好孩子”。他的封建教条到了这种程度，还“嗟叹”死得好，把鸳鸯的不得已而死，当作奴为主死的表征，这种错位和宝玉、宝钗的错位构成了复合的错位。之后，所有的人都哭了，平儿啊，袭人啊，紫鹃啊，都哭。紫鹃哭得最哀，因为想到林黛玉死了，她自己的命运也不知道如何。同病相怜，所以她哭得最哀。她的悲哀和宝玉、宝钗、贾政又拉开了错位的距离。王夫人就叫了鸳鸯的嫂子进来。前面的这些错位所表现的精神，都是非常高雅的悲剧，接着，曹雪芹又拿出他的绝招来了。突然让一个从来没有出现过的人物——鸳鸯的嫂子出场，就像晴雯的嫂子一样，让她来出一番丑：

王夫人即传了鸳鸯的嫂子进来，叫他看着入殓。遂与邢夫人商量了，在老太太项内赏了他嫂子一百两银子，还说等闲了将鸳鸯所有的东西俱赏他们。他嫂子磕了头出去，反喜欢说：“真真的我们姑娘是个有志气的，有造化的，又得了好名声，又得了好发送。”④

大家都悲哀、悲痛，唯独这个嫂子“反喜欢”，曹雪芹这个“反”字用得很“毒”。这个嫂子，哪里有一点人性啊，她欢天喜地，为的是银子。但是，她又和贾政、邢夫人一样称赞鸳鸯有“志气”，而且“有造化”，“得了好名声，又得了好发送”。“发送”就是指葬礼比较隆重。这个错位就不但是幅度上的，而且是性质上的。这本来已经带着很强的讽刺性了，曹雪芹觉得还不够，又让一个不相干的人物说：

---

① （清）曹雪芹、高鹗：《红楼梦》，人民文学出版社1982年版，第1528页。
② （清）曹雪芹、高鹗：《红楼梦》，人民文学出版社1982年版，第1528页。
③ （清）曹雪芹、高鹗：《红楼梦》，人民文学出版社1982年版，第1528页。
④ （清）曹雪芹、高鹗：《红楼梦》，人民文学出版社1982年版，第1529页。

旁边一个婆子说道："罢呀嫂子，这会子你把一个活姑娘卖了一百银子便这么喜欢了，那时候儿给了大老爷，你还不知得多少银钱呢，你该更得意了。"一句话戳了他嫂子的心，便红了脸走开了。[①]

这一重错位，就带着喜剧性了。但是，曹雪芹笔下留情，还让她脸红了，最后送灵的时候还让她"干嚎"了几声。和晴雯的嫂子要挟着要宝玉和她马上上床相比，还不是太烂啊！（大笑声）这就不是晴雯的嫂子那样的闹剧了，而是一种轻喜剧。曹雪芹的喜剧风格甚丰，即使在悲剧中，也信手拈来，增添异彩。《儒林外史》中胡屠户向来鄙视、蔑视范进，拒绝给范进考试的盘缠，理由是：举人都是天上的文曲星，范进不配。待到范进中举以后，喜极而狂，为了救治范进，要求他打范进的耳光，他却不敢了，以为打了要遭到菩萨的惩罚，要被打入十八层地狱。此时，他便遭到围观者的嘲笑。这与鸳鸯嫂子可谓异曲同工。但是，吴敬梓是纯粹的喜剧，而在曹雪芹这里是悲剧中的似闲而不闲之笔——把悲剧性和轻喜剧性错位地结合了起来。曹雪芹在此又露了一下他的绝招。

从某种意义说，这已经淋漓尽致了。但是，曹雪芹觉得他的才气还没有用尽，便进一步用正剧的风格，展示更加丰富的错位——先是让假正经的人正经到底：

贾政因他为贾母而死，要了香来上了三炷，作了一个揖，说："他是殉葬的人，不可作丫头论。你们小一辈都该行个礼。"宝玉听了，喜不自胜，走上来恭恭敬敬磕了几个头。[②]

然后花花公子贾琏去行礼，又让邢夫人说：

有了一个爷们便罢了，不要折受他不得超生。[③]

这样的错位中，邢夫人好像是为了鸳鸯好，因为她这样说，贾琏便不去了。这样的错位表现了邢夫人和贾琏各不相同的情感的枯干。接着又有个特殊的错位——向来缺乏感情的薛宝钗，这时却有非同寻常的表现：

宝钗听了，心中好不自在，便说道："我原不该给他行礼，但只老太太去世，咱们都有未了之事，不敢胡为，他肯替咱们尽孝，咱们也该托托他好好的替咱们伏侍老太太西去，也少尽一点子心哪。"说着扶了莺儿走到灵前，一面奠酒，那眼泪早扑簌簌流下来了。[④]

在贾宝玉去磕头时，她没有反对。我觉得这一笔写得太精彩了，薛宝钗很少这样动感情的。贾宝玉屁股打烂了，她都没哭啊！（大笑声）

① （清）曹雪芹、高鹗：《红楼梦》，人民文学出版社 1982 年版，第 1529 页。
② （清）曹雪芹、高鹗：《红楼梦》，人民文学出版社 1982 年版，第 1529 页。
③ （清）曹雪芹、高鹗：《红楼梦》，人民文学出版社 1982 年版，第 1529 页。
④ （清）曹雪芹、高鹗：《红楼梦》，人民文学出版社 1982 年版，第 1529—1530 页。

奠毕拜了几拜，狠狠的哭了他一场。众人也有说宝玉的两口子都是傻子，也有说他两个心肠儿好的，也有说他知礼的。贾政反倒合了意。[①]

这就是广义的错位了，不是一个两个人的，而是众人和他夫妇俩的。

写鸳鸯的死的手法多姿多彩。幻觉写完了，哲理写完了，拿手的喜剧色彩有了，各种各样错位的反应，都聚焦起来。中国古典小说的功夫，就在这些琐琐碎碎的、没事变的地方。就这么你一句，我一句，他一个反应，你一个反应，都是悲哀、痛苦，每个人的逻辑又都不一样。如果让老托尔斯泰[②]、法国的司汤达来写，他们的笔墨就会聚焦在鸳鸯的死亡幻觉的过程上，鸳鸯死了，就没有什么可写的了。

第七个死亡，是谁呢？王熙凤之死。本来这么重要的人物，又是属于金陵十二钗的，应该是一篇大文章，对不对？开头秦可卿之死，作者让她去主持轰动全城的豪华的盛典，是吧？如果按那个写法再施展一下，曹雪芹不缺乏这样的才气。但是，在他的笔下，王熙凤的死亡，什么排场都没有。表面上看来有点潦草。好多《红楼梦》的研究专家都说，《红楼梦》的后四十回啊，好糟糕，艺术上很差，但是，我觉得王熙凤之死、鸳鸯之死以及林黛玉之死都是《红楼梦》里面艺术的精华。王熙凤之死，好就好在没什么太大的反应，悲剧的氛围还没有鸳鸯那样淋漓尽致。根本就没有正面写，而是听说的。宝钗夫妻两个到了王熙凤那里，凤姐已经停床，大放悲声。要注意啊，“大放悲声”，宝钗这个人是不怎么哭的。第二呢，宝玉拉着贾琏的手也哭起来，贾琏也“重新哭”——这个人的哭是自动化的，想哭就哭。（笑声）平儿等人因见无人劝解，只好含悲上来劝阻了。眼见众人悲哀不止，贾琏手足无措，叫人传了赖大来，叫他好好办丧事，自己回明了贾政去，然后行事；只是手头不济，诸事拮据，又想起凤姐素日的好处来，更加悲苦不已，只见巧姐哭得死去活来，越发伤心。

这写得很一般嘛，对吧？大家都哭得一样伤心嘛，没有什么错位啊。在这个时候，本来可以把所有的人都调动起来，各式各样的、不同的哭嘛，但是，作者追求的效果是特别萧索，特别凄凉，特别没有排场。客观上，贾府已经被抄了，家道沦落了，绝对不可能有秦可卿之死那样的排场。但是，这种沦落之感，不仅在人的表现上，而且在人的心理情感状态上，营造一种凄凉的氛围。这里，《红楼梦》的拿手技法又来了，不用贾府上的人物，而是用一个小市民来搅和这个举家皆哭的情境。谁呢？王熙凤的一个穷哥哥。这个人叫作王仁，名字的意思就是“忘仁”。作者不让他悲伤，而是让他捞不到多少好处，从非常庸俗的、恶毒的心态来观照。作者让他这样表现：

---

① （清）曹雪芹、高鹗：《红楼梦》，人民文学出版社1982年版，第1530页。

② 即：阿里克塞·康斯坦丁诺维奇·托尔斯泰（1817—1875），俄国著名诗人与戏剧家。

今知妹子死了，只得赶着过来哭了一场。见这里诸事将就，心下便不舒服，说："我妹妹在你家辛辛苦苦当了好几年家，也没有什么错处，你们家该认真的发送发送才是。怎么这时候诸事还没有齐备！"①

王仁本想来敲点竹杠的，现在贾家穷了，敲不到了；他就找王熙凤的女儿巧姐过来，说：

你娘在时，本来办事不周到，只知道一味的奉承老太太，把我们的人都不大看在眼里。外甥女儿，你也大了，看见我曾经沾染过你们没有！如今你娘死了，诸事要听着舅舅的话。你母亲娘家的亲戚就是我和你二舅舅了。你父亲的为人我也早知道的了，只有重别人，那年什么尤姨娘死了，我虽不在京，听见人说花了好些银子。如今你娘死了，你父亲倒是这样的将就办去吗！你也不快些劝劝你父亲。②

实际上，这时候贾家已经穷得很可怜了：

巧姐实话实说："我父亲巴不得要好看，只是如今比不得从前了。现在手里没钱，所以诸事省些是有的。"③

王仁从贾府捞不到什么了，就想从巧姐儿那里捞一点油水：

王仁道："你呀，你的东西还少吗？"巧姐儿道："旧年抄去，何尝还了呢。"王仁道："你也这样说。我听见老太太又给了好些东西，你该拿出来。"巧姐又不好说父亲用去，只推不知道。王仁便道："哦，我知道了，不过是你要留着做嫁妆罢咧。"④

你看这个舅舅，为了乘机获取最大化的好处，对一个还未出阁的女孩子，居然说出这样侮辱性的话，这是非常无耻、非常恶毒的。

巧姐听了，不敢回言，只气得哽噎难鸣的哭起来了。平儿生气说道："舅老爷有话，等我们二爷进来再说，姑娘这么点年纪，他懂的什么。"王仁道："你们是巴不得二奶奶死了，你们就好为王了。我并不要什么，好看些也是你们的脸面。"说着，赌气坐着。⑤

这家伙利欲熏心，又不会讲话，粗野无礼，对出来解劝的平儿，无故地人身攻击，极其刻毒啊。

巧姐满怀的不舒服，心想："我父亲并不是没情，我妈妈在时舅舅不知拿了多少东西去，如今说得这样干净。"于是便不大瞧得起他舅舅了。岂知王仁心里想来，他妹妹

① （清）曹雪芹、高鹗：《红楼梦》，人民文学出版社 1982 年版，第 1562 页。
② （清）曹雪芹、高鹗：《红楼梦》，人民文学出版社 1982 年版，第 1562—1563 页。
③ （清）曹雪芹、高鹗：《红楼梦》，人民文学出版社 1982 年版，第 1563 页。
④ （清）曹雪芹、高鹗：《红楼梦》，人民文学出版社 1982 年版，第 1563 页。
⑤ （清）曹雪芹、高鹗：《红楼梦》，人民文学出版社 1982 年版，第 1563 页。

不知攒积了多少，虽说抄了家，那屋里的银子还怕少吗。“必是怕我来缠他们，所以也帮着这么说，这小东西儿也是不中用的。”①

你看，像个舅舅讲的话吗？你不拿出来，你是留着自己将来嫁人用。这简直是无端的污蔑嘛，舅舅完全是想捞一票，捞不到了，连处于丧母之痛的外甥女也粗野地加以精神的伤害。“你把钱留着做嫁妆”，好恶毒啊。对吧？这就是中国古典小说记言记事的优越所在。王仁说这样恶毒的话的时候，脸上表情、手势、动作等，什么都没有。这么严酷的对话，就是王仁道、巧姐道、平儿道、就够了，有时候加一个“笑”字。只有巧姐听了，不敢回言，只得哽哽噎噎地哭将起来的效果，就够了。最后，什么恶毒的话都说尽了，就“赌气坐着”。这五个字，神情毕现，和20世纪中叶海明威的没有动作环境的电报文体、冰山风格异曲同工了。

和秦可卿之死的隆重和豪奢相比，王熙凤之死的氛围是在沦落中的悲凉，如果光这样看，就可能肤浅了，续作者显然继承了曹雪芹用刘姥姥下层人物的眼光看贾府的繁华的原则，用势利鬼的眼光看贾府的败落。在一个聚集点上，凝聚起错位幅度很大的心态奇观，正是中国传统小说艺术在世界文学中独树一帜的精华所在。

王熙凤的死和秦可卿的死，是一个鲜明的对照。那个是盛大的、隆重的、耗费了无数钱财的、调动了上百的人马来办的丧事，还有贾珍哭得泪人一般，诸如此类。王熙凤的死就是王仁这么一点反应，这不是太简陋了吗？我分析，因为这样写是主题的需要。在兴旺的时候，一个媳妇死了，葬礼竟那样豪华，到败落的时候，主持家务的主角却这样凄凉。一方面是思想上的对比，一方面呢，就是趣味上的对比。用一个非常世俗的小人，用其势利的眼睛，挑拨、污蔑的心态，来观照王熙凤之死的悲哀。这时，贾宝玉啊、薛宝钗啊、贾政他们这些人，哭得都很简单，可以说是草草带过。

最后一个死，是全世界古典小说里最精彩的死亡，是世界文学史上的奇迹——林黛玉之死。这是小说高潮的高潮。

林黛玉本来就在希望和绝望之间，听傻大姐说，贾宝玉将迎娶薛宝钗，受到了沉重的打击。外部行动和语言描写的精彩在于，她一听说腿就软瘫，但是，接着不写她变得更加衰弱。《红楼梦》的续作者真是有才气，不像过去一丁一点小事就大哭，而是痴笑起来，傻笑起来，让林黛玉走路更快，行动更加迅速。打击太大了，麻木了。走了一段，一口鲜血吐出来。心理麻木转化为生理的创伤。这是正面描写，然后，医家的解释是：

一时急怒，所以迷惑了本性。及至回来吐了这一口血，心中却渐渐的明白过来，

① （清）曹雪芹、高鹗：《红楼梦》，人民文学出版社1982年版，第1563页。

把头里的事一字也不记得了。[①]

等到一口血吐出来以后，心里明白了：

这会子见紫鹃哭，方模糊想起傻大姐的话来，此时反不伤心，惟求速死，以完此债。[②]

爱情没有了，命也不要了，自我糟蹋身体，睡觉不盖被子。紫鹃她们给她盖上，走了以后，她又把它褪掉，巴不得早死。外部动作写完了，用对话来描写。她最贴心、最忠心的丫头——紫鹃，哭得非常伤心。林黛玉怎么讲？

黛玉笑道："我那里就能够死呢。"[③]

在这么五内俱焚、痛不欲生的时候，居然自己"笑道"，最亲近的人为自己悲伤的时候，对其用最无情的话，恰恰表现了她们两个人最知心，这样的错位之奇，实在令人惊叹。贾母来了，她讲了一句话，这句话太精彩了：

"老太太，你白疼了我了！"[④]

"白疼了我了"，这里的错位更大了。一是对贾母有怨恨，你既然疼我，让我和贾宝玉在一起，有感情你也都知道，你的决策却不疼我的感情，你这算什么疼？第二，对贾母有歉疚，你这么疼我，我不能按照你的愿望生活，把身体搞成这样，对不起你啊。临终弥留之际，又讲了一句话：

"宝玉，宝玉，你好……"说到"好"字，便浑身冷汗，不作声了。紫鹃等急忙扶住，那汗愈出，身子便渐渐的冷了。[⑤]

这里面是一个正面的"好"字，所表现的却是怨、怒、恨、悲、苦，都是负面的含义。这里完全不用托尔斯泰小说常用的心理变幻，也不用司汤达的心理分析，完全是中国式的传统的记言，其功力可谓登峰造极。

那到这儿就完了吗？没有。这还是正面的表现，还不是《红楼梦》艺术的最精粹之处。《红楼梦》续作者的才华一如曹雪芹，集中表现众多亲近人物多元交织的错位反应。来了七八批人，每个人都哭了，在悲伤这一点上共同的，但是，每个人的哭都不同，原因都不一样，逻辑也不一样，错位的性质很丰富，相互之间错位的幅度又很大。这就构成了林黛玉之死惊心动魄的、精彩绝伦的艺术效果。

到这里，敏感的读者才可能真正领悟到，为什么在写王熙凤的时候，那么多亲近的人

① （清）曹雪芹、高鹗：《红楼梦》，人民文学出版社 1982 年版，第 1362 页。
② （清）曹雪芹、高鹗：《红楼梦》，人民文学出版社 1982 年版，第 1362 页。
③ （清）曹雪芹、高鹗：《红楼梦》，人民文学出版社 1982 年版，第 1362 页。
④ （清）曹雪芹、高鹗：《红楼梦》，人民文学出版社 1982 年版，第 1363 页。
⑤ （清）曹雪芹、高鹗：《红楼梦》，人民文学出版社 1982 年版，第 1383—1384 页。

大哭一场就退场了；原来，作者是要让他们到这里来一个一个地亮相。首先是紫鹃，在黛玉垂危之际，紫鹃哭得被子都湿了，竟无一个人来看望，深深感到所有的人都“这样狠毒冷淡”[①]，特别想到宝玉：

今日倒要看看宝玉是何形状！看他见了我怎么样过的去！那一年我说了一句谎话他就急病了，今日竟公然做出这件事来！可知天下男子之心真真是冰寒雪冷，令人切齿的！[②]

黛玉的死，第一重反应是，引起了紫鹃对宝玉的切齿的恨。读者明白，这与事实是错位的。第二重反应是，向来与世无争的寡妇李纨，见紫鹃哭湿了被子，把眼泪擦干说：

好孩子，你把我的心都哭乱了，快着收拾他的东西罢，再迟一会子就了不得了。[③]

李纨的冷静，和紫鹃的愤激拉开了错位的距离。

第三重错位反应，我觉得是《红楼梦》的毒笔。王熙凤出的主意，让薛宝钗冒充林黛玉，怕贾宝玉不太相信，叫紫鹃去当伴娘，好像盖着头的新娘子是林黛玉。在林黛玉最悲痛欲绝的时候，居然叫她的亲信去骗贾宝玉，理所当然地遭到了紫鹃的拒绝。王熙凤与紫鹃的心理错位的距离可谓达到了最大限度，几乎是对立的程度。

第四重是平儿。比较善良的、新扶正的夫人，觉得这样的事太残酷了；提出让雪雁去代紫鹃。错位的性质没有变化，但是，幅度小了一点。

第五重错位就是雪雁了，雪雁也是林黛玉的亲信，但是，没有紫鹃那样死心塌地。她觉得贾宝玉说玉丢了，头脑都昏了，其实是作假，装出傻样子来，好娶宝钗。紫鹃的情绪和贾宝玉的实在情形，其错位的幅度也是很大的。

第六重就是贾宝玉看到雪雁来了，以为真是和黛玉完婚，乐得手舞足蹈。

巴不得即见黛玉，盼到今日完姻，真乐得手舞足蹈，虽有几句傻话，却与病时光景大相悬绝了。[④]

这一错位是个过渡，缩短了他和雪雁之间的错位幅度，待到发现不是黛玉而是宝钗时：

宝玉此时心无主意，自己反以为是梦中了，呆呆的只管站着。[⑤]

当着新娘子——薛宝钗的面，贾宝玉口口声声地说，只要找林妹妹。

岂知连日饮食不进，身子那能动转，便哭道：“我要死了！我有一句心里的话，只求你回明老太太：横竖林妹妹也是要死的，我如今也不能保。两处两个病人都要死的，

① （清）曹雪芹、高鹗：《红楼梦》，人民文学出版社 1982 年版，第 1370 页。
② （清）曹雪芹、高鹗：《红楼梦》，人民文学出版社 1982 年版，第 1370 页。
③ （清）曹雪芹、高鹗：《红楼梦》，人民文学出版社 1982 年版，第 1372 页。
④ （清）曹雪芹、高鹗：《红楼梦》，人民文学出版社 1982 年版，第 1374 页。
⑤ （清）曹雪芹、高鹗：《红楼梦》，人民文学出版社 1982 年版，第 1376 页。

死了越发难张罗。不如腾一处空房子，趁早将我同林妹妹两个抬在那里，活着也好一处医治伏侍，死了也好一处停放。你依我这话，不枉了几年的情分。”①

宝玉如此表现，缩短了与雪雁之间心理错位的幅度，同时却和宝钗之间的错位幅度提升到了最大限度。这一笔之所以惊心动魄，原因就在于：错位的幅度不是静止的，而是运动的，一方面和雪雁的心理错位缩小到趋近于零，另一方面和宝钗的错位达到了无穷大，也就是对立的程度。

第七重是薛宝钗，这时的处境很尴尬，很悲惨，在结婚的大典上，丈夫却想着和别人一起死。我现在，周围都是女孩子，你们能受得了吗？（大笑声）贾母等在这种情况下，叫凤姐去请宝钗安歇。

宝钗置若罔闻，也便和衣在内暂歇。②

处在这种情况下，居然“置若罔闻”，好像什么也没有发生，没有一点眼泪。错位的幅度达到最大限度，当事人却无动于衷，这是一个什么样的女性啊！连一点心理描写都没有，一点内心的感知都没有渲染，中国小说记言记事的传统太精绝了，别人哭得都要死了，她却比任何人都平静，衣服都不脱，就在那里躺着休息。这个薛宝钗非常理性，“置若罔闻”，举重若轻，在这样的大混乱之中，只有她保持着冷峻，这不是对他人冷峻，而是对她自己冷峻，甚至可以说是冷酷。贾宝玉不知道林黛玉已经死了，一直要去找林黛玉，所有人都不敢告诉贾宝玉说林黛玉已经死了。他已经傻了，再告诉他，不是更要发疯了吗？贾府只有这一条根脉啊，只有这个薛宝钗保持着理性，跟贾宝玉讲：

“实告诉你说罢，那两日你不知人事的时候，林妹妹已经亡故了。”宝玉忽然坐起来，大声诧异道：“果真死了吗？”宝钗道：“果真死了。岂有红口白舌咒人死的呢。老太太、太太知道你姐妹和睦，你听见他死了自然你也要死，所以不肯告诉你。”宝玉听了，不禁放声大哭，倒在床上。③

薛宝钗是很清楚：迟早要告诉他，让他死了这条心。多么伟大的魄力啊！（大笑声）不是薛宝钗太“伟大”了，而是《红楼梦》的续作者太伟大了。这个伟大的根源是中国的史传文学传统，“春秋笔法”，“寓褒贬于叙述之中”，太令人惊心动魄了。把扩大到极限的错位的幅度，再次运动回归到等于零。此前所有的错位都建立在让薛宝钗冒充林黛玉上，把薛宝钗放在错位的最尖端，所有的错位的根源都在这个“冒充”上，一旦把这个“冒充”揭破，处在错位另一尖端的贾宝玉，就和薛宝钗处于直接对立的位置上。《红楼梦》一开头

① （清）曹雪芹、高鹗：《红楼梦》，人民文学出版社 1982 年版，第 1380 页。
② （清）曹雪芹、高鹗：《红楼梦》，人民文学出版社 1982 年版，第 1376 页。
③ （清）曹雪芹、高鹗：《红楼梦》，人民文学出版社 1982 年版，第 1381 页。

就宣称为表彰女性胜于男性而作。最初是在主持秦可卿的盛大的丧事上，让王熙凤显示了其胜于贾府所有男性的能耐，到了最后，在如此一团混乱中，又显示了只有薛宝钗才有这样的魄力，有担当，甘冒和贾宝玉完全对立的风险。

栊翠庵的尼姑说薛宝钗是个“冷人”，她是吃冷香丸呐。“香”就是艳，“冷”就是冷峻，这是个冷艳的美女啊！在曹雪芹笔下，她是排第二号的。她虽然是漂亮的，但内心最大的问题——感情是自我消灭的，故行酒令的时候，她抽到的签是“任是无情也动人”。（第六十三回）她没有感情，不是对别人没有感情，而是对自己没有感情。她是一个很漂亮的人，品行端庄，不但没有做什么有意坑害人的事，而且一向与人为善，甚至牺牲自己。她和林黛玉之间的矛盾，并不是情敌关系。林黛玉把她假想为情敌，以为她“藏奸”，但后来，林黛玉发现自己错了，就检讨。（第四十五回）其实，她一听说“金玉良缘”，就是薛宝钗的金锁和贾宝玉的玉，就觉得没意思起来，有意躲着贾宝玉。

薛宝钗不在乎自己的情感。后来贾母跟薛姨妈商量好了，要把薛宝钗嫁给已经疯疯癫癫的贾宝玉，这个时候，她心里是不太愿意的，但是她怎么讲呢？她非常理性，她遵从当时妇女整个的三从四德的规范，她说：

> 妈妈这话说错了。女孩儿家的事情是父母做主的。如今我父亲没了，妈妈应该做主的，再不然问哥哥。怎么问起我来？①

“哥哥”就是薛蟠。这个薛蟠现在坐在监牢里——打死人了。自己的终身大事，她是这样看的。她这个人，为了遵循封建道德原则，就“舒舒服服”地消灭了自己的感情。

那么，这是第七重的心理错位运动。然后，综合起来：

> 当时黛玉气绝，正是宝玉娶宝钗的这个时辰。紫鹃等都大哭起来。李纨探春想他素日的可疼，今日更加可怜，也便伤心痛哭。因潇湘馆离新房子甚远，所以那边并没听见。一时大家痛哭了一阵，只听得远远一阵音乐之声，侧耳一听，却又没有了。探春李纨走出院外再听时，惟有竹梢风动，月影移墙，好不凄凉冷淡！②

这时，超越记言、记事，很少的正面描写出现了。那边在结婚，这边人死了，其婚礼的音乐，既不让林黛玉听，也不让紫鹃听，却让两个与之关系不是很大的、和贾宝玉感情不太深的人，从喜事音乐中听出其中“凄凉冷淡”的声音。

最后，第八重错位是在贾母身上。贾母对林黛玉之死有一个总结。当然，她绝对是爱林黛玉的。虽然让宝钗取代黛玉是她的决策，但是，造成这样的后果，她也感到很悲痛。她涕泪交流地表白：

---

① （清）曹雪芹、高鹗：《红楼梦》，人民文学出版社 1982 年版，第 1345 页。
② （清）曹雪芹、高鹗：《红楼梦》，人民文学出版社 1982 年版，第 1384 页。

是我弄坏了他了。但只是这个丫头也忒傻气！[1]

贾母眼中的泪有自谴，也有自我开脱。联系到林黛玉说的“白疼”，其间的错位是多么的深邃。这个悲剧性的死亡是全书的高潮，其正面描写跟侧面的反应相比，大约只有一比四。林黛玉之死，用笔相对较少，八重错位的感情渲染则浓墨重彩，把全书的主要人物都调动起来了，情感性质是如此的丰富——爱、怨、恨、悲、愤、痛、悔，错位是如此之多元，只是没有拿手的喜剧色彩，因为这是悲剧的最高潮，是悲痛的交响曲，所需要的就是庄严。在悲剧性的复合与丰富构成上，在全世界悲剧艺术史上，《红楼梦》展现了中国古典小说艺术的辉煌顶峰。

四、安娜之死：幻觉的意识流

为了充分阐明这一点，我们把林黛玉之死和托尔斯泰《安娜·卡列尼娜》中的安娜·卡列尼娜之死相对比，她也是为爱情而死。《安娜·卡列尼娜》好像是恰恰相反的，几乎没有什么别人的错位反应，仅仅聚焦于安娜自我内心的感受交织着意识和无意识的流动。

安娜·卡列尼娜觉得伏伦斯基没有全心全意投入爱情，她恼怒、愤恨，要惩罚他，去自杀，让他后悔一辈子。就在她自杀了以后，最重要的干系人伏伦斯基的反应是开枪自杀，但是没死，最后救过来了。但这个后果在《安娜·卡列尼娜》里是怎么写的呢？是隔了一节，才由他人顺便提了一句，就两句话。

托尔斯泰着重展示的是安娜走向死亡的心理过程，写了三节，译成中文是五千字左右。从乘马车到走下月台，都是安娜个人的心理自白、纷纭的回忆、情感的片段、外部环境的断续感知、无序的思绪、带有某种意识流的非逻辑性的色彩，自始至终都以安娜的内心视角展开。

第一，她沉浸在自己极度扭曲的恼恨情绪中。抱着一种恶劣的情绪，家中陈设的家具都引起她的厌恶，仆人的动作都惹她生气，自我折磨的意识沉沉地在潜意识里自我翻腾，连她自己都不认识自己了，有时都忘了自己的动机，不知道在干什么。

第二，对陌生人，根本没关系的人，哪怕是天真的小孩，都会莫名其妙地反感。

第三，时时飞迸出思想的火花，体会到伏伦斯基对她的爱其实就不是爱，而是征服了一个漂亮女性的“虚荣心”的胜利。

第四，托尔斯泰让安娜在自我的内心展示矛盾，一方面是对外部世界和内心感知的无

① （清）曹雪芹、高鹗：《红楼梦》，人民文学出版社1982年版，第1384页。

序激发，一方面则是深邃的洞察，甚至有哲理式的格言式。她在非逻辑思维中冒出了一些哲理："爱情一结束，仇恨就开始……"①

注意了，女孩子都记着这句话，爱和恨是很容易转化的。（全场大笑）

第五，所有这些，是在不连贯的印象断断续续的流逝中呈现的。她这时候还在马车上。

这些街道我全不认识了，还有一座座小山，到处是房子，房子……房子里全是人，数不清的人，个个都是冤家……②

她完全沉浸在自己的恶劣情绪引起的幻觉中。她想到了，即使她离了婚，作为伏伦斯基的妻子，儿子还会不解她为什么有两个丈夫。她的意识边缘出现了路上的女叫花子、欢笑的中学生，思绪还是回到了当下，她和伏伦斯基不可能"幸福"，绝对不可能，他们互相造成对方的"不幸"，又无法摆脱。人生难道就是为了相互"仇恨"，折磨自己，"折磨"别人？生活迫使他们分手，无法挽回。回忆起所谓的爱情，她感到"嫌恶"，又为看清楚了一切而感到"高兴"。她忽而"希望"，忽而"绝望"，她感到自己多么"爱"他，又多么"恨"他。她沉迷在自己的意识流中，几乎忘记了上火车的目的。火车上所有人的说笑都使她感到莫名其妙地"讨厌"。即使彬彬有礼的男女，她也觉得他们是彼此"厌恶""憎恨"的。耳边的笑声使她"恶心"，她真想堵住耳朵。幻觉中，她还有理性：

是的，我很烦恼，但天赋理智就是为了摆脱烦恼；因此一定要摆脱。既然再没有什么可看，既然什么都叫人讨厌，为什么不把蜡烛灭掉呢？③

蜡烛的光，是带着基督教性质的，死亡就是去上帝那里享受幸福。意识在漫无边际地流动。列车员沿着栏杆跑什么？做什么？为什么上面车厢的那些青年人在大声喊叫呢？为什么他们有说有笑呢？

一切都是虚假，一切都是谎言，一切都是欺骗，一切都是罪恶！……④

她的心里有一种混乱的心绪同化着外部纷纭的感觉。整整五千字，全是安娜内心对外部环境的幻觉、错觉的交织。表面上无序、无理，但是，其中明显有焦点，那就爱情、幸福、仇恨、虚伪、欺骗、罪恶，这完全是她潜意识里思绪的分解。解脱不了痛苦，无缘无故对周围的人感到嫌恶。托尔斯泰追求的是，安娜在看似混乱的思维中，明确了自杀的决心，直到最后的死亡，也没有像《红楼梦》那样让他人（探春）一下子感觉到黛玉的手已经凉了。当然，《红楼梦》的作者也没有可能想象出黛玉在最后离开时的纷纭的感受。而托尔斯泰的天才，就是借助安娜混乱的感受（在人群的各自不相干的喧闹中），把握着她逐渐

① [俄]列夫·托尔斯泰：《安娜·卡列尼娜》，草婴译，上海译文出版社1990年版，第668页。
② [俄]列夫·托尔斯泰：《安娜·卡列尼娜》，草婴译，上海译文出版社1990年版，第668页。
③ [俄]列夫·托尔斯泰：《安娜·卡列尼娜》，草婴译，上海译文出版社1990年版，第670页。
④ [俄]列夫·托尔斯泰：《安娜·卡列尼娜》，草婴译，上海译文出版社1990年版，第670页。

明确起来的自杀的决心。她一心想到的是"不，我不再让你折磨我了"，"我要惩罚他，摆脱一切人，也摆脱我自己"①！在投入车轨之前，她画了十字，这个习惯动作，唤起了少女时代和童年时代的回忆，"生命带着它种种灿烂欢乐的往事刹那间又呈现在她面前"②。这里，托尔斯泰的天才表现为：生命的最终时刻，居然是从仇恨到"灿烂的欢乐"；接着，她向车轮跪了下去，同一瞬间，一想到要死亡，她吓得毛骨悚然。

原来是灿烂的欢乐，又变得毛骨悚然，这是车尔尼雪夫斯基在评论他的时候指出的"心灵的辩证法"：

> 托尔斯泰伯爵所最最注意的是一些情感和思想怎样由别的情感和思想发展而来，他饶有兴趣地观察着，由某种环境或印象直接产生的一种情感怎样依从于记忆的影响和想象所产生的联想能力而转变为另一些情感，它又重新回到以前的出发点，而且一再循着连串的回忆而游移而变化；而由最初的感触所产生的想法又怎样引起别的一些想法，而且越来越流连忘返，以致把幻想同真实的感觉、把关于未来的冥想同关于现在的反省融合一起。③

在表现安娜死亡的时候，这种联想和情绪的转换运用得可谓得心应手。

> "我这是在哪里？我这是在做什么？为了什么呀？"她想站起来，闪开身子，可是一个冷酷无情的庞然大物撞到她的脑袋上，从她背上轧过。"上帝呀，饶恕我的一切吧！"她说，觉得无力挣扎……那支她曾经用来照着阅读那本充满忧虑、欺诈、悲哀和罪恶之书的蜡烛，闪出空前未有的光辉，把原来笼罩在黑暗中的一切都给她照个透亮，接着烛光发出轻微的哔啵声，昏暗下去，终于永远熄灭了。④

写死亡的心理感知变幻的流程，其实是托尔斯泰的一个套路。托尔斯泰写柏拉斯库欣也是这样，死在一连串的幻觉变异中。在《战争与和平》中，安德烈公爵是生病死的，他受了伤以后得了炭疽病，然后死掉了。那么，安德烈公爵生炭疽病，生命垂危时的感觉是什么？托尔斯泰这样来写其心理状态：

> 这些人一个个悄悄地消失，只剩下一个关门的问题。他站起来向门口走去，想把门闩上。一切都决定于他是不是来得及把门锁上。他连忙向门口走去，可是两腿不听使唤。他知道来不及把门关上了，但还是拼命使出全身力气。他感到魂飞魄散。其实这就是死的恐惧：它就在门外。当他虚弱无力地向门口爬去时，那个叫人毛骨悚然的

---

① ［俄］列夫·托尔斯泰：《安娜·卡列尼娜》，草婴译，上海译文出版社 1990 年版，第 671—672 页。

② ［俄］列夫·托尔斯泰：《安娜·卡列尼娜》，草婴译，上海译文出版社 1990 年版，第 672 页。

③ 倪蕊琴编：《俄国作家批评家论列夫·托尔斯泰》，中国社会科学出版社 1982 年版，第 27 页。

④ ［俄］列夫·托尔斯泰：《安娜·卡列尼娜》，草婴译，上海译文出版社 1990 年版，第 672 页。

东西正在门外使劲地推，眼看着就要破门而入。那个非人间的东西——死神正要破门而入，得挡住它。他抓住门把手，拼死命抵住门，即使来不及上锁，也得把门堵住，可是他的力气弱得可怜，那叫人毛骨悚然的东西把门推开，接着门又关上了。

它再次在门外推，他使出最后所有的力气也没有用，两扇门被无声地打开了。它走进来，它就是死神。于是安德烈公爵死了。

但就在安德烈公爵死去的一瞬间，他记起他在睡觉；也就在他死去的一瞬间，他挣扎着醒过来。[①]

下面是董秋斯的译本，似乎有些不同：

所有这些人开始消失了，唯一的一个问题，关起那道门的问题，盖过了一切别的问题。他站起来，去把那道门插上，锁起。……但是，他的腿不肯动，他也知道，他一定来不及锁上那道门，尽管他痛苦地用尽他所有的力量。他起了一种恼人的恐惧。而那种恐惧就是对于死的恐惧。它站在门后面。但是，就在他笨重地向那道门爬的时候，那个在另一边的可怕的东西已经在推门，在向里边挤。一种非人的东西——死——正在突破那道门，必须把它关在外边。他抓住门，下死力抵住——锁上它是再也办不到了——但是他的力气是软弱的，笨重的，那道门在那个可怕的家伙的推挤下散开来，然后又关上了。

……

“是的，那就是死！我死了——然后醒过来了。是的，死就是一种觉醒！”于是他的灵魂里立刻亮起来……[②]

这是基督教信念决定的，死亡就是灵魂升华到天国，去享受安宁与幸福。感觉思维活动虽然失去了控制，却达到了平时所不能达到的深度，混乱的感觉带着托尔斯泰的理性光辉，这一点和安娜是异曲同工的。在托尔斯泰的套路中，像《红楼梦》那样去写人死了以后多重的外部反应，他是不在意的。连安娜死后，伏伦斯基自杀而未死的反应，只是在过了一节以后，由他的母亲对别人讲出来，两句话就带过去了。

与黛玉之死正面写在场人物都处于情绪错位的高潮不同，托尔斯泰有意将最严重的后果，通过他人的口轻描淡写地平静地交代了一下。如果可以打个比方的话，托尔斯泰的安娜之死，可以说是一曲小提琴协奏曲，依次呈示、展开，而曹雪芹写黛玉之死则是一曲交响乐。从二者的对比中，可以看出《红楼梦》以情感错位的积累和叠加而显得淋漓尽致，而托尔斯泰则以情感的节奏控制表现得从容不迫。

---

① [俄]列夫·托尔斯泰：《战争与和平》，草婴译，上海文艺出版社2007年版，第1005页。

② [俄]列夫·托尔斯泰：《战争与和平》，董秋斯译，人民文学出版社1958年版，第1647页。

现在，我们似乎有条件对李欧梵先生的世纪困惑做进一步的回答了。要对文本的唯一性做深邃的到位的分析，我们面临的是一个复杂的系统工程。首先是发现矛盾。发现矛盾的方法有很多，有还原，有比较，比较可能陷于随意性，故以系统性为上；但是，即使系统性比较，主要的也不是知识谱系，而应该是形象母题的谱系，有了形象谱系提供的现成的可比性，就有了显而易见的差异和矛盾，这样，在具体分析中，把理论概括抽象所牺牲掉的唯一性还原出来，就有可能了。

谱系的比较和分析最后要落实到单篇个案上来，即使是单篇与单篇的比较，最后也要归结到谱系中来，也就是母题的系列中来。这样的系列可以存在于大型作品之中，也可能存在于短篇的经典名著之中。在这样系统的比较中，具体分析就可能比较全面。但是，从严格的方法论来说，具体分析形成论断，离不开综合，二者结合才能把形象的唯一性用原创的语言概括出来，如前述《红楼梦》中悲剧主人公的自我感觉并不在描绘的中心，而在场人物的复合感知错位却占据大部分的篇幅，而托尔斯泰则相反，主人公之死主要是在自我感觉之中展开，对直接关系人物造成的严重后果却是轻描淡写。这就是分析转化为综合的结论。有了二者的统一还不够，因为这还是静态的，把作品从历史的动态语境中孤立出来的。要穷尽作品唯一的特殊性，还得把他还原到历史发展的过程中去（如：在中国古典诗歌中，概括出陶渊明从激情中突围发现宁静，从华彩突围发现冲淡，形成了历史流派），从逻辑上提升到历史的发展，达到逻辑和历史的统一。

西方文论经典满足于把文本当作静态的成品，把审美的历史变化，当作任意的选择，因而也就谈不上对审美审智的历史逻辑的梳理。其实，一切文学经典，哪怕是个案的，其中也蕴含着民族文学艺术探险的历史积淀，诗歌、戏剧、小说的作者，都是从文学规范形式历史的水平线上起步，又合乎逻辑地走向僵化乃至蜕变、衰亡的。故文学文本解读，追求逻辑的和历史的统一的自觉是必要的。西方文论把作品当作成品，对创造过程（个体和历史的）的忽略使解读变成静态的描述，这就造成更大的局限，那就是脱离了创作论，脱离了创作实践，不屑于让理论进入创作和历史积累、突破的过程。其结果，就是把自己关闭在已知的牢房里，沿着封闭的墙壁踏着不倦的华尔兹舞步。

有了这一切，似乎已经能够表现出文学文本解读学的特质，但是，从严格意义上来说，这还只完成了一半，而且是和文学理论多多少少相近的一半。而另一半则是：如何与创作论接轨，如何把解读还原到创作过程中去，还原出作者在多种可能中的选择，也就是鲁迅所说的“不应该那样写”，或者是朱光潜所说的“读诗就在作诗”。跟着作者一起体验不写什么，才能解读为什么写。在这样复杂的系统工程中，才有某种可能对个案作品的独特性、唯一性作出概括，从而作出评价。

从这里可以看出来，两种文化，两种艺术。一种艺术就是他在人的内心去找寻深邃的人的心灵的幻觉，交织、仇恨、潜意识、错觉，甚至于哲理、回忆，用非逻辑的形式表现出来。另一种形式就是他本人没有感觉，就是几句话：第一，走得更快；第二，痴笑；第三,一口血吐出来；第四，“我那里就能够死呢”[①]，你哭什么！其他都是别人的感觉。这两种艺术都达到了世界艺术的顶峰。

从这里可以看出来，我们欣赏一个艺术品，但我们现在的许多文学评论，我们现在的许多理论，都没有去解决这样一个问题，就是让我懂得艺术。不但懂得他是这样写了，而且懂得他没有那样写。我们要懂得《红楼梦》，必须懂得《红楼梦》没有像托尔斯泰这样写。你们要懂得托尔斯泰，必须懂得托尔斯泰没有像曹雪芹那样写。这个时候，我们就懂艺术了，我们对经典的理解就深刻了。

从这个意义上来讲呢，我们现在读《红楼梦》，我看到许多专家的学问肯定比我大，但是，没有进入作者的内心，没有懂作者的匠心，对《红楼梦》真正的艺术，我们理解得还很不透彻。原因是什么呢？我们孤立地看《红楼梦》，看不出好来，只有把它放在世界文化、世界文学发展的过程中并加以比较，才能看到两个高峰是如此辉煌地互相映照，就是遥遥相对、息息相通，互相映照着各自精彩的、不可重复的艺术高峰来。这使我们读的时候，感到是一种心灵的享受，而且感到对人的一种无限的理解，对艺术家的崇拜——这些家伙太聪明了，这些人真是太值得我们崇拜了。但是，我们今天的人太愚蠢了，我们虽然在享受这种精神盛宴，却不知道这种精神盛宴是怎么做出来的，也不知道这种盛宴跟西方的盛宴是如何在不同的文化土壤里长出来的。

从这个意义上来讲呢，我们今天的小说，许多小说家啊，平心而论，既没有达到托尔斯泰的水平，也没有达到曹雪芹的水平，特别是我们一些风云一时的小说家，我看见就生气。你们知道我最讨厌的一个人是谁吗？你们看过我的文章就知道，我最讨厌陈忠实。他那个《白鹿原》，连大场面都不会写，几千人求雨，所有的人的感知都是一样的，哪里像《红楼梦》，林黛玉死了，每一个人都不一样。写小说起码的法门都不懂的，有机会我们再讲吧，我今天已经一个人独白了两小时，站在这个地方还没觉得累，要不要留下一点时间，对话一下呢？

---

① （清）曹雪芹、高鹗：《红楼梦》，人民文学出版社1982年版，第1362页。

附：

现场问答

问：孙教授您好，您确实很辛苦，以您的年纪，还站了这么长时间。

答：你们这么多人，我站着就有劲头，朝气蓬勃，如果你们只来两个人，我就坐下来，随便聊聊而已。（笑声）说吧，说吧。

问：孙教授您好，我最近比较关注的一种写作方式就是“POV式写作”，意思就是：它不是通过描写整个一件事情，而是通过经历这个事情的不同的人物的独白去写。我想，这种写作手法在一些传统的写作中也是有体现的，比如说您刚刚讲的《红楼梦》，那里面就有很多，比如通过一个人物的视角去看另外一些人物、一些事情。那么，我想问一下，如果只用POV式写作的话，就是说只通过每一个人，就类似于写很多人不同的日记把它交织起来，构成整部小说，这样的写作方式与传统的写作方式相比，您会更倾向于哪一种？就是您认为，二者根本的不同在什么地方呢？谢谢！

答：请坐！我不看好由不同的日记来组成一部小说这一种做法。是有这样的作家，包括苏联的作家，都做过这样的试验。第一，我认为这种写法局限性很大，不同日记不像我现在讲的错位互相交织在一起，一个事件发生不同的反应，它们又互相联系。比如说大家一起哭，大家一起伤心，七批人来了七种不同的感觉，它给人一种非常厚重的感觉。如果你把它分在不同的地方啊，日记是分开的嘛，你要用脑筋把它统一起来，重新构成，那你不是读者而是替作家代劳了。

第二，你讲的是“手法”，我说的不是手法，是艺术，是对人的洞察，不仅是人心里的自我洞察，还是从人与人之间的关系、人与人之间的议论、人与人之间的行动来洞察。曹雪芹没有讲她的心理，他讲了这样的话，比如林黛玉的“白疼”和贾母的“白疼”，就这么两个普通的字，那里面有深刻的含义让你去体悟，我觉得这个办法是非常高超的，也是非常艺术的。因为你可以看到，西方浪漫主义和现实主义浪潮过去以后，西方现代派对小说就没有抒情了，基本上变成叙述了。你们去念海明威那个小说，它就声称废除形容词，不许感叹，不许渲染，最好是只留下动词和名词。如黛玉道、宝钗道、王仁道、巧姐道、平儿道……就是废除了形容词，只剩下动词和名词了，当然，这个是绝对了、太绝对了，但是，里面的精神你要知道。我今天没时间讲，海明威有一个《永别了，武器》，最后，亨利的妻子死亡了，全部是对话，修改了三十七次，那个对话很精彩。今天因为在座的可能也觉得挺累了，我们明天有机会补充一下吧，好吧？谢谢你。

问：孙教授您好，我有一个问题，关于“黛玉之死”。目前我所知的有两种说法，一个就像我们现在所看到的高鹗续本当中的，是病死的，因为有一个说法叫作“晴为黛影，袭为钗妇”，也就是说，晴雯和黛玉其实是有相似之处的，所以她们两个的死法也应是相似的，都是病死。还有一个说法，是前几年比较火的“刘心武讲《红楼梦》”中讲的，他说，有一年中秋节的时候，黛玉和湘云两个人偶遇、联诗，其中有一佳句是“碧塘渡鹤云，冷月葬诗魂”，从这一句可以看出黛玉应该是沉湖而死。对此，您是怎样看的？

答：谢谢你。这个事情隐隐约约我知道，我从来不太喜欢这样的猜测。我们读的是文本，那个猜测的可能性是无限的，猜的最厉害的就是刘心武先生——天花乱坠，太离谱了。他当然有自由，但是，作为学术来说，那样的胡猜确实是中国古典诗话所忌讳的“穿凿”。你讲的那个派的观点，还有说史湘云最后跟贾宝玉结婚了之类的，这个我们不去管它，我根本就不提他这一壶。为什么呢？我们就读文本，我管你考证出来应该怎么样、有可能怎么样，你拿出来给我看看啊，你没有，但是，这现成的文本就够我着迷的了。我要看的是文本怎么样，你又拿不出东西来，恕我直言，完全是胡搅蛮缠，是不是？也可能曹雪芹本来想这样写的，后来呢就没这样写，也可能你猜得天花乱坠，跟我读书，一点关系也没有。你说有另外一种可能性，你拿出来啊，如果比高鹗好，我就佩服你，你又拿不出来，我除了讨厌你以外，别无选择，嘿嘿。

第二辑　演说《三国演义》

第一讲

真善美的错位①

刚才主持人对我进行了一番非常成功的广告，广告最后一句话使我吃了一惊，不止吃了一惊，还冒了一点冷汗，为什么？我带来的提纲是《雷雨》里面的“恶之花”蘩漪，（笑声）可是她宣布讲《三国演义》和人生”，这种不经商量就宣布是什么性质呢？在外交上是很严重的，叫作“悍然单边宣布”。（大笑声）可是我没有带讲《三国演义》的稿子啊。没有带稿子难道就不能讲吗？（欢呼声、鼓掌声）难道我就像一些官员，最大的本事就是神色庄严地念秘书写的稿子吗？非也！（欢呼声，鼓掌声）你们的欢呼和掌声表明，相信我比那些离开稿子就语无伦次的干部要强。（大笑声，一位同学喊叫：肯定强哦）我感谢这位同学的支持，也有信心不辜负他的信任。我的信念是，带讲稿有带讲稿的好处，不带稿子有不带稿子的好处。对于我来说，不带讲稿好处更大。（笑声）为什么呢？这里面有一个演讲和作文不同规律问题，没有讲稿的限制，就很自由啊。可以和你们更好地互动啊，在你们打瞌睡的时候，讲个好玩的段子啊，可以开玩笑，可以发牢骚，可以骂人啊。主要的是，反正我是无“稿”阶级了，一无所有了。彻底的无“稿”阶级是无所畏惧的。（笑声）当然，无“稿”阶级，什么也没有，就真的一点不害怕吗？（笑声）但是，可是，可但是，（笑声）你们笑什么？这是真的，我突然想起来一位著名的演说家李敖先生。他到北京大学演讲，那可真是万人空巷。礼堂太小，一票难求啊，挤到里面去的，非常荣幸。他对挤进来的人说，你不要以为我到北大来演讲，一点不怕，其实我挺害怕。怕什么呢？他说，我没带任何讲稿，他把西装便服往两边这样一拉，这样子（作拉上衣动作），他说，什么稿子都没有。我有点怕，最怕三种人。第一种，我讲话那么久，那么累，可他们从来不鼓掌。听众就心领神会，给他鼓掌了。第二种呢，我才讲了一半，就上厕所的人，听众就又给他

① 本文为蒋烨林女士根据录音记录整理，作者审阅修订。文中的文献材料，是作者审阅时加上的。

鼓掌了。（笑声）第三种呢，上了厕所不回来的人，这是最可恨的。（大笑声）我现在就学着李敖，以李敖的风格来神聊吧。（掌声雷动）

一、关于曹操的美化和丑化

《三国演义》在中国家喻户晓，里面的人物，比如关羽、诸葛亮、赵云、张飞、黄忠等，都是中国英雄观念的某种载体。这样一本世世代代都热爱的经典，甚至受到日本人、韩国人、越南人广泛欢迎，特别是韩国人，据说有一种说法，不懂得《三国演义》的人，不给他讲话。可在我们国内争论却是非常大的。学界的泰斗级的权威人物，现代文学的先驱者们对《三国演义》的评价不高，就是第一个把这一部从“稗官野史”，不登大雅之堂的东西，抬上了正统文学的殿堂的胡适就认为，这本书只可算是一部很有势力的通俗历史演义，不能算是一部有文学价值的书。[①] 鲁迅对它的评价也很低，他说《三国演义》有很大的缺陷，是把其中两个人物写得很差。第一个就是诸葛亮，他说《三国演义》为了强调他的“多智”，智慧超群。如果让我来说，大不了就是超人了，我这样说，是因为我为人比较厚道的，遵循中国儒家的忠恕之道。而鲁迅是不讲这一套的，他不说超人，而是说“多智而近妖”[②]，也就是有点近乎妖怪了。这就是鲁迅的风格——尖锐刻薄。我想如果《三国演义》里的诸葛亮被否定了，那《三国演义》还有什么好看？我曾经问过一个高中学生，看过《三国演义》没有，她说看过。我说那里有些文言、赋体的诗词啊，你看得懂吗？她说，没有问题。我不觉对她肃然起敬。可她接着说，我看的是电视剧。（笑声）我说，电视剧那么长，一连几十天，你哪里来那么多时间啊。她说，我就从三顾茅庐看起，看到诸葛亮死了，就不看了。（笑声）

除了上述两位，毛泽东对《三国演义》也深表忧虑，他认为把曹操写成一个奸雄、坏人十分不妥，历史上的曹操是一个英雄，在三国军阀混战的时候，曹操对平定北方的混战，奠定中国统一的政治、经济和军事基础来说是有重大历史贡献的。

这一点，你们可能没有什么具体的感觉。你们不知道，军阀长期混战，对于老百姓来说，是多大的灾难啊。当时的黄巾军，说得好听一点，是农民起义，说得不好听，就是一群饥饿的土匪。抢到粮食就吃，吃饱了，就乱糟蹋。战乱起于饥荒，战乱更加重了饥荒，导致人吃人的惨剧。《三国志》引魏书曰：

---

① 《胡适文存》（卷一），上海书店出版社 1989 年版，第 52—53 页。

② 参阅鲁迅《中国小说史略》，原文是“至于写人，亦颇有失，以致欲显刘备之长厚而似伪，状诸葛之多智近妖；”见《鲁迅全集》（第九卷），人民文学出版社 2005 年版，第 135 页。对于关羽华容道放了曹操之后孔明的表现，鲁迅的评价是“叙孔明止见狡狯”，见同书，第 136 页。

自遭荒乱，率乏粮谷，诸军并起，无终岁之计，饥则寇略，饱则弃余。瓦解游离，无敌自破者不可胜数。袁绍之在河北，军人仰食桑椹，袁术在江淮，取给蒲蠃，民人相食，州里萧条。①

农民造反军没有长期打算，饿了就抢，吃饱了就丢，弄得部队有时只能吃水草和蛤蚌之类，哪里吃得饱啊。至于老百姓，那就更惨了，“民人相食”，就是人吃人啊。

但是，在《三国演义》中，曹操的艺术形象却被认为是“奸臣”。由于《三国演义》的广泛流传，在广大读者心目中，曹操就不是一个好人。几年前，易中天在中央台“百家讲坛”把这个问题提出来了，他认为《三国演义》中的曹操和历史上的曹操是两个人，《三国演义》的一个致命伤就是把曹操丑化了。②

对于《三国演义》的否定，大致可分为几个方面，第一，就是从历史方面，说他不真实，歪曲了历史上的英雄曹操。第二，从艺术上否定《三国演义》，胡适说得最直白：最后定稿的人，是一群“陋儒”，拘守历史的故事太严，而想象力太少，创造力太薄弱。全书的大部分都是严守传说的历史，不会剪裁，搜罗一切竹头木屑、破铜烂铁，不肯遗漏。至多不过在穿插琐事上表现一点小聪明，所以只能成一部通俗历史，而没有文学的价值。他们极力把诸葛亮理想化，但是，只晓得足智多谋是诸葛亮的大本领，所以诸葛亮竟成了一个祭风祭星的神机妙算的道士。他们又想写一个神武的关羽，然而关羽竟成了一个骄傲无谋的武夫。把一个风流儒雅的周郎写成了一个妒忌阴险的小人。③

第三，以我的朋友刘再复为代表，他倒是肯定《三国演义》在艺术上的成就，在《双典批判》中说：“从文学批评角度上，应肯定《三国演义》是文学杰作。”④但是，他彻底否定《三国演义》文化思想。在同书中，他说《三国演义》和《水浒传》是中国人的心灵的“地狱之门”。不过，《三国演义》是“更深刻、更险恶的地狱之门”。最黑暗的地狱在哪里？最黑暗的地狱不在牢房里，不在战场里，而在人心中。《三国演义》是中国“权术、心术的大全，这些诡术包括儒术、法术、道术、阴阳术、诡变术等等”⑤，“显露的正是最黑暗的人心，它是中国人心全面变质的集中信号”。“《三国演义》是一部心术、心计、权术、权谋、阴谋的大全。”⑥不过“刘备玩的是儒术，那么曹操用的是法术”，前者归结为“阴谋”，后者归结为“阳谋”；“两者都可以置人于死命”。⑦总而言之，这两个人物就是中国黑暗文

① 《三国志·魏书》，中华书局，第10页。
② 易中天：《品三国》（上），上海文艺出版社2006年版，第20页。
③ 《胡适文存》（卷一），上海书店出版社1989年版，第52—53页。
④ 刘再复：《双典批判》，生活·读书·新知三联书店2011年版，第102页。
⑤ 刘再复：《双典批判》，生活·读书·新知三联书店2011年版，第108页。
⑥ 刘再复：《双典批判》，生活·读书·新知三联书店2011年版，第103页。
⑦ 刘再复：《双典批判》，生活·读书·新知三联书店2011年版，第112—115页。

化的地狱之门的代表。

这么多大人物都在批判、否定《三国演义》，但是，并没有损害《三国演义》这个文学经典的一丝毫毛，它还是一代又一代的读者心目中的不朽经典，被视为传统文化的瑰宝。《三国演义》中的人物故事，还进入了现代汉语的基本词语。如“三个臭皮匠，合成一个诸葛亮”“借东风”“赤膊上阵”“空城计”“话说曹操，曹操就到”“赔了夫人又折兵”“大意失荆州”“败走麦城”“挥泪斩马谡”，还有歇后语：“周瑜打黄盖——一个愿打，一个愿挨”“徐庶进曹营——一言不发”，都是有具体的背景故事的，但是，日常口语中运用起来，毋庸多言，心领神会。

面对这些批判性的意见，我很困惑。这么多大家，肯定比我还大，为什么对于《三国演义》中的艺术精华、人生智慧，好像刁德一到了沙家——两眼一抹黑。

我想，其主要原因，在于观念上。

我想，拿《三国演义》和历史比，说他歪曲了历史，这种说法，似乎有悖文学常识。历史的价值是真，小说的价值是美，美的艺术都是假定的、虚拟的。真有真的价值，假有假的价值，只有通过假定、虚拟，才能虚实相生，真假互补，充分表现人物的深层的内心情志。歌德说，艺术通过假定达到更高的真实。艺术的假定、想象和历史的真实，是两种价值，这两种价值是错位的，只有拉开了与真人真事的距离，才有文学的想象，才有审美的自由。

从清代的章学诚，到鲁迅、易中天，再到刘再复，否定《三国演义》都纯粹是以历史的真实为准。

最流行的易中天的说法，影响很大，但并不严密。他说，曹操在历史上是个正面人物，可是在《三国演义》里，变成了个反派角色，被丑化了。事实是，《三国演义》并非只有丑化的一面，相反也有美化的一面。以曹操既有美化，也有丑化，曹操的形象才具有深邃的文学性。这种情况也发生在周瑜身上，按下慢表，先讲曹操。

在《三国志》中，董卓窃取了中央王朝的政权，提拔他为“骁骑校尉”，裴松之注引《魏书》说，他以为董卓“终必覆败”，就改名换姓（变易姓名）偷偷溜了（间行东归，逃归乡里）。到了中牟县被亭长捉住了，有人认识是曹操，把他放了。至于释放的原因，裴松之注解引《世语》说：当时董卓的文书已经到中牟县，有人认为对曹操的这样的“天下雄隽”不宜拘捕，“白令释之”。在《三国志》中曹操固然有政治远见，但是只是消极逃避。可到了《三 国演义》里，则是积极主动地献身。当时司徒王允借着过生日之名，召集高级官员聚会，说董卓把皇帝当傀儡，王朝倾颓。文武百官计无所出，失声痛哭。只有曹操，大笑，说，你们这样哭有什么用处，哭能把董卓哭跑吗？我有办法铲除董卓。你王允不是有一把宝刀吗？借给我，我去把他杀了。曹操冒着生命危险去杀一个大军阀，这和《三国志》里说他溜走是不一样的。曹操主动地深入虎穴，是够英雄的吧。这可不是丑化，而是美化。他知道董卓喜欢午睡，拿着刀去杀董卓。但是曹操踩点不严密，董卓卧榻里面有一面镜子，他刀举起来，董卓从镜子里看到了，翻身过来说你干什么。曹操非常机智，他把刀往头上一举，说我得了一把宝刀献给你。董卓比较迟钝，信以为真，连忙去看宝刀，“见其刀长尺余，七宝嵌饰，极其锋利。果宝刀也”。董卓还让他参观一匹良马，曹操说“愿借一试”，借机溜走。这是《三国志》里没有的。这明明是在美化曹操，不是逃避，而是挺身而出，不但敢于搞一点恐怖活动，而且很机智地脱身。他溜走以后，董卓的干儿子吕布过来了，说刚才曹操匆匆忙忙出去有点可疑啊。董卓说他送我宝刀，可事先又没报告，是不是想杀我。吕布说肯定是，赶紧去追查，不过为时已晚，曹操只有寓所，没有家眷，人一直没有回寓所。《三国演义》这一笔，也是美化，说明曹操很有预见，办事很周密，事先把家小转移到董卓不可控制的地方去。

《三国志》写到有人认为他是“天下雄隽”，就把他放了，但《三国演义》不这么写。逮捕他的人是一个叫陈宫的县令审问他，曹操面临死亡的威胁，表现得大义凛然、慷慨激昂，说姓曹的“世食汉禄”，现在中央王朝产生这样的危机，我们如果不能有所作为的话，与禽兽何异？今事不成，有死而已。曹操表现得壮怀激烈，视死如归，这是《三国演义》对曹操的第三层次的美化。陈宫听了他的话不但没有发火，反而被感动了，认为曹操是真英雄，这样的人不能杀，不但不能杀，而且放弃官宦前程，追随他，跟他亡命天涯，反抗董卓。他以视死如归的精神会感召敌人，从人格效果上间接地美化曹操的人格感召力。这是第四层次的美化。

然后陈宫就跟他一起跑了，到了吕伯奢家里，吕伯奢说，贤侄你在这儿待着，我去买点酒菜来招待你。曹操有点怀疑，自己和他关系并不密切，他这么热情招待我，是不是有异心，正在思考，后屋里传来声音“要不要捆起来”。曹操说吕伯奢肯定是想杀我们，于是曹操和陈宫就先下手为强，到后院杀了八个人，最后看到厨房里捆着一头猪，才知道误会了。易中天说，杀了八个人，这是《三国演义》对曹操的丑化，因为《三国志》里没有写曹操主动杀人，但后来注解《三国志》的裴松之发现曹操的确杀了人的材料，就补注进去，当时曹操之所以产生杀人的意向，是因为吕伯奢的儿子利欲熏心，他想把曹操捆起来报官，曹操先下手为强。所以曹操是迫不得已，易中天说是“防卫”性质的，当然是防卫过当。还有另外一个材料说，曹操听到里了锅碗瓢盆的响声，就怀疑他们要杀自己，于是先下手为强，先把他们杀了，但是又感到十分凄伤，就说事已如此，“宁我负人，毋人负我”。事情到了这种地步，我如果不主动采取行动，就会被别人杀了，所以我是别无选择。易中天说，曹操杀了好人，他是一个“真小人”，但不是一个伪君子。当然，这句话很精彩，但不是易中天的发明，而是从《三国演义》毛宗岗的评点中抄来的，毛宗岗的原文是“心口如一的小人”①。这说明他还感到痛苦，还有人性，用人性的话语为自己的兽性辩护。

《三国演义》写曹操逃出来，遇到吕伯奢打酒买菜回来，说，贤侄你怎么不在我家里坐着，我家里杀猪宰羊款待你，曹操说“避罪之人，不可久居”，我是有罪的人，被人家通缉，总在一个地方很危险，只好走了。比肩而过时，曹操突然回头，一刀把他杀了，陈宫就骂他说，曹兄，我们刚才是杀错了好人，现在有意杀好人，是“大不义也”。《三国演义》的“义”是非常重要的，比生命还重要，是一个人的荣誉，是生命的所寄，所以，《三国演义》从刘关张“桃园三结义”开始。不义之人是在道德上是很卑贱的。这时曹操说了一句很著名的话，“宁教我负天下人，不教天下人负我”。原来材料里说的是曹操针对这件事没有办法了，只好这样，“宁我负人，毋人负我”，只好对不起他，不能让他对不起我，而这里变成“宁教天下人”，针对天下所有的人。这句话成为曹操的人生格言和准则，这样就是把曹操丑化了。易中天的这个论断是有道理的。与《三国志》里提供的材料相比来说，曹操被丑化成了一个血腥的屠夫，有意杀了好人，还大言不惭，理直气壮。

这在刘再复看来，实在是心灵太黑暗了。

但是，这里呈现出来一个矛盾，其性质是价值准则的矛盾。刘再复事先声明说，他在肯定《三国演义》的文学价值的前提下，对其进行文化思想的批判。但是，林岗在《双典批判》的序言中发挥他的思想说：“艺术价值越高，修辞越加精妙，如果它的基本价值是与人类的善道有背离的，那它的‘毒性’越大。就像毒药之中加了糖丸，喝的人只赏其甜味，而不知觉毒素随这进入体内。”②

但是，问题在于，人类心灵并非只有一种价值，而至少有三种价值，这三种价值，并非只是以善为最高准则，按康德的《判断力批判》，一是科学的真，二是实用的善，三是情感的美。这三者是有所不同的。“鉴赏判断是审美的”，“不带任何利害关系的”，“对善的愉悦是与利害关系结合着的”。③实用的善在文学作品中审美价值并不具备准则性功能。用朱

① 陈曦钟等辑校：《三国演义会评本》上，北京大学出版社1986年版，第40页。原文为：“孟德杀伯奢一家，误也，可原也；至杀伯奢，则恶极矣。更说出‘宁使我负人，休教人负我’之语，读书者至此，无不诟之、詈之，争欲杀之矣。不知此犹孟德之过人处也。试问天下人，谁不有此心者，谁复能开此口乎？至于讲道学诸公，且反其语曰：‘宁使人负我，休教我负人。’非不说得好听，然察其行事，却是步步私学孟德二语者。则孟德犹不失为心口如一之小人；而此曹之口是心非，而不如孟德之直捷痛快也。吾故曰：此犹孟德之过人处也。”

② 林岗：《序言：地狱门前的思索》，见刘再复：《双典批判》，生活·读书·新知三联书店2011年版，第3页。

③ ［德］康德：《判断力批判》，邓晓芒译，杨祖陶校，人民出版社2002年版，第37—43页。

光潜的解释，就是科学的真、实用的善和鉴赏的美是三种价值。[①]

从历史的所谓“真实”来看，易中天觉得这种不合经典史书的虚构是没有价值的；从道德的实用理性来看，刘再复觉得，写这样的卑劣心性“对中国的‘世道人心’危害实在太深太大”。[②]而从文学的艺术价值来看，恰恰因为虚构，因为写了人心的黑暗才有深刻的审美价值。这是因为，一方面《三国演义》美化曹操，视死如归、主动献身，他的慷慨赴义的精神可以感动敌人追随他，这是大大地美化；而另一方面。又把曹操写成血的屠夫，这当然是大大的丑化。但是，正是在美化与丑化之间，深深揭示了人性的深层奥秘。

视死如归的热血青年，突然变成一个冷血的屠夫，这看似是非常矛盾的，但是，又是统一的。这种统一，表现为矛盾在一定条件下向对立面转化。这个条件就是，《三国演义》强调的，曹操有一个心理特征，就是多疑。用今天的话来说，就是有点心理病态，心理不健康。曹操的多疑与一般人的多疑不一样，一般人只是怀疑你不一定好意，但也不一定是恶意，可曹操一旦起了疑心，那肯定对方是最恶的意图；一般人猜想他人可能有坏心，在行动上犹豫不决，而曹操是坚决果断地使用最血腥的手段。这正是《三国演义》在艺术上的深邃所在。在一个短暂的时间里，英雄打出了常规，走向了反面，由于怀疑，心理不健康，英雄变成了小人，视死如归的热血青年变成了冷血的屠夫。

《三国演义》的作者之所以把曹操的心地写得这么黑暗，并不是存心去毒害中国的“世道人心”，而是通过假定和虚拟，从美化到丑化，揭示了：英雄不一定永远是英雄，坏人不一定绝对是坏人，二者是可以转化的。在曹操这里，转化的条件并不是外在的，而是内在的，英雄内心的不健康，使他在瞬间变成了恶魔。

刘再复虽然感到《三国演义》是“文学杰作”，但是，他到了文学杰作深邃、审美价值最精彩的地方，却没有把文学当文学，只是从中割出一个丑恶的片段，当成全部。其实，《三国演义》的文学价值的辉煌，还不仅仅在此，而且在于把这种多疑的不健康心理作为整个人物的性格核心，贯穿在他全部生命的历程中。赤壁之战前夕，诸葛亮的草船借箭，是很冒险的，二十条小船，全是稻草束、军乐队，居然大张旗鼓进攻，之所以能取得胜利，就是因为曹操多疑。曹操认为诸葛亮为人谨慎，大雾之中公然进攻，怀疑有埋伏。就中了诸葛亮的计算。

诸葛亮的这种计谋，在读者看来，是军事智慧，对天气和人心的洞察；而鲁迅看来，准确地预测三天之后必有大雾，则是多智到近乎妖怪；而按刘再复的逻辑，完全是阴谋诡计。

---

① 朱光潜：《朱光潜美学文集》第一卷，上海文艺出版社 1981 年版，第 448 页。

② 刘再复：《双典批判》，生活·读书·新知三联书店 2011 年版，第 102 页。

关于诸葛亮这一点，我在这里暂且按下慢表，另外单独讲一次。

现在只说曹操。《三国演义》的非凡艺术魄力在于，让他最后也死在多疑上。他脑子里长了一个瘤，当时有个神医华佗诊断，可以治的，只要把头壳锯开，取出瘤来就好了。曹操怀疑了，把脑壳锯开，那不是要我的命吗？不行，不但不让华佗治，还把华佗关起来，结果死在了监牢里。曹操最后就死于脑瘤。

这一笔，看来是小情节，在曹操整个军事政治生涯中，所占篇幅也不大，没有多少渲染。但是，这正是《三国演义》作者举重若轻，寥寥几笔高度统一了曹操在漫长过程中性格特征。如果说开头杀吕伯奢是凤头，历次战争中的丰富表现是猪肚，这一笔，则是豹尾。这个豹尾得力于作者是对历史素材的天才改编。

史书《魏书·华佗传》说华佗的医术虽然高明，但心中常感委屈，身居士大夫阶层，乃是官员的后备军，从事医术，属于“方技”，当时被视为“贱业”。对曹操的头痛，华佗说：“这病在短期之内很难治好，即便是长期治疗也只能延长寿命。”华佗得不到重用，有点怠工，说收到家书，要回去。到家之后，说妻子病了，反复续假。曹操三番五次让华佗回来，又下诏令郡县征发。华佗自恃有才，厌恶为人役使，仍不上路。曹操便派人去查看：如果华佗的妻子真的病了，赐小豆四千升，放宽期限；如果欺骗，就逮捕。调查结果是华佗撒谎，于是把华佗递解入狱。汉朝的法律此等罪名属于：第一，欺君；第二，不从征召。曹操的谋士荀彧（按《三国演义》作贾诩，因为荀彧已死）求情说：“华佗医术高明，关系人命，最好宽容一点。”曹操说：“除了他，天下就没有这种无能鼠辈吗？”终于把华佗在狱中拷问致死。华佗临死前，拿出一卷医书给狱吏，说：“这书可以用来救活人。”狱吏害怕触犯法律不敢接受，华佗只好忍痛，讨火烧掉。[①]

这个素材，《三国演义》做了根本的改动，取得了伟大的成功。把华佗的怠工致死之因，改动为他诊断需要劈开头颅，以麻沸散麻醉。虽然华佗曾经为周泰治愈了多年的头痛，但是这却引发了曹操的多疑，将其关押拷打致死。

《三国演义》以多疑从开始到结束贯穿曹操的生命，艺术的成就很了不起：第一，把多种历史的、野史的、传说的分散的素材在性质上转化多疑，并以之为核心，构成人物性格的核心；第二，让这种性格在发展中，越来越造成严重的后果。曹操开头的多疑导致他从英雄变成冷血的屠夫，后来的多疑导致中了孔明的计策，乃是战役上的失败，最后的多疑，导致的后果不仅仅是他自己的死亡，而且是中国医学的重大损失。华佗把手稿托人带回家

---

① 张骥《后汉书补注》引《神仙纲览》曰：“吴质狱每以酒食供奉，佗感其恩曰：‘我死非命，有青囊未传，二子不能继业，修书与汝，可往取之。’吴至金城，取而藏之。佗知不免，大饮如醉而殂。吴奔回家，向妻索书，妻曰：‘纵得神仙术，终使毙于狱中，故我以囊烧毁也。’吴叹恨不已。”

中，妻子误以为从医导致死亡，乃将医书烧毁，虽幸而有人抢得廖廖数页，但仍致使中医宝贵学术成果（如麻沸散这样的麻醉剂）的重大损失。

这里不合史实的虚构，着重刻画了曹操心理的黑暗，但是，从其原因和后果来看，明显含有对这种心理黑暗的批判。当然，这里有对他自作自受的批判，也有对他的怜悯，这正是亚里士多德《诗学》中讲的“卡塔西斯”，也就是恐惧与怜悯。作家不是法官，铁面无私，也不是道德家，眼里容不得一点罪恶。相反，从审美价值出发，作家只能把人当作人，不管他在道德上是善人，还是恶人，是欺骗还是坦率，总是把他当作人。他的任务，就是把人的心灵内在的深层的奥秘，展示在读者面前，把倾向潜藏在情节的逻辑之中，其不朽在于其审美价值，而不是历史价值和道德价值，更不可能因为道德价值的恶的展示，而损害其审美价值。

《三国演义》之所以成为文学杰作，还在于它在大开大合的情节和丰富辉煌的场面中，层层揭示人的心灵，不是静止的，而是不断在运动的。

在《三国演义》中，表现得最为艺术的，往往就是既有性格的统一性，又有丰富的变幻性。这种变幻大致分为两种形态，第一种，是量变，基本上是保持固定的特征，这反映了人的个性有稳定性的一面。善良的人，善良有一贯性。鲁莽的人，如许褚，永远是有勇无谋，赤膊上阵，吕布永远是背信弃义，赵云永远是一身是胆，万夫不当。这些人物，在《三国演义》中不在少数，都不算是最成功的艺术形象，被《三国演义》专家齐裕昆认为是“类型化”的，而不是个性化的。这种人物当然也不算概念化，因为它毕竟表现了性格在不同的环境中的相对统一性。在这方面，《三国演义》也有相当成功的范例。像诸葛亮的忠于刘备的信念，从“三顾茅庐”，被感动而出山，到执掌蜀国大权，再到刘备死后，始终不变。明明可以像曹丕，还有后来的司马昭那样，把小皇帝当傀儡，最后取而代之。但是，他没有，始终是鞠躬尽瘁，死而后已。但是，这种统一性，也不是绝对的，在统一中也有量变。“三顾茅庐”那时，二十六七岁，书生意气，指点江山，雄视八方，运筹帷幄，何等自信，青年诸葛亮的天真和乐观，带着某种空想。但是，到了刘备与东吴失和，被陆逊火烧连营七百里，病死白帝城以后，他在给刘禅的《后出师表》中，就不那么乐观了。“固知臣伐贼，才弱敌强也。然不伐贼，王业亦亡。惟坐而待亡，孰与伐之？”明知敌强我弱，与其坐以待毙，不如拼死一搏。这就相当悲观了。其具体情形，请允许我下一次讲。

人的性格的核心就是人与人的区别，所谓“江山易改，本性难移”。这个说法，是很极端的。“江山”说的是大自然的地壳运动，本来相对于人的心灵，其变动是很缓慢的，往往是以数千百年为单位的，而人的心理，则可能是瞬息万变的。但是，这个谚语说的是，虽然情绪瞬息万变，但是，就其核心特征来说，其统一性是比大自然还要稳定的。这个说法，不能说没有一点道理，但是，就个人的复杂经历而言，这显然是太绝对化了。人的性格特征，毕竟不是僵化的，而是随着时间、地点、条件而变幻/运动的。如果一味不变，就可能像木头人了。试想曹操多疑，从狼狈奔命到执掌国柄都是多疑，别无其他特征，肯定就比较单薄、平面。

因而，不能老眼光看人。人是会变的。所谓士别三日，便当刮目相看。

《三国演义》中曹操形象的杰出，就在于还写出了他与多疑相反的一面。那就是他的自信、不疑。

二、关于伪和美的错位

最突出的是对待刘备。当时刘备势单力薄，没有自己的部队，老婆孩子还被人俘虏了好几次。五易其主，实在走投无路，投靠了曹操。曹操麾下很多有战略眼光的谋士都认为应该杀了刘备，此人虽然一无所有，但是他姓刘，拥有王朝正统的合法性，而且他又有野心，如果不杀，必将成为后患。曹操却很自信，不怀疑刘备，小瞧了刘备。觉得这个人没有什么出息，所以他一直不杀刘备。

按刘再复的实用理性的道德律来看，这应该是曹操胸怀坦荡，光明磊落，是莫大的亮点了。但是，从情节发展的后果来看，《三国演义》的倾向显然是在表现曹操在政治智慧上的大失误。这里的实用理性是负价值。而从文学的审美价值，此乃是正价值——展示了他多疑的性格核心的反面，使得他的性格立体化了。

在这一点上，刘再复似乎是不清醒的。正如林岗在序中所说，《三国演义》的“基本价值观是与人类的善道有背离的”。这就是说，刘再复的价值观念，事实上是绝对的“善”，善和美是统一的，但是，审美价值观念却并不一定符合“善”。二者的关系并不是统一的，一些不善的行为，恰恰是很美的。例如，第五十回毛宗岗的回评曰：

> 曹操于舟中舞槊之时，既大笑，今在华容败走之前，又大笑。前之笑是得意，后之笑是强颜；前之笑是适己，后之笑是骂人；前之笑，是既乐极生悲，后之笑又非苦中得乐。前之笑与后之笑，都无是处。[①]

从道德价值观念看来，这些笑都是不善的。横槊赋诗之时的笑，还杀死正直进谏他的人；华容道之笑，失败了以假笑诸葛亮用兵有失，不如自己，以鼓舞士气。虽然从道德的善来说，是虚伪的，是负价值，但是从审美价值来说，这正表现了曹操的心理气质和精神

① 朱一玄、刘毓忱编：《三国演义资料汇编》，百花文艺出版社1983年版，第384页。

特征，是正价值。毛宗岗的分析更深刻的是把曹操的笑与他的哭加以对比：

曹操前哭典韦，而后哭郭嘉。哭虽同而所哭则异：哭典韦之哭，所以感众将士也；哭郭嘉之哭，所以愧众谋士也。前之哭胜似赏，后之哭胜似打。不谓奸雄眼泪，既可作钱帛用，又可作梃杖用。奸雄之奸，真是奸得可爱。[①]

毛宗岗的分析真是入木三分。哭典韦，意不在伤猛将之死，而是表演，作为三军统帅公然出涕，以爱将之情激励活着的将士；而哭郭嘉，打了败仗，说是如果郭嘉在，就不会如此败北了。这一来是为自己开脱，二来是用死人压活人。虽然这在道德上都是虚伪的，但是在审美上是深刻的、独特的，故毛宗岗最后的结论是“奸雄之奸，真是奸得可爱”。从道德的善来说，是奸诈；从审美来说，是“可爱”。

刘再复之失，关键在于把实用理性道德价值绝对化到压倒了惊心动魄的审美价值的程度。他对刘备的批评，集中在一个道德的“虚伪”和“权术”上。他说：“被《三国演义》捧为正面形象的仕君刘备，其特点也是只有权威而无至诚。”“刘备的胜利乃是伪装的胜利。”[②]刘再复又把伪装的权术，通俗化为“骗术”。在这方面，他认为曹操还不如刘备。他以青梅煮酒论英雄为例来说明，这个片段是理解刘备的“钥匙”。

刘备参与了国舅董承等杀掉曹操的密谋，因而在曹操的门下很谨慎，不敢表现出丝毫的野心，伪装胸无大志、很笨、很傻、很土，安分守己，成天种花养草，连关公、张飞都不理解：“兄不留心天下大事，而学小人之事，何也？”曹操请刘备喝酒，就是著名的“青梅煮酒论英雄”，曹操问刘备，现在天下英雄并起，你看在各路人马中谁是真英雄。刘备知道如果自己讲得很有见地的话，曹操会起疑心，为了麻痹曹操，他尽挑一些曹操瞧不起的人物，如袁绍、刘表、孙策，以至于不上台盘的张绣来应付。曹操哈哈大笑，你讲的都是蠢猪，英雄应该是“胸怀大志，腹有良谋，有包藏宇宙之机，吞吐天地之志者也”，“天下英雄，唯使君与操耳”。天下数得上的英雄就是你和我。如果是我，听到一个掌握了中央政权的领导，对自己如此高的评价，是不是会心花怒放，得意忘形？我没有把握。（笑声）但是，刘备城府很深，不但没有开心，反而吓了一大跳，手里的筷子掉在地上了。曹操就问怎么了，这时正好打雷，刘备就说自己从来胆小，一听见雷声心里就惊慌，就吓得筷子都掉了，曹操哈哈大笑，英雄居然还怕雷声，这家伙不足为虑。就对他不再多疑。曹操非常迷信自己对刘备的判断。后来，还给了刘备五千军马去攻打袁术。他的谋士郭嘉、程昱就说了，昔日就劝你杀了他，你不杀，如今就是不杀，也不该给他军马。这一去肯定就肉馒头打狗——有去无回了。曹操只派许褚领五百人去追，无果而归。但是，他的自信、自恋

① 朱一玄、刘毓忱编：《三国演义资料汇编》，百花文艺出版社1983年版，第384页。
② 刘再复：《双典批判》，生活·读书·新知三联书店2011年版，第103页。

使他不承认错误，还要说，自己既然派遣了他，就不应该多疑。结果是把刘备放虎归山。

如果按刘再复的道德理性来衡量，曹操在这里应该是胸怀坦荡的，但是，读者却感觉不到，原因是读者并没有忘记前文中曹操的多疑和这里的自信、自恋对立中高度的统一。形象就立体化了。这样对人的信任，这样的被骗，并没有在读者心目留下胸怀坦荡的感觉，而多疑与自信的心理奇观。这不是道德的善的混乱，而是审美价值的胜利。

青梅煮酒论英雄，不但表现了曹操多疑和自恋，也生动地刻画了刘备的两面性。这个人是有政治野心的，他在三顾茅庐的时候，对诸葛亮说过，“备欲申大义于天下”，在《三国志·诸葛亮传》中是“孤欲申大义于天下”，《三国演义》的作者可能觉得，这太狂妄了，当时刘备在新野练兵，全县最多一两千百姓，充其量也就养得起一两千兵马，怎么能够称孤道寡起来，就改成自称“备”。当然，刘备立志要夺取中央王朝的政权的。但是，寄人篱下，他能够韬光养晦，达到没有自尊程度。如果按刘再复的观念来看，这是道德上的虚伪，是狡猾的“面具”，这种面具很可恶，“人心愈险恶，面具愈精致，伪装愈巧妙，成功率就愈高”，“关键不在身具万夫不当之勇，而在身戴无人可比的面具”。[①] 但是，如果按此逻辑，刘备不伪装，不以“无人可比的面具”来麻痹曹操，应该是胸怀坦荡地对曹操说，我已经奉了皇帝的密诏，就是要杀死你。这样的话，道德律倒是胜利了，可是刘备就不是一个“胸怀大志，腹有良谋，有包藏宇宙之机，吞吐天地之志”的英雄了。具有这样高贵的人格，一来，刘备就不是刘备，而是刘再复了；二来，作为形象，就单薄了。何以见得单薄？请允许我做文本的具体分析。

这里有个很关键的问题，那就是《三国演义》是一部军事小说，而不是一部劝善惩恶的教科书。全书的绝大部分都写打仗，而且非常有特点的是，正面战场，主要取决于将领的勇敢和武力，成千的兵士不过是摇旗呐喊而已。真正决定胜负的，却并不是战场上的将领，而是背后的谋士。徒有匹夫之勇，往往是被贬低的，如许褚之赤膊上阵。就是张飞也往往因为缺乏计谋闹出一些喜剧性的插曲。《孙子兵法·计篇》：“兵者，诡道也。”《谋攻篇》：“上兵伐谋，其次伐交，其次伐兵，其下攻城；攻城之法为不得已。”故《三国演义》的许多关键战事，很明显的一种逻辑，不是大勇决定胜负，而是奇谋决定胜负。故曹操、刘备都把争取奇才放在第一位，刘备得诸葛亮，乃有如鱼得水之感。关张倒放在一边了。故曹操为争取奇才徐庶，不择手段，不讲道德。官渡之战，不取决于阵前交锋，而是断其粮草；赤壁之战，无连环计、反间计、苦肉计则不能以弱胜强；街亭之败，由于扎营无水之山上；空城计，解脱了诸葛亮当俘虏之险。可以说，三国演义的主题就是奇谋决胜，无谋（有勇无谋）必败。奇谋就是临变制机，料敌设奇，欺骗敌方，隐蔽意图。军事的常

① 刘再复：《双典批判》，生活·读书·新知三联书店2011年版，第102页。

道，就是要讲诡计的，这叫作“上兵伐谋”和“其次伐交”。故能“不战而屈人之兵”（谋攻篇）。四面楚歌，成为搞心理战、蒙蔽敌人的经典。如果大家都诚实，那根本就不用打仗，真打起来，把自己的意图诚实地告诉给敌方，是自取灭亡。宋襄公式教条式遵循王道，在敌军渡河之时，不出击，一定等到人家渡过河列成阵了才正式开战，结果大败，留下了历史的笑柄，淝水之战则相反，取得了胜利。曹操尝言兵不厌诈，虚则实之，实则虚之。这是基本的生存智慧和取胜之道。当然，刘再复也肯定“兵者诡道也”这样的军事规律，但使他深恶痛绝的是，“从‘三国演义’开始，中国的诡计从军事进入政治，进而泛化到一切人际关系领域”[①]。把政治和军事绝对地分割开来，这话就有点匪夷所思了。克劳塞维茨有言：军事乃是政治的延续，政治是源，军事是流。二者是心脏和血管的关系。何况三国的军事斗争，乃是为了争夺政权。历史上，哪里有过没有政治原因的军事斗争？春秋战国，楚汉之争，哪一次战争不是政治野心导致的？西汉七国之乱，西晋八王之乱，哪一次不是政治上的钩心斗角，导致了公开的血战？唐太宗李世民并没有读过《三国演义》，在危急关头，也会搞阴谋，突然袭击，发动玄武门之变，把哥哥李建成、弟弟李元吉杀了，强制老父亲退休。中国几千年的宫廷政治斗争，有关社稷生民，成王败寇。故麻痹敌方，出其不意，攻其不备，就政治军事和政治斗争而言，各施诡计，双方是对等的。作为文学的审美，不管他是好人还是坏人，都是人，并不仅仅为生理满足而生，人皆有好胜之心。这是人性。故体育竞技是体胜，选美是貌胜，市场经济是科技营销胜。《三国演义》中核心就是斗智，以智胜。好人胜了，大快人心，坏人胜了，说明好人是智不如人，坏人智高一筹，也值得赞叹。

当然，刘再复不是等闲之辈，他对政治智慧是肯定的，但是，令他深恶痛绝的是，在中国，尤其在《三国演义》中的“政治智慧”发生了“变形”，本来健康的古典文化变质了，变成了“伪形”。[②]一是智慧权力化；二是智慧权术化。[③]殊不知《三国演义》各方拼的就是政治权力，把智慧用到政治权力争夺中去是必然的。刘再复还批判《三国演义》把争权之术延伸到“一切人际关系领域”，这就更离谱了。在政治军事领域，人际关系的“诡术”“诡行”“诡态”，中外古今皆然。

刘再复自述，他所说的文化的“原形”和“伪形”学说，是来自德国斯宾格勒的《西方的没落》，其第十四章、第十五章讲的就是阿拉伯历史文化的“伪形”化。[④]但是，这位斯宾格勒的大作，虽然书名是“西方的没落”，但从根本上是西方文化中心论，而且是变本

① 刘再复：《双典批判》，生活·读书·新知三联书店2011年版，第106页。
② 刘再复：《双典批判》，生活·读书·新知三联书店2011年版，第10页。
③ 刘再复：《双典批判》，生活·读书·新知三联书店2011年版，第150页。
④ 刘再复：《双典批判》，生活·读书·新知三联书店2011年版，第10页。

加厉，是德意志文化中心/优越的极端之作。他说，世界上有过八种文化，其中七种（埃及文化、印度文化、中国文化、古典文化、阿拉伯文化、墨西哥文化）已经死亡，"只是作为一种死尸，一些无定形、无精神的人群，一种伟大历史的碎片而存在下去"[①]。只有西方文化还处在文明的第一时期，这个时期的特点是不断战争和革命，一个大文化区内的各个国家经过互相攻伐以后，最终结合于一个大帝国的统治之下。他指的是从拿破仑到20世纪。"各个大陆将被孤注一掷，印度、中国、南非、俄罗斯、伊斯兰将被召集……主要的世界都市的权力中心将随意处置较小的国家——它们的领土地、它们的经济，它们的人民……在这血和恐怖的灾难中，一再响起民族和解、世界和平的呼声……"虽然，他认为这些愿望应该受到尊重，但是，"生活""不允许在战争与和平之间选择，""只允许在胜利和毁灭之间选择，胜利的牺牲品是属于胜利的"、最后则是"强者战胜，赘余的人则成为他们的战利品"[②]。斯氏还强调"帝国主义是不论何种文明的十分必要的产物，因而当一个民族不肯承担主人任务的时候，它就为他人所掌握，置于统治之下"[③]。他所期待的是在未来理想时代（他给这个时代的命名是"恺撒主义"），其特征是"真正的重要性集中在完全个人的权力，行使个人权力的人是恺撒"。[④]斯宾格勒把德国民族当作西方最高的希望，它负有完成西方历史最后一个阶段的伟大使命。[⑤]在本书的译者齐世荣看来，该书的"斯宾格勒作为一个客核心就是西方文化是唯一有生命的、优越的文化，20世纪是西方人的世纪，德意志民族的历史使命，就是主宰全球"[⑥]。这就难怪此种种族优越论要受到法西斯的欢迎了。而在真正的思想家卢卡奇看来，"这种'历史'形态，唯我主义的本质，对于法西斯种族主义说来是一个方法论上的范例。法西斯对待其他种族那种野蛮的非人道态度的'哲学'根据就是建立在这样一种唯我主义的种族结构上的：种族之间完全陌生，互相敌对，壁垒森严，互不沟通的情况就像斯宾格勒的文化圈之间的关系一样"[⑦]。在狄尔泰看，江湖串艺人或

① ［德］奥斯瓦尔德·斯宾格勒：《西方的没落》上册，齐世荣等译，群言出版社2016年版，第38页。

② ［德］奥斯瓦尔德·斯宾格勒：《西方的没落》下册，齐世荣等译，群言出版社2016年版，第523页。

③ ［德］奥斯瓦尔德·斯宾格勒：《西方的没落》下册，齐世荣等译，群言出版社2016年版，第523页。

④ ［德］奥斯瓦尔德·斯宾格勒：《西方的没落》下册，齐世荣等译，群言出版社2016年版，第523页。

⑤ ［德］奥斯瓦尔德·斯宾格勒：《西方的没落》下册，齐世荣等译，群言出版社2016年版，第166页。

⑥ 译者齐世荣的序言《德意志中心论是比较文化形态学的比较结果》，见［德］奥斯瓦尔德·斯宾格勒：《西方的没落》下册，齐世荣等译，群言出版社2016年版，第7页。

⑦ ［匈］卢卡奇：《理性的毁灭》，王玖兴等译，山东人民出版社1997年版，第419页。

业余爱好者不能算是有才华的，在绝大多数情况下只能说浅薄和轻率的。[①]

刘再复的理论根据居然就是这样一种把西方文化优越感发展到接近法西斯的程度的学说。按照这种学说，除了西方的文化传统，其他民族的伟大文化传统都只能是退化的，从“原形”向“伪形”退化是普遍规律，只有西方 / 德国文化是例外。斯宾格勒比较熟悉的是西方文化，对书中涉及的其他文化，一知半解，甚至错误百出。对中国文化尤其如此。译者齐世荣先生指出：“他竟把李斯的老师荀子当作孙子。这暴露了他对中国历史知识贫乏到了何等的程度，可是他却敢在书中多处侈谈中国文化。”[②]

刘再复作为一个严肃的学者，对此不加反思，就全盘照搬，以其东方文化从“原形”向“伪形”退化为放之四海而皆准的规律，拿来套中国数千年的文化史，轻率地论断中国传统文化也如阿拉伯文化一样，从“原形”向《三国演义》这样的“伪形”退化。他说《山海经》中的夸父、精卫等，本来是非常美好的：

> 我国古代的神话英雄，不仅知其不可为而为之，而且其所作所为都是建设性的，都是为人民造福的。要么为天下赢得安宁，要么为百姓治理洪水。这与后来《水浒传》《三国演义》杀人英雄和玩弄权术阴谋的英雄完全不同。[③]

这里的诊断缺乏严肃的具体分析。古代神话人物固然有女娲补天、大禹治水那样为人民造福的英雄，但是，并不完全如此。如《山海经》中的精卫填海。“游于东海，溺而不返，故为精卫，常衔西山之木石，以堙于东海。漳水出焉，东流注于河。”这是为了复仇。《列子·汤问》：“昔共工与颛顼争为帝，怒而触不周之山，天柱折，地维绝。天倾西北，故日月星辰移焉；地不满东南，故水潦尘埃归焉。”完全是为了“争帝”。共工的蛮性，是原始的，造成了天崩地裂的后果，根本不是“为天下赢得安宁”。从科学的眼光看来，这样的天崩地裂的造山运动，超过十级地震，对人类来说，乃是万劫不复的灾难。与刘再复的“建设性”是背道而驰的。《山海经·海外西经》中记载：“刑天与帝争神，帝断其首，葬之于常羊之山，乃以乳为目，以脐为口，操干戚以舞。”刑天是为了“争神”。根本谈不上为人民造福。他们的行为特点是盲目性，根本就是野蛮的，谈不上什么“英雄”。这一切和14世纪才完成的《三国演义》根本没有逻辑的联系。怎么因斯宾格勒一说，就成为中国政治智慧退化变质，世道人心变伪、变诡的原因了？儒家的“杀身成仁”“舍生取义”“威武不能屈”“士可杀而不可辱”等深厚的传统就不翼而飞了，只有《三国演义》深入人心？这些话如果是我说的，可能要引起你们怀疑这个老头子是不是太弱智了，就是太幽默了。（大

---

① 译者齐世荣的序言《德意志中心论是比较文化形态学的比较结果》，见该书第 7 页。

② 齐世荣的序言《德意志中心论是比较文化形态学的比较结果》，见该书第 11 页。

③ 刘再复：《双典批判》，生活·读书·新知三联书店 2011 年版，第 512 页。

笑声）再说，《三国演义》不是“三言二拍”，不是《儒林外史》，不是《红楼梦》，它表现的都是帝王将相的谋略，根本没有写到平头百姓的日常生活，把它作为中国多“诡术”“诡心”“诡态”的证据，是不是给人以滑稽的感觉？

《三国演义》中的用兵之道，都是奇谋至上，“兵者，诡道也”，“上兵伐谋，其次伐交，其次伐兵”都是把智谋放在第一位的，以诡道取胜为上，以冷兵器杀戮为下。这种诡道多端的战争，不是通常的所说的以情动人，而是以智取胜，以智撼人。在这种情况下，康德的审美价值论，就不够用了。

三、审智的经典文本

一部伟大的作品，之所以说不尽，就是因为它的丰富，它的复杂，它的深邃，往往是现有的理论加起来都难以充分阐释的。作品越是伟大，越是不朽，现有的理论越是显得苍白，傻乎乎地用现成的理论去套，或者说得文雅一点吧，阐释，难免捉襟见肘。最傻的是，纯用一种理念，而且是非文学的某种单一的观念，强制性地扭曲经典。鲁迅先生不明于此，用真实论否定诸葛亮，易中天以历史否定艺术美化与丑化结合的深度，二者的理论，基本上属于机械反映论。胡适以单薄的想象论否定周瑜等，理论上接近于表现论。刘再复的道德论属于实用理性范畴，想来不够用，就拉上德国人的东方文化伪化/退化论来强制性阐释，从根本上否定《三国演义》的思想和艺术深度。

文学经典越是伟大，现成理论越是苍白。越是从现成的概念出发，而不是从文本的实际出发，越是指手画脚，越是渺小，连鲁迅、胡适都不例外。易中天、刘再复更是不在话下了。当然，补充一句，我孙绍振是最渺小的，是渺小中的渺小。可是渺小归渺小，我要发出反对渺小的嚷嚷。（大笑声）

要真正理解《三国演义》，我想不但要有现成理论的总和，而且要求在解读文本的基础上，扬弃、批判，甚至颠覆，发展出新的理论和范畴系统来。我之所以敢在这里，解读这部伟大的作品，就是为了实现我的雄心壮志——第一，把康德的审美价值论贯彻到底，第二，光有康德的审美是不够的。因为《三国演义》我说过了，是一本军事小说，而其胜负又不是仅仅武力，更多的是斗智，当然也结合着斗气。光有审美情感价值论是不够的，所以强调在逆境中保存自己的智慧，以奇谋转化为顺境，这不仅仅是情感的，而是抑制情感，主要是智性质的。因而，康德的体系要突破，我在自己系统的理论著作中，提出“审智”。这个范畴比较抽象，我没有正面讲，只是按审美与审智的结合具体分析。最早做这样的试探，是 1999 年，第一篇文章是《余秋雨：从审美到审智的断桥》(《当代作家评论》2000 年第 5 期），后来还出版了《审美、审丑与审智》(广东人民出版社，2014 年)。

在这里不便大讲纯理论问题，我们还是把重心放在《三国演义》的人物分析上，以检验“审智”的可靠性。

在艺术上，人物性格的内涵本来就不可能是纯情感的，深刻的人物情感的深层是有意志，有智性的。所以黑格尔才说：“美是理念的感性显现。”[①] 高度审美的形象是离不开智慧/意志/理念的。可是这一点鲁迅有点不理解，他在《中国小说史略》中说，《三国演义》“欲显刘备之长厚而似伪”[②]。这种“伪”是完全必要的，是高度的政治智慧，没有这种伪，不对情感克制，刘备早就被曹操杀掉了。

这种处于逆境下的智慧，有两种传统，一是孟夫子的“威武不能屈”，和刘备不同的，完全没有人格面具的理想人格，在《三国演义》里不是没有体现。有一个当时著名的文人叫祢衡，现在有一个京戏叫《击鼓骂曹》，就是表现他的。祢衡有名士派头。他公开把曹操部下的文武百官都贬得一文不值，大抵皆是“衣架饭囊，酒桶肉袋”。曹操问：你有什么本事呢？祢衡说：“天文地理，无一不通；三教九流，无所不晓。上可以致君为尧、舜，下可以配德于孔、颜。”有人建议杀了他，曹操不想担杀名士之名，想侮辱他一下，安排他当一个鼓吏，也就是早朝晚宴的乐工。祢衡并不推辞。按规范“挝鼓必换新衣。”祢衡当众脱下衣服，裸体而立，浑身尽露，坐客皆掩面。祢衡从容穿裤子，颜色不变。曹操叱责他，祢衡说：“欺君罔上，乃谓无礼。吾露父母之形，以显清白之体耳！”曹操说：“汝为清白，谁为污浊？”祢衡说：“汝不识贤愚，是眼浊也；不读诗书，是口浊也；不纳忠言，是耳浊也；不通古今，是身浊也；不容诸侯，是腹浊也；常怀篡逆，是心浊也。吾乃天下名士，用为鼓吏，是犹阳货轻仲尼，臧仓毁孟子耳。”这个祢衡一点也不伪装，一点不讲生存智慧，干脆豁出去，骂个痛快。曹操用借刀杀人之计，将祢衡送到刘表那里，祢衡还是公开瞧不起刘表的人，刘表也不愿担杀士之名，将他送到草包黄祖那里。黄祖问祢衡，你在曹操那里看到有什么出色的人才？祢衡说，没有什么像样的。黄祖说，和我比怎么样？祢衡说：“汝似庙中之神，虽受祭祀，恨无灵验。”黄祖大怒：“汝以我为土木偶人耶！”就把他杀了。衡至死，骂不绝口。这种人物的行为和语言，并不一味是纵情任性，而是有智性的理想作为底蕴的。用我的话来说，就是审美与审智交融的。

类似的人物，还有一个吉平。国舅董承等接受傀儡皇帝的衣带诏，谋杀曹操，他参与了，曹操得知。诈称患疾，召吉平。吉平暗下毒药，操要他先尝一下。吉平知事已泄，扯

① ［德］黑格尔：《美学》第一卷，商务印书馆 1981 年版，第 142 页。

② 见《鲁迅全集》第九卷，人民文学出版社 2005 年版，第 135 页。

住曹操的耳朵硬灌。曹操推药泼地，砖皆迸裂。如果按刘再复的反“阴谋”论，这个吉平应该是个“阴谋家”。但是，《三国演义》的文本显示，他为了自己的选择，不但是个甘愿忍受非人的酷刑的烈士，而且在精神上一直处于居高临下的姿态。他被拷问，面不改色，略无惧怯。曹操要他召出后台。他义正词严：“汝乃欺君罔上之贼，天下皆欲杀汝，岂独我乎！”操再三追问，吉平说：我自己就要杀你，哪里有人指使？今事不成，惟死而已！曹操叫狱卒打到两个时辰，皮开肉裂，血流满阶。操恐打死无可对证，令狱卒揪去静处。次日设宴，请众大臣赴宴。说：吉平连结恶党，欲反背朝廷，谋害曹某，请听口供。操教先打一顿，昏绝于地，以水喷面。吉平苏醒，睁目切齿大骂：“操贼！不杀我，更待何时！”操要他交代同谋者另外六人。吉平只是大骂。操教一面打，一面喷水，吉平并无求饶之意。后来又在他的后台董承面前，追问受谁指使，吉平说：“天使我来杀逆贼！”操教打，身上无容刑之处。曹操又问吉平：“你原有十指，今如何只有九指？”吉平干脆告诉他，为了杀你这样的国贼，发誓咬掉了。操教取刀截去其九指，说：“一发截了，教你为誓！”吉平说：“尚有口可以吞贼，有舌可以骂贼！”曹操令割掉他的舌头。吉平说：“吾今熬刑不过，只得供招。”操遂命解其缚。吉平起身，望阙拜曰：“臣不能为国家除贼，乃天数也！”拜毕，撞阶而死。这个人至死也没有将后台董承召出，被刑最惨，性最刚烈。这样的人物的动人之处，不完全是情感性质的审美，而是忠于其理念，为理想而献身的烈士。也可以说是一个融审美与审智于一体的人物。在这样的场景中，吉平绝对是个硬汉子，是一点心术、一点虚伪的面具也没有的，这大概符合刘再复的“完整的人格”的准则了。

但是不知道为什么刘再复要说那个时代中国的人心黑到了极点：“几乎找不到人格完整的人。”①

这只能说明，刘再复戴着斯宾格勒的眼镜，就视而不见。但是，在这以前，吉平也参与杀死曹操的阴谋，烈士也搞阴谋，这样的复杂现象，刘再复的绝对反虚伪论，显得空洞而贫乏。

更值得深思的是，这样道德属于上品的人物，从艺术成就上看却最多能列入中品。在《三国演义》这部长篇大著中，只起具揭露曹操的凶残的背景式的功能，就人物而言，突如其来，倏忽而去，属于跑龙套式的角色。不论从审美，还是审智的价值来说，其情感和理念的层次比较单调，缺乏深度。

我国文化中，与威武不能屈相对的另一种传统，是大丈夫能屈能伸。韩信少年时，曾经受胯下之辱是有名的典故。刘备因为巧于装傻，用今天的话来说，就是装孙子，脱离了任人宰割的危险境地，才有后来联合孙权在赤壁之战中以少胜多，以弱胜强打败曹操的胜

① 刘再复：《双典批判》，生活·读书·新知三联书店2011年版，第99页。

利，进而又袭取荆州，西取巴蜀，在蜀中称帝。这种韬光养晦的功夫，不但是政治家的一种智慧，而且在艺术上，也富于审智的魅力。就是单纯从道德上讲，一个军阀，虚伪才是真实的。如果刘备没有这一面，一味光明正大，不以智力控制自发的情感，还能成为生动的人物吗？

《三国演义》中有许多政治智慧，作为生存和取胜的策略，是很宝贵的精神遗产。虽然是近两千年前的事，但是，对我们很有思考的价值。

像刘备这样的以虚伪的面具为特征的人物，是有深度的。这一点鲁迅忽略了，刘再复倒不是完全没有注意，只是一笔带过。刘备只有在特殊的情况下，才对自己的哥们动真情。但是，这种真情的意义只有与之相对的伪装结合起来，才能看出其艺术和思想深度。

在孙权斩了关公以后，他就不伪装了，而是真情毕露了，完全不顾联合东吴与曹操对抗的总路线，起兵伐吴。当时，许多将领直谏，首先是赵云说："国贼乃曹操，非孙权也。今曹丕篡汉，神人共怒。陛下可早图关中，屯兵渭河上流，以讨凶逆，则关东义士必裹粮策马以迎王师；若舍魏以伐吴，兵势一交，岂能骤解？"这就是说，主要敌人是曹操，而不是孙权，如今"舍魏以伐吴"，就被缠住了。意思是方向的错误。刘备却说孙权害了我的兄弟，有切齿之仇，啖其肉而灭其族，方雪吾恨！赵云是很理性的，又从原则上讲："汉贼之仇，公也；兄弟之仇，私也。愿以天下为重。"刘备这时，完全失去理性，说："如不为兄弟报仇，虽有万里江山，何足为贵？"还是决定御驾亲征。蜀汉公卿劝谏无用，请诸葛亮出马。诸葛亮说，已经苦劝几番，奈何不听。最后一着，大家起去劝。孔明说："陛下初登宝位，若欲北讨汉贼曹操以伸大义于天下，方可亲统六师；若只欲伐吴，命一上将统军伐之可也，何必亲劳圣驾？"孔明是很会说话的：先是顺着他，不是不可伐吴，而是不用这样兴全蜀之主力，与孙吴拼死一搏。诸葛亮的分量够重，加上又是说得委婉。伐吴根本不用动用主力，偏师即可，这完全是理性，而又委婉的，让刘备稍稍有所动摇，但是，张飞来一哭一闹："陛下今日为君，早忘了桃园之誓！"这顶大帽子一扣，刘备就失去了一国之君的理性，而是从当年结义发下的誓言，不求同年同日生，但愿同年同日死。这时，他就完全没有面具了。学士秦宓又谏，刘备居然要把他杀了。诸葛亮再谏，篡夺汉家天下的，不是孙权，而是曹操。不宜杀此人。刘备一向是很尊重诸葛亮的，常常是以师事之，但是，在义气这一点上，他绝不妥协，居然把诸葛亮的奏书甩在地上说："朕意已决，毋得再谏！"刘备在这种情况下，好像变成了另外一个人，不再是那种城府很深，深知分清主次，在逆境中能够忍到没有自尊心的程度，此时却完全失去了统帅纵观全局的高度，完全陷入绝对意气用事的盲动。

从战略上来说，这是绝对错误的，其后果是导致了蜀国先于东吴灭亡。从道德上来说，这是完全大义凛然的。从艺术上来说，则是展开了刘备心理的更深的层次。这个人，作为政治军事集团的领袖，虽然有理性的自我克制力，但是，也有草莽气质（这是民间文学的风格），也有意气（义气）用事的时候。这里，有一点可能是不能忽略的。刘备连诸葛亮的谏劝也不听，而且把诸葛亮的奏书甩在地上，说“朕意已决，毋得再谏”，这在历史上毫无根据。《三国志》中记载正面劝谏刘备征吴的只有赵云和秦宓，没有诸葛亮。只是在兵败以后，他发表感叹：“法孝正若在，则能止主上令不东行，必不倾危矣。”（《三国志·法正传》）当时，法正已经死了。诸葛亮不过是事后诸葛亮而已。《三国演义》硬把诸葛亮拉进劝谏的队伍中来，而且让刘备如此粗暴地对待他的劝谏，完全是为了强调，他坚持异性兄弟，同生共死的义不是虚伪的。

刘再复说，刘备一旦称帝，往日的兄弟之谊就“发生质变”，“不复存在”，“兄弟就可能被怀疑，被诛杀”，“犯上作乱，便是大罪当诛。”[①] 但是，《三国演义》的精神恰恰是相反：刘备把兄弟之义放在政权之上，如不为义弟报仇，“虽有万里江山，何足为贵”？

弄清这一面，才能充分理解，刘备的号召力，并不完全靠中山靖王之后那多少有些渺茫的帝裔血缘，而是把异姓当作血亲，这种异姓血亲应该是通俗演义中民间意识形态的基因。刘备、关公、张飞叙述的是帝王将领之事，贯穿着贵族化的历史文化精神（王权血统的合法性、军事政治的战略眼光、军事上的诡道等等）。但是，这只是一方面，与之相对的，则是民间义气的草莽精神。故其开头采用民间野史和故事中的“桃园结义”，而不是《三国志》中的先主于乡里合徒众，而羽与张飞为之御侮。先主为平原相，以羽、飞为别部司马，分统部曲。先主与二人寝则同床，恩若兄弟。而稠人广坐，侍立终日，随先主周旋，不避艰险”。（《三国志·蜀书·先主传》）这在《水浒传》中叫作“异姓一家”。

刘再复的批判之所以显得苍白，原因在于：第一，片面地看待刘备作为军阀的人格面具，忽略了他也有完全抛弃面具，露出民间文化的天真纯朴精神；第二，刘再复一心以文化批判为务，完全看不到其中贵族文化和民间文化的交融。

回到《三国演义》，除了正面的像刘备这样的例子，也有反面的例子。

最突出的是杨修。他很聪明，很有才能。他聪明到曹操肚子里去。一次曹操与敌军相持，用今天的话说，就是打了个消耗战。对于战局前景，曹操沉吟不决。恰好下级问当夜口令，曹操告以“鸡肋”。杨修当时是主簿，猜出鸡肋食之无味，弃之可惜。乃告左右，收拾行装，丞相将退兵。曹操发现，乃问为何。众告以主簿如此如此。曹操觉得此人智慧如此之高，心甚不快。曹操尝过曹娥碑下（这是历史上没有的，曹操未能到达长江以南）。从碑上见题作“黄绢幼妇外孙齑臼”八字，曹操谓修曰：“解否？”答曰：“解。”操曰：“卿

① 刘再复：《双典批判》，生活·读书·新知三联书店 2001 年版，第 132 页。

未可言，待我思之。”行三十里，操乃曰：“吾已得。”令修别记所知。修曰：“黄绢，色丝也，于字为绝。幼妇，少女也，于字为妙。外孙，女子也，于字为好。齑臼，受辛也，于字为辞。”《世说新语》中，还说曹操也猜出了，并且承认自己“才不及卿”，落后杨修三十里。但是，在《三国演义》中，则并未让曹操直接猜出来，而是在杨修说出来以后，说“正合孤意”。这里，就隐含着对曹操究竟是否猜出来的讽喻性了。到了曹操晚年，考虑把权位传给曹植还是曹丕，最初倾向于曹植，每每属对都符合曹操的思路。但是，后来发现，这一切都是杨修出的主意，就十分恼火。最后就把杨修杀了。

杨修这个人，肯定是有才华的。但是，对自己在曹操这个人的领导下的处境显然没有清醒的智力。因而虽然有所顾忌，但是，没有完全意识到伪装的重要性，总是克制不住自炫其能的情感冲动，就是不智。这一笔有双重功能，一是触犯了曹操的智慧优越感，招来杀身之祸；二是，他的悲剧是没有像刘备那样理智，以装傻来保全自己。

四、好人死在自己手中

《三国演义》那些写得最生动的人物的个性都是矛盾在运动着，显示出其多层次的丰富性的。但是，这一点却被我们许多前辈大师们忽略了。鲁迅先生就说过，《三国演义》的缺点之一，是“描写过实”：

写好的人，简直一点坏处都没有；而写不好的人，又是一点好处都没有。[①]

我想，鲁迅这话太离谱了，完全经不起文本的检验。好坏是一种道德实用理性，与超越功利的审美价值是错位的。《三国演义》中那些写得情感丰满的人物，往往都是好中有坏，坏中有好的。特别是被毛宗岗称之为“三绝”的曹操、诸葛亮、关公，都是好中有坏的，善中有恶的。曹操从热血的壮士变血腥的屠夫的过程，好人变成坏人，就在一念之差，我已经说过了。诸葛亮是《三国演义》中第一理想人物吧，但是，他也是有很严重的缺点的。他对魏延，完全凭一时印象，认定他脑后有反骨，就有意谋害他。这一点在通行本不太明显，但是，齐裕焜教授引《三国演义》嘉靖本卷二十一《孔明火烧木栅寨》说明，他借火烧司马懿，顺便将自己的部下魏延烧死。

魏延望后谷中而走，只见谷口垒断，仰天长叹曰：“吾今休矣！”司马懿见火光甚急，乃下马抱二子大哭曰：“吾父子断死于此处矣！”

……

魏延告曰：“马岱将葫芦谷后口垒断，若非天降大雨，延同五百军皆烧死谷内！”

① 《鲁迅全集》第九卷，人民文学出版社2005年版，第333页。

孔明大怒，唤马岱深责曰："文长乃吾之大将，吾当初授计时，只教烧司马懿，如何将文长也困于谷中？幸朝廷福大，天降骤雨，方才保全；倘有疏虞，又失吾右臂也。"大叱："武士！推出斩首回报！"……却说众将见孔明怒斩马岱，皆拜于帐下，再三哀告，孔明方免，令左右将马岱剥去衣甲，杖背四十，削去平北将军、陈仓侯官职，贬为散军。马岱责毕，回到旧寨，孔明密令樊建来谕曰："丞相素知将军忠义，故令行此密计，如此如此。他日成功，当为第一。可只推是杨仪教如此行之，以解魏延之仇。"岱受计已毕，甚是忻喜，次日强行来见魏延，请罪曰："非岱敢如此，乃长史杨仪之谋也。"延大恨杨仪，即时来告孔明曰："延愿求马岱为部下裨将。"孔明不允，再三告求，孔明方从。

齐教授还指出此种情节，在叶逢春本、李渔本、乔山堂本、黄正甫本等情节文字大体相同，接着分析说：

李卓吾评本[①]的几条评语非常尖锐地批评了诸葛亮，"孔明如此谋杀魏延，彼何肯服？何不明正其罪，乃为诡计乎？此正道之所无也。"在"马岱责毕，回到旧寨，孔明密令樊建来谕"这段文字后，评语曰："如此举动，却也羞人。"一〇三回《孔明火烧木栅寨，孔明秋夜祭北斗》总评："孔明定非王道中人，勿论其他，即谋害魏延一事，岂正人所为？如魏延有罪，不妨明正其罪，何与司马父子一等视之也？"一〇四回《孔明秋风五丈原，死诸葛走生仲达》总评："大凡人之相与，决不可先有成心。如孔明之待魏延，一团成心，惟恐其不反，处处防之，着着算之，略不念其有功于我也。即是子午谷之失，实是孔明不能服魏延之心，故时有怨言。孔明当付之无闻可也，何相衔一至此哉？予至此实怜魏延，反为丞相不满也。但嚼了饭诸公不可闻此耳。"一〇五回马岱按诸葛亮的遗计斩魏延，评语："此一事叙明，亦非善心美腹之人。"[②]

李卓吾的评语应该说是指出了问题的关键，即诸葛亮用阴谋诡计来谋害魏延，而且，诸葛亮明知魏延和杨仪关系如同水火，不但不去调解，反而让马岱嫁祸于杨仪，加深两人的矛盾，加速了诸葛亮逝世之后内乱的发生，这些对诸葛亮的形象造成极大的损害，《三国志演义》全书的文本无法统一。毛评本把魏延仰天长叹、魏延对诸葛亮的质问、诸葛亮先假惩罚马岱后又安抚马岱并嫁祸杨仪等情节统统删去。显然毛宗岗认为诸葛亮对魏延搞阴谋是很不光彩的[③]。

就是理想人物诸葛亮，《三国演义》原本也并不回避对其谋略的道德批判，而不是像刘

① 李卓吾评本的评语，学界大都认为系叶昼伪托。

② 齐裕焜：《正确评价《三国志演义》里的谋略》，《广西师范学院学报》（哲学社会科学版）2016年第1期。

③ 参看齐裕焜：《镜像关系：魏延与关羽》，《文学遗产》2005年第1期。

再复所说，一味宣扬道德黑暗的谋略。

关公是好人吧，但是，他的义气观念毫无原则性，华容道放走了曹操：他的傲慢得罪了孙权，瓦解了反曹联盟。从实用功利来说，他是第一大罪人。最后，正当他水淹七军，威震华夏之时，被孙权袭了后方，败走麦城，掉了脑袋。他表面上死于孙权部下，实际上死于他的多傲。

周瑜是好人吧，他在赤壁之战中，是战胜曹操的主角，是大英雄，他却十分妒忌自己的盟友诸葛亮的才能。总是用种种诡计来合法、不合法地把诸葛亮弄死。从草船借箭，到借东风，从环境的优势变为智慧的劣势，接着被诸葛亮一气，二气，特别是三气，自己在前面亲冒矢石，攻城略地，诸葛亮在后面收土得城；假途灭虢之计，又被诸葛识破，弄得身陷围困，最后证明自己的确在智慧上不如诸葛亮，就活不下去了，发出“既生瑜，何生亮”的悲鸣。这个好人，死于自己的“多妒”。

把周瑜写成多妒，完全是《三国演义》的一个伟大创造。胡适看不懂这一点，不能接受《三国演义》把风流儒雅的周郎写成了一个妒忌阴险的小人。刘再复认为这是把周瑜“抹黑得面目全非”。其实，好就好在把历史改得面目全非。不然，还谈得上什么艺术创造。

从历史上看，这个“既生瑜，何生亮”，并不见于《三国志》，一些学人粗心大意，以为这是历史，写入文中，被后人嘲笑。[①]事实上，在史书中，周瑜是气量宽宏的。赤壁战时，蒋干奉曹操命来说降周瑜，回去后说周瑜“雅量高致，非言词所间”。《三国志·吴书·周瑜传》说他“性度恢廓，大率为得人”。刘备也说他“器量广大”。[②]从这个意义上说，把周瑜写得气量狭窄，是对他的丑化。但是，光看到丑化这一面，是片面的。《三国演义》在赤壁之战中，也大幅度地美化了周瑜。首先，本来在史书中，曹操并非单纯败于周瑜，在很大程度上是由于北方士兵到了南方，可能是水土不服而生“疾疫”。《三国志》及裴注、《后汉书》、《华阳国志》、《资治通鉴》等都有此说。《三国志·武帝纪》：“公（曹操）至赤壁，与（刘）备战，不利。于是大疫，吏士多死者，乃引军还。”[③]《三国志·刘璋传》：“会曹公军不利赤壁，兼以疫死。”[④]《三国志·先主传》：“先主与吴军水陆并进，追到南郡，时又疾疫，北军多死，曹公引归。”[⑤]《三国志·吴主传》：“（周）瑜、（程）普为左右督，各领万人，与（刘）备俱进，遇于赤壁，大破曹公军。（曹）公烧其余船引退，士卒饥疫，死者大半。”[⑥]

---

① 袁枚《随园诗话》（卷五）：“何屺瞻作札，有‘生瑜生亮’之话，被毛西河诮其无稽。终生惭愧。”

② 盛巽昌：《三国演义补证本》，上海人民出版社2007年版，第321页。

③ （晋）陈寿：《三国志》（第一册），中华书局1982年版，第31页。

④ （晋）陈寿：《三国志》（第四册），中华书局1982年版，第868页。

⑤ （晋）陈寿：《三国志》（第四册），中华书局1982年版，第878页。

⑥ （晋）陈寿：《三国志》（第四册），中华书局1982年版，第915页。

《三国志·周瑜传》："（孙）权遂遣（周）瑜及程普等与（刘）备并力逆曹公，遇于赤壁。时曹公军众已有疾病，初一交战，（曹）公军败退，引次江北。"[①]所有这些所谓正史的记载，都有一个共同的特点，那就是曹操固然败于赤壁，但是，其原因并不完全在周瑜之领导，而是曹军中疫病严重，甚至"死者大半"。

其次，火攻也不完全是周瑜的计策，而是曹操自己把战船烧了。而《三国演义》中，曹操大败的这些原因被省略了，战胜的原因完全是周瑜的连环计、反间计、苦肉计的系统驾驭。如此大胆地改变历史，绝对是对周瑜的美化，从胡适到刘再复都视而不见。却只看到他们愿意看到的所谓丑化、抹黑。其实，把美化和丑化结合起来，把英雄的心理写得渺小，把雄才大略的周瑜写成不顾大局，一味妒忌盟友，最后死于妒忌。正是《三国演义》的伟大创造。尽管权威不认同，但是，世代国人对此却置若罔闻，将之总结为"瑜亮情结"，揭示了心理学上的深邃的规律，那就是妒忌发生于近距离的相近性。周瑜不会去妒忌曹操地盘大，兵马多，也不会妒忌刘备就凭着姓刘，就能成为军事政治集团的领导。他与这些人不同等，没有现成的可比性。他就妒忌诸葛亮，原因就在，地位差不多，有现成的可比性。所以小妓女不会妒忌皇后，只会妒忌大妓女，小偷不会妒忌百万富豪，只可能妒忌大偷。因为其间有现成的可比性。正是因为这样，周瑜，死于公元 210 年，到现在已经有一千八百年左右了，但是，周瑜的灵魂仍然活在我们心中。日常谚语中的所谓"武大郎开店"就是明证。你比我高可以，但是，你不能活我们这里。地位相当的人最容易发生攀比，妒忌由是而生。这种规律性，不仅仅体现在平头百姓身上，而且表现在大政治人物身上。例如，马英九和宋楚瑜。两人曾同为蒋经国的秘书，宋的资格还老一点。但是，马英九当上了台湾地区领导人，宋楚瑜就阴差阳错没有当上。待到马英九第二次参选的时候，他就出来搅局。同为蓝营，他出来竞选，明显可能分散了票源，但是他就是宁愿让绿营的蔡英文当选，也不让蓝营的马英九连任。最后以失败告终。

我们生活中的，单位中的许多矛盾，都可能从这个心理学原理得到阐明。什么评奖啊，评职称啊，都是资格差不多的人物在较劲。为什么一个和尚挑水吃，两个和尚可以抬水吃，而三个和尚就没有水吃呢？因为同为和尚，有现成的可比性，互相攀比，很难绝对平衡。

在《三国演义》中，比较重要的人物都是比较复杂的。没有绝对的好人，也没有绝对的坏人。前面已经说过《三国演义》的深刻之处。好人变成坏人，是源于他自己的内心。表面上许多人是被敌人杀死的，但是，这些都是外因，最根本的原因在内心，都是死在自

---

① （晋）陈寿：《三国志》（第五册），中华书局 1982 年版，第 1118 页、第 1262—1263 页。类似的记载还有："于是大疫，吏士多死者，乃引军还。""曹公军不利赤壁，兼以疫死。""时又疾疫，北军多死，曹公引归。""（曹）公烧其余船引退，士卒饥疫，死者大半。"

己手里。曹操死在“多疑”上，周瑜死在“多妒”上。关羽，死在“多傲”上。张飞也是死在自己手里。关羽的“多傲”是对上傲慢，对部下还可以，那么张飞就是对上不傲，对部下比较残暴。关羽死后，张飞觉得同生共死的兄弟死了，就要讨伐孙吴，且要两个部将，三天之内备全白盔白甲，部将要求时间上宽限，被张飞打了五十皮鞭，警告说，三天之内办不到，做不好就要杀头。这种任务怎么可能完成呢？这下肯定要掉脑袋了，与其等死还不如先下手为强，他们于是偷偷溜到张飞的营里，把他脑袋砍了送给孙吴。所以张飞是死于自己的“多暴”。刘备兵败，是后郁闷驾崩白帝城，死于自己的意气（“义气”）用事。

《三国演义》真的很精彩，真的很伟大，我们从中可以看出太多的智慧，同时看到太多的丑恶，才感到太多的精彩。一味只有美好，如同一味只有丑恶，不是活在毫无人格面具的绝对精神境界，就是活在黑暗的精神地狱里，人物的性格静止不变，不是太单薄了吗？思想不是太浅薄了吗？

我长期不理解鲁迅、胡适对《三国演义》缺乏起码的理解，后来，我想到一个原因，读懂《三国演义》要有比较深厚的人生经验，太年轻不行。鲁迅当年写《中国小说史略》时是 1924 年，那时他四十三岁，胡适否定《三国演义》时，也不到三十岁。他们否定《三国演义》，各有各的原因，可有一个共同的原因，是他们当时太年轻了。所以中国有“少不看水浒，老不看三国”的说法，老了，人生经验的积累深厚了，再看三国，看懂了，就可能更加老奸巨猾。当然，像我这样的人是例外。（大笑声）《三国演义》中的许多妙处，太年轻是看不懂的。鲁迅和胡适这样片面，这样的荒谬，因为他们当时太年轻。我现在比当时的鲁迅老多了，今年七十七岁，比当时的鲁迅大了三十多岁，是胡适的双倍。眼光不比他稍微精深一点，菩萨免费送给我的几十年不是浪费了吗？不是我比他们高明，而是老天决定的，是天意。谁让老天让我活得比鲁迅，比胡适还长呢？我不知道，你们也不知道，谁知道呢？菩萨知道。（笑声）我是中国人，我不说上帝知道，我只能说：菩萨知道。（笑声）但是，刘再复不同，只比我小了四岁，他是一个非常有建树的理论家，是我非常好的朋友。他是非常好的人，非常有人格魅力，非常纯洁，可能就是因为太纯洁了，对心灵的黑暗义愤填膺，就说了很多糊涂话。我不满足于做他的一般朋友，而愿做他的诤友。看到他的弱点，我公开说出来，表明我对他人格的确信。我还说的是，造成他如此抹杀祖国文化传统的原因，还有一个原因，他今年大概七十三岁了，但是，他从 1989 年，四十九岁，就离开了我们这片积淀深厚的文化大陆，二十多年来，他可能对祖国文化有点疏离了，从文化浸染的意义上说，他还停留在四十九岁。所以他跟鲁迅的文化年龄，也差不多。你们同意吗？哦，同意！此时不鼓掌，更待何时？

（掌声热烈，笑声连连）

附：

现场问答

问：老师您好，我本人是不喜欢《三国演义》的（笑声），我在这边想陈述一下我的观点。第一点，《三国演义》里面我们看到的都是一些煮酒论英雄，谈笑之间樯橹灰飞烟灭的场景，大部分都是一种英雄主义的描写，但是我们要知道三国时代更多的是平凡的、悲惨的人物，比如说像蔡琰，他流落边塞将近十八年至少，但是像这样的人物，在《三国演义》里面没有任何体现。又比如像马元，他作为三国时期的一个著名科学家，也是没有任何发挥的余地。我认为他在描写的时候这个是欠考虑的。第二点，我觉得三国是一个……

答：我建议你只提问题，不要阐述你观点，因为你阐述观点意味着你剥夺了下一个人提问题的时间。

（同学继续）：那我就缩短一下，把第二个简单地说一下。因为我想知道您对我观点的看法。

答：好好好，是不是我可以请求你直截了当说你的问题是什么？不然你讲了那么多，我会忘掉的。请你同情一下我这个老年人。好吧？（笑声）

（同学继续）：那我就把第二个问题简单说一下。

答：这是你第二次说这样的话了。

（同学继续）：好，我的问题是，您怎么看待《三国演义》跟《三国志》的关系？我认为是《三国演义》配不上三国时期的。

答：请坐。我来回答你第一个问题。《三国演义》没有写什么，的确，《三国演义》是一个英雄传奇，不写小人物。比如说，它不写民生艰苦，而且即使写到民生艰苦一笔带过，虽然一笔带过也是吓死人的。刘备一次打了败仗，没东西吃，因为他实行“仁政”，威信很高。到了一个农民家里，那个农民也姓刘，说：“我来招待一下，有肉给你吃。”“什么肉？”“狼肉。”狼啊，虎豹豺狼的“狼”，刘备吃得也很满意，结果后来发现，在他的院子里，他的老婆被杀死了，腿上肉割掉了，刘备吃的是人肉。那么，他并没有特别写这个刘安妻子的感觉，他没从妻子的角度去看这个战争的残酷和刘备的虚伪。再说，长坂坡刘备兵败的时候，跟随刘备跑的那些部队啊，哭声震天，血肉横飞，人死得一塌糊涂，就几句话带过，但刘备的老婆自杀花了很多笔墨。先把孩子给了赵云，然后投井而死，赵云把那个墙推倒了一垛，把它堵起来，层次分明，细节详细。那些普通老百姓的死亡是不写的。

当然，《三国演义》也写到一点战争的严酷，袁术要喝点水，拿上来的都是血水，他说我不要喝血水，我要喝蜜水。报告说没有蜜水，所有的水里都是血。这些都是《三国演义》轻描淡写的。《三国演义》强调的苦难，皇帝的苦难，皇后被杀了，皇帝被迫迁了，七七八八写得很详细。《三国演义》不写百姓的苦难，是它的缺点。但是我觉得，如果拿到全世界上去看，在那个时期，以致后来很长一段时期，写到老百姓的苦难的长篇传奇几乎没有。所以不能离开那个历史去看，《三国演义》是中国历史上第一部长篇小说，它的伟大在于什么？它比西方的近代小说和戏剧早两百年，它比莎士比亚早两百年，它比西班牙的塞万提斯早两百年，它比法国的拉布雷早两百年，它在世界上是最好的一部长篇小说。在写政治斗争、政治领袖方面，到现在为止我们还没有超过。连《水浒传》中的宋江也没超过曹操，所以说我们要为它自豪。这是你第一个问题。第二个问题是什么？（笑声）

哦，《三国演义》配不上《三国志》。要从历史眼光看，从历史眼光看它是第一篇长篇小说，有开山之功，这是第一。第二，《三国志》比起《史记》来差好远。在《史记》中，“列传”只是它的一个部分，但是《三国志》全部是传记。从史的框架来说，它已经比《史记》倒退了，而且是魏国的历史写得最多，因为材料多，东吴的历史写得比较多，蜀国的历史很薄，没多少材料，因为诸葛亮没有设史官，虽然陈寿是蜀国来的。所以《三国志》作为史书，有一点遗憾，就是比不上《史记》，不像《史记》，除了传记（本纪、世家、传记），还有年表、食货志、河渠书等，可谓通史。从艺术上说，各自独立的传记，比不上《三国演义》的完整结构。我们应该这样来讲，从中国历史来看，《三国演义》是中国最早的、伟大的长篇小说，《三国志》应该说是在《史记》、《汉书》、新旧《唐书》等之后，是二等历史经典。我再细细解释就浪费时间了。我希望给别的同学以机会。现在做一个规定，下面的同学只问问题，不要阐述，阐述的权利是我的。

问：孙教授您好，既然如您刚才所说，《三国演义》里面有很多虚构、杜撰的成分，您觉得目前各种各样的讲历史的书当中，哪些书是比较靠谱一点的，真实性更加好一点的？您向我们大家推荐一下。

答：就是哪些书跟历史比较靠谱的，是吧？反正跟历史全靠谱的都是不好的小说。像《东周列国志》之类的，它和历史靠得更近，质量比较差，我们中国有这个历史演义的传统嘛，至于说《隋唐演义》《说岳》《大明英烈传》等等，你们觉得要看的话，我建议就看一本书，不是很有名的，叫《民国历史演义》，那里面大量的历史材料你是不知道的，好吧，谢谢你。

问：教授您好，我们知道《三国演义》有三十六计，其中有一计是空城计，然后司马懿当时去攻打一个小城，他有十几万大军，我想请问的是，为什么他不先派几千个兵先去探探路呢？（笑声）

答：三十六计，并不是《三国演义》里全有的。《三十六计》是指中国古代三十六个兵法策略，语源于三国以后的南北朝，成书于明清。至于司马懿的问题，我可以回答你，如果司马懿请你当参谋的话，这个小说情节就没有了。如鲁迅所讲的，为了要神化诸葛亮，历史的虚构在这里就有不少可推敲之处了。为什么呢？我发现《三国演义》的作者写高级超人的谋略的才能啊，到写到诸葛亮和曹操的时候写光了，再写司马懿实际上还是曹操。他的特点还是多疑，所以说他这个多疑就被诸葛亮又利用了一次，这是最后一次。但是这也很精彩就是了，它成为一个传奇了。如果你很现实在看问题，他先派几个兵去看一下，哦，原来没人，那么诸葛亮当了俘虏了，《三国演义》就没法写了（嘿嘿）。《三国演义》中的空城计，在正史中是没有的。当时阳平关并无交兵，司马懿也没有到过关中。据学者考证，《三国志》和裴注中，类似的空城策略，大约有五处，都与诸葛亮无关。其一，街亭溃败时，王平设的空寨计。其二，赵云在汉水之线中使用水的空营计。其三，陈登在匡拒孙策的空城计。其四，吴将朱桓在濡须诱曹仁的空城计。其五，魏国文聘空城计。这个史实，最接近《三国演义》中的空城计。孙权率兵五万，渡江围攻今湖北孝感西南，当时该城城防尚未修复。文聘知道，此时战必败，坚守亦难。即令将士全部隐藏，多散在田间耕作，自己也高卧府衙。孙权深为疑惑，认为像文聘那样的宿将，因为智勇双全才放在一线。今却若无其事，必然有诈，于是回军。《三国演义》作者的天才在于把这些素材凝聚在司马懿的多疑上。多疑的恐惧，中埋伏的恐怖，难以突围的可能，使他来不及周密地考虑派兵侦察一下。

问：我想问一下老师对赵云这个人分析一下。

答：我可以回答，虽然这个他的形象非常高大、武功非常高强，人品也好，但作为一个艺术形象来说他是比较单薄的。他除了武功高强，人比较正派以外，都没有什么个性的特点，没什么太大的缺点，但是他的优点全部是他的武功、他的体力，另外就是他没有做坏事、没有做叛徒。所以这个形象是很一般的。虽然说“五虎上将”——关张赵马黄，赵云还是刘关张之后的第一位。特别是他死得莫名其妙，当诸葛亮出征的时候，旗杆吹折了，诸葛亮说坏了，一定是有不幸的事情了，结果赵云儿子跑出来说“我爸死了”，大哭一场，完了。这从艺术来说是败笔，还不如没有。呵呵，谢谢你这个题目，让我阐释一下战功卓著和艺术形象之间的矛盾。

啊，我想到《三国演义》有个缺点，刚才那位女同学都没有发现，我替你们发现一下。《三国演义》的女性都是没戏的，都是没有性格的，女性是不重要的，女性就是英雄如孙夫人，也是男英雄的工具。《三国演义》里面三顾茅庐，要把诸葛亮请出来，什么人都见了，是吧？那么，农民啊，弟弟啊，书童啊……都见了，丈人都见了，就没见老婆，作者认为女人在这个问题上没有必要出现。照理说，诸葛亮要出去参加刘备的军事集团，当时二十六七岁，他出山二十几年，鞠躬尽瘁，死在前线。照理说他参加这个部队，是吧，要跟老婆商量一下啊，孩子怎么办，安排在哪里啊，你跟着我走呢，还是怎么样啊，老婆同不同意啊。这是起码的吧？没有。所以说，女性没有地位。有地位的叫孙夫人，那是政治工具。刘备跟那个孙权用招亲的办法来结成同盟，周瑜想利用这个招亲的办法把刘备给杀了，结果被诸葛亮破解。在周瑜的诡计和诸葛亮的英明之间，她是一个道具。后来，在较早版本的《三国演义》中，就没有下文了。最后毛宗岗帮他改了，刘备死了以后这个留在江东的孙夫人，投江自杀了，这个就更加封建了。这就是《三国演义》是一个男人的英雄传奇。女人是男人的牺牲品，这一点你们女性要特别站起来讲话。

问：老师您好，我一直很好奇三国时期谋士才能是从哪里来的，好像比近两千年以后的我们还要厉害。（笑声）

答：第一，因为是战争环境嘛，实践造成的。在漫长的接近百年的内战中，军事，还有政治的实践。第二，那时大一统的局面崩溃了，有点像春秋战国时代了。可以良禽择木而栖了，不一定要从一而终了。他们的政治、军事智慧、谋略，就百花齐放了。我们自然在谋略上比不过他们，那是他们的长项。因为没有把我们放到那种环境中去，逼迫我们做出选择。想想红军在江西福建打了十年仗，有些村子里，就出现了很多将军。而现在那些村子里，就一个将军都出不了。相反，倒是出了不少企业家。这就是时势造英雄也。但是，我们也有他们不及的长项。要是让他们参加一次托福考试，（笑声）就明白了。因为智商啊，是无形的，我们考试打分也是很危险的事，譬如现在让我再去考大学，我可以保证考不上。除了作文写得比较好以外，那些选择题我不会做。数学我忘掉了，啊，这事儿有点令人不可思议，我当大学教授可以，但是考大学却考不上。这个智商啊，是很难用数字衡量来定量的。对你的问题我坦率表示，到目前为止，我的智商还没有达到可以回答的程度。

问：我想就三个人物想听听教授对他们的评价和看法。一个是蜀后主刘禅。我想他在大部分人的印象中是庸碌无能的、一个废物，但是他在两个魏将到成都的时候，他没有任何抵抗，直接拿着国玺就出去投降，这也是一种保全蜀国人民的方式。可能有些人持比较赞同的态度，所以想听一听您对刘禅的看法。第二个是对庞统，因为卧龙凤雏，得一者即可得天下。把诸葛亮写得那么熠熠生辉，庞统最有名的也就是提出一个连环计，然后他就死在落凤坡了，这是为了突出诸葛亮特定的一个设置吗？还是什么？第三就是魏延，诸葛亮说他脑后生反骨，其后必反，这个写法，您怎么认为的？

答：你的问题太多，太长了。第一个问题是什么？我没听清楚。（笑声）

（同学继续）：关于蜀后主刘禅。

答：哦，从历史眼光来看，蜀后主不投降，就要打仗，老百姓要死啊。按这种逻辑推演，刘备不碰到诸葛亮也更好，或者诸葛亮无能，曹操早早就把刘备消灭了，不是更快统一吗？周瑜早一点死掉更好，最好是孙权、刘备等这些人早一点全死光，就让曹操一伙活着，统一天下，省得打了近一百年的仗，死上千万计的生命，是吧？那样也很好，对吧？那么就最精彩了，那是理想。但是，历史不理想。因为我们人类不理想，人性不理想。想当皇帝如果永远固定在一个人，一家人，最好。但是想当的人太多，每个人都不满足短短的生命，都想在生前出人头地，死后青史留名。周瑜不是在蒋干盗书之前假装醉，醉了以后假装舞剑唱歌嘛。"丈夫处世兮，立功名兮。立功名兮，慰平生。"就是想流芳百世，想建功立业。人有这种思想，想杰出，超过别人，压倒别人，是吧？这个思想。这是人的弱点，但是这个弱点是出智慧，出精神的，像诸葛亮的精神，在乱世里面产生杰出的智慧，这是我们的财富。而像刘禅这样的人，就没有精神，没有出息了。第二个问题是什么？

（同学继续）：庞统。

答：哦，庞统那么早死。我想是写到诸葛亮他写不下去了，为什么？他要写另外一个跟诸葛亮不一样的庞统，他没本事了，庞统也是料事如神啊。诸葛亮厉害，周瑜有什么阴谋诡计，诸葛亮没有参与，但是都知道。如果他用同样的办法写庞统，就难办了。诸葛亮把周瑜整死了，周瑜死的时候诸葛亮跑过去大哭，哭得很伤心，好像真是哀哀欲绝的样子。庞统指出，你这个家伙，虚伪，你把人家搞死了，你还来哭！这一点显示他比诸葛亮高明，但是，再往高明里写就没招了，是吧？而且连诸葛亮的缺点也都写了。失街亭斩马谡。所以说不管往好里写，还是往不好里写，都没法写了。已经高明得这种程度了，连自己什么时候死都知道了，连自己死后魏延要造反，都知道了，是吧？再比他智慧的，那还能怎么写呢？没有办法了，那就干脆把他莫名其妙地死掉拉倒。（笑声）这样就减轻了写作的难度。这是第二个问题。第三个问题是什么？

（同学继续）：魏延。

答：哦，在历史上诸葛亮对魏延没有很好的使用。诸葛亮在北伐的时候，如果用魏延的一个比较冒险，但可能胜利的计策的话，可能不至于六出祁山不能成功。但诸葛亮就是对魏延的才能没有发现，没有充分发挥他的长处。魏延是有本事的。诸葛亮就是对他有成见，结果他临死的时候把权力交给杨仪，这个人根本不会打仗，只会撤退。诸葛亮临死的时候对马岱讲：我死了以后魏延一定要造反，等到他要造反的时候，你把我的锦囊打开来看看。魏延果然造反，马岱打开一看，从后面一刀把魏延脑袋砍掉了，这是把诸葛亮神化了，就是不但知过去，而且知未来，料事如神呐。从这一点来说呢，多智得也过分了。但是他掩盖了诸葛亮的实际上的缺点，就是对魏延的成见，暴露了一个重大的缺点，——后继无人，未能培养出接班人。后来用的是姜维嘛，姜维的整个才能还不一定超过魏延啦，是吧？说假如是没有用的，历史就是这样，无可奈何，但是，我还是要谢谢你的问题，刺激出我这么多的思想。

问：您好，我想问一下，还是诸葛亮的问题。诸葛亮的定位很多，他是军事家、谋略家，但是，还有一些分析说他还是一个野心家。就是他有没有觊觎过后主的基业呢？

答：最后一个问题可以马上回答你，刘备临死的时候就跟诸葛亮讲。《三国演义》是这样写的，说：我这个阿斗啊，你可以辅佐就辅佐，不可以辅佐就取而代之可以。诸葛亮就马上痛哭流涕。不敢当。诸葛亮后来用行动证明了这一点，就是“鞠躬尽瘁，死而后已”。那么前面一个什么问题？

（同学继续）：就这个问题。

答：啊，就这个问题啊？好像还有哦，你讲诸葛亮这个形象如何定位啊。他是中国贤臣的传统代表了，就说一旦认定这个主子，他就以生命的全部为他服务，这叫“鞠躬尽瘁，死而后已”，是吧？后来他北伐，他知道“汉贼不两立，王业不偏安”，当时在蜀国这个小地区啊，就过着小日子，但是诸葛亮这个人有政治远见。他说“汉”，就是这个“蜀汉”呐，“贼”就是曹操，不能够两个并立。“王业不偏安”。为什么呢？这样拖下去，也是要灭亡。不拖，战一下，也有可能不亡。你看《后出师表》，就显得非常悲凉。所以诸葛亮这个人呐，你刚才讲到他是一个政治家还是军事家，他不是一个阴谋家，他是一个行政的干才，他其实在历史上不是一个军事家，历史对曹操的评价是军事家，唐太宗对他有一个评价是“临危制变，料敌设奇”，就是能够临到突然变动的时候，能够非常机动灵活。“料敌设奇”能够料见敌人，能够有奇谋。诸葛亮呢，他是一个行政干才。陈寿在整理《诸葛亮集》的时候，写序，说“亮才于治戎为长，奇谋为短，理民之干，优于将略”。这“戎”啊，就是“兵戎”的“戎”，治兵的是他的长处，奇谋为短。他在军事上不会出奇制胜。“理民之干，优于将略”，他做行政的工作啊比他打仗更强，所以他六出祁山无果而返。蜀国那么小，兵才十万左右，你要打北方曹操，是打不赢的。用今天的眼光来看，诸葛亮最好不要打。但是他预料到他没有接班人，我今天仗还得打，我不在的话肯定完蛋，所以他写到《后出师表》的时候非常痛苦，就是硬着头皮去打，最后就是“出师未捷身先死”。这是历史。谢谢你！

问：教授想问您一个问题，《三国演义》，我们是从小阅读的，但是里面讲究很多取巧，还有奇谋，更多的是尔虞我诈，您觉得青少年读这种东西，会不会对他的人生观和价值观产生不良的影响？

答：这个问题提得很好，好多尔虞我诈，这得怎么看了。如果你长大到二十多岁，都是大学生了，从来就不知道尔虞我诈，只看到一片坦诚的人，那你就是一个很傻的人，对不对？因为商品经济就是要讲究谋略的，说得不好听，就是尔虞我诈的。譬如说你要做一个纯粹坦白的人，你跟基辛格谈话的时候，你跟克林顿谈话的时候，你跟安倍晋三谈话的时候，把国家的机密都一五一十都和盘托出，这很纯洁，是吧？但是，人家不跟你讲诚信啊。如果大家都绝对讲诚信的话，还搞什么国防部啊？人不那么诚信，是人性弱点，是吧？人有两种，一种是人不知道有黑暗，天真地相信，这是傻瓜；另一种是人知道有黑暗、有阴谋、有尔虞我诈，使人变得聪明，是吧？国家这样、企业这样、学校这样，做什么事情都要有策略的。这不叫尔虞我诈，这个叫什么呢？这个叫策略，政治智慧。(笑声)对不对？谢谢你！

第二讲

《三国演义》中的人：是血腥的军阀还是杰出的“人”

今天讲《三国演义》，特别讲一下诸葛亮和“赤壁之战”。这个不知道诸位对《三国演义》有什么感觉？我对《三国演义》感觉非常复杂。一方面我感觉到这本书是绝世的经典。我曾经在这里讲过《另眼看曹操》，评价很高。这是中国乃至世界的第一部堪称伟大的长篇小说，也是当时世界上水平最高的长篇小说。但另一方面，我对《三国演义》很不理解，很困惑。这是写战争的小说。你要写这一百年左右的战争，至少要写战争给人，包括英雄和普通老百姓带来什么样的遭遇嘛。但是我们在《三国演义》里只看到英雄们在斗智、斗力，在使出他们全部的生命来进行搏斗，而且建立了丰功伟绩，但是他们的部下，他们的将领，他们的小兵，与周围的百姓过的是什么样的日子呢？《三国演义》里很少提到。

当然，《三国演义》偶尔也流露出一两句来，战争是非常残酷的，动不动就是“折了五七千人马”，起码伤一半吧。当时受了伤就等于死。没有什么消毒的药品，红药水都没有。什么青霉素啊，盘尼西林啊，更是谈不上了。动不动“斩首万余级”，好恐怖啊。一万个脑袋堆在那里，堆多高啊。还有屠城啊，在全城见人就杀，往往是作为英雄的业绩来写的。我读的时候，一方面赞叹《三国演义》里的艺术，一方面感觉不可理解。《三国志》里边记载着诸军并起，打个没完没了。部队呢也没有纪律。没饭吃了就是乱抢，吃饱了以后也不懂得保存，就把它扔得一地。扔到没得吃了，又去乱抢。有一次，袁绍在河北打仗，没饭吃了，就吃那桑葚，桑树上的籽。啊，那么，弄到最后老百姓没饭吃了，“州里萧条”。①

① （晋）陈寿：《三国志·魏书》，（南朝宋）裴松之注，中华书局2005年版，第10页。原文是：“自遭荒乱，率乏粮谷，诸军并起，无终岁之计，饥则寇略，饱则弃余。瓦解流离，无敌自破者不可胜数。袁绍之在河北，军人仰食桑椹，袁术在江、淮，取给蒲蠃，民人相食，州里萧条。”

还有一次，曹操和吕布打仗，啊，打得把吕布围在兖州，围在里面，本来吕布说讲和吧。谋士说，不要和，和了以后他又卷土重来了。继续打，弄得粮价飞涨，一斛米，一斛的粮豆，值多少钱？五十余万钱。那就等于说老百姓把整个家当都卖掉，买不来一斛米。“人相食”，人吃人，这么残酷的事情，偶尔流露了一下，而且把它放在了一个谋士的谋略里面来写，读者没有感觉。

还有一次，刘备给打败了，跟吕布打。城池失去了，走投无路，饥饿难当。走到一个村庄，向人家求东西吃。人家听说刘益州来了，是施行“仁政”的啊。就送他东西吃。其中有一个人，猎户，叫刘安，没有东西可送。结果，就把自己的老婆杀了，送给刘备吃。刘备问：“什么肉？”这个人说：“狼肉。”刘备吃完了以后，到后院去牵马，看见一个女人杀在厨房里，胳膊上的肉已经刮掉了。知道自己所吃的肉是他老婆的肉，这个刘备居然没把肉给吐出来。（笑声）后来，刘备告诉曹操，曹操就叫一个人送了黄金百两送给这个刘安。你看看这么惨的事情，《三国演义》完全没有站在一个被杀的人的角度，来看这件事情，而是表现刘备施行“仁政”的效果。《三国演义》给我一种非常矛盾的感觉，你如果认真去想，要读懂《三国演义》的话，你不能光跟着它转，它写了什么，我就欣赏什么。你想一想，它没有写什么？

打仗就要死人的，就是要饿死人的。《三国志》上记载有“民相食”，不是个别的，而是相当普遍的。[①]那种吃人感觉是什么呢？他不写。至于那些正在打仗的人，那些将领，也一个个是英雄。他们杀人什么感觉呢？曹操有名将官叫王忠，他有个毛病，一肚子饿了，就要吃人肉，而且呢，他杀了人以后很自豪。他的部下把坟墓里的骷髅，啊，挂在他的马鞍上，他觉得非常自豪，骑着马，到处跑，“以为欢笑”，好开心啊。曹操跟袁绍打仗的时候，去打劫他的粮。运粮部队领头的将领，被抓住了，把他鼻子割下来，让他慢慢死。那运粮部队的所有的小兵，都把鼻子割下来，拿给袁绍的部队看。你们不投降，这就是你们的未来。那被割掉鼻子的士兵的感觉是什么呢？它是不写的。

非常残酷的战争，非常不人道的事情。在《三国演义》里面，即使是写到，也是轻描淡写的。

当时人们对战争的感觉，是我们今天不能想象的。曹操有个将领叫夏侯惇，打仗的时候被人家射中了眼睛了，他就把箭拔出来，一拔眼珠子出来了。然后他怎么样？把它吃下去，“父母精血不可弃也。”吃下去了。我不知道吃下去舌头上会有什么感觉，（笑声）它不想表现，如果想要表现，很简单嘛，用一些细节，但是小说没有从这个角度来表现战争。

---

① （晋）陈寿：《三国志·魏书·王昶传》：“汉末黄巾贼起，天下饥荒，人民相食。”《袁术传》：“江淮间空尽，人民相食”。《司马朗传》：“太祖与吕布相持于濮阳一时岁大饥，人相食。”

他突出的是什么呢？英雄的业绩。把眼睛吃下去就是英雄呀，无畏呀，不知道疼啊，吃了人肉不吐出来，仁政啊。关云长温酒斩华雄，酒还没有凉呢，脑袋啊，丢在你面前了，有没有鲜血淋漓的感觉？有没有血腥的气味？没有。因为这是中世纪的英雄传奇。

你们想想看，我在这里讲了一半，啊，对不起，我接到一个电话，警察局刑侦队要我帮个忙，去抓一个杀人犯。半个小时以后，我回来了，把一个人头丢在地板上。（笑声）我是神气了，可是讲座完蛋了，女同学都作惊叫着，作鸟兽散了。（大笑声）当然男同学也有不走的，这在古代叫处变不惊，现在用你们的话，叫作酷，可能是从英语 cool 来的。不管酷不酷，反正这就是英雄，可这种英雄的感觉我没有。（大笑声、鼓掌声）

《三国演义》就是这么一种传奇式的写战争的小说。我们叫史诗也可以。它对战争的野蛮、原始性的屠杀、非常人所能目睹的血腥，一笔带过不算，相反，是大加赞赏。

但是，它也并不是一点不写战争的残酷，只是不写老百姓的妻离子散，不写黎民百姓的家破人亡，但是，皇帝被播迁了，颠沛流离了，皇后被杀了，大臣被曹操割舌头了，它是要表现一番的。特别是贵族的苦难，战败时的悲惨，它是要渲染的。比如说，长坂坡，赵子龙救阿斗，很著名的经典片段。刘备在撤退的时候，他治辖下的老百姓都跟着他逃，曹操军队追赶，日夜追三百里。刘备手下原来三千多人马，十数万百姓，越来越少，只剩下一百多个了。刘备的两个老婆都失散了，儿子丢掉了，也管不上了。那些老百姓，跟着他跑，一个两县的百姓号哭之声，“震动天地，中箭着枪，抛男弃女而走者，不计其数。”这些都一笔带过。赵子龙杀开血路，去找他的刘备的两个太太，那种悲惨就写得很详细啊。赵子龙找到了一个甘夫人，请她上马，杀死了敌军将领。让人把甘夫人送到刘备那里，又回过头去找糜夫人。

> 忽听一人指曰：“夫人抱着孩儿，左腿上着了枪，行走不得，只在前面墙缺内坐地。”赵云听了，连忙追寻。只见一个人家，被火烧坏土墙，糜夫人抱着阿斗，坐于墙下枯井之旁啼哭。云急下马伏地而拜。夫人曰：“妾得见将军，阿斗有命矣。望将军可怜他父亲飘荡半世，只有这点骨血。将军可护持此子，教他得见父面，妾死无恨！”云曰：“夫人受难，云之罪也。不必多言，请夫人上马。云自步行死战，保夫人透出重围。”糜夫人曰：“不可！将军岂可无马？此子全赖将军保护。妾已重伤，死何足惜！望将军速抱此子前去，勿以妾为累也。”云曰：“喊声将近，追兵已至，请夫人速速上马。”糜夫人曰：“妾身委实难去。休得两误。”乃将阿斗递与赵云曰：“此子性命全在将军身上！”赵云三回五次，请夫人上马，夫人只不肯上马。四边喊声又起。云厉声曰：“夫人不听吾言，追军若至，为之奈何？”糜夫人乃弃阿斗于地，翻身投入枯井中而死。后人有诗赞之曰：“战将全凭马力多，步行怎把幼君扶？拼将一死存刘嗣，勇决

还亏女丈夫。”赵云见夫人已死，恐曹军盗尸，便将土墙推倒，掩盖枯井。掩讫，解开勒甲绦，放下掩心镜，将阿斗抱护在怀，绰枪上马。

《三国演义》对贵族，对争夺天下的人，有王族血统的人，他们的苦难，是舍得花笔墨描写的。但是对于普通老百姓们，是不写的。《三国演义》是个写战争的，它写的不是老百姓的战争。他写的是那些贵族、军阀眼睛中的战争，用英雄感知去体验的。虽然千军万马，但是，就是没有从一般的士兵的眼睛看自己的死伤，自己儿女的血泪。没有人看到自己在被杀前后的痛苦和恐怖。

这些事情，认真想象一下，都有点叫人，啊，上海话汗毛凛凛，毛骨悚然，是吧？但是所有这一切都是英雄业绩的陪衬。

我们应该明确一个观念，要欣赏《三国演义》，要欣赏它的什么？不是老百姓的苦难，而是欣赏英雄。我们用今天的观念来看，什么样的英雄还说不清楚。但是不管怎么样，我们今天读《三国演义》，还是会感觉到很动人。尽管动不动折了五七千人马，但是，小说没有提供死伤的感觉，小说让我们感受的是英雄的情志。

《三国演义》三家——曹操、刘备、孙权，用今天的眼光来看，都是军阀嘛。这些军阀争夺政权，我们后代人去读时候，为什么还感觉到他们的英雄气概？孙权是英雄，周瑜是英雄，关公是英雄，张飞是英雄，赵云是英雄，啊，诸葛亮是英雄，都觉得他们是英雄。这是为什么呢？

为什么这些军阀带给老百姓这么多的苦难，苦难到人吃人的程度，可是我们在读的时候还觉得他们是英雄？

我们要回到根本上来讲。就是封建王朝常规统治的时候，老百姓是很苦的，用鲁迅的话来说，就是做稳了奴隶的时代，这可以想象，是吧？但是中央王朝崩溃了，陷入了军阀混战，老百姓就更苦了啊。王朝统治太黑暗了，农民起义不是很好吗？对老百姓来说，也不见得更好，黄巾军来了，大吃、大喝、大抢、大乱、大烧。没得吃了，造成人吃人的灾难。这就是鲁迅所说的要奴隶而不得的时代。如果绝对用今天的标准衡量，没有英雄。农民起义事实上就是土匪，刘备、孙权和曹操是军阀。如果用这样的标准来评价，《三国演义》就不要看了。

当时，什么样的人给老百姓结束苦难，谁就是比较英雄的。

主要的是，能过上比较太平的日子。三个独立王国都有武力，对不对？比较文明的办法，商量一下，看谁先统一？统一得越快，老百姓苦难结束得越早。但是，人在那个时候，还没有进化到这么文明的程度。人和人有不同意见，就用暴力、血腥屠杀，谁赢了谁当皇帝。这个办法不太好，打仗要死人，大规模地死，互有胜负，时间拖得很长，差不多百年，人死多少呢？有个材料，让你们感觉一下：

公元 156 年人口 5007 万，经过黄巾起义和三国混战，公元 208 年赤壁大战后的全国人口为 140 万，公元 221 年人口下降到 90 万；损失了 98.3%。“马前悬人头，车后载妇女”，“白骨露于野，千里无鸡鸣，生民百余一，念之断人肠”，公元 208 年赤壁之战曹操说汉末三国大动荡活下来的人只是原来人口的 1%！一直到公元 265 年，三国人口总计才 767 万。[①]

这些数字实在有点惊人。从五千万降到九十万，还有说减少了百分之九十八点多，只剩下百分之二不到。军阀混战，大量百姓死于非命，是可以想象的。但是，那剩下来的百分一的人，差不多只够三个独立王国的兵员，谁来养活他们呢？谁来打造兵器，谁来织布，种田呢？“生民百余一”，这是曹操的诗《蒿里行》中所说的，显然有些诗的夸张。我想，百分之一左右的统计可能是按官方户口簿登记在册的，也就是要纳各种租税、服各种劳役的。官僚体系统治稳定的时候，农民只能老老实实登记，一旦混战起来，地方政权隶属变幻无常，官员自身都朝不保夕，百姓就躲避战乱，不报户口，自动化地免除劳役、赋税。这就叫作流亡。所以，唐代的韦应物，在滁州任上，就有过“邑有流亡愧俸钱”的诗句，说的就是，老百姓都逃走了，都流亡了，不交税赋了，可是我还拿着国家的俸禄。

虽然数字有些不太实在，但是，也可见军阀混战给人民带来的痛苦是多么深重了。

这时候，谁能结束这种灾难，谁就是英雄。我想曹操不管他的品德如何，只要他能够尽快地结束战争，统一政权，就对中国老百姓，对中国历史做了大贡献，他就无愧于英雄的称号。

有一种观念，得到认同，那就是，皇帝就是真命天子。其实，并没有什么天子，所谓真命天子就是打出来的。汉高祖刘邦，推翻了秦朝，打败了项羽，剿灭了韩信、彭越这些军阀，成为绝对的正统。他说，不是我厉害，而是老天决定的，所谓代天牧民。你不能挑衅，你挑衅就是大逆不道，要满门抄斩。可是如今皇帝已经成为傀儡了，快要完蛋了。每个人都有希望成为真命天子。三家纷争，血流成河。在这种情况下，对老百姓最有利的是什么呢？一家独大，两家都很差，根本不堪一击，三下五除二把两家消灭了，就统一了，就太平了，就不打了。有句古话说：“宁为太平犬，不为乱世人。”对不对？那么，就从这个意义上来讲，那些军阀，如董卓、袁绍、刘表、孙权、刘备这帮人，曹操越早把他们消灭越好。曹操已经从北方一直打到武汉这一带，刘备被打得落花流水。刘表在荆州死了，

---

① 石之桑：《中国人口发展史上的大灾难》。这个说法似乎不太准确。《三国志·蜀书·后主传》裴注此引《隐蜀记》，后主投降时，交出“士民簿”：“领户二十八万，男女九十四万，带甲将士十万二千，吏四万人。”光一个小小的蜀汉就有一百万左右的人口了。魏和吴都比蜀要大得多，应该有更多的人口。

儿子都是草包，刘璋在四川也是昏庸无能，曹操把他们收拾掉，是小事一段。赤壁之战再把孙权消灭了，国家就统一了嘛。就不用再打几十年了，老百姓就有希望安居乐业了嘛。那从这个意义上来讲呢，如果曹操赢，对人民就有利。对不对？最符合历史发展要求，国家统一的规律。但是，恰恰相反，曹操打了败仗，造成三国鼎立，战火连绵不断。违反这个规律，造成国家连年混战，那时刘备根本没有什么军事才一万多人，曹操号称八十三万大军下江南，根本不堪一击。不是诸葛亮去联络孙吴的周瑜这帮家伙，国家早就统一了嘛。是吧？从这个意义上说，诸葛亮是坏蛋、反动派。是吧？都是诸葛亮这个家伙的“隆中对”搞的，叫刘备去四川建立根据地，又弄出个独立王国出来，又打了几十年。

若从现实的角度来说，可以说《三国演义》里唯一的一个，可以称为好人的，有希望成为英雄的是曹操。最后他也统一了国家。其他人最好死得越快越好，对不对？统统一扫而光，对老百姓最有利。孙权越是没有出息越好，诸葛亮越是无能越好，对不对？

从严格的意义上说，论证英雄是不能从概念出发的。英雄的定义不能离开历史语境和百姓的生命。因此广为流传的曹操是奸雄，孙权是英雄的说法，是要重新考虑的。

在英雄问题在之所以这样令人困惑，因为历史不是这样简单。为什么？

人哪，太不理想了，人为万物之灵，其实在根本性的大问题上是不灵的。从三国时期，乃至于到今天，人还没有设计出一种办法来，以对多数百姓最有利的办法、制度，付出最小牺牲代价，最大限度地减少人民的痛苦，享受最大的安宁和幸福。作为万物之灵的人，本该是最有智慧的，恰恰就在这一点上很不灵，很愚蠢。把这么多有智慧的人放在一起，也不能想象出一种最合理的制度，最美好的生活方式，让人享受只有一次的生命。人类至今还不知道如何来处理不同追求、不同雄心的人。直到今天，人类还没有学会如何来解决人们之间重大的分歧。虽然口头上说，有理走遍天下，无理寸步难行，但是在两个军事集团之间，往往是有理寸步难行，无理走遍天下。我小时候的学英语课本上有一句话叫作“right is might”，可是严峻的现实恰恰相反，是“might is right”。

直到现在为止，人类还没有多大进步。特别是在民族与民族之间、国家与国家之间、军事集团与军事集团之间，交流的办法、商量的办法、协商的办法，还是很难奏效的。基本上是靠暴力。不过过去是冷兵器，面对面，你一刀，我一枪。现在是什么？不对称的战争。我坐在家里，导弹打过去，你完蛋了。

从这现实意义上来说，人类还处在幼年时期。

我们欣赏《三国演义》，评价其中的人物。不能忘记人类还处在幼年时期这个历史条件。三国纷争时期是公元 2、3 世纪，《三国演义》写作是 14 世纪。那时候，比现在要野蛮得多。

从老百姓的眼光来说，这些英雄的智慧武力越是势均力敌，越是糟糕，越是悲惨。那些很智慧、很勇敢的人们，明明在黑暗中浪费自己的生命，却觉得自己是为了最神圣的使命在献身，在实现着称王称霸的野心，享受着杀戮的血腥，把最荒谬的野蛮当作是神圣的事业，把生命的虚掷当英雄气概。当他们为最高理想而制造死亡的时候，如果用上帝眼光看，这完全是愚蠢的；用佛祖的眼光看，这完全是妄执无明。

在历史没有确定方向的时候，人们完全是盲动的。

《三国演义》写的这一段历史，可以说是一部血腥无比的杀戮史，人的相互摧残的历史。人类在幼稚的时候，总是在非常神圣的名义下，既愚昧地自我折磨，又不屈不挠，在相互杀戮的时候，又表现了超凡的才智，这就是人。又高贵睿智，又愚昧野蛮，在空前的凶残中又表现了超人的心智。不管是发挥的最出色的，还是造成最愚蠢的失败的时候，或多或少都能够表现出人的自尊、人的自信、人的自恋、人的优美、人的丑恶、人的卑劣、人的恶毒。不管是好人、坏人，大都逃不脱这样的心态。

我们在为《三国演义》震撼的时候，几乎忘记了这是军阀混战，而是一幅幅人的精神的搏斗图景。那些军阀，作为人来说，一个个还真是人模人样的，表现得真是丰富。英勇无畏、忠于信念、奋不顾身，视死如归的高贵，临变制机，料敌设奇的机智，他们的谋略、诡计，他们的妒忌、他们的多疑，他们的骄傲，他们的粗暴，他们的自作聪明，他们的自取灭亡，他们的庸弱无能，他们的崇高，他们的卑劣，读起来都令人惊心动魄。这里，我们读着读着忘记了他们是军阀、谋士，杀人如草，不是刘再复所说的“精神地狱”。不管是好人、坏人，我们看到的，就是人，不是人的表面言行，而是人的心灵、人的精神的表层和深层、人的心理奇观。斯坦尼斯拉夫斯基在导演《奥赛罗》时，对于埃古这个卑劣角色有过如下一条阐述：扮演埃古的演员必须感到自己是个挑拨离间的艺术家，是挑拨这一部门中的伟大导演，他不但为自己的恶毒计划而动心，而且也为执行计划的方式而动心。[①]

就是坏人，也是人。文学家的任务是提示其内心动机、情感，他的自尊、自得，甚至是自豪。

我们读古希腊的《伊利亚特》，看那些希腊人，还是英雄，为了争一个美女海伦，两个城邦，打了十年仗。死了十万人，可当海伦出现在特洛埃城头，那些元老院的男人惊叹道，她真是个女神，这仗是值得打的啊。这时，我们感情被作品聚焦到对美的不惜代价的争夺上，这就是爱美的希腊人啊，至于十年的鲜血和眼泪不在想象之中了。同样，我们读托尔斯泰的《战争与和平》，那也是血腥的战争，也有死亡的痛苦啊，但是，我们只看到安德烈公爵的死亡的过程，军官柏拉斯欣库死亡的幻觉。士兵死了那么多，他们怎么恐惧，怎么

① 孙绍振：《文学创作论》，海峡文艺出版社2006年版，第504页。

受难，作者一句也没有写。司马迁在《项羽本纪》中写垓下之战，项羽的末日。被围困了，突围，被数千汉军追赶，最后只剩下二十八骑，自知“不得脱”。对其部下说，我从起兵八年来，七十余战，所向无敌，如今弄到这步田地，“此天亡我，非战之罪也”。他就是不承认是自己战略和策略的错误，而是老天不帮忙。为了证明这一点，他说：我突围，斩将，拔旗，给你们看。“令诸君知天亡，非战之罪也。”于是大呼驰下，“遂斩汉一将”。当时有个汉将赤泉侯，来追赶他，被他“瞋目而叱之”，居然被吓得逃避了好几里地。项羽又再次突围，又“斩汉五都尉，杀数十百人”，然后对他的残余部下说：“何如？”（怎么样？）意思是，打仗我是很行的，只是老天不帮忙。最后，自知逃脱不了，干脆就自己把脑袋割下来，送给他的老乡吕马童去领赏。司马迁是站在赞美项羽的立场上写他视死如归的英雄气概。由于作者的诱导，读者根本不会有胜利在望的两个都尉和那数十百汉被那个马上就要掉脑袋的家伙所杀的意外，更没有那些将官和士兵的家属的悲痛。直到几百年后，李清照的解读可谓到家：“生当作人杰，死亦为鬼雄。”活着是英雄，做鬼也要英雄。

司马迁在这样写的时候，一点也没有直接显示他的“天亡我也”的荒谬。只是在这篇本纪后的“太史公曰”中说：“身死东城，尚不自责，过矣。乃引‘天亡我，非战之罪也’，岂不谬哉！”这是理性的分析，项羽完全不能算是英雄，而是很愚蠢的。司马迁这样的结论和前面直接写项羽的英雄气概，属于两种范畴。前者是史传文学带着很强的审美性质，属于审美价值范畴，后者是实用理性价值范畴，在价值观念上是不尽相同的。用我的话来说，情感价值和理性价值并不是统一的，而是错位的。

有了这样的美学基础，我们读《三国演义》的时候，就超越了人与人的互相杀戮的历史，心情只为人所向往英雄的心灵所感染。这里所有的英雄，都处于一个出发点，是什么？人的生命是短暂的，在这短暂生命当中，要做出辉煌的成就来。

正是因为这样，《三国演义》的伟大就在于，大规模地展示出一个时代的英雄辈出、奇才竞现的史诗。这里排除了小百姓的活动空间，只有英雄与英雄的竞争，把对自己的智慧、勇力的确信，超越竞争对手作为最高荣誉，以一见高低为最高准则，成者、败者，犬牙交错，忠于自己的信念，义无反顾，置生死于度外。其绚烂多彩，其卓越超群，显示中国人绵延百年的壮丽辉煌的精神图景。与刘再复先生所说的什么“精神地狱”相反，这是一首空前绝后的人才、奇才的壮丽交响乐章。毛宗岗在《三国演义》第五十七回的总评中说瑜亮情结时这样说：

> 当日人才之并生，不独此二人为然也。其并生而相济者，如（徐）庶之先亮，（庞）统之继亮，（鲁）肃、（吕）蒙（陆）逊、（陆）抗之嗣（瑜），（郭）嘉、（程）昱、荀（彧）、（荀）攸之佐曹皆是矣；其并生而相难者，如备之遇曹，亮之与懿，

（姜）维之遇（邓）艾皆是矣。天生一非常之人，必更生一非常之人以济之；而天生一非常之才，亦必生一非常之才以难之。①

《三国演义》的艺术魄力不是像鲁迅所想象的那样，仅仅孤立表现一个人物的多智，而是放在顶尖英雄与顶尖英雄在智慧上，在谋略上的惊心动魄的搏斗。

从这种观念出发，我们就不会为这些人物究竟是害人虫还是英雄而困惑了。

当然，从造物主的眼光看来，人类还处在幼年时代，人类的许多行为还是相当盲目的。

不仅是读《三国演义》，就是读《雷雨》中的蘩漪，她的乱伦是大逆不道的，是恶的，但是，不仅没有正面写，曹禺还在《序》中说："蘩漪自然是值得赞美的。"因为，这里表现的是人，人自在一种困境中，越是努力挣扎，越是陷得更深。②

他们浴血奋战、奇谋制胜的时候，从总体上来说是幼稚的。再聪明的人也是一样，包括诸葛亮，他为什么要忠于刘备呢？他为什么不把阿斗那样的庸弱无能的小皇帝废掉，取而代之呢？他就是为了忠于自己的观念，他认定那是最高尚的，最纯洁的，最神圣的。其实，忠君的观念谈不上高尚。这在今天已经是常识。

亚当·斯密在他的《国富论》说过，推动生产发展的人，并不是为了他人，为了人民去谋福利，纯粹为了自己。为了自己，他改良发明工具，推动了社会的发展。我们看《三国演义》也是这样，那些人物不是为了社会的进步，而是为了自己的追求。这是人类的弱点，也是人类的优点。

诸葛亮刚出山之前，他自比管仲、乐毅，就想当名相，名臣；而周瑜，让蒋干盗书，使了反间计。蒋干是周瑜的故人、曹操的间谍，想说服周瑜投降曹操。周瑜心知肚明，说，老朋友，今天不谈政治。他假假喝酒的时候唱了一首歌。啊，这首歌很值得细读：

丈夫处事兮，立功名；立功名兮，慰平生。

为什么要立功名呢？因为生命非常短暂。要让生命发挥出最高的价值来，做出不是一般人能做出的事情来。用今天马斯洛的人本主义心理学原理来说，不是为了生理的温饱，也不是为安全，也不是得到认同，而是为了得到尊重，得到自我实现，享受一种"高峰体验"。黄盖搞苦肉计，甘愿被打得皮开肉绽，这本来是痛苦的，但是，这种痛苦，有利于取得曹操的信任，战胜曹操。在黄盖，痛苦就是高峰体验。他假投降的降书要有人去送，对于多疑的曹操，这也是冒着生命危险的。这人叫阚泽（其实在历史上，当时此人不在前线）。黄盖就请他去送。黄盖说你敢不敢干？阚泽这么说：

大丈夫处事，不能建功立业，不几与草木同朽乎？

---

① 陈曦钟等辑校：《三国演义会评本》上，北京大学出版社1986年版，第700页。

② 曹禺：《曹禺经典戏剧选集》，新华出版社2010年版，第500页。

大丈夫如果不能建功立业的话，跟草木一样短命，很快就朽烂了。啊，肉体是速朽的，功名是不朽的。追求不朽，这就是英雄的自我实现。这种自我实现，是多种多样的，不可能像刘再复先生所引刘劭的定义："英是指'聪明秀出'，即智慧，雄即胆力过人，即力量。"[①]由此指出关公"智慧不足"，还引黄仁宇先生的话说，对于这样一个不智的军事领袖，居然被民间奉之为战神，实在"令人费解"。[②]

这种费解，是由于不是从文本出发而是从概念出发，英雄一定要有智慧，没有，而被民间长期奉为英雄，就不解了。其实，只要看看《三国演义》全部人物，有智慧的，如诸葛亮，刘再复认为是专施阴谋诡计，算不得英雄；许褚、张飞没有智慧，自然算不上英雄；周瑜则被抹黑了，不是英雄；孙权、鲁肃（《三国演义》中的）没有武功，不是英雄。按刘再复的标准，则《三国演义》中没有英雄。但是，数百年来，读者却认为《三国演义》是英雄辈出，不胜枚举的。其实《三国演义》中英雄的丰富多彩，是刘劭的蹩脚定义所不能涵盖的。鲁迅对三国时期的英雄辈出是肯定的，在写《中国小说史略》前三年，也就是1921年的讲义《小说史大略》倒是很赞扬的："三国时，多英雄，勇伟智计，奇伟动人。"[③]鲁迅所说的英雄还是比较狭隘的，其实，英雄是多种多样的，有各怀奇勇和伟智的，也有心胸狭隘的，有非常有远见的，有鼠目寸光的，有愚蠢的，有聪明自误的，但是他们的目的是一样的，就是要做出一番不朽的功业来。

从这个意义上来说，这就不是一般的军阀，这是人，但不是一般的人，而是杰出的人。这种人的杰出就在于：第一，不是为物质的荣华富贵，而是为了精神而生，为精神而死。为人都是希望让自己的声誉超越有限的肉体，获得永恒。比生命更长远，所谓不朽；第二，这些人，追求杰出，不但与敌人比，而且与同道比，看谁更厉害。我们看到的《三国演义》不是血腥的历史，而是英雄建功立业的历史，是人要突破生命的局限，不甘与草木同朽，湮没在群氓之中，追求超越同辈，提高生命质量的豪杰。

所以说，《三国演义》被称为是人的人，不能是一般的人，而是比一般人更有才智的人。第四十四回，孔明对鲁肃说，"曹操极善用兵，天下莫敢当。只有吕布、袁绍、袁术、刘表敢与为敌"，现在吕布、袁绍、袁术、刘表都被他消灭了，"天下无人也"！他这个"人"是指什么呢？指有特殊才能的人，这当中还有诸葛亮的自命。《三国演义》就是表现这种特殊谋略、特殊才智的人。孙权，接到曹操的来信，说，我现在已经消灭了袁绍，已经占领了荆州。那现在我要和你一起狩猎，实际上是，大军压境，要么投降，要么等待失

① 刘劭的原文是："聪明秀出谓之英，胆力过人谓之雄。"

② 刘再复：《双典批判》，生活·读书·新知三联书店出版2011年版，第149—141页。

③ 陈翔华：《诸葛亮形象史研究》，浙江古籍出版社1990年版，第110页。

败。孙权就拒绝了："老贼！以我江东无人！" 他这个 "人" 不是普通老百姓啊，也不是一般统领千军万马的将军，而是能与挟天子以令诸侯的人一决高下的 "人"。这当然也有孙权的自命。诸葛亮把周瑜气死，还去吊唁，临回时 "方欲下船，只见江边一人道袍竹冠，皂绦素履，一手揪住孔明，大笑曰：'汝气死周郎，却又来吊孝，明欺东吴无人耶？'"。孔明急视其人，乃凤雏先生庞统。这里 "无人" 的 "人"，也是同样的意思，既是杰出的人，也是庞统自命。

所以说《三国演义》表现的是一种 "人" 的观念，是超凡出众 "人" 与超凡出众 "人" 之间的竞争，看谁更加超凡出众，谁更能超越生命的短暂的局限，青史留名。《三国演义》强调，有杰出才智，以才智为信念献身的人，才是值得大写特写的人。

《三国演义》是一部把生命力发挥到最高境界的史诗，在这个意义上说，我们可以把他们叫作英雄，当然也是辛弃疾写到孙权时肯定的："天下英雄谁敌手？曹刘。生子当如孙仲谋。"（《南乡子·登京口北固亭有怀》）但是，这跟我们今天讲的为祖国、为人民、为社会做出贡献的英雄的内涵是有差异的，而在发挥有限生命的无限潜能是有一致之处的。至于刘劭那个蹩脚定义，只是说有才智，没有说到实践表现，那是空洞的。

把 "人" 的问题、英雄的问题解决了，下一回，可以讲讲诸葛亮了。

第三讲

诸葛亮是人化还是妖化

一、诸葛亮：历史精英和民间传奇的对接

非常受鼓舞，来了这么多同学，后面还有站着的，前面有坐地板上的。说明对诸葛亮感兴趣。当然也包含了另外一层意义，对鄙人感兴趣！（笑声、掌声）我有自知之明，你们主要还是对诸葛亮感兴趣。（笑声）当然，对我感兴趣也是令人鼓舞的。（笑声）诸葛亮死的时候才五十四岁，我今年比他快大到二十岁了。（掌声）鄙人今年七十三岁！所以刚才在休息室，有两个非常美丽的女同学，非常认真地先后问我："老师，你是坐着讲啊，还是站着讲？"我觉得这个问题非常难回答。（笑声）后来我随便说："你给我准备个座位，我想坐就坐，想站就站。"为什么呢？我眼睛一斜，走廊里站了那么多人。如果他们站着我坐着，有点于心不忍。我是个人道主义者啊。（笑声）但是后来又想，还是要坐着。（笑声）因为什么呢？诸葛亮的标准形象！就是我这个样子（笑声、掌声）不过还差一把鹅毛扇（笑声）看来你们也同意我坐下！好吧，有点仙风道骨了吧。（掌声）

诸葛亮很值得一讲，为什么呢？中国人呐，对诸葛亮是太熟悉了，用家喻户晓来形容他已经是陈词滥调了。诸葛亮的精神，成为我们国民灵魂的一个组成部分，以致进入日常口语，所谓"三个臭皮匠，合成一个诸葛亮"。不仅日常口语，而且还有进入书面语言的"鞠躬尽瘁，死而后已"，这不仅仅是指智慧，而且指诚信，忠于、殉于自己的诺言，成为国人道德的一个准则。"草船借箭""借东风""三气周瑜""六出祁山"等更是妇孺皆知。还有个典故"挥泪斩马谡"，也是家喻户晓，意味着坚持原则，杀了爱将，又为之哭泣。这

是把对人的爱惜和纪律无情分开的典范。

《三国演义》成书现在差不多六百年了，老百姓一代一代为诸葛亮的形象着迷。实践证明诸葛亮形象不朽！但是，可是，像赵本山说的“可但是”，（笑声）我们一些权威、一些大人物却对《三国演义》表示不屑，我的朋友刘再复还专门写了系列文章批判《三国演义》，说它是国人的精神的“地狱之门”，后来收在他的《双典批判》中。和《三国演义》的不朽来比较，刘再复也许是文化大腕，但是还有更大的，我们敬爱的鲁迅先生，他却认为《三国演义》写得很差，很假，尤其是诸葛亮！“多智而近妖”，这就很值得挑战了，很值得争鸣一下了。为什么小人物没有什么人关注，没有什么影响，和鲁迅争辩，肃清他的流毒，就有人侧目了？特别是一些研究鲁迅的专家，把鲁迅的每一天日记都背得上来，学问太大了，我肯定甘拜下风。但是，我一说鲁迅不行，他们就要恼火了。他们一恼火，就可能骂我了。这是我巴不得的事，因为这等于扩大我思想的影响面，替我做广告。（笑声）

鲁迅先生认为，《三国演义》虽然根据《三国志》，包括裴松之插入其中的注解材料写的，但把历史跟小说的虚构混淆了，产生了很多很多的混乱。他在《中国小说史略》中引用清章学诚《丙辰杂记》病其“七实三虚，惑乱观者。”鲁迅先生也说，“杂虚辞复，易滋混淆”。[①] 第二个缺点就点到诸葛亮了，就是“至于写人，亦颇有失”，“状诸葛之多智而近妖”。[②] 表现诸葛亮多智，智慧超群，如果让我来说，有点超人了。但是，鲁迅先生说话是很独特的，说“超人”，太平庸了。他要把话说得尖锐一点，超人到什么程度？不像人！这样说，在我看来已经不够厚道了，可他可能觉得不过瘾，说，诸葛亮多智得像妖怪了。（笑声）你只要看一次，就像钉子钉在记忆里了。鲁迅先生的语言，我是很佩服的，骂起人来，真是辣椒水磨刀，我每每心向往之，因为我也是喜欢骂人的，可惜至今学不到家。骂人，也是要骂出水平来的，从一定意义上说，也是一种学问。（笑声）我在这一点上，比鲁迅差得太远了，够不上专业水平。（笑声）

话说回来，以鲁迅先生这么高的权威，我从本能上不敢反对他的，后来我自我分析，这其实是胆子太小，没有做学问的起码的气魄。（笑声）反复阅读的结果，我的心告诉我：鲁迅错了！实际上是良心发现了。请你们相信，我这个人虽然有许多缺点，但是，良心还是有的。凭着天理良心，我敢说，鲁迅的论断错误的，大大的。原因有三个，第一是，他根本就没读懂《三国演义》里的诸葛亮；第二是，他压根儿就没有考虑过他所认定的历史，

① 这种情况，鲁迅但举文人，但更严重的是清雍正朝，大臣奏折引三国演义诸葛亮马谡故事，雍正认为“甚属可恶，交部严审”。见陈翔华《诸葛亮形象史研究》，浙江古籍出版社 1990 年版，第 273 页。

② 见《鲁迅全集》第九卷，人民文学出版社 2005 年版，第 135 页。对于关羽华容道放了曹操之后孔明的表现，鲁迅的评价是“叙孔明止见狡狯”，见同书第 136 页。

也就是《三国志》里的历史，也不完全是靠得住的；第三是，他忽略了《三国演义》所根据的并不完全是裴松之注解的《三国志》，还有文人笔记、宋元话本、民间传说，还有元杂剧，这一切在《三国演义》里所占的分量不是小小的，而是大大的；第四是，他分析小说艺术的方法是错误的！我这话是不是太狂妄了？但是，我觉得我狂而不枉。(笑声）你们可能想，嘿，这小子胆子怎么这么大？你们说这“小子”，不妥啊，我这么老了，可你们又不能说这“老子”，是吧？（大笑声）在普通话里，一下子找不到恰当的说法，倒是在四川话里有相当精确的说法——“这老哥子”。(笑声）俗话说，艺高人胆大，谁说艺不高，胆子就不可以大啊？不是有一种说法，叫作贼胆包天吗？贼有什么“艺”呢？我却有一股上海人讲的，“老寿星吃砒霜——活得不耐烦了”的劲头。何况早在1985年，我就在《文学创作论》中建构了我自己的小说理论。小说的艺术生命在于，把人物打出常轨，表现其不同于表层的深层心理奇观。打出常规的人与人之间情志的关系，不单纯是对立的，不是心心相印的，而是心心相错的，我把它叫作“错位”。长篇小说写的就是人与人的心理错位关系，可是鲁迅的分析却是单独地分析一个人物，把诸葛亮从和他关系密切的周瑜、关公、曹操、关公、刘备、司马懿、马谡等情志错位结构中硬生生抽出来，做孤立的论断。这是鲁迅的致命伤。

伟大的鲁迅先生为什么犯这么多并不高级的错误？还一个原因，说出来你们可能吓一跳，他老人家太年轻了。(哈哈大笑声）当年他写《中国小说史略》的时候，才四十一岁吧。鄙人今年七十三岁，生姜还是老的辣嘛。老夫这点气魄还是有的。鲁迅如果今天还活着，四十多岁，如果还在厦门大学中文系，距离我们福建师大两个小时的车程，老夫有空的话，常常去关心这个有天才的小伙子。(热烈的掌声）

不但鲁迅没读懂，就连当年第一个把章回小说、白话小说提到文学正统的历史地位的胡适，也是没有读懂！他说，《三国演义》“极力描写诸葛亮，但他们理想中只晓得‘足智多谋’是诸葛亮的大本领，所以诸葛亮竟成了一个祭风祭星、神机妙算的道士”。[①]

鲁迅先生说《三国演义》里边好多虚构，歪曲了《三国志》。那我就抬杠了，《三国志》就那么可靠？就没有虚构？我举个简单的例子，《三国志》里写到诸葛亮第一次在政治舞台上露面，是在后来被一些选本命名为“隆中对”中的。在《三国演义》里就是“三顾茅庐”。这在历史文献上倒是有的，但是，很简单，只有诸葛亮自己在《出师表》里提到。“先帝”，也就是刘备；“不以臣为卑鄙，”不以自己低微卑陋，见识不高；“三顾臣于草庐之中，由是感激”。我非常感动，因而呢，“遂许先帝以驱驰”，我就决计把生命献给他。这个

① 《胡适文存》(卷一)，上海书店出版社1989年版，第52—53页。

时候，诸葛亮是二十七岁，《三国志》的作者陈寿，这个时候多大呢？他还不存在。（笑声）要等到什么时候他才出生呢，诸葛亮五十三岁，陈寿出呱呱坠地了，一岁。陈寿整理《三国志》的材料，编《诸葛氏集》，什么时候呢？晋泰始十年，公元 274 年，诸葛亮死于公元 234 年，也就是四十年以后，距离“隆中对”六十七年。陈寿如果是那个时候开始写《三国志》的话，那么，你想想看，刘备跟诸葛亮对话，怎么对话？《三国志》里写“因屏人曰”，把周围的人都赶出去，两个人密谈，谈了两三个小时，不会更多，因为早上去诸葛亮还没有起床，谈完了，也没有说留他们吃饭。（大笑声）当时没有录音机，他们也没有办法一面谈话，一面记录。又没有第三个人在场，肯定没有现场记录。当然，陈寿曾经在蜀国做过文官，也许看过什么文献材料吧！但是恰恰蜀国的资料特别少。中国古代有一个制度，就是把皇帝的话、行为都要记录下来，皇帝不能看的，叫《起居注》。陈寿自己也批评过诸葛亮不置史官，唐朝史论家刘知幾批评诸葛亮做蜀国的丞相，没有很好地坚持这个制度。“蜀国不置史，注记无官，是以行事多遗。”刘备和诸葛亮谈话，还没当皇帝，几十年前说的话，你陈寿一字一句，怎么会知道那么详细啊？再说，过了那么几十年你才出世，你的耳朵总不能提前贴到墙上窃听吧。而且，那个语言都特别漂亮！刘备问诸葛亮，奸臣窃命，主上蒙尘，我缺乏德行，要申大义于天下，用正统道德收拾人心，统一天下，我怎么办？刘备当时的眼光放在哪里呢？在中央王朝，也就是中原。陈寿把诸葛亮的话写简练，说问题不在这里，曹操现在拥百万之众，挟天子以令诸侯。具有王朝正统的合法性，你不能硬碰。孙权那边，从他的父亲、他的哥哥已经积累了三代，贤能为之用，国险而民附，地形非常险要——江南，就是在你们南京这个地方。嗯，那个同学说得对，建业，对！你去碰也不成。诸葛亮提出，你不要老想着中原逐鹿，把眼光放在河南许昌那一带。那些地方不要去，曹操你弄不过他的，江南这带也不行。现在有个空档，荆州！也就是湖北、襄阳、武汉，还有湖南那些地方，地盘很大，但是那里的地方官，太草包！你先从荆州，向四川发展，那是个更大的空当，天府之国，那里的行政长官，暗弱昏庸。诸葛亮转移了刘备的注意中心，硬石头不要碰，你赶快找软鼻子修理，到四川去建立根据地！这么宏大的战略意图，转变了刘备长期专注中原的焦点。但是，要费多少语言呢？要有多少交流和权衡呢？诸葛亮的语言是这样的：

“今操已拥百万之众，挟天子而令诸侯，此诚不可与争锋。孙权据有江东，已历三世，国险而民附，贤能为之用，此可以为援而不可图也。荆州北据汉、沔，利尽南海，东连吴会，西通巴、蜀，此用武之国，而其主不能守，此殆天所以资将军，将军岂有意乎？益州险塞，沃野千里，天府之土，高祖因之以成帝业。刘璋暗弱，张鲁在北，民殷国富而不知存恤，智能之士思得明君。将军既帝室之胄，信义著于四海，总揽英雄，思贤如渴，若跨有荆、益，保其岩阻，西和诸戎，南抚夷越，外结好孙权，内修政理；天下有变，则命一上将将荆州之军以向宛、洛，将军身率益州之众出于秦川，百姓孰敢不箪食壶浆以迎将军者乎？诚如是，则霸业可成，汉室可兴矣。”先主曰：“善！”于是与亮情好日密。

这么重大的战略方向的决策，总路线的转移，几个小时，就这么三百多个字啊？诸葛亮的语言怎么这么精练啊？而刘备的话就更精练了，只讲了一个字“善”！历史可能是这么简单的吗？再说诸葛亮哪里像在对话，一点口语都没有，在句法上，是对仗与不对仗的交错；语气上，陈述、反问、感叹，变化丰富。其宏观的视野，用其对称的句法，又是那么精致。

荆州北据汉、沔，利尽南海，东连吴会，西通巴、蜀。

若跨有荆、益，保其岩阻，西和诸戎，南抚夷越，外结好孙权，内修政理；

这样居高临下的视觉，俯视九州的胸襟，明显不是日常即兴的语言，而是经过精心修饰的书面语言。这样的排比后来还成为经典模式。过了几百年，唐朝的王勃的《滕王阁序》就学得很到家，例如“北通巫峡，南极潇湘”。就是从隆中对的句法模式里套出来的。（笑声）

鲁迅说，《三国演义》里的东西，跟历史，也就是《三国志》不符合，因而造成了混乱！那么我就要问了，陈寿这个记载是不是就那么可靠呢？你们学过当代哲学的人知道，任何一种叙述都是一种回忆。这个陈寿连回忆都没有。任何一种叙述都经过主观的价值观念的同化、过滤和增补、增值。一切历史都是当代史。因而，在我来看，光是《隆中对》就是想象的嘛。不过这个想象不是凭空捏造，而是陈寿对诸葛亮二十多年政治军事实践的高度概括和总结。

历史跟小说之间，当然有很严格的区别，但是，也不见得没有相通之处，并不是历史绝对的是客观的真实，小说全是胡扯！所以，从理论上来说，鲁迅好像太迷信《三国志》了。你想想看，一个二十七岁的青年，跟四十多岁的一个军阀在对话，而且是秘密的，过了六十多年以后，有人拿出个一字不漏的记录来，这有多大的可靠性？我觉得，不必那么认真！在这一点上，钱锺书先生倒是比鲁迅更通达，他有个说法，小说和历史固然有所不同，但是，在一点上是相通的。钱先生说得很彻底：

与其曰：古诗即史，毋宁曰：古史即诗。[①]

① 钱锺书：《谈艺录》，中华书局1984年版，第38页。

这就是说，从文体功能来说是历史是纪实，然而，从作者情志的表现来说，却无不具有审美价值。钱锺书先生以《左传》为例，还指出“史蕴诗心、文心”，特别指出：

史家追述真人实事，每须遥体人情，悬想事势，设身局中，潜心腔内，忖之度之，以揣以摩，庶几人情合理，盖与小说院本臆造人物、虚构境地不尽同而可相通。[①]

这就是说，古代史家虽然标榜记事、记言的实录精神，但是事实上，记言并非亲历，且大多并无文献根据，其为“代言”“拟言”[②]者比比皆是。就是在这种“代言”“拟言”中，情志渗入史笔中，造成历史性与文学性互渗、实用理性与审美情感交融是必然的。这就是说，《隆中对》中那些诸葛亮的语言，与其说是诸葛亮的，不如说是陈寿的。[③]

所以，用历史来否定诸葛亮的形象道理是不充分的，不够雄辩的。

历史是求真的，但是，当代的哲学认为纯粹客观的历史是不存在的。一切历史都是渗透着叙述人的意志、情感、观念、文化等等，都是经过主体价值同化的。

从鲁迅、胡适一直到易中天、刘再复，都是怪《三国演义》歪曲历史，可是要知道历史也可能歪曲历史啊！我再说一句，表示负责：历史也可能歪曲历史啊。这是规律啊。所以一切历史都要批判，都要重写。这不是我好抬杠。事实上，就是严肃的《三国志》，也有许多不真实的东西。在陈寿死了一百多年以后，裴松之给它注解，其主要原因就是，它有错误。他在《上三国志注》中这样说《三国志》所说出入百载：

注记纷错，每多舛互。其寿所不载，事宜存录，则罔不毕取，以补其阙。或出事本异，疑不能判，并皆抄内以备异闻。若乃纰缪显然，则随违矫正，以惩其妄。[④]

一千多年以后，清代的《四库全书总目提要》总结说，裴注的目的是：

一曰引诸家之言，以辨是非，二曰参诸书之说，以核讹异，三曰传所有之事，详

① 钱锺书：《管锥编》，中华书局1979年版，166页。

② 钱锺书：《管锥编》，中华书局1979年版，166页。

③ 2011年4月23日，台湾师范大学学术讨论会上，有学者质疑：《隆中对》作为文章，非陈寿“代言”，陈寿乃据《诸葛亮集》中之《隆中对》原文。其时因手头无书，无从答辩，现谨答如下：

陈寿《三国志·蜀书》进《诸葛氏集》表云，其集共二十四篇十余万字。然该书不存，仅存目录中，并无《隆中对》。《四库全书总目》载《武侯全书》二十卷，明王士骐撰，后杨士伟病其芜累别改定为《诸葛忠武书十卷》，亦无《隆中对》。《四库全书》又载（明）张溥辑《汉魏六朝百三家集卷二十二》中有《汉诸葛亮集》收罗甚广，包括表、奏、教，书、议、法、论、记、碑、军令甚至诗等，亦无《隆中对》。“隆中对”作为篇名于古籍中出现，当在清际蔡志远之《古文雅正》，然其篇名下注明作者为《三国志》。今人段熙仲、闻旭初编校《诸葛亮集》（中华书局1960年初版，2010年第6次印刷）内有《诸葛亮著作考》，收罗自唐至清之考证资料，未有涉及《隆中对》者。此集载有《草庐对》，即《隆中对》，文前文后均注明节自《三国志》卷三十五《蜀志·诸葛亮传》。据此则似可断定《隆中对》全文当为陈寿所作。

④ 许嘉璐主编：《二十四史全译·三国志》，汉语大辞典出版社2004年版，第3185页。

其委曲，四曰传所无之事，补其阙失。[①]

这里明确指出，裴松之在纠正它的错误，补充它的遗漏时，也还有十余处“凿空怪语”。所谓“凿空怪语”，就不是历史，而是接近小说了。[②]

当然，话也不能说绝对了，小说毕竟是小说，其虚构、其想象比历史不是在程度上要自由得多，而是在性质上，它的想象的是人物的内心，人物灵魂深处的奥秘。而历史，尤其是中国历史的想象，则以记言、记事为务，尽可能地接近事实，而不加判断，更不能直接抒情和议论。

艺术就是虚构，虚构有虚构的价值。讲到虚构，适之先生又来了一套，他认为，《三国演义》除了别的毛病以外，还有一个毛病，缺乏想象！创作力太薄弱，全书大部分是严守历史，最多不过能在穿插琐事上表现一点小聪明，没有想象创造。“可算是一部很有势力的通俗历史演义，不能算是一部有文学价值的书。”鲁迅和胡适两位大师，都否定《三国演义》，但是，一个认为他歪曲了历史；一个认为过于拘泥于历史，“而想象力太少，创造力太薄弱”。我想，如果罗贯中先生，还活着，正在写《三国演义》，那就要火了，就要发脾气了，你们还让不让我活啊！（大笑声）

二、诸葛亮形象：精英价值与大众对接的艺术丰碑

对于诸葛亮，胡适和鲁迅同调：“他们极力描写诸葛亮，但他们理想中只晓得足计多谋，是诸葛亮大本领，所以诸葛亮成了一个祭风祭星、神机妙算的道士”，“奸刁险诈的小人”。鲁迅则说，在关公放走曹操这一节，孔明的形象“只见狡猾”，这就更严重了，这不是不真实的问题，而是品质问题。二位大师，我十分景仰，但是，他们这样的说法，我不但不能同意，而且受不了。（笑声）我以艺术为生命，我不能眼看艺术遭到这样残酷的践踏。（笑声）

说句老实话，在这里，人不多，才敢斗胆说出来，鲁迅没有看懂诸葛亮形象的艺术奥秘。胡适就更不懂艺术了！（笑声）胡适在这篇文章里坦白，之前看了鲁迅的小说史的讲义，受了鲁迅的影响，那时他们还是战友，惺惺相惜。当然，胡适啊，才智不如鲁迅！他讲话越讲越豁边，越说越走火！他说，不但《三国演义》把诸葛亮写坏了，而且把周瑜也写坏了，“把一个风流儒雅的周郎写成一个妒忌阴险的小人”。这个胡适啊，完全是自相矛

---

① 许嘉璐主编：《二十四史全译·三国志》，汉语大辞典出版社 2004 年版，第 3186 页。以上均见《四库全书·附·四库全书总目》卷四十五。

② 许嘉璐主编：《二十四史全译·三国志》，汉语大辞典出版社 2004 年版，第 3186 页。

盾！一方面说人家没有想象力，都拘守历史的故事；另一方面呢，又说把周瑜想象成一个“妒忌阴险的小人”。

不说别的，这本身就是“硬伤”。

其实，在《三国志》里，周瑜外貌漂亮，还懂得音乐。但是，没有什么“风流”。“风流”是几百年以后苏轼在《赤壁怀古》里强加给他的。什么“小乔初嫁了”，事实上，《三国志》记载，十年前周瑜和孙策攻拔皖城，得到的两个“流离”的女孩子，说得准确一点是战利品。大乔、小乔皆为“国色”，也就是绝色美女，孙策不像曹操，一人独享，他很慷慨，和周瑜哥们儿，一人一个。（大笑声）历史记载，孙策当时已经有儿女，大乔身份则是妾。到了赤壁之战，已经是十年之后，大乔、小乔已经是中年，半老徐娘哦。（大笑声）在吴国官方的正式文献中，周瑜并不以风流潇洒为特点，而是“衔命出征，身当矢石，尽节用命，视死如归”的英雄（《三国志·周瑜、鲁肃、吕蒙传》）。再说，你有什么权力不许我这样想象？我这样想象才艺术嘛！《三国演义》有自己对“人”的理解嘛！主要是杰出的“人”与杰出的“人”之间的矛盾和错位，不管是敌人，还是盟友，都在使心眼啊，好心眼、坏心眼错位，才是立体的人嘛。我的朋友刘再复说，《三国演义》对周瑜“也抹黑得面目全非”[①]。其实也是不理解《三国演义》的艺术。这种所谓抹黑，如果有利于好人之间的心理错位，周瑜的多妒和孔明的多智、曹操的多疑联系起来，形成错位，才有艺术的精彩嘛。这一点请允许我按下另表。

胡适还把其作者说成是很愚蠢的“陋儒”。其实《三国演义》的作者对史书和相关的文献是很熟悉的，既有很高的文化修养，又有自己对人的理解，有很高的艺术魄力。首先，把三个独立王国、不相连续的数百人的传记、近一百年的混战、千头万绪的人物关系，构成多元而统一的、有机的情节系统。其次，把从魏晋、宋元以降的文人笔记中的纷纭的奇闻逸事，唐宋诗歌中的异彩纷呈的赞颂，宋元话本、元杂剧中的曲折新异的情节，取其精华，去芜弃杂，将上百人物之间眼花缭乱的斗智，融入民间想象的错综精神网络之中，以统一的思想同化纷纭的素材，以有机的构思组织错综的性格心理，其间或宏大、或精微，或智趣深邃，或情趣盎然，或谐趣横生，不一而足。其难度不亚于把堆积如山、大小不等、良莠不齐的零件，去粗取精，化腐朽为神奇，其难度不亚于创造出一架能够自由翱翔的木牛流马。

从多彩的精神和从宏伟的结构来看，作者无疑具有视通百载、胸罗九州、笔驱英杰、墨阵开合的气魄，其才华在中国文学史上，绝对是空前的！可以说，从那以后，中国长篇

① 刘再复：《双典批判》，生活·读书·新知三联书店 2011 年版，第 172 页。

小说，如《水浒传》，都没有解决众多人物各自独立的情节和结构与有机主题的统一问题，《西游记》倒是有了统一的情节，但是，其中太多类似的重复，至于《儒林外史》，简直是短篇的串联了。直到《红楼梦》才从整体上解决了长篇小说结构统一于有机的主题。胡适这话说得显然太幼稚了。这也难怪，他说这话的时候比较年轻，才二十多岁，毛头小伙子嘛。上帝允许年轻人犯错误。（笑声）当然，胡适毕竟是胡适，他还是有一点艺术感觉的，他特别宣布"《三国演义》里最精彩的仅仅是赤壁之战"。这话我从情感上听起来很顺耳，但是，从理性上却感到不太严谨，经不起分析。

我从小学五六年级读《三国演义》到现在，不知读了多少遍。一开始最让我感动的还不是赤壁之战，是什么？三顾茅庐嘛！表现出很丰富的想象力嘛。本来在《三国志》中根据诸葛亮自己说的只有"三顾臣于草庐之中"，到了《三国演义》，洋洋洒洒写出"三顾"情节的曲折丰富。这种丰富，不是轻易得来的，也不是罗贯中一个人的功劳，那是从三国时代，到元朝末年，上千年的文人笔记、民间说书人、戏剧家，反复加工，最后由罗贯中等把它们集中起来。正是因为这样，《三国演义》的精彩就不仅仅是史家的纪实智慧，同时还有民间的想象的神奇。这一点集中在诸葛亮（还有关公）身上。

诸葛亮还没有出场，先让徐庶出来讲，说这个人呐，有经天纬地之才，天下第一人也！接着又来了名士司马徽来推崇，说他自比管仲和乐毅，但是实际上，比管仲乐毅还强！可以比得上兴周八百的姜太公和兴汉四百年的张良。这里的精彩在于，有一种矛盾的倾向，推崇他的司马徽说诸葛虽得其主，却不得其时，白费劲。注定要失败的，这是宿命。作者把诸葛亮放在互相矛盾的精神氛围当中。一面是赞美诸葛亮的盖世的才华，一种乐观的、一种诗化的氛围；另一方面呢，又有一种宿命的、悲剧的暗示，不管你本事多么大，最后不能成功的。这个场景，还有一个特点，一方面写他超凡脱俗，对于功名利禄无动于衷，一派仙风道骨的风貌；一方面又强调他自许甚高，有管仲、乐毅之才。这种才华是政治性质的，并不是陶渊明隐士式的，其最高的志向是要在政治实践中施展的。

三顾中，每一顾都有不一样的功能，每一顾都为诸葛亮的形象增添色彩。第一顾啊，来了一个人，去了一个人，都跟诸葛亮形象差不多，都不是诸葛亮。第二顾，碰到了那么多人，以为是诸葛亮，结果都不是。快回去了，冒出一个老先生来，以为诸葛亮来了，仙风道骨啊！狐裘蔽体，骑着一头小驴，后随一个青衣小童，拿着一壶酒，踏雪而来，一派隐士高人的风度。在古典诗意的山水画的背景上，这么悠闲自在，注意，是骑着驴，而不是骑着马，说明很朴素啊！如果骑着马，当时骑马意味着富豪，相当于现在的奔驰宝马了。（笑声）当然，也不寒酸，随一个小童表示生活安闲，不用自己劳神找饭碗。诸葛亮还没出场，实际上他的情趣、他的志向、他的人格、他的情操、他的风貌都已经营造得很浓郁了。农民歌颂他、高人雅士称赞他，还有仙风道骨的人很像他，这说明，奇才不显山，不露水，“高卧隆中”，成为成语！要他出山，是要有非同小可的礼贤下士的谦卑的。这里隐藏着《三国演义》的主要思想：对奇才的特殊尊重。胡适不但没读懂它的思想，更严重的是，他没有读懂它的艺术。

第三顾以前，整个的情节，弄来弄去，都是意外的，一系列的转折带着戏剧性，这是带着抒情性的，立意在歌颂赞叹他的超人的才能和脱俗的品格，是精英趣味。但是，这并不是全部，这里还有大众趣味。那个非常推崇他的人，却是反对他出山的，原因是命中注定是要失败，是宿命的，不可改变的，必然的。这就不是《三国志》的精英思想了，而是民间根据蜀国失败历史，想象出来的因果，带着民间传说的色彩。在艺术风格上，就是在颂歌的彩云中的一把达摩克利斯剑，一种悲剧的暗示。这种民间的宿命因果的逻辑决定了，第一，把“凡三顾”，写得那样曲折，那样艰难；第二，这种曲折，明显带着说书人为了延续听众吸引力，不断“卖关子”，极尽山穷水尽、柳暗花明之能事，这是商业性质的手段。在章回小说中，这是公式化的“且听下回分解”的技巧，但是，《三顾茅庐》却出奇制胜。毛宗岗在《三国演义》第三十八回前的总评中说到刘备第三次光临见到孔明前的反复和曲折，用九曲武夷来比喻。我们用数字在括弧里分别标明这“九曲”：

玄德第三番访孔明……使一去便见，一见便允，又径直没有趣矣。妙在诸葛均不肯引见，待玄德自去，于此作一曲。（一）及令童子通报，正值先生昼眠，又一曲。（二）玄德不敢惊动，待其自醒，而先生只是不醒，则又一曲。（三）及半晌方醒，只不起身，却自吟诗，则又一曲。（四）此未见前之曲折也。及初见时，玄德称誉再三，孔明谦让再三，只不肯赐教，于此作一曲。（五）及玄德又恳，方问其志若何：直待玄德促坐，细陈衷悃，然后为之画策，则又是一曲。（六）及孔明既画策，而玄德不忍取二刘，孔明复决言之。而后玄德始谢教。则又一曲。（七）孔明虽代为画策，却不肯出山，直待玄德产、涕泣以请。然后许诺，则又一曲。（八）及受聘，却不即行，直待留宿一宵，然后同归新野，则又一曲。[①]

《三国演义》向来被认为“七实三虚”，一般认为，得力于《三国志》有七成之多，但这里，恐怕是一实九虚，最生动处完全是作者的虚构。这种虚构，充满了神秘感，洋溢着古典隐士的清高和文人雅士的诗境。这种意境，不仅是中国古典诗歌的，而且是《三国演义》的核心价值之所在。那就是对于奇才无条件崇拜。孔明是奇才中的奇才，因而，要有

① 陈曦钟等辑校：《三国演义会评本》上，北京大学出版社1986年版，第473页。

尊崇之上的尊崇。理想化的君王，对于此等人才，要极尽殷勤卑微。

从初顾到三顾，多到近二十回合的曲折，很可能造成沉闷和单调。但是，读者却没有这样的感觉，就连易中天这样对《三国演义》持有批判态度的人士都认为，“实在很精彩，也很有意思”[①]。这里除了情境本身的变化以外，最精彩之处是刘备的亲信张飞和关公的反衬。关公比较有修养，只是委婉地表示怀疑，而张飞，前后三次表示愤怒：这就不仅仅是环境的渲染了，而是人情的阻力。张飞把诸葛亮看成一个“村夫”，说是“使人唤来便了”。这个意思本是刘备当初对徐庶说的话，《三国演义》为了把求贤若渴、诚恳殷勤强化到极端，把这话转送给张飞，从内涵上说，显然是反衬刘备求才的诚恳。从艺术上说，却是增添了生动性。前面的氛围的烘托，全是高雅的，诗化的，而张飞的这几笔，非常粗俗。这种粗俗却有另一种趣味，那就是有点好笑，也就是有点谐趣。第二顾的人情阻力，关公发难，但是，仍然非常委婉：怀疑诸葛亮徒有虚名，故意“避而不见”。所用的语言全是书面的文言，这符合夜观春秋的关公的修养。而张飞第二次提出他的“村夫”论：

量此村夫，何为大贤！今番不须哥哥去；他如不来，我只用一条麻绳，缚将来！

这样的曲折，不但是情感的错位，而且是语言（书面语与口语）的分化。比第一次更加强化了。但是，作者并不以此为满足，还有第三次：等到明确了孔明就在家里，但是，“昼寝未醒”，刘备只好拱立于阶下，等了半晌，居然还没有动静。张飞大怒，谓云长曰：

这先生如何傲慢！见我哥哥侍立阶下，他竟高卧，推睡不起！等我去屋后放一把火，看他起不起！

张飞的插入，使得本来单纯的曲折的雅趣/诗趣，渗入了一些俗趣和谐趣。《三国演义》的价值观，是比较宏观的精英价值，主要是高级的谋略价值。这样的价值，很高雅，但是《三国演义》毕竟是大众文化，因而，不时要请张飞出来，加添一种平民视角。这在通篇都是雅致的诗化气氛中渗入一点诙谐之趣味，显得趣味丰富。因而，叶昼假托性格率真的李贽评语说：

孔明装腔，玄德作势，一对空头，不如张翼德，果然老实也，呵呵。[②]

叶昼这样的批语，在艺术上是可能是有道理。这一笔，突出了三个人，张飞的粗率又反衬了对于孔明和刘备的虚虚实实。但是，从内容上说，对于诸葛亮是冤枉的，人家本来就反复强调不想出山，非到见到真正的知己，不轻易下决心。但是，对于刘备这样的批评，就并不是完全没有道理，毕竟《三国演义》的作者，太过在意刘氏的王朝正统了，千方百计地美化刘备，弄得倒真有点作态了。鲁迅批评《三国演义》，为了抬高刘备而把他弄得有

① 易中天：《品三国》，上海文艺出版社 2006 年版，第 153 页。
② 陈曦钟等辑校：《三国演义会评本》上，北京大学出版社 1986 年版，第 471 页。

点“似伪”。刘备反复请诸葛亮，诸葛亮就是不肯，刘备就哭啦！（笑声）刘备很会哭的啊，动不动就哭，有人就挖苦他说，刘备的江山就是哭出来的。（大笑）他好多次哭，人家就不相信，鲁迅就不相信，这是自然的，因为鲁迅同代人就说他也有个毛病，就是“多疑”。当然，这和曹操的“多疑”有本质的不同。（大笑）他的怀疑在许多场合是有道理的。例如，诸葛亮不干，他说：“先生不出，如苍生何？”“言毕，泪沾袍袖，衣襟尽湿”，袍子袖子全湿了啦！那水啊有多少，（笑声）我们想象一下，至少相当于自来水龙头开了一两分钟。（大笑声）。但是，如果考虑到这是民间文学的想象，在元朝末年，在蒙古人统治下，对于国家统一于汉族的强烈渴望，是可以理解的，不过刘备的办法有点幼稚，我就姑且悲悯一番吧！但是到了明朝情况就不一样了，评注这《三国演义》的叶昼就假托李贽（这是一个什么话都敢讲的人）说，玄德之哭，极似今日之妓女啊。（大笑声）我和你们不同，没有笑出声来。只是学着孔夫子，莞尔而笑。教授嘛，笑也得有笑的样子，笑也得显出笑的修养来。（笑声）这一点，你们现在不懂，等你们当了教授就知道了。（笑声）

对于一切都要具体分析。有的哭，可能是假的，但是假中有历史的真诚愿望；有的哭，则是真的，比如关公死了以后，刘备哭得眼里出血了，不可能是假的嘛。妓女假哭，会哭出血来吗？我们不要像鲁迅和曹操那样过分多疑。（大笑声）

这是多么精彩的艺术啊，怎么胡适这样的大学问家没看到呢？我估计啊，可能是他觉得自己把通俗小说抬上了正统地位了，已经功劳够大的了。他是不是有一点骄傲自满了呢？他不像我这的人，背过《毛主席语录》：“谦虚使人进步，骄傲使人落后。”（大笑声）我想，他没有意识到《三国演义》在当时和后世已经是我们国民精神的一个瑰宝。

讲到这里，我要提一个问题，谁能回答我，三顾茅庐，本来是刘备和诸葛亮的事，根本没有关公和张飞的份儿啊。为什么每一次作者都让关公和张飞一起去？这不是多费笔墨吗？有见解的可以举手。（议论纷纷，无人举手）

啊，你们答不出，这问题太难，就是鲁迅、胡适都答不出。但是值得动脑筋，你们习惯于以读者的眼光看小说，人家写了什么，就看什么。这就很被动，往往看不出多少艺术的奥秘来。要真正洞察艺术的奥秘，就要换一个视角，就是用作者的眼光看作品。想象一下，他这样写了，为什么不那样写。我提供一个不那样写的例子给你们参考。《三国志平话》中写到第二顾以后，是这样的：张飞大叫起来，说“哥哥错矣”。当年我们打仗，关公“刺颜良，追文丑，斩蔡阳，袭车胄，当时也无（这位）先生来（参与）”。你让我拿一百斤大刀，和他说话。[1] 刘备没有理睬他。

---

① 《三国志平话》，上海古典文学出版社1955年版，第67页。

这个写法，和《三国演义》的写法哪一个更有趣味？（众答：《三国演义》！）当然是《三国演义》。原因是什么？《三国志平话》里的张飞只是不满，还要拿刀和诸葛亮比功劳，这固然有民间传说的味道，但是，不够。没有说要把诸葛亮用绳子捆起来，没有说要到后屋去放火，没有让这位将军像草包一样撒野，因而民间文学那种天真的喜剧性就不够。

胡适说《三国演义》没有思想，我说有思想！《三国演义》有正统的王朝思想，姓刘的才是最正统的，我已经说过了，那是在蒙古族统治下的国人向往的汉家天下王朝正统，[①]今天的读者看来，并不具强大的形象感染力。最动人的是，在恢复正统的合法之时，主要靠武装力量。但是，在《三国演义》中，决定战争胜负不完全是由武功，它往往是由奇谋。没有好的计策，不管你多么勇猛，武功多强，如吕布，有勇无谋，也是白搭。可以说是它的主题就是奇才决定论。奇谋就能决定战争的胜负、王朝的兴衰！说《三国演义》没有思想，是因为没有直接从文本中概括的抽象能力。这种奇才主要是"人"的奇才，是杰出的人生理想。反间计中，在蒋干假睡的时候，周瑜装醉，唱："丈夫处世兮，立功名，立功名兮，慰平生。"还有那个为黄盖传递假降书的阚泽说，大丈夫处世，不能建功立业，等于和"草木同朽"。《三国演义》所突出的是人，是杰出的人，是要超越生命暂短、名垂青史之人。

建功立业、不枉此生的理念，这个思想是跟《三国志》是不一样的。在《三国志》里面，诸葛亮不是中心；可在《三国演义》里，诸葛亮是中心！为什么？他是奇才里面的奇才，奇谋里面的奇谋的典型！也是建功立业、名垂青史的理想的典范。

从艺术上说，当他出场的时候，用悲剧和喜剧、用抒情和神秘的复合氛围来烘托。这是很高级的艺术！很精彩的想象，怎么说里面没想象？作者把诸葛亮这个人理想化——才智理想化，仙化／神化，但是，又将之悲剧化！鞠躬尽瘁，死而后已，崇高化，人化，在中国小说史上第一次出现！

很可惜，以后的小说写到才智上超人的人物，再也没超过诸葛亮的高度。《水浒传》里面，有个非常有才智的人，谁？吴用！跟他能比吗？他倒是经常有些计策，但是都是智取生辰纲之类，小儿科啊。和《三国演义》不在一个档次上，在大规模的军事对抗中，吴用几乎说不上有什么奇谋。《水浒传》最多是怪才决定论，凡有一技过人之长者，包括裁缝、鸡鸣狗盗之徒，一拉进来，就决定了战争的胜利。这种单因单果的逻辑太幼稚了。所以吴用的谐音是"无用"，没用。（笑声）还有一个道人公孙胜，也是有法术的，是不是也可能像诸葛亮那样借东风的，我无法判断，但是，从战略和策略，用人和料敌如神的智慧来说，

---

① 据陈翔华《诸葛亮形象史研究》（浙江古籍出版社 1990 年版），元代反抗蒙古族统治的，还有自称宋王朝后裔的，还有直接打出汉献帝年号的。见该书第 126—127 页。

几乎无所作为。去诸葛亮远矣。更突出的是，诸葛亮的形象不管怎么诗化，怎么英雄化，怎么神化，从开头到结尾，一种悲剧的阴影一直笼罩在头上，从“三顾茅庐”开始一直到最后在军中病笃，他都知道自己什么时候要死了，还有几天。（笑声）

三、不是近妖而是近人 / 近仙

《三国演义》并不是绝对的历史小说，而是以精英文化为纲，大众文化为纬的小说。民间传说的趣味和历史正剧的逻辑是不同的，历史正剧的逻辑是现实的，而民间传说的逻辑因果则是超现实的。鲁迅批判《三国演义》违背历史，把诸葛亮写得“多智而近妖”，就是纯粹从历史的逻辑出发的。但是，鲁迅的说法，第一，是片面的。因为《三国演义》现存明刻多种版本，保存较多民间传说故事，有的刻本还详细记载不见于史籍的关索故事，张飞关索取阆中的专节。[①]第二，鲁迅的论断，并不准确。从实际文本来看，鲁迅混淆了妖与仙的区别。就是在民间传说 / 话本中诸葛亮，也不是妖，而是仙。《三国志平话》是这样介绍诸葛亮的：

> 话说先主，一年四季三往茅庐谒见卧龙，不得相见。诸葛本是一神仙，自小学业，时到中年，无书不览，达天地之机，神鬼难度之志，呼风唤雨，撒豆成兵，挥剑成河。司马仲达曾道：“来不可当（《三分事略》作“袭”），攻（《三分事略》作“坐”）不可守，困不可围，未知是人也，神也，仙也。”[②]

这是《三国演义》的早期话本，[③]对诸葛亮的定位，显然是介于人、神和仙之间，而不是妖。这比鲁迅所说的“妖”的层次要高得多。妖最大的本事就是作怪，其动机乃是为了私利害人，其性质带着破坏性，其行为是盲动，没有长远眼光。妖术是单一的，思维是直线的，谈不上临变制机，往往是自作聪明，弄巧成拙，根本不可能有诸葛亮那样高贵的社会责任感。《三国演义》继承了话本的“无书不览，达天地之机，神鬼难度之志”，以及未卜先知的超人智慧。消解了“呼风唤雨，撒豆成兵，挥剑成河”的荒诞性，但是，强调了的“达天地之机”的神化，也可以说仙化，仍然是与人化的历史叙述结合的：一方面是在人格上从超凡隐逸到鞠躬尽瘁，另一方面是在智慧上的未卜先知。把二者结合，定位在一个贤相的角色上。《三国演义》的伟大想象。一方面，是精英趣味，高贵的、诗化的、在野

---

① 参阅陈翔华：《诸葛亮形象史研究》，浙江古籍出版社 1990 年版，第 276—277 页。

② 《三国志平话》，上海古典文学出版社 1955 年版，第 67 页。

③ 宋代汴梁瓦舍众艺中有“说三分”的，讲魏、蜀、吴三国的军事和政治斗争。《三国志平话》所叙事迹多来自民间传说，如庞统变狗，诸葛亮是庄农出身，刘备在太行山落草，汉帝斩十常侍，把头颅拿去招安等。其对《三国演义》的创作有极大影响。

的、隐逸的；另一方面，是民间的、通俗文学的宿命的悲剧。很天真的，带着神话性的！什么叫神话？马克思曾经给神话的功能说过，神话就是在幻想当中征服自然。诸葛亮的神话，就在幻想当中征服自然的一切困难，包括力图突破自然规律的人的寿限、人的命运。这种幻想不是很精英的、很理性的，而是很天真的、很纯朴的。所以说，《三顾茅庐》的动人就在于，就两种理想人格和能力在历史和传奇中的水乳交融。最后民间幻想达到最大限度，以七星灯力图延长生命的大限，完成战争的大业，表面上是微观出于偶然，而宏观则是必然地失败了，走向了死亡。诸葛亮在一些关键时刻虽然也能够施展近神似仙的民间想象逻辑，最后仍然不可逃脱的是历史严峻的悲剧命运。

四、赤壁之战：多元心理错位的宏大历史景观

胡适虽然对《三国演义》的艺术持否定态度，但是，并不绝对，他对赤壁之战，还是很肯定的。称道其想象力很丰富。但是，他的论断自相矛盾。他和鲁迅一样，否定了诸葛亮，而诸葛亮则是赤壁之战的主导者。实际上还是没洞察它在艺术上好在哪里？

胡适粗疏到连对赤壁之战的外延定义都没有下。严格说来，赤壁之战应该是史诗性的奏鸣曲。以舌战群儒为前奏，草船借箭为序曲，以心灵搏斗主题为呈示；苦肉计、连环计、反间计、借东风等等是展开。从表面上看，核心应该是赤壁纵火，曹军大败，尾声是华容道关公放走曹操。但是，实际上，应该是以三气周瑜为核心——一气袭取荆州，二气东吴招亲，三气芦花荡，周瑜死亡为结束。为什么？因为，赤壁之战的魅力不仅在于孙吴联军与曹军的胜负，这只是实用理性价值，而在诸葛亮和周瑜的在智能、情感上的生死搏斗，在赤壁之战之前，诸葛亮是寄人篱下，处在被动地位，而到了三气周瑜，在自己的部队中，诸葛亮处主动地位。这一系列的矛盾，层层加码，直到把周瑜被气死，才是审美价值的完整实现。

这完全是《三国演义》的伟大想象，在历史上，根本不存在的。事实上，周瑜与诸葛亮仅仅在赤壁之战前有所交往，以后，双方再也没有来往。

草船借箭是虚构的。鲁迅否定的原因，可能是诸葛亮料定三日之后必有大雾，这样精准的天气预报，超过你们江苏气象台，（大笑声）在那科学技术不发达的情况下，是绝对不可能的。鲁迅忽略了这里是民间传说，是有超越科学的自由的。恰恰是准确的天气预报，构成了赤壁之战的宏大序曲。

如果从历史文献上来讲呢，这不是诸葛亮的事，有这么一点影子在孙权身上！孙权乘

了船，去曹操那边侦察。曹操的水军射箭，船中箭甚多，船有点歪了。有人估计中了上千支箭吧。一支箭呐，金属的箭头，差不多四两，以十六两为一斤算，一千支就二百五十斤。船可能要翻了。但是孙权很机智，他把船调转头，让人家射另外一面，另外一面也有二百五十斤。就稳住了。[①]（笑声）且不说这个故事发生在赤壁之战以后五年。如果移前五年，这样写，只能说明孙权是比较机智而已。后来《三国志平话》的作者把他换到周瑜身上去。周瑜跟曹操打仗，好像觉得不利就溜了，曹操在后面就追，双方都用箭来射。周瑜比较机智，他就在船上用黑布给蒙起来，曹操的箭射到船上，都插在布里了，周瑜赚了好多箭。[②]这样故事不见得有多精彩。到了《三国演义》作者把这个素材，拿到诸葛亮头上去，两个平庸的故事就变成了伟大的历史经典。为什么呢？《三国演义》增加了一个自然条件，诸葛亮事前就预料到三天以后，有大雾。因为有了这个条件，使得鲁迅很不舒服，但是却让草船借箭不仅仅是表现了一个人的机智，更是表现了两个杰出的人之间奇妙的、深刻的心理错位。

周瑜找诸葛亮研究军事问题，表面上是要战胜曹操，实质上是要合法地整死诸葛亮。

周瑜说现在江上作战，我什么都准备好了，但是呢，有个问题，刀枪够不着，要用弓箭，现在弓有了，没有箭。诸葛亮说，还缺了多少？他说缺十万支，你来一下吧。诸葛亮说要几天啊？他说十天。周瑜已经是刁难他了。在生产力那么低下的情况下，备料啊、工匠啊、金属啊、竹片啊都还没有头绪。诸葛亮说，好像不用十天吧。（笑声）周瑜说，几天呢？三天吧。周瑜大喜啊，说，军中无戏言。立下军令状吧。（笑声）军令状啊，就是保证书嘛。完不成，军法处置。是吧？结果，就签下来了。走出营帐的时候，周瑜在怀疑。这怎么搞的，不负责任啊，叫鲁肃去探听他怎么回事？鲁肃就问诸葛亮，你怎么能答应这样的条件呢？诸葛亮说，我完蛋了，你救救我吧。鲁肃说，你自己搞的，我怎么救？诸葛亮说，你给我准备二十条小船，船上扎满稻草，青布为幔，三天以后，你到江边来取箭。鲁肃说这个容易。第一天不见动静，第二天不见动静，第三天孔明和鲁肃到了江边，大雾弥天呀，二十条小船一字儿排开，诸葛亮拉着鲁肃进入中舱，饮酒作乐，然后下令鸣鼓进军。鲁肃说，不行啊。我们船上都是稻草人和军乐队，这不是当俘虏去吗？诸葛亮说

---

① 《三国志·吴主传》裴注引《魏略》记载孙权在濡须拒曹操时："（孙）权乘大船来观军，（曹）公使弓弩乱发，箭著其船，船偏重将覆，权因回船，复以一面受箭，箭均船平，乃还！"

② 《三国志平话》卷中："却说曹操知得周瑜为帅，无五七日，曹公问言：'江南岸上千只战船，上有麾盖，必是周瑜！'被曹操引十双战船，引蒯越、蔡瑁，江心打话！南有周瑜，北有曹操，两家打话毕，周瑜船回，蒯越、蔡瑁后赶！周瑜却回！周瑜一只大船、十只小船出，每只船一千军，射住曹军！蒯越、蔡瑁令人数千放箭相射！却说周瑜用帐幕船只，曹操一发箭，令扮棹人回船，却射右边！移时，箭满于船！周瑜回，约得数百万支箭！周瑜喜道：丞相，谢箭！"（《三国志平话》，上海古典文学出版社 1955 年版，第 81 页）

没关系。我早就料到今天会有大雾，堂而皇之鸣鼓进军，为什么呢？曹操这个家伙啊，非常多疑，啊，一定怀疑我有埋伏，一定不敢出来打仗，一定用箭射住阵脚。探马报到曹军中帐，曹操说，诸葛亮这个人做事很谨慎，哪里会这样冒险呢？大雾迷天，肯定有埋伏，他瞒不过我，赶快用箭射住阵脚。于是箭如飞蝗，射了一个多小时吧。（笑声）他把原始材料里周瑜的素材利用了一下，但，不是船侧面改变，而是下令船头朝东，船朝西，可能又让它射了一个多小时。太阳快出来了，雾快散了，诸葛亮说，大家都回去吧。临走叫军士大喊：谢丞相箭。回到江东，把船停下来，把稻草人卸下来，把箭拔出来点一点，超过了十万支。

这里最大的一个创造是，增加了诸葛亮料定三天之后一定有大雾。由此把“借箭”的个人的机智，变成了周瑜和诸葛亮的一个心理较量，这么一来，周瑜妒忌之心更加严重了。这个家伙留在刘备那里太危险，赶紧把他杀掉。其实，贯穿孔明与周瑜的心理搏斗的线索，历史上是根本不存在的。但将周瑜与诸葛亮的心理搏斗贯穿首尾，是赤壁之战的伟大创造。每一次较量都使周瑜的妒意递增，直至把周瑜送上死路。

再一次较量，是火攻。他说打曹操，我们来想个计策，先说的吃亏。写在手心里，两人都写了个“火”字。英雄所见略同嘛。后来，周瑜检阅部队，旗角被风一吹，在他脸上一刮，周瑜突然晕倒了。为什么？刮的是西风，西北风，他想要对在江北的曹操用火攻，东南风才行啊，西北风都吹到自己船上了。他就病倒了。诸葛亮去探看周瑜，说你的病，我可以治的。开了个药方给他：“欲破曹公，需用火攻。万事俱备，只欠东风。”周瑜一看，病就好了。这一轮斗智，诸葛亮又是棋高一着。接下去一轮，就更高了，不但知道要东风，而且会筑起法坛，把东风借来了。向谁啊？老天啊，（笑声）又把周瑜给气坏了，周瑜喟然叹曰：“此人有得天造化之法，鬼神不知之术。若留此人，乃东吴祸根也。极早杀绝，免生他日之忧。”步步棋高一着，对诸葛亮都是致命的危机，但是，层层都被诸葛亮轻松化解。赤壁之战的主线层层深入。《三国演义》和《三国志》不同，在一个军事三角的这个斗争里面，安排了超越军事三角的心理三角。心理三角不但是斗力，而且是斗志，而且斗气，斗感情。这三角之战，不完全取决于军事力量，而取决于智力，甚至不完全取决于智力，而是取决于感情。人活一口气。输了一口气，就不想活了。

诸葛亮的多智，鲁迅说近妖，其错有二，第一，人家是神化／仙化，不准确，第二，孤立地评价小说中的人物，脱离了人与人之间，特别是盟友之间的心理错位关系，就看不出艺术的奥秘来。关键多智是给盟友周瑜逼出来的。周瑜是个好人那，是吧？但他有个心理毛病，多妒。你虽然是我的战友，你的才能超过我，我不把你整死，我就不想活了。《赤壁之战》的伟大就在于多妒，逼出了多智，多智到近妖的程度，本来很荒谬，但这是民间文学的想象，又设计另外一个人，又有心理毛病，多疑。多妒逼出了多智，多智逼出了多疑，由于多疑，使得多智的取得了伟大的胜利，以致多妒的更加多妒，多智的就更加多智，多智到可以借东风的程度，那多妒的盟友，就更加多妒。如此循环不已。（笑声）

赤壁之战的伟大，就在于突破了历史，把诸葛亮和周瑜的心理搏斗贯穿到底。赤壁战后，多妒的人前面打仗，浴血奋战夺来的土地，多智的在后边轻而易举地占去了。多妒的用美人计招亲，企图把刘备杀了，结果是赔了夫人又折兵。这也是历史文献上没有的，而是从元杂剧《两军师隔江斗智》中借来的素材。斗来斗去斗不过他，最后怎么办？我就不活了嘛。（笑声）这个世界上我已经够聪明，够阳光的了，还有人比我更强？（笑声）我不能活了，（笑声）临死口吐鲜血，"既生瑜，何生亮？"何等伟大的心理发现啊！（笑声）

多妒的活着就凭着一种智慧的优越感，也就是一口气。失败了，智不如人，优越感没有了。多妒的活不下去了。多疑的倒还能活下去，智不如人！不如人家就算了嘛，向他学习嘛。曹操赤壁大败，司马懿是中了空城计，都是智不如人，人家都活得好好的，最后还取得了胜利。而周瑜心眼太小了，反过来说，荣誉感太强了，我智不如你，我就不活了，没有活头了。（笑声）"既生瑜，何生亮"？明明是被自己心理憋死的，他怪老天，老天啊，老天，你既然生这么聪明的周瑜，为什么又生一个比我聪明的诸葛亮？因为有人比我聪明，所以我就是活着也没脸了。这老天真是坏透了。这句话，并不是《三国志》里的，而是《三国演义》的伟大想象和创造。[①]这里揭示出来的，不仅仅是周瑜的个人特质，更是人类的妒忌心理上普遍规律。妒忌只发生在同等的人之间。因为它近距离，有现成的可比性。这一规律，直至现在，我们和西方的心理学还没有发现。

有人说，周瑜要害诸葛亮，不是为自己，而是为了东吴，不留下奇谋强敌。这有一定道理，但是，如果真完全是为东吴，打了败仗，就应该吃一堑长一智，虽然屡战屡败，还要屡败屡战啊。但，这样的逻辑是理性的实用逻辑，可是《三国演义》里的周瑜遵循的是情感逻辑。这种逻辑是不实用的。因为不实用才是审美的哦。

妒忌，并不是坏人才有的，而是好人，杰出的英雄也有的。这是人性的弱点啊。你想想看，一个以二十万不到的人马打败了号称八十三万大军的大英雄，居然这样小肚鸡肠得把自己搞死。应该说，民间的想象、民间的趣味，并不完全是幼稚的，在心理上，其真实

① "既生瑜，何生亮"不见于史书，乃《三国演义》神来之笔。后人有以为史者，遭到有识者嘲笑。清袁枚《随园诗话》卷五："何纪赡作札，有'生瑜生亮'之语被毛西河诮其无稽，终身惭愧。"清王应奎《柳南随笔》卷一，也嘲笑过王阮亭《古诗选凡例》、尤悔庵《沧浪亭诗序》袭用此语。

和深刻的程度，远远超过了《三国志》的。

可是胡适先生、鲁迅先生不理解，我的朋友刘再复先生也不理解，我实在只能说，我对他们的不理解非常——非常不理解。上海话，人心隔肚皮，我看到了人的局限性，他们看不到，没有办法，无可奈何!

赤壁之战之所以不朽，原因不但在于心灵奥秘的揭示，而且在于艺术结构的丰富。

周瑜和诸葛亮的心理错位堪称精绝：大敌当前，双方都面临着生死之危，作为盟友，只有齐心合力才是生存之道，可以说是生死关头啊。然而，在智力的竞争上双方又不能相容，无异于你活我死。这种关系的特点，不是简单的矛盾，而是情志部分重合，用我的话说，就是“错位”。在个错位结构当中，周瑜处于主帅地位，诸葛亮是客卿，周瑜反复处心积虑要置诸葛亮于死地。矛盾的激化为公开的敌对是可能的。但是，却一直没有激化到二元对立的程度。如果一味二元对立，那就可能简单化了，就是战场上公开杀伐的关系了。

瑜亮关系之精彩，除了大敌当前的制约以外，在小说的人物错位的丰富上，作者在他们中间安排了一个鲁肃。这个人物看来是多余的，但是，由于增加了错位，显得非常重要。在历史上，鲁肃这个人很有战略眼光的，联刘抗曹就是他首倡的。他个子长得很大，挺帅的，而且有高超武功。(笑声)家里很有钱，也慷慨的，曾经把家里粮食一半捐给周瑜练兵啊。(《三国志·鲁肃传》)而《三国演义》把他塑造成忠厚老实、心地宽厚的长者，其实赤壁战时，他才三十六岁。他是周瑜忠实的部下，但是，不主张周瑜杀害诸葛亮，他和周瑜的心理是错位的，他是诸葛亮的朋友。在长远战略上，他也知道，打败了曹操，诸葛亮会成为东吴的敌人，只是目前不能破坏统一战线。在眼前，他竭力保护诸葛亮，是为了利用诸葛亮的才智，心态和诸葛亮也是错位的。这个“第三者”的功能，和张飞出现在三顾茅庐中，王甫出现在关公败走麦城前后，晴雯死前晴雯嫂子以第三者骚包眼光看宝玉和晴雯的关系，其错位功能是一样的。从鲁肃的双重错位心态中，观照出周瑜和孔明的错位，就构成了复合的多重错位。这里，就显示出小说艺术的一种规律，复合错位不但比之单调的敌对，而且比单一的错位要精彩。

更精彩的是错位，不但是复合的，而且不是静止的，而是运动的、衍生的，由错位派生出错位来。

周瑜被孔明气死了，事前孔明想象到他要死了，是很高兴的。但是，《三国演义》的伟大还在于，居然大笔浓墨地写孔明跑过去吊丧，还写了篇祭文，念完了祭文，“伏地大哭。泪如泉涌，哀恸不已”。我最初读这一段，感受有点纠结，不知道这是表扬诸葛亮还是讽刺诸葛亮，你把人搞死了，你哭得出来呀。（笑声）孔明不是刘备啊，他不太会哭啊，怎么突然哭得这样成功呀。（笑声）弄得周瑜的部下说：都说公瑾与孔明不和睦，今观其祭奠之情，人皆虚言也。在场的人都觉得，孔明的哭是真的。鲁肃见孔明如此悲切，也很感伤，心里想："孔明自是多情啊。"就是周瑜气量太窄，自己弄死自己啊。其实，这一笔体现了艺术上的规律性，那就是错位的衍生有时比静止的错位更具感染功能。如果按鲁迅的说法，写孔明"只见狡猾"，孔明的哭是假的，却引起周瑜部下的好感，这是一重错位，如果孔明的哭是真的，则是内心之喜与外表之痛的错位，也是错位的。然从文本整体观之，这种哭泣，既不完全是真的，也不完全是假的。真假之间本身就是错位的。仔细阅读其祭文，我觉得，不简单。

> 吊君弱冠，万里鹏抟；定建霸业，割据江南。
>
> 吊君壮力，远镇巴丘；景升怀虑，讨逆无忧。
>
> 吊君丰度，佳配小乔；汉臣之婿，不愧当朝。
>
> 吊君气概，谏阻纳质；始不垂翅，终能奋翼。
>
> 吊君鄱阳，蒋干来说；挥洒自如，雅量高志。
>
> 吊君弘才，文武筹略；火攻破敌，挽强为弱。
>
> 想君当年，雄姿英发。哭君早逝，俯地流血。
>
> 忠义之心，英灵之气。命终三纪，名垂百世。

这篇祭文啊，把周瑜的三十五岁的生涯、功业全面地总结赞颂了一番。应该不是官样文章，而是实事求是的。祭文里，最后几句却含义甚深。

> 魂如有灵，以鉴我心。从此天下，更无知音。

关键是"从此天下，更无知音"，在诸葛亮心目中，所谓知音，就是在智商上能够和他在一个档次上的，只有周瑜，周瑜一死，则可以用《三国演义》常用的话说，天下无人矣。从这个意义上说，一方面是自诩，另一方面，也是对敌手的高度尊重和悲悯。这是《三国演义》的主题所关：虽为敌手，奇才之殇，良可痛也。故毛宗岗在第五十七回的总评中说：

> 孔明吊公瑾之曰："从此天下，更无知音。"盖不独爱我者为知己，能忌我者亦知己也；不独欲用我者为知音，欲杀我者亦知音也。不宁唯是，苟能爱我而不能用，用我而用之不尽其才，反不如忌我杀我者之知我耳。[①]

只有忌妒我，欲杀而不成的人，才最了解我的智慧的高超，这就是《三国演义》奇才至上论的逻辑。由此观之，孔明之哭，"生离死别"之痛，当非虚言。从这里看，《三国演

---

① 陈曦钟等辑校：《三国演义会评本》，北京大学出版社1986年版，第700页。

义》的奇才决定论是很彻底的，超越敌我的，超越仇恨的。刘再复和鲁迅一样对这样的“虚伪”嗤之以鼻，实在暴露了没有理解《三国演义》的思想和艺术的精华。其实，这里又显示了一条小说艺术的规律，蕴含深邃思想的错位，比之缺乏思想的错位，要精彩得多。这一点，在孔明挥泪斩马谡中得到突出的显示，诸葛亮爱才，杀之可惜，可出于军法，不得不杀，不得不杀之因，又归咎于自己未能领悟先帝之嘱。此时孔明之哭，在语言上有讲究，叫作挥泪，实在是太雅致了，如果说流泪，就俗了。弹泪呢？又太轻飘了。

但是，后来庞统跑出来说，你把人家气死了，又来吊唁，是不是太虚伪了一点。这个说法，又增加了诸葛亮和庞统的一层错位。从艺术上说，是神来之笔，显示出错位功能的运动的精彩。

其实，这种小说艺术的规律，并非《三国演义》所独有，在《儒林外史》中，范进中举也一样，胡屠户对范进前后相反的态度，由当面辱骂到不敢打耳光治疗，由旁观者嘲笑之。《水浒》中，李逵与人冲突之鲁莽往往有宋江宽容睿智的目光观之，林黛玉初进贾府，王熙凤之放声与众人屏声息气之错位，由林黛玉不敢多说一句话的心态观之。《安娜·卡列尼娜》中，安娜和伏伦斯基跳舞入迷，由等待伏伦斯基求婚的吉蒂的眼中看出伏伦斯基眼中那“狗一样的驯顺”。至于安娜和伏伦斯基观赛马，精彩并不如卢卡奇所说，纯系描写，不同于左拉一味着重包厢中上流社会之丰富细节，而在于安娜观伏伦斯基赛马转危为安后心态、行为之不成体统之失常，由她丈夫的目光看出来，而且力图掩饰。

五、难逃命运悲剧的儒将：智化和神化的对接

诸葛亮的形象就是《三国演义》奇才至上论的最高象征。他不是妖，甚至也不完全是仙，而是儒将。这种性质，早在晋朝的笔记文，就基本固定了。鲁迅在《古小说钩沉》中引晋裴启《裴子语林》中“诸葛武侯”条：

> 诸葛武侯与宣王在渭滨，将战，宣王戎服莅事；使人观武侯。乘素舆，著葛巾，持白羽扇，指麾三军。众军皆随其进止，宣王闻而叹曰：“可谓名士矣。”[①]

这个形象出现的时机是战争即将开始，诸葛亮的形象的特点，首先不是骑马的，而坐着有轮子椅子的，其次是，没有着戎装，再次是，一点不紧张，摇着鹅毛扇子，从容淡定。

---

① 鲁迅：《古小说钩沉》，人民文学出版社 1955 年版，第 7 页。这段佚文有小字注曰：“《书钞》一百八十，又一百三十四，又一百四十；《类聚》六十七；《御览》三百七，又七百二，又七百七十四。”可知这段文字出自《北堂书钞》《艺文类聚》《太平御览》等书。而且“持白羽扇”后还有小字注“亦见《初学记》二十五、《六帖》十四、《事类赋注》十五”。按《裴子语林》为东晋裴启作，后《世说新语》多取材于此。

效果是“名士风度”，而不是叱咤风云的将军。在空城计中，他甚至还焚香操琴。一点也不超人，完全是腹有奇谋的儒将！这是诸葛亮形象的主体，《三国演义》把这个形象与民间的超人计谋和法术有时结合，大部分时间是分离的。法术所占篇幅很少。民间说书中还有一些粗糙的、不合理的成分，在《三国演义》里基本淡出了。如在《三国志平话》中，诸葛亮有时像张飞一样，哪怕在外交场合下，行径也很粗鲁。曹操致书孙权劝降，用的是委婉的、文雅的语言，带有骈文色彩。孙权吓得汗流浃背。诸葛亮一看形势，吓得“大惊”。居然在人家的军营大帐之中：

结袍挽衣，提剑就阶，杀了来使。[①]

这样的行径，完全是民间的草莽英雄，显然太离谱了，哪里像在外交场合，更与此前称赞他不知是神是人不符。在《三国志平话》中，哪怕他对小皇帝刘后主也一样鲁莽，他在前线打仗，听说后主在宫内和太监黄皓一起寻欢作乐。他就赶回来，看到后主跟黄皓在玩耍，他“叫一声如雷‘官奴黄皓怎敢！’”，当场就把黄皓锁了。这个水平啊，实在是太低了！我想曹操见了汉献帝都不敢这么不顾君臣之礼。到了《三国演义》里就把这个粗暴的、民间的、草莽的形象消除了，突出了他一派儒将、贤相风范，但又是具有某种超人智慧和近乎神仙能耐的人。最明显的表现在对关羽放走曹操，不加处罚，原因是他知道曹操命不该绝。但是，有一点他是不超人的，最主要的是，《三国演义》并不回避他也会犯错误，他在北伐时，就误用了夸夸其谈的马谡，结果导致失败。最后，他虽然严明地执行了军纪，把马谡斩了。但是，他哭了。这就不是神仙，不是超人，而是普遍的人了。

当然，神化的篇幅有时和智化结合在一起，融合了神和人的特点。最明显的是，最后他知道自己要死了。在前线，突然得病。他说我阳寿已尽，只剩几天。是不是有办法做一些法术？有办法。就做了一些仪式，以七盏灯围着他，他坐当中。天上那个诸葛亮的将星就明亮了，看来有希望了。结果，部将魏延。这个家伙，听说司马懿派来部队，探探信息啊，匆忙跑到诸葛亮大帐里报告，一不小心踩灭了一盏灯，诸葛亮就活不下去了。马岱要杀魏延，诸葛亮说不要杀了，天命如此，老天注定我只能活这么多。从这一点说呢，他是一个超人，但是这个超人是有限的，天命是不可逾越的，毕竟他还只是一个不能超越生命大限的人。

不是有一种说法，中国文学缺乏悲剧精神吗？那是用西方的悲剧逻辑来硬套中国文学，一定要是崇高的人物的毁灭作为标准。我觉得对照《三国演义》，这是闭着眼睛说瞎话！《三国演义》中主要英雄都是悲剧英雄！诸葛亮是命运悲剧，刘备是最后意气用事的悲剧，

① 《三国志平话》，上海古典文学出版社1955年版，第78页。

关公是多傲的悲剧，孙权是战术上胜利，害了关公，战略上是失败，造成投降曹操的悲剧（早知如此，又何必打赤壁之战呢？），他的悲剧在战略性质和关公相同。周瑜是多妒的悲剧，曹操多疑的悲剧，张飞是对下残暴的悲剧，吕布是有勇无谋、不讲信义的悲剧，袁绍是不听奇谋反害谋士的悲剧，马谡是书本脱离实践的悲剧，魏延是不得信任而背叛的悲剧，杨修是不能控制自己才能的悲剧，孔融、吉平则是慷慨赴义的悲剧。其他一些次要人物也有悲剧，如董卓是残暴的悲剧，汉献帝是软弱的悲剧，陈宫是误投其主的悲剧。刘琮是投降主义的悲剧，刘璋是引狼入室的悲剧，刘禅是软弱昏庸的悲剧。阿斗这个悲剧很深刻，恰恰和《三国演义》中英雄人物的建功立业的生命观相反，故产生了“扶不起来的阿斗”“此间乐不思蜀”的典故。悲剧如此纷繁，各不相同。有“同枝异花”“同花异果”之妙。这是毛宗岗的话，但是，毛宗岗用来说的是情节，如火攻之类，而我用来说的是人物的悲剧谱系，堪称千岩竞秀，万壑争流。这要是放到古希腊，可真是不得了啊！他们搞来搞去就是俄狄浦斯王，命运悲剧。

但是在所有的悲剧中，最深刻的是诸葛亮的悲剧，诸葛亮形象的悲剧性的特点，天才的智慧和宿命的悲剧性的交融，不是他没有本事，而是老天注定他要失败。

这一点，恰恰是鲁迅、胡适、易中天、刘再复都没有看出来的。其中特别是鲁迅，他的“多智而近妖”流毒甚广。

殊不知，诸葛亮的悲剧，虽系天命，但是，他对自己的死亡，不像周瑜那样怪老天，而是按人的理性安排后事，把死亡可能引起的溃败转化为胜利。他说：不要发傻呼呼狂退，为我雕一个木头像，敌人一进攻，就推出去。司马懿一看糟糕了，诸葛亮没有死啊，赶快退。在《三国志平话》中，诸葛亮死后，是姜维和杨仪杀退司马懿。接着就是在魏国政治中心就有了传说：“死诸葛吓走活仲达（司马懿）。”[①] 读者看不出战胜与诸葛亮有什么关系。到了《三国演义》中，加上了诸葛亮遗嘱刻自己的木头雕像，吓退了司马懿。这就把神化和人化结合起来了，这就是现实的心理战术嘛。这个故事不但在中国家喻户晓，而且在日本，有本《太平记》里面都写到了。

所以我对轻薄地贬损《三国演义》，说它是中国心理的“地狱之门”，愣说我们中国人心烂到了极点，十分恼火。这是站在洋人的道德制高点上藐视我们伟大的文化，自我作践到盲目的程度了。

① 《三国志平话》，上海古典文学出版社1955年版，第142页。

六、上千年民族审美经验的结晶和升华

胡适只是笼统地肯定了《三国演义》的赤壁之战有艺术性，可他不知道这是一个多么丰富的艺术创造工程啊。不说它融汇了那上千年的文人、艺人的积累，就是概括《三国志》也是十分困难的。要知道《三国志》是一本非常特殊的历史书。只有传记，将近400个，分魏、蜀、吴三本。并没有赤壁之战这一章啊，资料都分散在曹操、刘备、周瑜、孙权、诸葛亮、鲁肃等等人的传记中，有些相关的事，在不同的传记里提一下，往往很简略，不但不连贯，而且还有相互矛盾的。正是因为这样，到了宋朝，司马光在《资治通鉴》里，把《三国志》里这些不相连续的传记，用编年的办法连续起来，让皇帝看起来比较顺当。同一件事情，如赤壁之战就放在一起。但是呢，由于是编年，有一些前因后果，不在一年，又不连续。于是后来又有人，也是宋朝人，又编了一本书，叫《通鉴纪事本末》。它不是编年的，是记事的，赤壁之战就一章。但是，它不是写人的，而是记事的。

要读懂《三国演义》的艺术真谛，不能光从读者的眼光看，而是要从作者的眼光，看他如何驾驭这样复杂的素材，克服了什么困难，怎样结构了这么宏大的艺术形象体系。

《三国演义》面临的是这样的艰巨任务，第一，就是把分散的、不统一的、分别在各个传记里面的头绪繁复的传记，各路军阀的混战过程和文人佚事、民间传说，戏曲故事，从庞杂无序化为有序的整体，第二，这个整体还不是时间的顺序，而是要统一为情节因果系统，不是单纯的，而是多重因果的有机统一。第三，《资治通鉴》《通鉴纪事本末》的记事是比较完整的，但是，非常简略。曹操大军逼境，鲁肃跟孙权建议，刘表属下的荆州很重要，要去联合。鲁肃还没到，刘表死了，曹操已占了荆州。鲁肃去找刘备，说现在曹操在追赶你，你往哪儿跑？刘备没什么主意，说准备到西南地方去。那鲁肃说你不要去了，你还不如跟我们联合起来，抵抗曹操。刘备就同意了。当时确立刘备跟孙权的联盟，起主要作用的不是诸葛亮啊，是鲁肃！有了这样的共识以后，诸葛亮去跟孙权讲，你这样动摇不定，表面上服从中央王朝，实际上呢你是内怀异心。不当机立断，后果“死无宁日”。孙权就被说服了。周瑜来了以后，又商量了一下，说的跟诸葛亮说的一样，曹操号称八十三万大军下江南，实际上真正下来的不过十几万，刘表投降的部队有七八万，加起来二十多万。那我们有多少呢？我们也就十万人马不到。刘备多少呢，大致不过二万。但是诸葛亮提出，他这个北方旱地来的人，根本就不善于水战。而且追赶刘备的时候，一天追几百里，追得很疲倦，“强弩之末不能穿鲁缟”，兵家大忌！最后就做出决策，联合抗曹！会战于赤壁，

这时曹操的军队已经生病了，北方人水土不服。《三国志·武帝纪》说，“初一交战，曹军不利，引次江北”[①]，退回去了。《周瑜传》则是：“(孙)权遂遣(周)瑜及程普等与(刘)备并力逆曹公，遇于赤壁！时曹公军众已有疾病，初一交战，(曹)公军败退，引次江北！瑜等在南岸！瑜部将黄盖曰：‘今寇众我寡，难与持久！然观操军船舰首尾相接，可烧而走也！’乃取蒙冲斗舰数十艘，实以薪草，膏油灌其中，裹以帷幕，上建牙旗，先书报曹公，欺以欲降！又豫备走舸，各系大船后，因引次俱前！曹公军吏士皆延颈观望，指言(黄)盖降！盖放诸船，同时发火！时风盛猛，悉延烧岸上营落！顷之，烟炎张天，人马烧溺死者甚众，军遂败退，还保南郡！备与瑜等复共追！曹公留曹仁等守江陵城，径自北归！”[②]

但是，这里有个漏洞，那就是风向，孙吴在南，曹操在北，冬天多北风，火烧起来，不是烧了自己吗?《资治通鉴》在这里，加了个“时东南风急”“盖放诸船，同时发火！时风盛猛，悉延烧岸上营落！顷之，烟炎张天，人马烧溺死者甚众，军遂败退，还保南郡！备与瑜等复共追！曹公留曹仁等守江陵城，径自北归！”[③]按这样的历史记载，赤壁之战，在正面战场，并不太复杂，取胜的原因，战略战力还在其次，主要还是北方人水土不服，疾疫发作，失去战斗力，其次就是黄诈降，曹操上当。还有一个关键，火烧赤壁之所以没有烧了自己，还亏了老天刮了东南风，这个风并不是借来的，可以说，诸葛亮在正面战场没有多少作为。

《三国演义》作者表现出伟大的魄力，把本来是分散的、非常简单的事情统一起来，怎么统一呢?一个核心思想：奇才决定，奇谋决定！奇才和奇谋里边核心的核心，诸葛亮！诸葛亮不但在战略策划上，而且在正面战场上，特别是在火烧赤壁之所以有东南风上，都起了决定的作用。

历史上，诸葛亮和周瑜在结盟初期会面以后，就一直没有见面，但是，艺术家的辉煌就在于把他和周瑜一直放在一起，主导着周瑜的一切计谋。

在他身上，聚合了三条线索，两个三角关系。第一个三角关系，就是三家军事纷争，曹操、孙吴、刘备，两家联合起来打一家。这是个军事三角。但在军事三角底下建构了第二个更震撼人的心理三角！也就是多疑、多妒、多智之间的关系，而且把这个多疑、多妒、多智比之表面上的军马强弱更能决定战争的胜负。从美学理论上说，就是把人的心理，特殊的智慧、特殊的感知的关系，构成错综复杂的逻辑系统。为了这一点，《三国演义》比《三国志》增加了什么呢?草船借箭、借东风、连环计、反间计以及华容道。所有这些计，

① 陈寿：《三国志》(第一册)，中华书局1982年版，第31页。
② 陈寿：《三国志》(第五册)，中华书局1982年版，第1262—1263页。
③ 司马光：《资治通鉴》(第一册)，中华书局2009年版，第769页。

有的是诸葛亮的，有的不是诸葛亮的，但是哪怕是周瑜的、程昱的，都在诸葛亮的眼光之下，即使瞒着他，诸葛亮也是了如指掌。比如说反间计，诸葛亮算着对鲁肃讲，“你骗得了曹操，你骗不了我啊！”你杀了从刘表那儿投降来的水军都督以后，江南那些刚刚投降的水兵啊，将来都死无葬身之地。当鲁肃把诸葛亮猜中了周瑜的这种反间计以后，告诉周瑜，周瑜心里更妒忌了！

《三国演义》就用诸葛亮在智慧上高于周瑜的办法，把所有的计谋都跟诸葛亮的智慧优势、和周瑜的荣誉心纽结在一起。就成为一个连贯的、充满了惊心动魄的，大起大落的心理戏剧。这是第一阶段。

为了把诸葛亮和周瑜的较量衍生下去。弄出个孙刘联姻的大戏。这个情节大部分来自元杂剧《两军师隔江斗智》(或《刘玄德巧合良缘》)孙权跟周瑜商量好了，假假地把妹妹要嫁给刘备，叫刘备来东吴，再把他干掉！结果，在具体操作过程中，诸葛亮棋高一着，不但没有杀成刘备，反而连孙权的妹妹都跟着刘备跑了。这就是著名的“赔了妹妹又折兵”。这是第二阶段。

第三阶段，是刘备集团内部的。诸葛亮资格比较嫩，有人不服气，谁？以关公为代表。怎么办？不着急，最后抓着你的小辫子，把你制服。华容道，我知道你这家伙是完不成任务的，而曹操天命未绝，让你去！你把曹操放走了，然后我再放你一马。你服不服？关公是很骄傲的，没有办法，只好服了。所以夏志清先生在他的中国小说论中很深刻地指出，在这个骄傲的关公上方，总有诸葛亮高明的眼睛在看着他。例如，关公镇守荆州，这是蜀国的门户，一个方面军的司令啊。可是，他太骄傲了，一听说，新投靠的马超，居然被刘备重用。他就要离职前往成都去和马超比武。这样心高气傲、不顾大局的人，谁能挡得住他？诸葛亮轻而易举地把他摆平了。诸葛亮只给他一封信，说，马超这种人，只在张飞的档次上，和你不在一个档次上，你这样去和他比武，不是抬高了他吗？关公很满足，把信在部将中传阅。

《三国演义》所展示的，实质上是心理的审美价值对于实用的军事武功的优胜。

夏志清说关公是诸葛亮眼皮底下，其实并不完全，实际上，周瑜也一样在诸葛亮眼皮底下。毛宗岗说《三国演义》的三绝，曹操、诸葛亮和关公，我觉得还有一绝，那就是周瑜，这四绝中，除了诸葛亮自己，其他三绝是在诸葛亮的智慧绝对控制之下的。《三国演义》的作者对诸葛亮可以说是以最大的热情、以最丰富的手法去表现他。但是，《三国演义》的作者也没有回避诸葛亮的缺点。鲁迅说《三国演义》写好人就没缺点，不对，有缺点！一个缺点，最大的缺点，失街亭！用错了人。先帝刘备生前就跟他讲，马谡这个人不行，夸夸其谈，言过其实。结果把那么重要的街亭交他去守，没有一个适当的牵制，最后街亭一失，粮草一断，前功尽弃。但是，即使写诸葛亮失败，作者还是写得非常的动人！为什么？最后，把马谡给斩了，以后他哭了。他也是懂得人才的，马谡曾经有功劳的，出过很多好的主意啊，但是还是把他杀了。写出诸葛亮内心的矛盾，人家问他为什么哭？他说，我不是哭马谡啊，我是没有听先帝对我的嘱咐啊！我觉得《三国演义》里写了那么多"哭"，刘备哭了那么多次，还不如诸葛亮哭这么一次！还有，诸葛亮还有个缺点，这个缺点不过在版本演进的过程当中被修改掉了。原来的版本诸葛亮犯了一个极大的错误，就在北伐的时候啊，诸葛亮手下大将魏延，非常威猛，提出一个比较冒险的办法，他向北魏挺近，诸葛亮绕过去。诸葛亮这个人呐，一生唯谨慎，不敢弄险，就没接受魏延的建议。而且呢，故意压低魏延。甚至于有一次，他设计把劲敌——司马懿、司马昭父子烧死在一个山谷里面。同时呢，叫马岱他们把魏延也弄进去，把他烧死，因为他以貌相人，觉得他脑后有反骨，迟早要反叛。早期的《三国演义》中，魏延这个人呐，长相跟关公一样的，面如重枣，很正派的，因为诸葛亮不喜欢他，他造反啦，就把他形象改变了。脑后有反骨，就是从背后看呐，腮骨可以看得到。这一说，脸方的同学可能有一点害怕，从后面看到腮骨。我本人过去也看得到，所以在反右、"文化大革命"中吃了不少的苦，现在胖了，看不到了，运气也好了。（笑声）诸葛亮死的时候，他留下遗嘱，不让魏延来率领部队，魏延是个骁将啊，而叫另外一个人，叫杨仪，来率领部队。更引起了矛盾，最后把魏延逼反了。当然，《三国演义》作者太爱诸葛亮了，即使诸葛亮犯错误，也把他写得很神。让他料准魏延必反，而且留下两道锦囊，一道给马岱，如此如此；一道给杨仪，如果魏延造反，怎么怎么。到了魏延造反了，杨仪打开一看，魏延说，谁敢杀我？魏延果然叫谁敢杀我？马岱的锦囊里是，如果他这样喊，你就把他杀了，马岱就从背后把他杀了。早期的版本呢，诸葛亮缺点很严重，这是计谋和品德双重的问题啊。现在通行的版本把这个删掉了，把诸葛亮的缺点掩盖了。

鲁迅批评《三国演义》写好人就一切皆好、写坏人就一切皆坏。其实，《三国演义》可以说，是我们中国各类小说里面，好人缺点最多，坏人优点最多的。它对人，对英雄的理解，真正是太深邃了！直至今天，也很少有作品对人、对英雄的理解，能够达到《三国演义》的水平。老实说，今天的小说，比《三国演义》差远了，不要说，那些垃圾级的小说，好人都没什么缺点，坏人肯定是叛徒、资产阶级、日本鬼子、翻译官、汉奸。（笑声）就是浩然的《艳阳天》，杨沫的《青春之歌》啊，甚至《白鹿原》啊，和《三国演义》一比，都可以说，很菜！（笑声）这些作品到了六百年以后，全民还会津津乐道吗？没门！有一点是可以肯定的，现在批评《三国演义》是“精神地狱”的人，到那时就更没有人知道他是老几了。尔曹肯定是身与名俱灭，《三国演义》肯定是不废长江万古流。当然，我今天的这些话，六百年后，鬼也不知道了。（笑声）不过还是要讲，希望引起大家阅读《三国演义》的兴趣。在那些把《三国演义》说得很黑暗的人面前，做一个亮相，一个造型，摆一个 pose，在中国还有这样一个老头子，对那些胡言乱语不买账。

好吧，现在开始我们对话。（掌声）

附：

现场问答

问：老师，我想问一下，为什么说周瑜这人多妒啊？

答：这个问题可能问到家了。（笑声、掌声）因为三国魏晋那个时代，知识分子中，佛学已经传播进来了，像曹操就在诗歌里感叹生命苦短。为了反抗生命的大限，就有两种倾向，一种就是做和尚，这叫出世，也就是与世无争。还有一种就追求青史留名，突破生命的局限，这叫入世。入世的特点是，人与人是要竞争的。天下大乱，要统一中国，建功立业，不但比武功，更要比智慧。这一点汉高祖在论功的时候，就把武将的功劳说成是“功狗”，而文臣如萧何曹参那样的是“功人”。所以，入世的人，认为活着是要面子的，用今天的话就是自尊；《三国演义》中大多数人，是为自尊活着的。最大的面子就是智慧、奇谋就是比别人强。《三国演义》的思想就是奇才至上论。杰出的人是为精神而活的，人的自尊、人的荣誉、人的不朽，是英雄追求的目标。周瑜自我感觉很好，觉得自己很精彩，无人可比，就是曹操也不在话下。但是，他发现自己有什么奇谋，有什么精彩点子，诸葛亮都能看穿，了如指掌。周瑜想到什么，周瑜出什么难题，诸葛亮都能轻松解决。因而，周瑜感到还有人比自己更智慧，这太难过了，太没面子了，太伤自尊了，就想把他干掉，自己不就是天下第一了吗？

（同学继续）：不，老师我并不这样想，我认为他处理诸葛亮只是为东吴日后排除强大的对手。周瑜不会那么狭，他应该是一个有雄才大略的人。曹操那么多军队来打他，他敢跟曹操打，敢跟曹操 PK！（笑声、掌声）

答：这个问题提得有点深度了。（笑声）可是，你有没有感到，他事实上，一直在处心积虑地和诸葛亮 PK 啊。

（同学继续）：我觉得周为统一天下立功。他可能认为诸葛亮是最大的障碍。因为一旦赤壁之战打胜之后，曹操的势力会元气大伤。刘备就是他主要的敌人，而且刘备现在他可以说有人心，然后有良将，再加上有谋士的话，他几乎可以说是……

答：对不起，我能不能打断你一下，你的意见我已经全部领会了。（笑声）那么，你提了个很深刻的问题。我刚才说，周瑜从个人心理上来说属于多妒。这位同学提出来，不是这样的，他实际上是从东吴的长远利益出发，这个人以后对我们绝对是个祸害。但是，鲁肃跟他讲，大敌当前，要打败曹操，胜负未卜。人家是八十三万大军，他们连刘备的两万多，充其量十几万。你说日后这个人可能成为强大的敌人，可是现在，更强大的敌人正在要你的命啊。周瑜也觉得有理。但是，后来，周瑜来一个计谋，被诸葛亮识破一个。他想，这样，我就不管曹操大敌当前了，就是要合法地除掉他。我出一个难题，你进入圈套，你完不成任务，误了军机，军法从事。从这一意义上来说，他是不顾大局的。赤壁之战打赢，他一身光环，在扩大战果的军事上，他不是弄不过诸葛亮，他就气死了。这就说明，他不完全首先是为国家考虑，因为他心理的妒病太极端。如果不是多妒，他就失败一两次，无所谓嘛，胜败乃兵家常事，曹操也失败了很多次嘛。割袍断须，落花流水，华容道，屁滚尿流，他不会死嘛，一个大将打几次败仗有什么关系。但是，周瑜一旦认识自己智不如人，居然就活不成了。这时，定他一个多妒，我想不会太冤枉他。（掌声）

问：我觉得鲁迅和胡适先生，他们并不是没有看懂三国，我认为他们看懂了。但是由于一些政治原因，鲁迅和胡适，都是新文化运动的带头人，对吧？当时目的就是把矛头指向封建的思想，诸葛亮当时作为封建忠君思想典型的楷模，所以他自然就免不了成了众矢之的。而且我好像听说，当时蒋介石是有志比刘备的意思。鲁迅先生作为中国共产党的笔杆子，就把矛头指向了诸葛亮。所以我觉得他本来就带有自己的政治原因，我觉得政治原因不可，我们说不能……

答：（打断）我听懂你的意思了。（笑声）我现在不得不直率一点说，我不太能同意你的意见，虽然你长得很美丽。（笑声、掌声）我还是有点勇气反对美人哦。你的问题啊，里面有些漏洞。你说鲁迅是因为当时蒋介石的笔杆子。你要知道，鲁迅写《中国小说史略》是 1924 年，那时蒋介石还在搞黄埔军校，三年以后才掌权。鲁迅的眼中，还没有他。你这个说法呢，不是很准确。但是呢，你有一个思路，就鲁迅他可能并不是没有读懂《三国演义》，只是呢，有另外一个原因。我认为，可能不是政治的问题，要是政治问题的话，首先反对北洋军阀。因为再过几年，鲁迅在北京待不下去了，跑哪里去？就跑到广州！广州是孙中山在那儿掌权，蒋介石在开办黄埔军校。这里有一个文学流派上的原因，鲁迅是现实主义小说家，他主张对人生要现实地描写，批判国民性的毒疮嘛。至少他在写《中国小说史略》的时候他是这样想。而《三国演义》写了超人，超越现实的人。他觉得，难以接受。但是，我认为，鲁迅的著作如果不是写在 1924 年，写在 1936 年的话，他可能改变看法。因为，1936年以前的这几年，他写了一本新的小说，叫《故事新编》，里面充满了超人的幻想。人头掉在油锅里还会唱歌的。（笑声）所以说，很可能是当时现实主义观念一时的局限。他后来突破了自己的局限，本来他还可以在这个问题上再做个讲座。但很可惜，天年不假，鲁迅只活了55.5岁。（笑声）他没有我这么幸福，活到73岁还在演讲！好吧，谢谢你！（笑声、掌声）

问：老师您刚才说，《三国演义》还会传六百年，但是从我个人来说，它是从政治角度还是比较有价值的。但是从文学、从人学这个角度来看呢，我觉得它并没有价值！文学是什么？是关于人的，但是，《三国演义》它有没有人在里面？它有没有一种爱人？有没有一种终极关怀，一种追问，它没有！这样我觉得，就说它对商战是很有意义的。比如对中国的、日本的大企业家。但是，它对人学来说，他对这个“人”，它没有爱人。所以从文学这个角度来说，它并没有多大的文学价值！谢谢老师！

答：好，谢谢你！（掌声）我觉得你这个问题有一个字我听不懂，“ren”是什么意思？

（同学继续）：“人”嘛，就要爱人！

答：噢，“人”！《三国演义》没有“人”？

（同学继续）：对啊，没有人。里面都是杀人，你杀我，我杀你，没人。夺天下，他夺天下，要占有天下嘛！但是天下是谁的天下？

答：好了，我听懂了！你第一次口音挺重，我没听懂，由于这个“ren”没有听懂。（笑声）但是，我觉得你也没有听懂我的“人”。虽然我的普通话比你要好不少。（大笑声）《三国演义》里有它自身的人学。它的人，就是能够建功立业的，能够突破生命暂短的局限的，为后世所景仰的人。这就是孙权所说的“老贼以为江东无人啊”，也就是庞统所说的，你以为我们这里，没有人啊。这里的人，不是一般的人，是在争夺统一权的时代，有作为的人。不然的话，就是如阚泽所说的，与草木同腐。太短暂了。另外，《三国演义》中的人，很复杂，很丰富，我不同意鲁迅所说的，“好人一切皆好，坏人就没优点”。我说，好人也有缺点，比如周瑜，比如关公，比如张飞，比如刘备；坏人也有优点，比如曹操，等等。这就是《三国演义》的人学。那么“人”，本来很难说性善、性恶的，当在特殊的情况下，把你打出了常轨，好人就变坏了，例如曹操原来是义士，去行刺董卓，而且被通缉、被人抓住了。他慷慨赴义、面不改色，这样的好人。但他后来却被变成是坏人，为什么？他多疑。好人会变坏；相反的，坏人也会变好。只是在《三国演义》中，比较罕见就是了，但是，刘备却是一直假哭，后来关公一死，他真哭了，哭出血来。当然，也有不好不坏，一直就不好不坏，如刘禅，但是，这个不好不坏的人，和所有三国英雄想要有所作为不同，他就是觉得无所作为、得过且过也挺好，这也是一种特殊的，不可重复的性格的发现。令人想到俄国作家冈察洛夫笔下的奥布洛摩夫，这也是一种审美的创造。对吧？在这个情况下，我们没法给它下一个“人学”的定义，谁也下不了。但是我们看到所有的人物，都有缺点。哪怕奸贼，也有优点。这就是人性！一个人的妒忌，会把自己整死，这是周瑜，一个人的骄傲会把自己的事业毁掉、把命送掉，这是关公。这就是《三国演义》的人学。你说《三国演义》没有“人”，但是，没有抽象的人，只有具体的各不相同的人。你说《三国演义》里只有杀人，没有爱。当然，如果以谈恋爱的爱作为标准，那么《三国演义》可以说，没有爱。那时的人应该是会谈恋爱的，早在《诗经》时代就会了，女孩子还会教人家小伙子爬墙。（笑声）《三国演义》里的人都不会谈恋爱。但是，《三国演义》里有恨，也有爱。你说刘备不爱关公、张飞吗？不爱，在关公死了，他的眼泪会哭出血来吗？不过这不是男女之爱，而是异姓兄弟之爱。刘备不爱诸葛亮吗？这是君臣之爱。曹操也是有爱的，他爱有才的人，爱到不让军士放箭射被围的赵云，爱到把关公放走。从这个意义上来说，爱的内涵是要具体分析的，是很丰富的，不仅仅是冰心那种基督式的泛爱，也不是儿女情长之爱。比如，现在，我对你也是有爱的，但是，不是爱情，而是师生之爱。爱的内涵是无限丰富的，说不完全的。能不能这样说，说不完的爱，说不清的爱，甚至是越说越糊涂的爱。（大笑声）爱是因为人际关系的不同而不同的，好吧。因为你不是女同学，所以我敢说，我爱你。（笑声、鼓掌声）

问：我知道孙老师是研究当代文学的。我想，20 世纪五六十年代中国出过两本写战争的书，一本是《红日》，一本是《林海雪原》。但《林海雪原》就深受《三国演义》的影响，呈现出一种民间的审美模式，出现五虎将。最典型的，用的就是《三国演义》里面的计谋，一些农民式的智慧。而《红日》为什么描写大规模的战争层面，无法这样来描述一些小规模战役？它背后所隐含的是两种不同的文化，一种是农业文明战争，而另外一种则是现代化的战争。这样对比来看，我认为《三国演义》建立的是中国传统社会上的一种小智谋，一种小利益集团之间的争斗，一种建立在人伦理基础之上的。不知道孙老师……

答：那么，你认为《林海雪原》和《红日》是大利益、大集团、大智谋？

（同学继续）：我认为《红日》描写的战争，是现代西方战争，有一种西方的伦理关系。

答：我听懂了你部分意思，但有些地方还是不大懂。比如什么是小智谋，什么是大智谋？什么是西方战争，什么是东方战争？所有这些你都没有定义，所以说我们无法讨论。不过我认为，比起《三国演义》来说，《林海雪原》和《红日》小爬虫而已，很差，概念化。根本就没有什么战争和战略的大智慧，拿这些作品和《三国演义》相比，只能是拿小虫比大象。你如果没看出其艺术的拙劣，说明你还没长大。

且不说，那里边多少的胡编乱造啊，多少的牵强附会啊。智取威虎山，是出于一种概念，一定把某一种英雄写得完美无缺，高大无比，一点点缺点都没有，哪里有《三国演义》中的英雄那样丰富多彩。从人的理解来说，比《三国演义》不知落后了多少！你难道感觉不到？（笑声、掌声）我敢说，里边基本是概念化的图解呀！《林海雪原》我1956年看的时候，才二十来岁，看不下去，好糟啊！（掌声）你现在和我那里差不多年纪，我们还需要慢慢地沟通，今天可能来不及了，抱歉。

问：首先，我声明，我不是东南大学的。非常荣幸能够坐在东大这样一个充满艺术气息的大厅……

答：不是东大的更欢迎。(掌声)

（同学继续）：在这座殿堂里面，听您非常激情、非常诗化的讲座。我非常赞同您的几句话，第一句是“任何一种叙述都是一种回忆”，第二句话就是，您非常有意思地阐明了仙化、妖化和神化，您用了一个词叫“假定”。也就是说用假定来推动故事情节，用假定来推断这个人物人之间的心理错位。您说《三国演义》里面，“英雄多半是悲剧的”，实际上所有的英雄都是悲剧的。您说“诸葛亮是命运的悲剧”，如果说诸葛亮是命运的悲剧的话，那所有人都是命运的悲剧，因为没有人能够掌控命运！但是，对于诸葛亮的悲剧性，我想请您再做一番阐述，他是否知道自己的命运？如果是的话，那么他怎么就明知不可为而为之？您怎么来阐述这种悲剧性呢？谢谢。

答：陆挺老师，你认不认为她提的这个问题相当深刻啊？（陆挺：深刻一点啊，我也觉得）先送她一本书。(掌声)那么，一方面是稍微深刻一点，另一方面是我们要鼓励非东大的人士来参与东大的思想的狂欢。你说“所有人都是命运的悲剧”，这没错。人类就是悲剧！因为人是偶然地来到世界上，就必然地要离开这个世界。(掌声)从这个层面上理解是对的。但是，在来到这世界上以后，第二个层面，当你做命运的选择的时候，还是有不同的。诸葛亮有那么辉煌的才智，他本来选择是“苟全性命于乱世，不求闻达于诸侯”。他知道政治是很可怕的。他念那个《梁甫吟》啊，就非常警惕政治领域里的阴谋啊，“二桃杀三士”。文官可以搞个阴谋诡计，把功臣无缘无故地杀了！但他还是选择了出山，为什么？他被感动了，有这样一个人，他虚位以待，这么诚恳地请我发挥一下才智。成败利钝，在所不计啊。他最后写《后出师表》的时候，事实上“知其不可而为之”，他知道这么小一国家，兵员才十多万吧，要去同时面对两方面的敌人，一方面曹操，一方面孙吴。特别是夷陵之战，刘备冒险失败以后，连年征战，国家民疲国弱了。但还是要打。诸葛亮讲了，“汉贼不两立，王业不偏安”，汉就是蜀汉，跟曹操不能够并立。我现在不打，等我死了以后更没人打。这就是他的悲剧所在。他知道打，不一定能打赢，也还可能赢，但是不打肯定输！他有个最大的缺陷，从历史上来看，他没很好培养接班人，姜维远不如他。但是，人家周瑜死了以后，鲁肃、吕蒙、陆逊、陆抗，不比周瑜差！包括曹操阵营那边，也是人才辈出。诸葛亮这把伞太大了，遮住了太多的阳光，底下小树长不起来。他一死，蜀国基本完了。所以，命运有三种，第一种就是人类共同的宿命，第二种就是历史的命运，第三种就是你选择的命运。我认为，从他的选择来说，他最初是很乐观的。他说，你从荆州，到四川去建立根据地，外边联合了孙吴。天下一旦有变，这边派一支兵从荆州打过去，那边从成都派一支兵往北面打过去。那时，全天下的人都“箪食壶浆，以迎王师”，霸业就可成了。但实际上毛泽东分析，这是错误的！怎么可以两路分兵呢？要集中优势兵力打一路嘛。他战略上意识到这一点，特别重视关羽这一方面，要和东吴搞好关系，结果关羽破坏了他外交路线，孙吴投降了曹操，蜀国孤立了。在这种情况下，他可真是知其不可为而为之。这种悲剧是他自己选择的。当然，他不可能完全意识到还有其他因素，他没有重视魏延的才能，反而把他逼反了。也许这是一根最后的稻草，埋下了灭亡的悲剧的种子。这跟人类的所有的命运都是悲剧是不一样的。我不知道这个能不能解决你的问题。（掌声）

问：孙老师您好！就是因为今天看到您这个题目，就很兴奋嘛。从我三岁的时候，电视剧《三国演义》开始首播，我从头到尾都坐在电视机旁边看。后来《三国演义》是我书柜里的第一本小说，算是读书的启蒙。《三国演义》每次再播的时候是必看的。都是从三顾茅庐开始看，看到五丈原他把羽毛扇放下的那一刻之后，我就从电视机前逃走，不忍心再看下去了。每次都是和我姥爷一起，一直到他去世。

答：这是个提问的序言，是不是长了一点？（笑声）

（同学继续）：在亲人去世之后，就是看到三国会回忆起来，不太忍心。后来就一直在想，为什么每次诸葛亮都会那么让人感动？刚才那个同学提了我问题的一半，我想到最感动的就是两句话，一句就是司马徽说的，“孔明得其主而不得其时，惜哉！”，另一句就是三国里面的诗，“只因先主丁宁后，星落秋风五丈原”。我的问题就是，你把诸葛亮的悲剧意义讲得非常精彩！但还有想法，还有一种神秘的因素，能够唤起群体的中国人内心某种普遍的东西，这个形象才能够那么深刻地印在人们的脑子里。就是像刚刚您也讲过那种大众的趣味，但是带有大众趣味的故事情节都很多，可是为什么都没有诸葛亮地位那么高，让我们记忆那么深刻，那么感动？是不是他还有一个什么东西能够神奇地勾起人的一种情感？谢谢！（掌声）

答：谢谢。第一，你提了一个相当美丽的问题！诸葛亮为什么那么让人感动呢？你刚才触及了，他自己说的“由是感激，遂许先帝以驱驰”。就说，他被刘备感动了，让他来发挥他的才能。他希望能够得到实现。他最初啊，在《隆中对》的时候啊，非常乐观的。你只要去四川建立根据地，一旦天下有变，两支人马北伐、东征就会取得胜利，大家都会迎接你！但是，到了晚年，他就不这么乐观了。当魏延提出来一个有风险的计划，他不敢采取，他太谨慎。年轻的时候很乐观，哪怕是什么草船借箭呐，三天之内，一定大雾，肯定我赢的！到后来他就不行了，为什么？他有一种沉重感，现实跟他梦想不一致，越来越感到沉重，虽然他取得了很多的战役的胜利，他甚至发明了木牛流马。但是，六出祁山，他就是打不赢。但是他还要干下去，为什么？他跟所有的三国英雄不一样，他是不为自己打的，他就是为了知遇之恩！他真正实现了中国文人“士为知己者死”的名言。刘备临死的时候，我的孩子阿斗不行，你能教导他就教导他，不能教导他取而代之可也！诸葛亮汗流浃背，磕头，绝对不可能！其实诸葛亮要像曹操的儿子一样，篡夺天下，易如反掌。军队、行政权力全在他手里，他就不干！宁可鞠躬尽瘁死而后已，也不违背自己的初衷。明明知道理想实现的前景是越来越渺茫，他还是尽着最大的努力。我估计，这一点奋斗的精神，这一点忠于诺言的精神，跟忠于自己最初选择坚持到底的精神，是人格的高度理想化。这跟周瑜，跟曹操部下的那些谋士不一样。正是这样一种人格，成了为理想而献身典型。不过呢，《三国演义》里他神化、神机妙算，超人的才能，把现实的人格光华倒反而淡化了。诸葛亮六出祁山的过程，我们并没有感觉到太沉郁的悲剧的氛围，不像三顾茅庐那样，有那么强烈的悲剧氛围，没有！这是为什么呢？这是人们对现实的诸葛亮，他的品格，太赞赏了，太崇拜了！以至于那个悲剧的氛围没有了，因为他的失败，不仅是因为某种战术上的失误，不仅是法术应用不当。实际上他的兵马很少，大不了十万左右，就是打下祁山，打过五丈原，占领了长安，孤军深入，给人家包围起来也死路一条。蜀国的力量在当时已经不可能来统一天下，这一点《三国演义》的作者回避了，用宿命论来遮蔽了。因而，我们只感到他那种坚持不懈的高贵精神可贵，感到震撼，这种精英的道德观念，是我们民族精神的财富。这就是我为什么对我的朋友刘再复先生把《三国演义》说成是阴谋诡计、权术大全极其不满的原因。诸葛亮的这种为了自己信念，不计生死的精神和武松那样面对猛虎的勇敢的精神，都是我国传统的精神瑰宝，而不是什么精神的地狱之门。（掌声）今天我特别感谢刚才向我挑战的，向我提问的同学。为了表示我的谢意，我要送给他一份薄礼，这份礼很薄，薄到只是一本书。我没有办法给你们厚而重的礼。我刚才说了，人人都有弱点，哪怕是诸葛亮，我和诸葛亮一样，也有弱点，不过，我最大的弱点是举重。（大笑）我只能举起这本很轻的书，但是，从某种意义，它也不太轻，因为是根据我在你们这里讲座的记录整理的书《演说经典之美》，送给刚才提问的同学。（掌声）当然，这本书，也不完全是我的，至少有一半是你们东南大学的。因为第一，你们陆挺老师给我提供了讲坛，每年来讲两次，让我发挥了演讲神聊的特长，第二，特意向李福建表示感谢！为了这本书，他辛苦了！如果没有李福建所领导的那个小组给我整理，就没有这本书。李福建你是不是福建人吗？（不是，我河南人）那为什么要冒充福建人呢？（因为你是那儿的名人）那我们还是同乡，因为福建人大部分是从河南移民，其实是逃难过去的。

（掌声热烈）

（记录：任玲）

第四讲

关公：从失败的悲剧英雄到“义薄云天”之神

今天讲关公。表面上关公跟前年讲的杨贵妃好像风马牛不相及，但是在两点上是一致的。第一个呢，都是历史人物的公众形象。历史人物的评价好像有共同倾向，随着时间的流逝，在人们的感觉中，负面的因素与时递减，正面的光彩与时递增。稍有作为的人物，一旦进入历史，人们就不断加码地怀念、崇敬。非正面的人物，有缺陷，有污点，往往并不一定是遗臭万年，而是相反，时间会把它淘汰，形象不断地增高，高大到一个什么程度呢？达到神仙的程度。我讲过杨贵妃，在当时，大约是公元8世纪中叶，她和唐明皇搞恋爱，谈得昏天黑地，导致了安史之乱，被认为是国家民族的罪人。过了差不多一百年，到了白居易（772—846）笔下，她变成仙人了。成了仙了，还要谈恋爱，还要相约与李隆基天上人间相约相恋，成为爱情不朽的象征：活着要谈恋爱，谈得送了性命，死了，成了仙，还是要谈恋爱。这实在太浪漫了，为恋爱而生，为恋爱而死。这样的人，我不知道，在座的诸君如何，反正我是绝对望尘莫及的。（大笑声）最奇妙的是，在日本杨贵妃成为“观音”。其塑像至今仍然在京都泉涌寺供奉。相传这塑像是僧人湛海在南宋所塑，于1255年带回日本。[①]

今天讲的关公也有类似的情形。当然，关公是不会谈恋爱的。（笑声）这并不奇怪，《三国演义》里的英雄都不会谈恋爱。英雄们看中什么漂亮女性，抓来就是，管她同意不同意。女方已经结过婚呢？把丈夫打败就是了。历史上的关羽就有过这样的念头，不过没有成功。因为曹操插了一杠子。当然最好是守寡的，很漂亮的，可以送人，就看英雄要不要

① 《泉涌寺文书》云：“建长七湛海宗师自宋归朝，带回佛牙舍利、杨贵妃观音像、十六罗汉、月盖长者像及韦驮像等。”

了。赵云就碰到这种事，他不要，因为美女的前夫也姓赵，不光彩。当时的男女之情，是由政治权力决定的。《三国演义》文学成就很高，但是，和西方差不多时代的骑士小说不一样。西方的骑士是以恋爱为职业的。（笑声）《三国演义》的英雄是以战争为职业的。作为文明古国，打仗这门学问是很先进的，早在春秋时代，就有了军事理论著作《孙子兵法》，在世界上是最早的。可恋爱这门学问，这门艺术，实在是很落后的，至今还没有一本《恋爱战法》或者《恋爱搞法》的著作，落后于军事理论两千多年。在文学上，除了诗歌，小说要到唐宋传奇里，恋爱中的男女才开始勇敢起来，其实是就是不害羞，不要脸起来。（笑声）不但不要脸，而且不要命。（笑声）但是，《三国演义》的英雄只会打仗时不要命，于百万军中取对方上将首级是理想，你要人家的命，你自己也要有不要命的准备。你们知道，谈恋爱和打仗固然不同，但是，有一点，是相通的，那就是都是不要命的，说得通俗一点，就是要死人的。（大笑声）不过一个是流血的，一个是不流血的。杜十娘、林黛玉、茶花女之死就是不流血的。关公最后就流血了，脑袋被割下来，当作政治筹码送来送去。（听众：哦……）

一、从失败的英雄到战神

关公本来是一个武艺高强的英雄，不过总体上来说，是一个失败的英雄。身负军事外交双重责任的将军，对于导致蜀国最后失败负有相当重大责任，随着时间的推移，这种罪责，不但被淡化了，而且，被神化了，变成神了。这个神比杨贵妃要神得多了，杨贵妃神就神在传说当中，在诗歌当中，在戏剧当中。而关公很奇怪，他的神从民间到官方一体认同。直到清末、民国，我国大部分县城，包括台湾，都有关公的庙。他还神化到国外。在日本，在东南亚，乃至于韩国、越南等大中华文化影响地区，他都是神化的人物。他的神像随着华人及其后裔经商，传到欧洲。我在德国的小城市，在已经不会说汉语的华裔开的小超市里，都不难见到他的像放在神龛里，金碧辉煌。这可能是一神教传统深厚的基督教、伊斯兰教民族所不可思议的。

在我们的民族文化中，关公可以说达到了英雄神化的最高点。为什么我敢这样说啊？在清朝官方，对他的膜拜，赶上了我们的“大成至圣”，也就是孔夫子。什么叫作大成？就是集所有的优秀传统之大成。什么叫作至圣？那就是最高的顶峰，后来者无以复加。在民间，则更甚，孔夫子的庙叫孔庙，关公的庙不叫关庙，叫关帝庙，他神到变成“帝”了。我们中国是小生产者为主体的多神教国家，神是很多的，不像西方基督教、中东伊斯兰，只有一个神，其他都是魔鬼。在我们这里，曾经几乎每一个城市都有城隍庙，每一个地方，都有土地庙，甚至每家都有灶神。在人间，不少英雄，甚至某些民女都会变成神，例如妈祖，也是神得不得了。当然，神是分等级的，最低的就是灶神，只管一家人，过年到天上去向玉帝汇报这家人一年的表现。他既有神的身份，同时又是密探。所以小年二十四夜祭灶的时候，少不了一块麦芽糖，让他吃得黏住了嘴巴，到了玉帝那里张不开口。稍高一点就是土地神，那个庙是非常寒伧的，在农村，人进去都要弯腰，在城市往往就是在墙壁上一个小神龛。最高的就是玉帝，就是《西游记》里面玉皇大帝，但玉皇大帝没有庙，可能是与老百姓距离太遥远了，没有亲近感。但是关公被称为关帝，关帝庙至今仍普遍存在，与老百姓是很亲近的。照理说皇帝只有一个，天无二日，民无二主，是一元化的政权的神圣法则。但是，把关公提高到玉帝的档次还不够，又把他拉高到（武）圣人高度。这是玉皇大帝所望尘莫及的。

但是，他这个人在历史上，是不是真的那么神呢？好像并不是。

这就是我今天要探究的课题。

这里有中华民族的文化密码和艺术的密码。那么，我们先把这个人还原一下，看看历史和小说中的关公是怎么回事。

从历史上讲，关公是一个英雄，笼统说来，好像没有争议。但具体分析起来，他英雄在哪里呢？当然他是个武将，他英勇善战，有万夫不当之勇，这是毫无疑义的。他是刘备手下一员猛将，陈寿在《三国志·关张马黄赵传》盖棺论定，对他的评价是“万人之敌，为世虎臣”，“有国士之风”。但是，并非十全十美，陈寿说他“羽刚而自矜……以短取败，理之常也”。[①] 从这里看，似乎并不是太出色的历史人物。难得的是一员猛将，又有国士之风，也就作风上相当正派、高贵，有文化，光明磊落。最后失败，是由于自己的缺点：刚愎自用，骄傲自大。这样水平的，甚至超越这样水准的人物，在三国时代，在中国历史上，可说是比比皆是。至少诸葛亮就比他强得多了。可是诸葛亮在后世民间，并没有得到在各县城普遍立庙的崇拜。

他第一次表现出个人的英雄气概，是奉曹操之命去攻打袁绍手下的颜良。这在《三国志》中，其背景是有点煞风景的。刘备打了败仗，“曹公禽关羽以归。拜为偏将军，礼之甚厚”[②]。实际上关公当了俘虏，投降了。按当时的观念，可能不算什么太严重的缺点，因为曹操毕竟是挟天子以令诸侯。代表王朝正统的合法性。但是，从另外一方面来看，你既然是反对这个汉贼、奸雄的，一旦被人家擒了，俘虏了，就投降，还接受人家的封赏，对于一

① （晋）陈寿：《三国志》，（南朝宋）裴松之注，中华书局2005年版，第706页。

② （晋）陈寿：《三国志》，（南朝宋）裴松之注，中华书局2005年版，第697页。

个英雄，毕竟不是什么光彩的事。待到曹操和袁绍打仗遇到了颜良，让关公出马。“羽望见（颜）良麾盖，策马刺良于万众之中”，“斩其首还。（袁）绍诸将莫能当者，遂解白马围。”[①]这的确也堪称神勇。但是，光有这么一点战绩，在三国英雄中，不算太出色，至少比之有点战略智慧的赵子龙，还有点逊色。胡适在五四时期写的《〈三国演义〉序》中说其作者都是一些“腐儒”，只会照搬《三国志》等的材料，没有什么想象力和文学的创造力。[②]如果真是这样的话，关公形象怎么会这么宏伟高大，其神化的形象，怎么会被民间广泛接受？这自然要归功于从《三国志》《三国志平话》以及一些元人杂剧，最后，最大的功劳应该是归功于《三国演义》的作者。

胡适这样的大师对之视而不见，可能是历史的局限，按照历史的评价正面递增的原则，我们不应苛求前人。如果他是一般小毛毛，就算了，我这个人是比较宽厚的，虽然说起话来有时有点尖刻。但是，他是权威，影响很大，说得不客气一点，流毒很深，至今还有人迷信。因而，今天，我选择这个题目，目的之一，就是肃清胡适的流毒。你们注意，我的用词，“流毒”，可能太尖刻了一点？我自己也有点奇怪，我本性是非常善良的，对人的缺点一向是抱着佛祖悲悯的情怀的。今天我脱口而出，“流毒”，这样的话，好像不是孙绍振的，而像另外一个人，一个大人物，你们猜猜看，谁说话最尖刻？（答：鲁迅、钱锺书）哦唷，鲁迅不敢当，有点像钱锺书，也不太够格，但是，马马虎虎，其他一切都不如，我不是英雄，但和钱锺书所见略同（笑声），心情挺滋润的（笑声）。你们呢，滋润不滋润？也应该滋润，为什么，现在你们是在和钱锺书这样的“文化昆仑”对话呀。千载难逢的良机呀。（鼓掌声，大笑声）我要肃清胡适的什么流毒呢？肃清他不懂艺术的流毒。

胡适有所不知，《三国演义》在关公的形象早积淀了上千年的文学想象和创造力，才成为不朽的艺术丰碑的。

在《三国志》中，“策马刺良于万众之中，斩其首还”，就这么一句话，很难说有多大形象的感染力。何况据《三国志·魏书·武帝纪》，斩颜良解白马之围，并不是关羽一个人功劳，而是“张辽、关羽前登击破，斩良，遂解白马围”。到了元人的《全相三国志平话》则先是渲染曹操的大将夏侯惇三次大败，大将曹仁出战又大败，“曹军痛折大半”。等到关公出寨，很轻松地说了一句：“此人小可”，意思是小儿科而已。到了真正出手则是面临“十万军围绕营寨”“云长单马持刀奔寨，见颜良寨中，不疑阻，一刀砍颜良头落地，用刀挑颜良头复出寨。”[③]与历史记载相比，显然是文学的想象了。先是大将两员，三战俱败，

---

① （晋）陈寿：《三国志》，（南朝宋）裴松之注，中华书局 2005 年版，第 697 页。

② 《胡适文存》卷一，上海书店出版社 1989 年版，第 52—53 页。

③ 《三国志平话》，上海古典文学出版社 1955 年版，第 55 页。

次是关公处此形势，轻松自信，三是，挑着颜良人头，胜利回营。但是，这还是比较粗糙的。斩颜良的人头，缺乏细节，和《三国志》一样，太轻松了。读者看到的仅仅是关公的武艺高强，临危不惧，充满自信。到了《三国演义》细节就丰富了：曹操指颜良排的阵势说，麾盖之下，绣袍金甲，持刀立马者，乃颜良也。关公说：吾观颜良，如插标卖首耳！把劲敌看成插着草标卖自己的人头，这就比“此人小可”，要充满英雄的豪气和傲气了。接着是：关公奋然上马，倒提青龙刀；凤目圆睁，蚕眉直竖。关公径奔颜良。颜良正在麾盖下，见关公冲来，方欲问时，关公赤兔马快，早已跑到面前。颜良措手不及，被云长手起一刀，刺于马下。割了颜良首级，拴于马项之下。

从艺术上说，虽然细节丰富了一些，但是，仍然太轻松了，一是，颜良如此草包，二是，很大程度上要归功于关公的赤兔马跑得太快了，这很难反衬出关公的神勇。与此类似的还有诛文丑，在历史上，则根本与关公无关。当时，刘备还依附袁绍，与曹操为敌，文丑和刘备率领五六千骑兵，来势汹汹。曹操沉着应战，等他们“分趣辎重”，也就是有意让他们贪夺后勤辎重财物的时候，以不满六百的骑兵。纵兵击破，“斩丑”。《三国志》记载，此后，关公才“亡归刘备”，也就是从曹操阵营中逃到刘备这里来。[①]在《三国志平话》中，水平也差不多：无非就是关公战文丑，文丑战败，关公追击三十里，至官渡，“关公抡刀，觑文丑便砍，连肩卸膊，分为两段”[②]。如此写法，在《三国演义》中，实在是平庸之笔。毛宗岗《读“三国志”法》中指出：《三国演义》“以善避为能，又以善犯为能”。说的是写同类的事情，叫作“犯”，要回避。但是，写了同类的事情，却又能写出不同来，“犯之而后避之”就是大本事了。如光是火攻：吕布有濮阳之火，曹操有乌巢之火，周郎有赤壁之火，陆逊有猇亭之火，徐盛有南徐之火，武侯有博望、新野之火，又有盘蛇谷、上方谷之火，没有一次是雷同的。这就叫作“树同是树，枝同是枝，叶同是叶，花同是花，而其植根安蒂，吐芳结子，五色纷披，各或异采。”毛宗岗将之总结为“同树异枝，同枝异叶，同叶异花，同花异果”。[③]如果按这个标准，则斩颜良诛文丑，很明显有雷同的毛病，也就是“犯”了。从艺术上来说，不足为训。

鲁迅在论《三国演义》，时，对于诸葛亮和刘备的形象多所贬抑，而对关公特多赞语。首先得到他的赞赏的场面，不是这种历史上归功于关羽的情节，而是和关公一点关系都没有的斩华雄。鲁迅的评价是以关公和诸葛亮、刘备对比着行文的：

至于写人，亦颇有失，以致欲显刘备之长厚而似伪，状诸葛之多智而近妖；惟于

① （晋）陈寿：《三国志》，（南朝宋）裴松之注，中华书局2005年版，第14页。

② 《三国志平话》，上海古典文学出版社1955年版，第55页。

③ 陈曦钟等辑校：《三国演义会评本》上，北京大学出版社1986年版，第11—12页。

关羽，特多好语，义勇之概，时时如见矣。

鲁迅所举的第一个例子就是斩华雄，称赞叙事表现出关羽“出身丰采及勇力”：

阶下一人大呼出曰，“小将愿往，斩华雄头献于帐下！”众视之：见其人身长九尺五寸，髯长一尺八寸，丹凤眼，卧蚕眉，面如重枣，声似巨钟，立于帐前。绍问何人。公孙瓒曰，“此刘玄德之弟关某也。”绍回见居何职。瓒曰，“跟随刘玄德充马弓手。”帐上袁术大喝曰，“汝欺吾众诸侯无大将耶？量一弓手，安敢乱言。与我乱棒打出！”曹操急止之曰，“公路息怒，此人既出大言，必有广学；试教出马，如其不胜，诛亦未迟。”……关某曰，“如不胜，请斩我头。”操教酾热酒一杯，与关某饮了上马。关某曰，“酒且斟下，某去便来。”出帐提刀，飞身上马。众诸侯听得寨外鼓声大震，喊声大举，如天摧地塌，岳撼山崩。众皆失惊，却欲探听。鸾铃响处，马到中军，云长提华雄之头，掷于地上；其酒尚温。[①]

这个斩却华雄，“其酒尚温”的情节，经历几百年的历史汰洗，至今仍然活在广大读者心目中。关公在《三国演义》中，有过许多胜绩，除了上面的，前有战黄巾，后有过五关，斩六将，在古城还斩了蔡阳，这些胜绩，在鲁迅看来，可能与斩颜良和文丑一样，无非是手起刀落，对方人头落地。都有点毛宗岗所说的“犯”，鲁迅那样的大师，哪里瞧得起这样的套路。但唯于斩华雄一节是例外，原因在于：第一，强敌在前，不止一个将军失败了，一个弓马手，低级军官，却敢于这么口出大言，遭到斥责以后，仍然充满信心，不惜主动以自己的头颅为赌注；第二，在一杯温酒未凉的短时间内，保证速胜，因为当时，没有钟表，如果有的话，关公就可能说，十分钟之内提头来见。鲁迅称赞其“义勇之概”跃然纸上。这里的文学想象力，不但表现了关公的神勇，而且表现了关公的自信，自信到毫无保留、不留余地的程度，这种自信，是不是有一点过分？有一点骄傲？打仗哪有这样绝对的把握？这太超人了。从这一点来看，应该说，不真实，可是鲁迅没有按评诸葛亮的标准说他多勇而近神。从这里，是不是可以看出，在诸葛亮身上，历史的成分比较多，精英的智慧比较丰富，故太过分的夸张，鲁迅不能忍受。而在关公的身上，则民间的传说成分比较多，故鲁迅凭直觉，觉得关公作为人的个性比较鲜明。实际上，超人的能力和非凡的自信、骄傲，恰恰是关公性格的核心，贯穿在关公整个生命之中，既成就了他后来威震华夏的大名，又导致了走向死亡的结局。胡适太粗心了，居然连这样明显的突破历史事实的局限，文学创造的辉煌想象都没有感觉。

---

① 鲁迅所引《三国志演义》，又称《三国志通俗演义》，卷首有弘治甲寅（1494）庸愚子（蒋大器）序和嘉靖壬午年（1522）关中修髯子（张尚德）小引，因商务印书馆影印时抽去该小引，致被误认为弘治年间刊本。此书为今所见《三国演义》最早刊本。鲁迅所引第九回《曹操起兵伐董卓》，为今通行本《三国演义》第五回《发矫诏诸镇应曹公　破关兵三英战吕布》。

胡适说，他为《三国演义》写序时，参考过鲁迅的讲义，对于鲁迅十分赞赏的“温酒斩华雄”这样的虚构，这样的文学想象，视而不见，一口咬定说《三国演义》没有想象力，实在是不可思议。其实，华雄这个人，在《三国志》中，根本微不足道，他的名字只出现过一次，好玩的是，不是在他活着的时候，而是在他被杀了头的时候。那时，孙坚和董卓打仗，孙坚一度败绩，抱头鼠窜。后来孙坚反攻，大破董卓“枭其都督华雄等”①。华雄的名字，就在他的脑袋挂起来以后，才出现，而且仅仅一次。就这么一个跑龙套的一闪而过的人物，因为被关公的刀所砍，就比《三国志》中许多大有作为的猛士、谋臣要著名得多。也可以说是因祸得福吧。（笑声）从这个意义上说，人要死也要死在英雄手里，至少也落得个留名后世。（笑声）死在无名小卒、脓包手中，就很亏了。（笑声）鲁迅欣赏的就是关公的“义勇之概”，英雄的超人化。在今天看来，胡适和他相比，在艺术感觉上不是一个档次。

二、“义”高于“忠”的“人”

关公是个大英雄，大在哪里呢？武艺高强，豪情满怀，辉煌战绩，这是肯定的。但是，光是这样，在《三国演义》里是算不上大英雄的。吕布的武功比他还强，刘备、关公、张飞三个一起，三战吕布，都没有得手。但是，吕布不算是英雄。因为他不讲信义。赵云在武功英勇上，也比关公强，他被称为“一身是胆”，而且还比关公更懂得谋略。关公被杀，刘备意气用事，倾巢伐吴时，赵云就提出过战略性的意见：主要敌人是曹操，不应该倾全国之力去打吴国。而关公恰恰是破坏了和东吴的联盟，造成战略上的大错。

关公之所以成为大英雄，成为战神，还因为他有思想，他的思想核心是“义”，这个“义”，是他高贵的人格内涵，是他生命的最高原则。我小时候，看到关公画像，背后是左关平，右周仓，黑脸周仓手里是他那著名的青龙偃月刀，白脸关平手里捧着黄布包着的印信。关公则是一手钭捋着长须，一手掌着《春秋》，头顶上的横批是“义薄云天”。关公英雄之所以大，就是因为坚持一个“义”高到天上去的原则。不管在战胜还是在战败的时候，这个“义”字都让他的形象放射出夺目的光彩。鲁迅对《三国演义》中诸葛亮和刘备抱着不屑态度，但是，对于关公的形象十分赞赏。在《中国小说史略》第十四篇“元明来之讲

① 陈寿《三国志·吴书·孙破虏讨逆传》：“（孙）坚移屯梁东，大为（董）卓军所攻，坚与数十骑溃围而出。坚常著赤罽帻，乃脱帻令亲近将祖茂著之。卓骑争逐茂，故坚从间道得免。茂困迫，下马，以帻冠冢间烧柱，因伏草中。卓骑望见，围绕数重，定近觉是柱，乃去。坚复相收兵，合战于阳人，大破卓军，枭其都督华雄等。”

史”上，论及《三国演义》不足五页，分析关公华容道“义”释曹操一事，占了四页半。不惜引《全相三国志平话》中有关文字与《三国演义》做对比，得出结论是：“此叙孔明只见狡狯，而羽之气概则凛然。”①

但是，今人刘再复先生不以为然，他在系统批判《三国演义》和《水浒传》的《双典批判》第七章中特别强调了《三国演义》中的“义”乃是“义的伪形”。其理由是中国文化传统最本真、最本然的“义”，原本是“是超越了世俗利害关系的纯洁情感”。“这种‘义’没有任何功利性，也没有时间性，它完全超越了时空界限”。“这种‘义’不知生于何代，也不知止于何代，是人类童年时期天赋的真、善、美，也是中国原始的价值理性价值情性”。这是“‘义’的原型”。但是，这种纯洁的“义”，经历了历史风浪的颠簸之后，却逐步变质，发展到《三国演义》与《水浒传》，‘义’的内涵已经发生重大的变化。其核心概念变成“结义”“聚义”“忠义”，②这就变成了中国人的精神“地狱之门”了。“中国人如何走进你砍我杀，你死我活，布满心机权术的活地狱？中国人的人性如何变性、变态、变质？就通过这两部经典性小说。”③

在我看来，这实在是太离谱了，比之胡适更离谱。

首先，刘先生所说的中国的这种原型的“义”，“人类童年时期天赋的真、善、美”，是不是存在，是很大的一个疑问。仅用一则原始神话来验证就可看出其玄乎：共工怒触不周山，天柱折，地维绝。闹得天倾西北，地不满东南，其目的乃是与颛顼争帝。（《淮南鸿烈》）这哪里是什么超越功利的真善美？相反倒是为了一己私利造成超级地质大灾难。就是刘再复所赞赏的“精卫填海”，也是因为她原为炎帝少女，被淹死了，化为精卫，乃复仇填海。幸亏没有填成，填成了绝对造成生态的大灾难。其次，从理论上说，人类历史上，从来还没有一种意识形态，一种思想，是超历史的，一切思想都是历史的产物。怎么可能一种超越时间的空间的绝对的又真又善又美的“义”？再次，人类文化从总体来说，是从野蛮、蒙昧走向文明，而刘先生却认为，中国人却相反，原始的、纯洁的“义”越到后来越退化为“伪”，为恶。刘先生超时空的“义”的代表乃是俞伯牙和钟子期的故事。可这个故事说的是超越功利的友谊、不可再得的知音，与“义”似乎并无直接的关系。最多只是交叉而已。

刘再复先生对“义”的批判，其实并不是从《三国演义》《水浒传》中概括出来的，而是从一个德国人那里来的，此人的特点是极端西方文化中心论，认为在历史的发展过程中，

---

① 《鲁迅全集》第九卷，人民文学出版社 2005 年版，第 135—138 页。

② 刘再复：《双典批判》，生活·读书·新知三联书店 2011 年版，第 129—130 页。

③ 刘再复：《双典批判》，生活·读书·新知三联书店 2011 年版，第 6 页。

世界上原有的八种文化，其中七种（包括中国、印度、埃及、阿拉伯、墨西哥等）文化皆退化了，成为“死尸”“碎片”，唯西方基督文化，特别是德国文化不朽。这种受到法西斯欢迎的所谓理论，① 其武断和荒谬，我在本书第五讲中，已经讲过了。这里再补充一下。

作者斯宾格勒对中国无知，其说中国文化从原形向伪形退化，实在是浅陋、空疏，可笑之极，在逻辑上犯了轻率概括的低级错误。作为推论的大前提是不周延的，不能成立的。退一万步说，只是一种假说。刘再复却不加反思，把它作为放之四海而皆准的普遍规律，从中演绎出《三国演义》《水浒传》的“伪形”，得出其为国人的“精神地狱之门”。这种逻辑的三段论演绎，犯了“中项不周延”的错误。中项在前提中没有被断定为全部外延（即周延），那就意味着在前提中大项与小项都只与中项的一部分外延发生联系，因而结论是不能推出的。从这个意义上说，刘再复的文化批判在逻辑上是不能成立的。这种方法上的不通，并非刘再复一人所特有，而是海内外学人的通病，不讲起码逻辑，滔滔者天下皆是。我如果年轻五十岁，肯定要一个个横扫过去，可怜年近八旬，垂垂老矣，只能在这里，对你们发出沥血的呼吁，不要以为只要拿上西方某些学者的理论篮子就能打到中国文化之海里的水。

其实，明眼人一望而知，斯宾格勒的理论，与《三国演义》《水浒传》毫无关系。拿它来对《三国演义》的复杂而丰富的思想和艺术做文化批评，无异于拿着鸡毛当令箭。

《三国演义》以“桃园三结义”开头，这个“义”是全书的纲领。这完全来自民间传说，与正史上刘关张的亲密关系，有很大的差异。在《三国志》中是刘关张的关系的确比较密切：“先主与二人寝则同床，恩若兄弟。而稠人广坐，侍立终日，随先主周旋，不避艰险。”②“恩若父子”，③ 如此而已。并没有正面提出“义”的范畴。到了《三国演义》中“桃园三结义”，则成为全书的主旋律：“三人焚香再拜而说誓曰：‘念刘备、关羽、张飞，虽然异姓，既结为兄弟，则同心协力，救困扶危；上报国家，下安黎庶。不求同年同月同日生，只愿同年同月同日死。皇天后土，实鉴此心，背义忘恩，天人共戮！’誓毕，拜玄德为兄，关羽次之，张飞为弟。”这里作为核心价值的“义”，其内涵：第一，“救困扶危，上报国家，下安黎庶”；第二，异姓血缘，遇难，慷慨赴义。这里的结义，第一，不是为了将来的私利，而是为了国家和百姓。这当然包含着对汉室的“忠”。上报国家的“忠”的正统观念是第一位的。第二，是“义”的极端性，同年同月同日生，是不可能的，但是，“同年同月同日死”，是义不容辞的。一方遇难，则另外两方万死不辞。第三，如果违背了这个誓

① 有兴趣的读者可参阅原著，斯宾格勒：《西方的没落》，群言出版社 2016 年版。译者的序言之第 6—7 页特别值得参考。

② （晋）陈寿：《三国志·蜀书·关张赵马黄传》，中华书局 2005 年版，第 697 页。

③ 类似的记载还有《刘晔传》中提到：“关羽与备，义为君臣，恩若父子。”

言，就叫“背恩忘义”，老天不容，百姓也不齿。当然，这可能不过是最初的志向，说得好听，日后也可能背道而驰。但是，《三国演义》的好处在于，把“义”和“忠”作为原则，贯穿在整个情节之中。与之相反的，有曹操挟天子以令诸侯的“奸”，杀吕伯奢被陈宫谴责为“大不义也”，武艺高超的吕布不讲信义，与之作对比，为人所不齿。与关羽同道的，有诸葛亮的鞠躬尽瘁、忠义双全，诸如此类的人物都是刘关张的“义”的思想背景。

从全书看来，开头的“义”的誓言不过是个前奏。在刘关张三者的关系上，表面上，刘备为长兄，且为政治军事集团和领袖，但是，从艺术上看，关公才是核心，刘备和张飞不过是陪衬。总是他弄出乱子来，让刘备、张飞处于困难境地。

作者最有气魄的是，把关羽放在忠义不能两全的矛盾之中。

刘备为曹操所败，投奔袁绍，没来得及和关羽会合，连两个妻子都顾不上了，被曹操俘虏。这个时候关羽在哪里呢？在你们江苏徐州一带，《三国志·魏书·武帝纪》上是这样写的：“备将关羽屯下邳，复进攻之，羽降。”[①]投降啊，投降曹操。应该说是，问题的性质很严重。第一，曹操是汉贼啊，投降他就是不忠啊；第二，刘备只是下落不明，如果是死，那你应该同日赴死啊。投降，就是不“义”啊。这是《魏书》曹操的传记里的，比较简单，到了《蜀书·关张马赵黄传》中，就比较复杂了：“曹公东征，先主奔袁绍。曹公禽羽以归，拜为偏将军，礼之甚厚。”[②]陈寿真是不愧是史家，直书“禽羽以归”。不但当了俘虏，而且接受了曹操的厚禄。后来斩了颜良，解了白马之围更接受了“汉寿亭侯”的爵位。这种侯爵应该是很高的待遇啊，在承平时期，那个地方的税赋，就可以收归已有的啊。汉武帝时期有名将李广，运气不好，一辈子都没有得到“侯”这样的爵位，最后自杀了。但是，曹操毕竟是个细心人，觉得关羽身在曹营心却不在。就让张辽去探探口气。关羽，也很坦诚地说，我知道曹操待我很好，但是，“‘吾受刘将军厚恩，誓以共死，不可背之。吾终不留，吾要当立效以报曹公乃去。’辽以羽言报曹公，曹公义之”[③]。

关公的意思是，一方面，曹操给我的待遇很优厚，但是，不管多么优厚，可刘备待我的厚恩，我已经发过“誓同生死”诺言了，无论如何，我不能背叛我的结“义”的誓言。曹操对我待遇优厚，我拍拍屁股就走，也是不义，等立了功，报答了，我终究还是要走的。连曹操都认为这个人的“义”的品位是很值得尊重的。

最初的结“义”是和“忠”于汉室联系在一起的。刘备起兵，以匡扶汉室的旗号，主要敌人就是曹操，汉贼。但是，汉贼待我的恩义，是不能白白辜负的，一定要立功了，才

---

① （晋）陈寿：《三国志》，（南朝宋）裴松之注，中华书局2005年版，第13页。
② （晋）陈寿：《三国志》，（南朝宋）裴松之注，中华书局2005年版，第697页。
③ （晋）陈寿：《三国志》，（南朝宋）裴松之注，中华书局2005年版，第697页。

不负义。但是，为曹操立功，不是不忠了吗？这说明关公的逻辑就是义高于忠。临走时，所收的物质财物统统留下。这可能是达到了刘再复的标准，超越功利的了。这是关公的个性逻辑，也是《三国演义》的思想。这种“义”高于“忠”的逻辑，贯穿在关公性格中。这种逻辑不仅仅关公的，而且是得到对手的认同的。

羽杀颜良，曹公知其必去，重加赏赐。羽尽封其所赐，拜书告辞，而奔先主于袁军。左右欲追之，曹公曰：“彼各为其主，勿追也。”①

裴松之在这一段下引《傅子》说，曹操听张辽秉说关公之志说道：“事君不忘其主，天下义士也”。实际上，在《三国演义》中，对于这样的矛盾有更精致的表现。关公投降提出三个条件，第一，明言，投降可以，但是，降汉不降操。曹操这个人比较自信，他说，我是汉朝的宰相，降汉就降我，这个没有问题。第二，二位嫂夫人的待遇要相当，不得侵扰。这在曹操看来，小意思，供给比刘备高都可以。第三，现在刘备下落不明，一旦明了，还是要投奔刘备的。这三点来自《三国志平话》,《三国演义》所写与之相差不多。②曹操觉得这第三条很难答应，这不是白白养他了吗？张辽说，刘备待他好，他便报答，你待他更好，他不是同样要报答你吗？曹操很自信，无非感情投资丰厚一点。曹操果然，三日一小宴，五日一大宴，上马一提金，下马一提银。但是，让曹操没有想到，关公的“义”的观念高于一切，在为曹操立功以后，得知刘备的下落，坚决出走。《三国志·蜀书·先主传》只有一句“关羽亡归先主”。③《世语》也只是说：“关羽封书辞操，间行迂道奔河北。中途颇为关隘守将所阻，羽皆以智力应付之。”④《三国志平话》中卷在“关公千里独行”一节，也只有“过千山万水”，除了误入袁绍营中，并没有很大的风险。可到了《三国演义》中作者用浓墨重笔写了关公不等曹操批准，单人独马，千里转战，而且“尽封所赐金银等物。美女十人，另居内室。其汉寿亭侯印，悬于堂上”。就是曹操假意欢送，奉上黄金一盘，锦袍一领，关公只用刀挑起锦袍，黄金敬谢不敏。这里的“义”不但是超越功利的，超越物质的，而且是带着对曹操“决一死战”的意志的。这种不顾一切的“义”，连曹操都说：“云长封金挂印，财贿不以动其心，爵禄不以移其志，此等人吾深敬之。”曹操虚情假意，只说欢送，但不给过关文书。关公千里走单骑，并没有必胜的把握，为了“义”的观念，过五关，斩六将，早置生死于度外。但是，坚持“义”最大的挑战不是来自外部，而是内部。在古城受到张飞的误解，以为关羽投降了曹操，不问青红皂白，就来与关羽拼杀。所有这一切，

① （晋）陈寿：《三国志》,（南朝宋）裴松之注，中华书局 2005 年版，第 697 页。

② 《三国志平话》，上海古典文学出版社 1955 年版，第 51—52 页。

③ （晋）陈寿：《三国志》,（南朝宋）裴松之注，中华书局 2005 年版，第 653 页。

④ 此语不见于裴注《三国志》，只见于盛巽昌：《三国演义补证本》，上海人民出版社 2007 年版，第 157 页。

都于史无据，作者一方面吸收了《三国志平话》的素材，张飞责备关公“尔乃无信之人，忘却结义之心”①，另一方面吸收了元佚名杂剧《关云长千里独行》，矛盾的焦点始终集中在“义”上。

只见张飞圆睁环眼，倒竖虎须，吼声如雷，挥矛向关公便搠，关公大惊，连忙闪过，便叫：“贤弟何故如此？岂忘了桃园结义耶？”飞喝曰：“你既无义，有何面目来与我相见！”关公曰：“我如何无义？”飞曰：“你背了兄长，降了曹操，封侯赐爵。今又来赚我，我今与你拼个死活！”

请注意，张飞的话语中的焦点不在不忠，而在“不义”。忘记了桃园结义，背了兄长，降了曹操，就要与他“拼个死活”。

这个关公出走的尾声，真是写得才华横溢。在这以前，皆是生死搏斗的正剧，到了这里，却是误会导致的喜剧。

为什么“义”放在忠之上呢？我想，因为当时曹操啊，打的旗号是什么？汉朝王的正统旗号。但是，曹操是汉贼，这是当时的共识。一般地说，被俘的将领大都视死如归，连曹操被陈宫抓住的时候，都慷慨激昂，视死如归，关羽却没做到死节。但是，此前张辽说，你不投降就是死：

刘使君以家眷付托于兄，兄今战死，二夫人无所依赖，负却使君依托之重。

你战死了，两位嫂夫人怎么办？让关公带着刘备的妻子被俘，这是《三国演义》的作者的虚构，苦心为关公未能死节辩护。如果用“文革”眼光来看呢，肯定是叛徒，大节有亏。但是完全用现代眼光来看呢？好像也不是大问题。美国人在第二次世界大战初期，跟日本人在菲律宾打仗，美国人打不过啊。一看形势不妙，统帅麦克阿瑟先飞（逃）走了，留下部队让魏瑞德将军指挥，这个人后来投降了，当俘虏了。为什么啊？再打下去，几万军人，白死。最后啊，日本人打败了，在美国密苏里军舰上签署投降书的时候，美方的代表是麦克阿瑟，签名的时候，麦克阿瑟用了几支笔，第一支笔签完，就给了那个曾经被俘虏的魏瑞德。从美国人来说，虽然你投降过日本人，但出于人道，不得已，不算什么回事。那么我们今天怎么来看关羽的投降呢？我想应该还是不能离开历史语境，在关公的形象上，如果不是污点的话，至少也不是亮点。当时曹操名义上是汉献帝中央王朝的代表，降汉不降曹，可能是文字游戏。但是，《三国演义》的作者的伟大在于，将关公处于这样不忠不义的处境以后，让他用行动证明他不但不是贪生怕死之辈，而且是孤身转战千里，置生死于度外的战神。

有了千里走单骑，这个“义”的主题还没有达到高潮，要到曹操赤壁战败，落到关公

① 《三国志平话》，上海古典文学出版社1955年版，第51—52页。

手里，完全可能当俘虏的情况下，关公才达到了超越于忠的“义薄云天”的高度。

鲁迅在《中国小说史略》中最为赞赏的是赤壁之战后，关公“义”释曹操。

曹操狼狈逃窜，号称百万大军，只剩下三百人马。到了华容道，看到地形非常险要，突然哈哈大笑起来。众将曰：“丞相何故啊？”你笑什么呀？而且一路滑跌，一路疲惫不堪，你还笑什么呢？曹操说：人皆说诸葛亮、周瑜足智多谋，我笑其无能也。如果是我来指挥，在这个地方伏以兵马，我们不是束手就擒，肯定完蛋了嘛。这个诸葛亮虽然打赢了我，但是这个地方他不如我。他觉得很自豪啊。话还没讲完，一声炮响，冒出一支部队，当中关云长提青龙刀，跨赤兔马，拦住去路，曹军见了亡魂丧胆，完蛋了，面面相觑。曹操说：“只得决一死战。”众将曰：人纵然不缺，马力已乏，马已经走不动了，怎么打啊？这时候谋士程昱说，我知道关公这个人呐，“傲上而不忍下”。叫什么啊，怕软不怕硬，“欺强而不凌弱”，你越是强他越猛。你若是装出一副弱者的样子，他可能就放手了。丞相过去有恩于他，今日服一点软吧。曹操就听他的话，欠身云长曰：“将军别来无恙啊。”好久没有见，身体怎么样啊，有没有感冒啊？（笑声）这哪里像在打仗啊。人在屋檐下，不敢不低头啊。云长答话说，我奉军师将令啊在这等候你好久了啊。曹操说，我今日兵败，你还是要以昔日之情为重啊。云长说，昔日关某虽蒙丞相厚恩，但是我立了功啊，斩颜良，诛文丑，解白马之围啦，报答你了，两清了。现在公家的事情不能营私啊。原则性不能退让啦。曹操说，但是还有一笔人情账你还没有还我呀。你过五关斩六将，许多将士都要去追杀你，我说：算了，各为其主，别追了。“大丈夫处世，必以信义为重”哦。接着《三国演义》写，云长是个“义重如山”之人，这个人呐，虽然是忠于刘备“匡扶汉室”的事业，曹操是匡扶汉室的最大敌人啊，杀了他就是最高的忠啊，放了他就是最大的不忠啊。但是，《三国演义》的作者的魄力就在于，让关公“如山”的“义”就是高于忠，见曹军惶惶，皆欲垂泪，都是哭巴巴的，让他动了悲悯之心了，于是马头勒回，对众军曰：“四散摆开。”这分明是放曹操的意思啊。曹操和众将一起冲将过去。云长回身，大喝一声，他一喝，那些过去的人又吓得发抖了，众军下马，哭拜于地。云长愈加不忍，长叹一声，并皆放去。在忠和义之间，做了“义”高于忠的选择。这是多么深邃，又是多么艺术的一笔啊。

鲁迅所欣赏的这个片段，是历史上没有的，赤壁之战，没有关羽的事。关羽当时在武昌，全是《三国演义》的作者虚构的。当然也用了《三国志平话》的素材，但是，那个素材曹操对关公说当年的恩情，关公强调“军师严令”，“曹军撞阵”，突然（关公）“面生尘雾，使曹军得脱”。[①] 这个因果关系连情节的合理性都谈不上。

鲁迅为什么特别欣赏这一段？也许并不在乎义不义的，他在乎的是艺术。从实用功利

---

① 《三国志平话》，上海古典文学出版社 1955 年版，第 86 页。

价值来说，这是极大的战略性的错误啊。从个人来说，立下军令状啊，放走了汉贼，回去要杀头的。但是，义重如山，可以违背忠的原则，“义”是最高的原则，“义”是他做人的底线，哪怕要掉脑袋，也要“义”无反顾。要不然就是不义之人，不义就没有脸活下去了。最后改定《三国演义》的毛宗岗在第五十回的回前总评这样说：

> 虽其人之大奸大恶，得罪朝廷，得罪天下，而彼能不害我，而以国士遇我，是即我之知己也。我杀我之知己，此在无义气丈夫则然，岂血性男子所肯为乎？使关公当日以公义灭私恩，曰：“吾能为朝廷斩贼，吾为天下除凶！”其谁曰不宜？而公之心，以为他人杀之则义，独我杀之则不义，故宁死而有所不忍耳。[1]

从理性来说，我这样把他杀了对我有利，立功，不会被军法从事，对匡扶汉室有利。但是，如果我杀了“知己”（从知己的角度来说，有点像刘再复所推崇的俞伯牙、钟子期的主题），对我有恩的人，就不义，不义而活，不如义而死。关公作为一个艺术形象，打起仗来，是战神，不过，他不是战神的符号，而是一个独特的人，在处理人与人之间关系的时候，有他以“义”为前提的情感逻辑。“义”的原则是高于一切。作为英雄，他是不完美的，但是作为艺术形象，他的性格逻辑是独特的，非理性的，这样一个只讲感情，完全于大局不顾的人才是很生动的。这是个悲剧英雄，不仅是悲剧的战神，而且是悲剧的“义”神。

这个义神的个性逻辑，还有贯彻得更为精彩的一次，错误犯得更严重的一次，不但葬送了他的性命，而且毁了刘备的事业。

三、傲慢战神的自取灭亡

他被委任为战略重镇荆州的军事行政长官。诸葛亮交代他的任务是北拒曹操，东和孙吴。当时三国鼎立，魏国统一了北方，最为强大，蜀国和吴国只有组成统一战线，才有可能与之抗衡。这是外交上的总路线，也是蜀国得以存在的生命线。关公只有绝对忠于这条路线，才可能称得上对刘备实实在在的“义”。但是，他没有这方面的自觉。关羽作为独当一面的将领，他只懂战术，不懂战略，自恋于匹夫之勇，不懂得团结干部，不懂得驾驭将领。这个人根本就不适合独当一面，因为什么呢？他太骄傲，太虚荣，自恃太高，他不是一个帅才，只是一个将才。《三国志》上记载，马超归顺了刘备了。因为他不是刘备原来的老部下，不是什么黄埔一期出来的。（笑声）关羽就写信问诸葛亮：“马超这样的人，这

---

① 陈曦钟等辑校：《三国演义会评本》上，北京大学出版社 1986 年版，第 622 页。

样的人才，大概是哪个档次？”诸葛亮知道关羽是很骄傲的，就写信把他热捧了一下，说马超这个人“兼资文武”，文武两方面都行，“雄烈过人”，英雄气概、个性刚烈超过一般人，“一世之杰”，一个时代的杰出人物。但是，他不是第一流人才，而是第二流的，如汉高祖手下的彭越啦、黥布之类的，只能跟张飞比比，跟你这个美髯公的“绝伦逸群”，还差很远，关公好高兴。(笑声) 更没有水平的是，还把这封信“以示宾客”，大家都来看看哦，嘿嘿。(笑声) 你说这什么水平啊？《三国演义》在这个基础上，又做了天才的加工，他听说马超被抬得那么高，就要离开荆州到成都去和马超比武，这就更糊涂了。你是一方军事长官，怎么能不顾北有曹操，东有孙吴军事压力，擅离职守，去争个人的意气呢？《三国演义》保留了诸葛亮的来信，阻挡了关公意气用事的幼稚行动。特别保留了关公拿到那封信，向众人展示的情节。这就用诸葛亮的高明反衬了关公的幼稚。自我宣传是最笨的办法，但是，居然要从荆州跑到成都去和马超比武。这一笔表现了关公骄傲到不负责任的程度，是太精彩了。诸位啊，你们要从这里学点教训。将来你们当总经理啊，当校长啊，当省长啊，都是可能的，如果有人写信表扬你，就给老婆看看可以，(大笑声) 别人不要看了。别把你的虚荣，低级虚荣，公开化嘛。正是因为太傲慢，关公对内还马马虎虎，对外，对盟友，后果就比较严重了。现在有句俗语，“关公大意失荆州”，其实此言不当，他失败是必然的，他的大意是由于他傲慢到粗野的程度造成的。

从人才素质上看，他这个人的确是英勇，万人敌，但是，他的智慧和修养，有缺陷，他不能独当一面。

他打许多仗，都不是独当一面的，都是在别人的指挥下，做战术性的配合的，唯一独当一面的，就是他从荆州北伐。曹操大将曹仁，也英勇无比，被他打得大败。曹操派于禁去支援曹仁。正好“秋，大霖雨”，秋雨下得很厉害，汉水泛溢。关公水淹七军。于禁的七方面军全军覆没，只好投降。关羽又斩了曹操的大将庞德。真正是横扫千军如卷席。连那些强盗、土匪，恶霸都服了，都老远地就归顺关羽为正统，接受他的任命，成为他的羽翼。《三国志》上用“威震华夏”来形容他。[①] 曹操的政治中心许都，受到威胁。曹操就害怕了，要迁都，赶快溜。很可叹的是，“司马宣王”——也就是司马懿，和一个谋士蒋济说，不行，越逃越怕，还不如釜底抽薪。刘备和孙权老在争夺荆州这块地方，关公跟孙权的关系搞得很僵，我们联系孙权抄他的后路，他在前方打我们河南，我们让孙权从江浙这一带，包括你们东南大学南京这边打过去，把他的荆州抄了。他没有了战略后方，两面夹攻，他肯定

① (晋) 陈寿:《三国志·蜀志》，(南朝宋) 裴松之注，中华书局2005年版，第698页。原文为：“秋，大霖雨。汉水泛溢。禁所督七军皆没。禁降羽。羽又斩将军庞德。梁郏、陆浑群盗或遥受羽印号，为之支党。羽威震华夏。曹公议徙许都以避其锐”

完蛋。

曹操就听了这个计谋。关羽这个威震华夏的战神，就败走麦城了。

所以说，关羽的确是将才，不是帅才。

主要的是，他缺乏帅才的战略眼光，如韩信所言，虽能将兵，而不能将将。既不善用部下，又不能控制部下，不能团结一切可以团结的力量，包括暂时的盟友和犯错误的部下。作为荆州的最高长官，外交路线是确定了的，只有东联孙吴才能北拒曹操。孙吴也明确这一点。孙权曾经把妹妹嫁给刘备当小老婆，来巩固政治军事同盟的。关羽对此一窍不通。《三国志·关张马黄赵传》上说："权遣使为子索关羽女，羽辱骂其使，不许婚。权大怒。"① 怎么骂的，没有写。裴松之在这句话下面，引《典略》说，是关羽北伐战事顺利，围困樊城，孙权主动提出支援，不过来得比较迟了一点。这时，他水淹七军胜了于禁，关羽就骂了孙权"狢子"，等我攻克攀城，再来和你算账。"狢子"，应该是"一丘之貉"的"貉"吧。据说外形像狐狸，跟狐狸兔子同类。说明这个熟悉《春秋左氏传》的关羽，其实，没有读懂春秋时代那么丰富的外交辞令，连修辞学上的委婉格都一窍不通。（大笑）作为帅才来说，起码在修养上，有讲究，就是碰到恶人、坏蛋，出言要留有余地，喜怒不形于色，才能保守起码的高深的谋略。但是，关羽太意气用事，不仅对不太称职的部下管不住嘴，义形于言，还义形于骂。（大笑声）这一点刘备没有看出来，诸葛亮有点感觉，只是没有我看得这么清楚。（大笑声）

《三国演义》在此基础上进行创造，写孙权为了巩固与刘备的联盟，派诸葛亮的兄弟诸葛瑾去说亲，关羽不答应。本来应该有起码的礼貌，但是，关羽却骂起来："吾虎女安肯嫁犬子乎！"我虎将的女儿怎么能嫁你狗儿子。关公不懂外交上的间接拒绝就算了，至少不要这样粗野地侮辱人嘛！这不仅是个人修养问题，而且缺乏统一战线的起码自觉。"统一战线是生命线"，这是谁讲的？毛泽东。他说中国革命，有三大法宝：一、武装斗争、枪杆子里出政权；二、党的建设，路线斗争，把王明等的教条主义赶下去'三、统一战线。关公的傲慢，破坏了统一战线，后果就是自取灭亡。

我说过，《三国演义》的主题可以说是奇谋决定论，一个军事长官身边都有高明的谋士，在关键时刻，起决定作用。曹操被打得落花流水，没有迁都，反败为胜，就是靠了司马懿的奇谋。可是，《三国演义》偏偏就没有在关羽身边安排个像样的谋士，只安排了一个名不见经传的王甫。其实，王甫当时并不在关公身边。《三国志·蜀书·杨戏传》说："随先主征吴，军败于秭归，遇害。"看来，作者是有意安排一个人微言轻的角色，让关公在生死关头，仍然骄傲得忘乎所以。

① （晋）陈寿：《三国志》，（南朝宋）裴松之注，中华书局2005年版，第698页。

关羽进退失据了，还不一定完败呀，他还有回旋空间啊。毕竟刘备在南郡这一带啊，还有一些将领在那里，一个叫糜芳。还有一个将军叫傅世仁，屯兵湖北公安这一带，是他的后方，是供应粮草的。关羽往北打，节节胜利，后勤往往来不及。关公不满意啊，如果有政治修养，战争时期更要不动声色。他却说：记住，老子回来我收拾你。哇，刘备在汉中称王，拜关羽为“前将军”，“假节钺”，其排场仪仗队和封了王差不多啊。这两个人心里就发抖了。你打赢了，肯定来整死我啊。打输了，我们就更没有日子过了。就心怀惴惴。孙权去引诱，两个人就投降了。曹操派大兵去营救被关羽打败的曹仁的时候，关羽一下打不过，想退回来，糟糕，孙权把他的后方荆州占领了，关羽的老婆孩子还有一些将领的家属都被俘虏了，自己人，连刘封都不去救他。众叛亲离，“败走麦城”，到今还是口头的成语。这充分说明了，作为第一把手，他缺乏韩信所说的“将将”的能耐，也就是驾驭干部的起码修养。

四、“义”人转化为神：精英文化和大众文化的融合

《三国志》关羽的结局很简单：“权遣将逆击羽，斩羽及子平于临沮。”[①] 裴松之的注引《蜀记》说，关羽被俘之后，“权欲活羽以敌刘、曹，左右曰‘狼子不可养，后必为害’”，还举出当年曹操没有杀他，后来弄到要迁都的程度。孙权就把关羽杀了。如果如胡适所言《三国演义》只会照搬历史的话，关羽的形象就这样被动地让人家杀掉，还有什么光彩呢？《三国演义》虚构了一个和当年曹操派张辽劝降一样的情节，让诸葛瑾劝降。说他孤城一区，内无粮草，外无救兵，危在旦夕不如归顺吴侯，开出的条件，仍然是坐镇荆襄，保全家眷。关公正色而言曰：“吾乃解良一武夫，蒙吾主以手足相待，安肯背义投敌国乎？城若破，有死而已。玉可碎，而不可改其白；竹可焚，而不可毁其节；身虽殒，名可垂于竹帛也。汝勿多言，速请出城，吾欲与孙权决一死战！”诸葛瑾还要啰嗦，关平拔剑而前，欲斩诸葛瑾顾虑到伤其兄诸葛亮的情面，把诸葛瑾赶了出去。这里回绝的理由：一是，“吾主以手足相待”，手足就是兄弟，投降就是“背义”；二是，就是死了，“名可垂于竹帛”。这是《三国演义》的英雄人学高度，诸葛瑾回去说：“关公心如铁石，不可说也。”这就把关公的形象内涵回到“义”上来了。关羽被俘之后《三国演义》这样写：

> 权曰：“孤久慕将军盛德，欲结秦晋之好，何相弃耶？公平昔自以为天下无敌，今日何由被吾所擒？将军今日还服孙权否？”关公厉声骂曰：“碧眼小儿，紫髯鼠辈！吾

① （晋）陈寿：《三国志》，（南朝宋）裴松之注，中华书局2005年版，第699页。

与刘皇叔桃园结义，誓扶汉室，岂与汝叛汉之贼为伍耶？我今误中奸计，有死而已，何必多言！”

关羽从容就义，死是为了“桃园结义”的“义”。这样就完成了关羽为义而死，舍生取义的形象了。这个哪里有刘再复批判的结义是为了日后分赃的功利性？完全是超越功利、超越生死、大义凛然的精神。这种为自己的信念，为对他人的诺言而赴义的精神，怎么会毒害国人，致使中国文化堕入精神地狱？

刘再复先生对关公受到如此广泛的崇拜，感到很是“忧虑”。这是莫名其妙的。他引黄仁宇先生的话说，对于这样一个不智的军事领袖，居然为民间奉为战神，实在“令人费解”①。

二位的费解，其实是误解。

夏志清先生早就指出《三国演义》中“最为令人误解的”是关羽。其实，“对于任何一个不抱偏见的读者来说，罗贯中不是出于无心或者有意采用了陈寿的观点，把英雄看成一位缺乏才干的刚愎自用的武夫，罗贯中写作时，关羽已经成为民间崇拜的偶像（到清代还成为神），所以他赋予关羽作为圣人应享受的一切尊敬”。“作者通过一个又一个事例表明他对策略的全然无知，孩子气的虚荣和令人难以容忍的傲慢，这个傲慢，加上总说来又很轻信，最终导致了他的失败。”“关羽的形象远不是像胡适所暗示的那样，给人的是一个不协调的印象。实际上，作者是将传说和历史中的关羽的性格之各个组成部分，在作品中协调地交织在一起，以塑造出一个有机的整体形象。”②

夏志清和刘再复有相当深厚的友谊，夏先生的这本著作，刘再复肯定是读过的。但是，仍然对关羽发出诸如此类的误读，我想，问题出在观念和方法上：第一，对于关羽这个形象，没有从西方流行的接受过程去做具体分析，而是将之作为一个静止的、固定的、僵化的形态，做本质主义的批判；第二，更没有从《三国演义》一千多年的建构（创作过程）去阐释，去分析其中精英文化、大众文化和宗教文化的相互排斥、妥协和融合的过程；第三，无视《三国演义》并不完全是《三国志》的图解，因而，对于《三国演义》中“义”与“忠”的内涵的矛盾缺乏具体分析；第四，缺乏艺术分析，无视关羽的形象，其性质已经不仅仅是历史的真、道德的善，而是情感的美，三者之间固然并未完全脱离，但是整体来说，则处于某种复合的错位关系。

关公作为“义”的典范，蕴含着精英文化和大众文化、宗教文化的交织。

---

① 刘再复：《双典批判》，生活·读书·新知三联书店 2011 年版，第 149—141 页。

② 夏志清：《中国古典小说史论》，胡益民等译，陈正发校，江西人民出版社 2003 年版，第 43—44 页。

如果，仅仅因为他是一个英雄就要崇拜，那三国的英雄很多。周瑜打败曹操，以弱胜强，可没有人建周瑜的庙。在蜀国，最大的功臣是诸葛亮，就是按照他的“隆中对”的战略方针，刘备才有立足之地，三国鼎立之势才能形成。一生忠于刘家王朝，鞠躬尽瘁，死而后已。但是，除了当年四川有诸葛亮的庙，其他各地都没有单独祭祀诸葛亮的庙。这是因为，他太完美了，没有普通人的缺点，太精英了，很少普通人的毛病。而关公，一方面是战功赫赫，最后为了哥们兄弟的“义”，为了自己的理念，引刀一快，慷慨赴义；另一方面，他幼稚到对孙权来使说那样粗野的话，按黄仁宇先生的理论是不智的，是不合格的军事统帅，但是，从艺术上说，生动地显示了一个自信的，任性的英雄又是很平民的。正是因为他有太不智，太幼稚，水平太低，太可笑，又太可爱，他才太平民，才更能获得为普通人的共鸣。这个英雄高于普通人，却有普通人的平凡，让普通人感到亲近的言行，这就使他比诸葛亮更容易被民间所接受。

但是，这只能说明，他是一个超凡而普通的英雄，怎么会成为神呢？

这就不仅仅是关公个人的问题，而是社会期待的问题。这要从两个方面来看，一方面是在民间社会，一方面则是统治阶级。

刘再复说，从《三国演义》(还有《水浒传》) 以后，中国的人心就把传统的“义”“伪”化了，变得“厚黑”化了。此言甚为武断。殊不知，《三国演义》不是天上掉下来的，而是从公元 3 世纪起，历经千年的精英文化和大众文化的反复汰洗、积淀、升华的产物。关羽的形象的建构，从魏晋南北朝时期开始，排除了一些明显负面的元素，逐渐从正面统一起来。晋人常璩在《华阳国志》中说，关公在曹操率领下围攻吕布，对曹操说，自己的妻子没有生育，待攻城得手，想娶敌将秦宜禄的妻子。曹操答应了。待攻城得手，关羽一再申请，曹操觉得此女美艳，就自己拿来当了小老婆。[①]这样看来，曹操在围猎时，关公欲杀曹操，后来，归降曹操，又毅然出走，原因之一是争美女的旧怨。这对关羽大义凛然的形象显然有损，故为后来史家和民间传说所不取。

到了南北朝，中原、华北陷落，国危思良将，故关公张飞的形象就以威猛为特点而广泛流传。《南史》中有薛安都“单骑直入”斩“万人敌”之叛将鲁爽而还，“时人皆云关羽斩颜良，不是过也”。[②]

到了宋元时代，民间说唱和口头平话中，虚拟想象有了神化的倾向。关羽的形象进入神人交织的过程。一方面，关羽有民间故事的平民世俗和情怀；另一方面，又有超现实的宗教神化。元杂剧《刘关张桃源三结义》中，关羽在家乡杀了人，逃亡到范阳，到张飞处

① （晋）常璩：《华阳国志》，刘琳校注，巴蜀书社 1984 年版，第 515 页。

② 许嘉璐主编：《二十四史全译·宋书》，汉语大辞典出版社 2004 年版，第 1875 页。

买肉。张飞把刀子压在石头底下，谁能拔出，买肉不要钱。关公拔出刀子，拿了肉，留钱而去，张飞乃深为敬佩。二人同饮，遇到刘备，相貌不凡，刘备醉后，有蛇出七窍，皆以为大贵人，遂到涿州桃园结义。在《花关索传》中，关羽成为“神魔之父”出现，甚至有一连三声，唱倒了萧墙的特异功能。关汉卿的《关大王单刀会》自然是将关羽英雄超人化，但是，现存明刊本中，也有平民化的小人物的插科打诨。小道童说大话：“关羽是我酒肉朋友。”在《走凤雏庞惊四郡》中，在黄忠口中，关羽更是平民化：“当初我和应举去，为他和我平日有仇，他去御史台里插告状，靠下我一片虚词，他后来走了，倒拿住我打了二十。”而在《关张双赴西蜀梦》则有关羽鬼魂故事，《关大王大破蚩尤》则是关羽奉玉帝之命，率领五岳四渎之军，打败蚩尤。不少杂剧中出现将关羽归于“神道”的话语。在《锁白猿》中，关羽还以“四大天将”形象出现。[①]很明显，在民间大众文化中，关羽的“义”交织着神化和平民化。

正是因为这样，他在民间结社中被奉为神祇。农民造反军，张献忠、李自成、洪秀全没有可能创造自己的意识形态，只能将异性兄弟义气作为思想纲领，作为团结的最高准则，甚至以《三国演义》中之战案为“帐内秘本”。[②]学刘关张结义，成为民间结义的一种风气。关公崇拜遂成普遍的民俗。关公的庙遍及全国城乡。据统计，到了光绪年间，仅北京城里“关帝庙”一百一十六处。那时候北京城里人口大概最多也就一百万，每一万人，他一个关帝庙。全国有关帝庙多少呢？三十万处。当时孔庙有多少呢？三千处。超过孔庙百倍。关羽此时，在很大程度上，已经成了保佑民人的福神、财神。怎么搞得这么了不得呢？当然这与清朝官方提倡有关，但是，关羽形象中民间文化的“义”可能是更重要的原因。要不然在清朝灭亡了以后，到了民国时期，关公的崇拜应该从根本上消解了，然而，关帝庙至今仍然普遍存在。1914 年民国政府还将关公和岳飞合祀。20 世纪 30 年代，南京政府废除神庙，但是关公却继续保留。到了 1982 年，台湾还有主祀关公的庙一百九十五座。2001 年大陆还举办了关公文化节。

对于这一点，清王侃《江州笔记》说：“今天下无不知有关忠义，演义之功也。”[③]

关公的民俗崇拜除了“义”的精神以外，作为神，还有更丰富的功能，如，“旨在治水”以外作为神，还有更丰富的功能如灭蝗、驱瘟等。这完全是保护百姓的性质[④]。

从封建统治阶级这方面来看，和民间有很大的不同，主要是宣扬忠于皇权。

---

① 见刘海燕：《从世间到经典：关羽形象与关羽崇拜的生成演变史论》，上海三联书店 2004 年版，第 68—76 页。

② 赵尔巽主编：《清史稿》，卷三百四十四，1928 年版，第 11153 页。

③（明）罗贯中：《三国演义补正本》，盛巽昌补正，上海人民出版社 2007 年版，第 444 页。

④（明）罗贯中：《三国演义补正本》，盛巽昌补正，上海人民出版社 2007 年版，第 444 页

农民造反军把《三国演义》作为战争的秘本来学，这不奇怪。最奇怪的是外族。满人入关的时候，照理说关公这个汉王朝的正统观念对满人是很不利的啊。但满族领袖努尔哈赤和皇太极在 1639 年就非常重视《三国演义》，命人把它翻译成满文，让满人子弟学习。[①]

当然，封建统治者目的所在，并不完全在民间的“义”，而在忠。统治阶级的推崇，和民间的神化不同，而是在神化的同时圣化，按封建等级制提升。

统治阶级从什么时候看中了关公呢？据研究最早是隋朝，始建汉寿亭侯庙，从宋哲宗开始，就火起来了。宋朝最没出息的一个皇帝，谁？后来当了俘虏的，一个大艺术家，宋徽宗。已经离开关公几百年了。他看中了关公，把民间“义”为核心观念转化为忠。封关公为“忠惠公”，“忠”就是忠于皇权的忠，“惠”就是恩惠的惠，皇帝的恩惠。这就大大地升格了，因为关公在世汉献帝封的是汉寿亭的侯爵，宋徽宗把他提升为公爵。我们知道诸葛亮不过是武乡侯啊。关公是 3 世纪左右吧，宋徽宗是 11—12 世纪了，八百年过去了，这只股票猛升了。因为什么呢？宋朝边防是很脆弱的，宋徽宗希望有个忠于他的猛将。过了不久以后，又加封为“武安王”，从“公”升为“王”，从此就是“关王”了。宋孝宗，宋徽宗的孙子这一辈，又把他封为“英济王”。为什么要加一个王？是北方的国土沦陷了，不得不南渡了，想猛将想得更厉害了。到了元朝，关汉卿写那个单刀赴会啊，就是关王。光封一个王的爵位，还是空的。后来还进入官方法定的祭祀仪式，祭孔啊，祭天啊，要加一个祭关公。到了明代，已到了王了，那怎么办？再加上去，就是帝了，和皇帝一样，肯定不行。怎么办呢？本来就是春秋两祭嘛，一起祭，对不对？叫“重祭”，规定必须有单独祭祀关公的日子，什么时候呢？五月十三日——关公的生日。祭祀的这个礼品啊、贡品啊都规定好了，用牛一头，羊一头，猪一头，果品五种，还要丝织品一匹，还正规化要礼部派人去主持。更精彩的是“国有大事则告”，国家有什么大事情都要禀告一下关王。啊，这关王也不知道听得见听不见。（笑声）到了明朝万历年间，关羽的股票还要升值，怎么升呢？加封为“协天忠义大帝”，成为大帝了。皇帝是天子，关公的职责是“协天”，级别是“大帝”，和玉皇大帝一样。好像比人间的皇帝还要高级一点。这可是无以复加了，不行，还再加，到了清朝更有名堂了。雍正皇帝，这是一个很残暴的家伙，是吧？但是很有政治智慧的，他觉得想利用关帝的忠。关帝啊，本来祭祀是春秋两祭，要下令一年要祭三次。我看政府官员可真要烦死了。（笑声）而且呢，其中规定春秋两祭，祭关公的档次和规格跟孔子一样。到了咸丰皇帝，这是 1853 年，就是鸦片战争失败打开大门以后的十三年。这个时候大概更需要忠了。咸丰皇帝规定祭关公的时候，要三跪九叩！什么叫三跪九叩？跪一次磕一个头，这叫一叩；三跪，每次磕三个头。三跪九叩，这个就是用帝王仪。从这个时候开

① 赵尔巽主编：《清史稿》，卷二百二十八，1928 年版，第 9257 页。

始，可以说不但是帝号超过了孔子大成至圣先师，礼仪上超过了孔子，更出格的是，还要和观音、释迦牟尼相提并论。那么到了光绪五年清朝快灭亡了，这个关帝称号已经形容词快用完了，加起来谥号多到二十二个字，我念给你们听一下啊。（笑声）“忠义”，这是首要的，是吧；“神武”，神啊，武将嘛；“灵佑”，他这个灵会保佑清朝摇摇欲坠的小朝廷；然后“神勇”，又重复了“神”字；然后“威显”，威风啊显示出来；“保民”，啊，保护百姓嘛；“精诚”，精诚团结；“绥靖”，要消灭革命党啊，这个都好懂；还有一个“翊赞”，翊，相互，这是辅助皇帝的意思；“宣德”，宣扬德行；最后“关圣大帝”。所有褒义的形容词都加他身上了。[①]

清统治者的文字游戏真是做得有点发疯了？好像并不完全是。

你宣扬这个偶像崇拜，你要得到要民间的接受啊。关公和诸葛亮比，不论从人格上还是智能上都差远了。关公的人格价值，在于他忠于正统的刘氏王朝，但是好像又没做到绝对的。在刘备败亡之际投降曹操，但是得知刘备没死，他不甘心，谢绝了曹操的厚待，投奔刘备。这个忠，有特点，在主子没有死的时候，是不甘心投降的，但是，在主子死了后呢？按关公的逻辑，就可以换主子了。这是清朝统治者对汉人知识分子和将领树立的典范。明朝已经灭亡了，你们可以名正言顺地投靠我了，像诸葛亮那样，刘备死了还忠于蜀汉，是清朝统治者所忌讳的。

如果完全仅仅是这样的忠，民间没感觉，有了义气，民间的感觉就比较亲近了。到了民国，这个“忠”字没有意义了，关公的崇拜为什么还是相当盛行呢？就是因为这个“义”字。这个义气的观念还有它的积极意义，那就是民间的、小团体之间的互助，其原则就是重义轻利的，重义是光荣的，重利是可耻的。这是民间社会的精神密码。它不讲政治原则、社会法制的。这就是“义”的消极性。在《水浒传》中，武松醉打蒋门神，是义的，因为施恩对他友好，他们结拜为兄弟。但是，施恩从本质上和蒋门神是一样的，他得了势，和蒋门神一样，是要向店铺收保护费的。蒋门神是恶霸，施恩其实也是一丘之貉。这种消极性，直到如今还在民间颇有市场。好多青年，莫名其妙地就把人杀了，因为老哥儿叫我去啊，明知是犯罪啊，可能无期徒刑，但是，不去是没有脸的。这就是“义”的无原则性的流毒。但是，这只是消极方面，不是全面。就“义”的全面精神密码而言，在关公身上比置在诸葛亮身上要强烈多了。诸葛亮是谈不上义的，只有一个忠。

读《三国演义》有一点，很令我困惑，鲁迅这样一个智者，这样的大艺术家，眼光很毒的人，他在评价《三国演义》说，诸葛亮写得很不成功，说他“多智而近妖”，却说《三

① 参阅盛巽昌：《三国演义补证》，上海人民出版社 2007 年版，第 447 页。刘海燕：《从民间到经典——关羽形象与关羽崇拜的生成演变史论》，上海三联书店 2004 年版，第 110 页。

国演义》写得最好的是关公。但是，关公也神化了嘛，诸葛亮不过是间接的效果上写他超人，而关公则是直接以神的身份行动，发言，显圣。关公给吕蒙杀了，接着来好几笔。第一笔，有一个老和尚普净，三更以后，庵中默坐，忽闻空中有人大呼曰："还我头来！"和尚一看，只见空中一人按落云头，认得是关公，关公说，今天我某人遇祸而死，"愿求清诲"，愿你给我一个教导，"指点迷途"。普净曰：今你为吕蒙所害，大呼"还我头来"，但是你当年斩颜良诛文丑，过五关斩六将，那些人的头找谁去要啊？关公恍然大悟，稽首而去。以后在玉泉山经常显圣来保护山民，乡人感其德，就于山顶上建庙，世世祭祀。这难道不是真正成为神了吗？诸葛亮不过是"多智"就被鲁迅贬之为"近妖"，而关公死了，成了神，还能"来保护山民"，这算什么呢？但鲁迅就不管。

第二笔，更加神了。吕蒙把关公杀了（其实《三国志》和《水经注》上说，是潘彰杀的），孙权庆功，就把吕蒙放在上位上。孙权说，当年周郎一战，雄略过人，破了曹操，很不幸他死得太早了。赤壁之战，鲁肃跟周瑜把曹操打败了，是很痛快。但鲁肃有个短处，就是劝我把荆州借给刘备，弄得现在长期以来骨鲠在喉。你力取荆州，你胜过周瑜和鲁肃。那么给吕蒙敬酒，注意啊，吕蒙忽然"置杯于地"，一手抓住孙权，厉声大骂"碧眼小儿"。这个我感觉很奇怪，孙权的眼睛是绿的，是不是有洋人的种呐？（笑声）"紫髯鼠辈"，孙权是个江南人嘛，他胡子怎么会是紫的呢？又不是泉州人，不可能有阿拉伯人的血统。（笑声）然后，"还认识我吗？"，这显然是关公的话嘛。吕蒙推倒孙权，大步前进，坐于孙权位上，孙权大惊，吓得要命，慌忙率大小将士下拜磕头啊。而吕蒙倒于地上，七窍流血而死。（大笑）如果诸葛亮"近妖"，那么关公这算什么，至少也有点"近魔"吧。关公借着吕蒙的躯体"显圣"了，鲁迅就不管了。其实，吕蒙并不是关公吓死的，《三国志·吴书·吕蒙传》说他上书孙权请病假，"常有病，乞分士兵还建业"，并没有参与战事，是得慢性病死的。按我的想法，这种"显圣"，应该说这是民间大众文化的虚拟，是艺术的胜利。为什么呢？关公死了还会"显圣"，大叫"我自破黄巾来，纵横天下三十余年，今被汝以奸计突破，我生不能啖汝之肉，死当追吕贼之魂"。你看他死了以后还是很傲慢，（笑声）江山易改，本性难移啊。（笑声）还在自我表扬。（笑声）他的性格核心特征的统一性和曹操多疑到死一样，达到高度的统一。读起来，太过瘾了。（大笑声）

这种手法显然有异于《三国演义》中精英文化的智者的趣味，而充满了民间大众文化的神怪化的趣味。但是，这种趣味显然并不符合鲁迅写《中国小说史略》之时（1924年）的趣味，但是，鲁迅却高抬贵手，为什么呢？因为，关公之死，不仅仅有神怪化，而且有现实主义的精英的智趣。

《三国演义》特别强调关公的"义"气用事，他的幼稚，常常是在另外一个人的眼光当中看出来的。谁呢？诸葛亮。夏志清先生说："在所有心怀敬畏之情的旁观者中，却有一位不动情感的观察者：诸葛亮"。从一开始，他就把关羽"（还有张飞），看成是"宠坏了的孩子"。[①] 写小说、写戏和写诗是不一样的。写诗两个人谈恋爱，一见钟情，心心相印，生死不渝，是吧？那是很好的诗，"在天愿作比翼鸟，在地愿为连理枝"。可是写小说不能这样，写小说里的两个人吵来吵去，心心相错，但是，又不能完全敌对，一点感情纠葛都没有，那是很难写出好小说的。最好有第三个人介入，有第三者的眼光来看，这就是我讲过的为什么恋爱小说都是三角。（笑声）为什么在林黛玉和贾宝玉之间要来一个薛宝钗？没有薛宝钗，林黛玉不用那么神经质。啊，这一点，也许你们女同学现在或者将来要琢磨琢磨，参考参考吧。（笑声）为什么在《西厢记》里边，张生和崔莺莺之间要安排一个谁？红娘，对了。让红娘来调笑张生真叫你去你又不敢了，银样镴枪头。然后反过来又嘲笑小姐：啊呀，你这个人呐，约人家来，人家来你把他轰走，人家走了你又吃不下饭了，莫名其妙！（笑声）有了第三只眼睛来看情感的错位的人就生动。所以夏志清说关公这个人犯错误，犯得好生动。有一个原因，他的错误都在另外一个高处的人看着，关公肯定是要犯错误的。（笑声）华容道的错误是在诸葛亮眼中看出来的。可是鲁迅却怪罗贯中，说是诸葛亮在这里只显得"狡狯"。从艺术上说，好就好在有第三只狡猾的眼睛在一边看着，才把关公走向死路前因后果写得淋漓尽致。

鲁迅只看到华容道，关公犯错误犯得艺术，但是，没有看到，关公之死，在艺术上也酣畅淋漓啊。关公死之前，诸葛亮在蜀中嘛，关公在湖北河南一带转战。但是有一个类似诸葛亮眼睛在看他走向死路，王甫几次说：不能这样啊，但关公不听。王甫的眼睛，没诸葛亮那么高远。但是，从艺术原则上说，《三国演义》还是遵循着小说人物之间情志错位的原则的。最后他突围，选择哪条路呢？去问本地的居民，说，此去有小路。就选小路。王甫，也就是诸葛亮眼睛的代表，就赶快出来提意见：小路可能有埋伏啊，走大路好。都死到临头了，关公怎么说："虽有埋伏，何足惧哉？"打仗可以这样打的吗？知道有埋伏，我英勇无比，我就去找你的埋伏。完全是送死啊，或者从战略上说，是"左"倾冒险、盲动主义啊。（大笑声）临行出城之时，王甫哭了，君侯于小路一路小心保重啊！你不听我的，哭了都没用，最后就说，我这里，就是城破了，我也不降，准备死了，你不听我的话，我也奉上一条命。多么壮烈啊，这个王甫之死，为关公的多傲悲剧，增添了一份壮烈的色彩。

有了这一笔，关羽死亡的悲剧性已经够深沉的了。但是，《三国演义》显然觉得，还不够，在这以前，特别写了由于他的骄傲，还使两个部下刘封和孟达，心怀鬼胎，他们两个不义的消极，成了关羽走向死亡最直接的原因。

---

① 夏志清：《中国古典小说史论》，陈正发校，江西人民出版社 2003 年版，第 46 页。

他们本来在做他的后勤，要做他机动部队的。但是由于关公没有好好地团结他们，使他们感到受轻视。而到了关公被围，派廖化去求他们出兵支援，这两个人居然不干。一个是怯，麦城又很小，兵微将寡；第二个救了关公以后，好多账都不好交代，死路一条，就见死不救。这是“义”的反面，也就是“不义”。这关公呢，表面上死在敌人手里，实际上呢，他在很大程度上死在“不义”的自己人手里，而这种不义恰恰是关公自己一手造成的。可以看出来，虽然说关公是被孙权的部将吕蒙抓住了，被孙权杀了。实际上是他作为一个人，死的真正内因是自己的缺点，这个因果应该说是非常智性的。

把精英的现实的智性和大众文化民间的幻想结合起来，表现得更突出的是他死后的政治军事效果。罗贯中的伟大气魄就在于把关羽的失败的结果，又引出一连串结果，每一个结果，都充满精英的政治智慧，又结合着民间神化的奇观。

孙权好得意啊，关公杀了，荆州拿回来了。突然孙权的谋士张昭进来了，说：“主公，你损了关公父子，江东之祸不远矣呀！吴国的祸事开始了啊！此人与刘备桃园结义，誓同生死。今刘备已有东川西川两川之兵，更兼诸葛亮之谋，张（张飞）、黄忠、马超、赵云之勇。若知关云长父子遇害，必倾国之兵，奋力报仇，恐东吴难与为敌也。”权闻之大惊，害怕了。张昭说：“不要怕，我有一计。令西蜀之兵不犯东吴。”孙权问他，什么计策啊？张昭说，曹操拥百万之众，虎视华夏，刘备急欲报仇，必与曹操约和。若二处连兵而来，东吴肯定危险，不如先请人把关公的脑袋送给曹操，让刘备感觉到，是曹操叫我们杀的，那必然痛恨曹操，西蜀之兵啊就去打魏国了。那两虎相争，必有死伤，看谁伤了，我们再打受伤的。孙权就听了他的话，然后呢以一个木头盒子把关公的脑袋去送给了曹操。曹操也很高兴呀，哇，正在高兴的时候，又有一个人突然出来说，这是大祸啊！这个东吴之计呀，不要听他们的。什么人？司马懿，这个后来的晋王朝的开拓者。操问其故，说，昔刘、关、张三人桃园结义之时，誓同生死。害了关公，惧其复仇，把脑袋卸给我们，使刘备迁怒于我们，则不攻吴而攻魏，不要中他奸计啊。于是曹操说，对啊，这太深刻了。那怎么办呢？司马懿说，很好办，关公只有脑袋，没有身体，我们刻一个身体，葬以大臣之礼。刘备必定恨孙权，不会来打我们。我们就坐观胜负，啊，哪一家赢了我就打哪一家。这完全是政治精英的智慧啊，很现实的嘛，但是，如果光有一点，《三国演义》就太现实了，大众文化趣味就不够淋漓了。《三国演义》展开了带宗教色彩的想象：底下的人，呈上木匣，曹操开匣视之，关公面如平日。诸位想想，从战场上，把关公脑袋割下来，木盒子装起来，运到许都，起码要好几天吧，这个脑袋还跟平常一样，嘿嘿，一点没有腐烂，没有发出恶心的气味。（笑声）曹操笑曰：“云长别来无恙啊？身体怎么样啊？有没有感冒啊？”（笑声）只见关公口开目动，嘴巴张开，眼睛在闪亮，须发皆张，胡子在飘起来。曹操吓倒了。

然后呢，众官急救，良久方醒。谓众官曰："关将军真天神也！"

你看看，这是写关公"天神"的精神威力多么强大：人头割下来，还那么有生命力，和孙权的得意、吕蒙的暴亡、曹操的惊吓，都是带着宗教性质的大众文化幻想，而这一切，都是和精英的战争理性：司马懿的战略眼光。有张昭的智谋，王甫的忠言，孟达、刘封的不义，在性质上是智性的，却结合得这样自然，连鲁迅那样苛刻的读者都没有提出其真实性的质疑。

当然因为这是中世纪的传奇，既不是《西游记》那样的神魔小说，也不是《儒林外史》那样的现实主义的小说，而是介于两者之间的过渡。其手法的特点，特别突出了中国史传文学传统，只重记言和记事，不重心理描写，故像关公之死这样的大手笔，也只是以叙述手法，记生前的言和事，也就是都是对话和动作，不做环境和内心描写。人物形象，只从动作和语言效果上表现。这种效果，包括现实的和超现实的两个方面。这里不但有中国英雄情结的精神密码，而且有中国古典长篇小说的艺术密码。

这种精神和艺术的密码的最高表现，死了一次，却活了三次，一次在和尚面前，得到启蒙，一次在吕蒙、孙权面前，进行复仇，一次在曹操面前栩栩如生。这样的神化，为了自己的信念而死，即使头颅断了，仍然是虽死犹生，精神不死。这一死三活，真是太漂亮了！用你们的话说，哇，太有才了。（笑声）

他的死的效果导致了思想的高潮，还在于促成了刘备张飞实现不能同年同日生，但愿同年同月同日死的精神。刘备出于义的誓言，决策征讨东吴。赵云进谏："汉贼之仇，公也；兄弟之仇，私也。愿以天下为重。"刘备答曰："朕不为弟报仇，虽有万里江山，何足为贵？"悍然出兵东吴，结果是张飞和他先后死亡。这里显然是把"义"放在最高的"利"之上。而刘再复却说：

> 历史不断证明"结义"——兄弟之盟不可靠。因为"义"最后总是要受到利的考验。当兄弟全都贫穷患难时，也就是"利益"并不突出时，平等关系是可以维持。然而一旦"利"字凸显，共图的大业成功，新的权力关系——不平等的关系，必定要取代兄弟关系——平等关系，否则权力结构无法维持。[①]

刘再复先生的说法，从历史上看，固然不无道理，但是，《三国演义》是小说，不是历史。历史上的刘备兴兵讨吴，并没有考虑到"义"不"义"的问题，《三国志·蜀书·先主传》是这样写的：

> 先主忿孙权之袭关羽，将东征，秋七月，遂帅诸军伐吴。孙权遣书请和，先主盛

① 刘再复：《双典批判》，生活·读书·新知三联书店2010年版，第132页。

怒不许。[1]

这完全是出于失去荆州这个威胁河南曹操政治中心的战略地位，就难以实现“隆中对”中统一全国的前沿，所以连诸葛亮都没有出来劝谏。而到了《三国演义》则变成了“不为弟报仇，虽有万里江山，何足为贵”，这恰恰是“义”的理想主义，重义轻利、重义轻国的性质显而易见。刘再复说结义、聚义的结果是“团伙的利益高于一切，大于一切”，而《三国演义》显示的则是“义”的精神准则高于一切，大于一切，为了“义”的原则，就是毁了“万里江山”，也义无反顾。关公的“义薄云天”和刘备的“义”无反顾，相得益彰，民间大众文化的“义”的理想主义，正是对刘再复先生所说的从结义到反义的历史规律的反驳，或者说批判。《三国演义》艺术形象的成功，为后世关公的神化奠定了基础。而刘再复先生却说，由于《三国演义》的广泛传播造成了中国人的精神进入厚黑的精神地狱之门。事实恰恰相反，在民间，其精神正能量与时递增，其艺术魅力历经千年而不朽。在民间祭祀中，随着他从侯变成王，从王变成帝，大帝，成为超越孔夫子的武圣人，被广泛接受，就是最雄辩的证明。无数的关帝庙存在，其旺盛的香火，乃是对刘再复先生的无声的反驳。（鼓掌声）

最后，我还要提一下刘再复先生把《三国演义》和《水浒传》中的“义”一锅煮，同列为“精神地狱之门”。我觉得，这就更离谱了。其实，《三国演义》中的“义”和《水浒传》中的“义”内涵是很不相同的。《三国演义》中的“义”和“忠”处于对立统一的关系之中，不过是以“义”为主导，一旦矛盾，“义”高于“忠”。而《水浒传》中的“忠”则是“义”的从属。《水浒传》的“义”也是一种平等的观念。上了梁山，都是兄弟，“八方共域，异姓一家”，以兄弟相称。中国是宗法社会，最为可靠的人际关系，就是血缘关系。国民党最初在党内称同志，强调思想的认同。但是，许多领袖，如蒋介石和冯玉祥，和张学良称了同志还不够，还要“结义金兰”，拜把兄弟。血缘关系比思想认同要紧密多了。在《水浒传》里，素不相识的人只要一到梁山，就像亲骨肉一样平等。那为什么要这样一个平等的社会呢？因为社会上不平等、不义。为什么不义呢？因为社会上有等级，经济地位、政治势力差距太大，产生了很多不义的事情。要让社会“义”起来，就要取消不平等，这是很困难的，因为是法律规定的，再加上贪官污吏在法制以外迫害老百姓。那怎么办呢？只有两个办法。第一，就是让一种特别有力量、超勇敢的人路见不平，哪怕素不相识，也要主动拔刀相助，用个人的、强大的暴力，不惜付出生命去帮你拼。所以才有一个英雄叫作拼命三郎。这很有象征性。能够路见不平，拔刀拼命的，就叫“义士”。这个“义”不但充满平等的社会理想，还渗透着人格理想。第二，但是为“义”拼命的英雄在《水浒传》

---

① （晋）陈寿：《三国志》，（南朝宋）裴松之注，中华书局2005年版，第662页。

中不是最高的义士，最高的义士是谁？宋江。他有没有路见不平、拔刀相助的能力呢？没有，这个家伙根本不会打架。可所有的拔刀拼命的义士，见了他，莫不“纳头便拜”。他为什么受到这种无条件的崇拜？不管是强盗、土匪、英雄、豪杰，一听到宋江的名字，就磕头，为什么？他有一个品格，叫仗“义”疏财。一看到你有困难，不管认识不认识，马上就拿五两银子、十两金子给你，请你“笑纳”吧。这就代表了另外一种理想。这个社会上弱者为什么老是受欺侮？就是因为没钱。梁山泊劫富济贫进行大规模的军事集团的斗争，一般的小百姓，等不到你梁山部队开过来，都饿死了。而宋江的绰号叫作“及时雨”。及时，就是一旦有需要，有钱的人马上主动奉献，请你收下，一定要笑纳。这样就有了两种义士。一种是路见不平、拔刀相助的义士，也就是《水浒传》电视剧里面说的“路见不平一声吼，该出手时就出手”，这样一种人，为了他人，甘冒生命危险。当然，不一定都要用刀，也包括，你被通缉了，我立刻通风报信，把自己的身家性命都搭进去，在所不惜。第二种就是仗义疏财，人人都拼命聚财，我则拼命散财，主动用钱来填平社会的不平。在这两种义士里面，哪一个更难得呢？最高的义士，是什么人呢？是仗义疏财的。如果有钱的人都能够像宋江一样，把钱主动送出来，这个社会就平等了。这其实就是最善良的理想。当然这是空想。但是，这和刘再复所欣赏的“夸父逐日”“精卫填海”“羿射九日”的空想，在某种性质上是一样的。但是，刘再复认为后者才是美好的“原形文化”，后者是丑恶的“伪形文化”。如果真是这样的话，那么反《水浒传》的《荡寇志》，让宋江死于“贾（假）仁”“贾（假）义”之手，算不算原形文化的回归呢？正是因为这种平等的空想，不能和平地实现，才有起义。和宋江差不多同时代的农民领袖王小波，就提出过“均贫富”的口号，但，那是要用刘再复所反对的暴力流血的办法，打很多的仗，才能实现太平天国正式颁布的《天朝田亩制度》中“无处不均匀，无人不饱暖”。这样的空想。全世界有这样理想的人挺多的。直到 19 世纪俄国还有一个伟大的文学家够得上宋江的水平，谁呢？托尔斯泰。他说，农奴这样惨，就是因为地主占有了土地，我是贵族，我有这么多土地，又有这么多农奴，我有罪，应该主动把土地还给农民，当然，他没有读过《水浒传》，也没有达到宋江那样“仗义疏财”的自觉。（大笑声）刘再复连《水浒传》和《三国演义》的“义”的具体内涵，都不去做具体分析，就眉毛胡子一把抓，为中国人的精神退化而叹气。

我觉得他比托尔斯泰还天真。（笑声）当然《水浒传》中“义”也隐含着走向反面的危机。仗义疏财的前提是，必须有无限的财。但这是不可能的。如果有可能，那这个人必须是财源不断的财主。他那无限的财富，必然是不平等的结果。以不平等的财产来源来消灭不平等，这是自相矛盾。特别是上了梁山以后，更没有来源了。靠打家劫舍，就变成了不义，而且不可持续。所有的头领兄弟都没有远见，只有宋江知道这种危机。所以有了受招安决策。以打辽国为由，以民族矛盾来遮蔽阶级矛盾，体面地归顺朝廷。这里有一个很值得沉思的现象，就是一般的起义军，都是面临失败之时，组织分裂，投降与反抗分化。但是，梁山泊则是在起义军取得辉煌胜利之时，组织上保持完整，投降朝廷的。即使像武松、李逵那样的反对派，也追随宋江投降了。这就是“义”最高的原则的团结功能所起的作用。在组织上保持统一投降之时，义就走向反面，也就是忠了。这就为“反贪官，不反皇帝”、也就是阮家兄弟所唱的“杀尽贪官和污吏，忠心献予赵官家”的注释。不过其结果则是，梁山泊众好汉，由于义的盲目性，成了杀戮的机器和被杀戮的牺牲。这就是义的内在矛盾转化的必然结果。

好，时间差不多了。谢谢诸君这么耐心地听我老头子饶舌了快两个小时！好像都没有发现听得不耐烦而集体上厕所的。（笑声）你们对我真是太义气了，让我今天有一种义薄云天的感觉。（鼓掌声，笑声）

昨天是女孩子先问，今天我要指定一个男同学优先。

附：

现场问答

问：孙教授，感谢您精彩的演讲。但是，我有一点不大认同，就是关于华容道的，您说不是关羽的失误。我印象中《三国演义》里面写的是这一招是由诸葛亮特意安排的，如果诸葛亮真的想要把曹操干掉的话，他完全可以把张飞、赵云之类放在最后一关。而他认准了关羽一定会把曹操放掉，所以派他去，如果把曹操干掉了北方就会大乱。外族入侵，蜀国统一大业更加难以实现。

答：请坐请坐，你的问题提得非常精彩。我的回答是，我讲的是《三国演义》，你讲的是历史。《三国演义》里，没有讲到北方很严重的民族矛盾。和曹操的北方接近的是乌桓，据我所知，汉武帝打败匈奴，迁乌桓于渔阳、右北平、辽东、辽西五郡边塞，监护乌桓各部不得与匈奴通。东汉魏晋沿置。乌桓原是游牧部落，南迁后开始发展农业。3世纪初乌桓大部分归附曹操，有万余落入迁中原，渐与汉族融合。留居塞外的大多并于鲜卑。曹操征服乌桓，在《三国演义》里，好像没有花多大力气。倒是刘备接近的西凉，以马腾、马超父子为首，曾经打得曹操丢盔卸甲，割袍断须。西凉在今天甘肃酒泉这一带，和刘备的蜀国接近，后来就投降了刘备。

问：不是。《三国演义》里面，关公声明不会因旧日恩情放过曹操，立下军令状。关羽领到任务走掉以后。刘备说，如果关羽真完不成任务，你不是真的要把关羽杀了。诸葛亮

说：不。

答：具体地说是这样的。刘备说："吾弟义气深重，若曹操果然投华容道去时，只恐端的放了。"孔明曰："亮夜观天象，操贼未合身亡。留这人情，教云长做了，亦是美事。"小说里的关键的一条。就是诸葛亮知道他会把他放走，而且呢，知道曹操命不该绝，这是有点迷信的。但是，我要提醒的是，我前面一直反复强调《三国演义》是史家精英文化和大众宗教文化的融合。命不该绝，是宿命论，从科学理性来说，是不真实的，但是，从艺术审美来说，是可以允许假定、想象的，像草船借箭那样预料三天以后一定有大雾。有了这个假定的好处是充分表现，关公在忠和义，在个人的生命，和正统的"忠"矛盾的时候，他选择了"义"，做了对自己生命有危险的选择。他的义无反顾、他的光明磊落才得到淋漓的表现。同时，我刚才说了，关公和曹操的生死之会，如果没有诸葛亮这更高明的第三只眼睛来看，艺术就差得远了。这是罗贯中的伟大创造，比较早的《三国志平话》里曹操脱逃得逞，是偶然的莫名其妙的"面生尘雾"。《三国演义》改成诸葛亮索性做个好人。宿命论，从思想上说，是历史的局限性，而和《三国志平话》相比，从小说的情节构造来看，则是历史的突破性。反过来说，如果派赵云去，把曹操抓住了，刘备和孙权把他杀了，这既不符合历史，又弄得小说没有办法写下去。这样写的好处，还在于让诸葛亮这个新来者对于不服气的老干部建立起精神和行政的优势。这一点我已经讲过了，你可能没有听清楚。

我们看中国古典小说，往往有宿命论的成分，这也要具体分析。《水浒传》众英雄为什么会造反呢？有个宿命论，张天师误走妖魔，后来就成了三十六天罡，七十二地煞，成为造反的英雄。《说岳全传》，秦桧和老婆为什么东窗定计害岳飞呢？也有个宿命论的解释：当年佛祖讲学，讲得天花乱坠，信徒们听得十分入迷，有个狐狸也听得很入迷，不小心放了一个屁，很臭！（笑声）大鹏金翅鸟在佛祖头上盘旋，发现这个狐狸煞风景，就一啄把狐狸啄死了，狐狸一道阴魂就投入东洋大海，以后就投胎到了中国，它就变成了秦桧的老婆。大鹏金翅鸟受到佛祖的谴责，也发配下凡，投胎成了岳飞。秦桧的老婆，后来就东窗设计要把岳飞害死，因果报应。我们分析的时候有两个原则：第一，这是迷信，有历史的局限性；第二，作为艺术形象来说，它是想象、虚拟。这种想象有艺术的自由，还蛮精彩的。《红楼梦》中，空空道人，渺渺大士啊，贾宝玉是一块玉啊，女娲补天留下了的，不科学，但是，它很好玩的。林黛玉动不动就哭，《红楼梦》有个解释：天宫里有株绛珠仙草，神瑛侍者天天浇水，日积月累，水浇那么多，那绛珠仙草投胎到人世。就是林黛玉，要把水都还给神瑛侍者，就是贾宝玉。怎么还？就是不断地哭。实际上呢，读者对这种因果关系并不太认真，显而易见，最能感染读者的并不是这些，而是《红楼梦》里那些人的丰富的情感奇观，对于那些神话、仙话、鬼话（如《聊斋志异》）的虚拟，并不太在意，头脑也不会给它搞乱，反而由于幻想的变异，更激发想象。关公这个命不该绝，是有局限性。但是最撼动人心的，是他的情感逻辑，他的个性，他的不智，在诸葛亮的俯视下，他的非理性，甚至是愚蠢，形成错位，这才像个活人。鲁迅，特别是胡适，认为《三国演义》中的诸葛亮非常狡猾，其实仔细读文本，他不过是明知他会放过，别人去抓，《三国演义》就没法写了。还不如，将错就错，人情给关公做了，这是诸葛亮这个后来者拉拢、团结关公这个老资格的手法。不能简单说成是阴谋诡计、虚伪，而是做个顺水人情。你提出的问题，可能结论是和鲁迅一样的，你的来头比我大，很值得我思考，但是我思考结果和你，和鲁迅不一样，供你参考吧，好吧！谢谢。（鼓掌声）

（录音整理者为东南大学学生，佚名）

第五讲

另眼看曹操：多疑和不疑

非常感谢给我这个机会，让我用“另外一只眼睛”来展示一下对曹操的观察。为什么是“另外一只眼睛”？第一，因为已经有很多眼睛看过曹操了，其中包括易中天先生最近看出来的曹操，很轰动，很精彩。但是，他所看到的曹操，是他的曹操，带上了易中天的色彩、易中天的价值观念。我眼中的曹操，和他眼中的曹操是不一样的。第二，为什么是另外“一只眼”，而不是两只眼？这是因为，要看得清楚一点。君不见靶场上瞄准，两只眼全睁开，就休想打中靶心。一只眼闭起来，才能瞄得更准。第三，我声明，我跟易中天先生是朋友，我也很为他在《百家讲坛》创造了一个品牌，成为一个文化明星感到高兴，还很为他的智慧和他的感染力感到惊讶。原来他在我感觉中，并不见得多漂亮，在生活中，他有点老相，没想到他上了电视，竟这么辉煌，老得很漂亮！（众大笑）

他拥有很多“易迷”、粉丝，我很羡慕。不知不觉我自己也成为他的一个粉丝，这是令我自己都感到意外的。粉丝一般都是比较年轻的，哪来我这么老的粉丝？（笑声）但是呢，反过来一想，能成为他的粉丝，就证明我还没老。（听众鼓掌）作为朋友，我分析他成功的原因，除了他的智慧、他的口才、他的幽默感以及学术造诣以外，还有个原因，就是他的勇气——他对权威性的、天经地义的说法表示质疑。这是科学的根本精神。

《三国演义》是家喻户晓的，定本以来，几百年了，经过不同的政治制度、不同的意识形态统治下的各种读者的反复考验，在它产生以前和以后的文学作品与日俱减地淘汰了，可《三国演义》却仍然辉煌地存在。对这本经典历久弥新的现象，大家习以为常，觉得天经地义。但是易中天对之表示了怀疑，他说《三国演义》有问题，里面有许多混淆视听的地方，特别是对曹操的评价上。他认为这是很遗憾的事情，所以，他就出来做一点“还原”的工作，“以正视听”。他认为曹操被《三国演义》丑化了，造成了他大花脸、奸贼、品质恶劣的印象，实际上呢，历史上的曹操是个英雄。有人认为他是英雄里的一个另类，叫奸雄。易中天说，即使是奸雄，也是个“可爱的奸雄”[①]。

我看，他这个观点肯定是正确的。但是我又觉得这并不是很新鲜的。《三国演义》对历史的虚构早就引起学者的不满。清朝学者章学诚在《丙辰杂记》中提出来说《三国演义》“七实三虚”[②]，有七分是实在的，三分是虚构的。他说得比较客气，在我看来，起码五分是实的，五分是虚的，实的是某种骨架而已，血肉呢，是虚构的。说它“五骨五肉”是不是更准确些？学者们觉得，它造成了混乱。鲁迅在《中国小说史略》里，也说它“虚词杂复，易滋混淆”[③]，很容易产生混乱。就是五四时期把白话小说抬上正宗地位的胡适，对《三国演义》也没有太大的好感。1922年，他为《三国演义》作序，说它“不能算是一部有文学价值的书”，因为它“拘守历史的故事太严而想象力太少，创造力太薄弱”。这个说法和章学诚、鲁迅相反，嫌它“拘守历史的故事太严”[④]，那就是虚构得还不够。

这三个大学者说法虽然有矛盾，但共同点是，并没有系统地去清理《三国演义》究竟是在什么程度上、如何系统地“歪曲”了《三国志》的。到了20世纪50年代末，毛泽东提出要“为曹操翻案”，郭沫若就写了为曹操翻案的论文。那个翻案翻得很厉害。按当时的主流意识形态，曹操最大的问题是靠镇压农民起义起家。郭沫若为他辩护，说他不是镇压了农民起义军，而是把打散了的起义军的“精锐部分组织了起来”，本来这些农民军是破坏性很大的，连吃饭都成问题，经他一收编，去屯田，安定了国家。[⑤]实质上是把打散了的队伍组织起来了，郭沫若的说法，有点勉强。可他不满足，又写了历史剧《蔡文姬》，对曹操采取了歌颂的态度。有些地方今天看起来可能有点惊世骇俗，如第一幕就把曹操剧中的生活写得很是艰苦朴素，一条被子让老婆补了又补。易中天最值得称赞的可能是，他是中国第一个系统地清理《三国志》作为正史，官方的、比较可靠的史料跟《三国演义》的虚构之间的差异：曹操是在一个什么样的广度上被《三国演义》“歪曲”了？是如何被《三国演义》歪曲成一个可恶、政治品质恶劣、十恶不赦的“奸贼”的？

---

① 易中天：《品三国》，上海文艺出版社2006年版，第20页。

② 鲁迅：《鲁迅全集（第九卷）》，人民文学出版社2005年版，第135页。

③ 鲁迅：《鲁迅全集（第九卷）》，人民文学出版社2005年版，第135页。

④ 胡适：《中国章回小说考证》，上海书店1980年版，第339—341页。

⑤ 郭沫若：《替曹操翻案》，载《人民日报》，1959年3月23日。后收入《〈郭沫若全集〉历史编（第三卷）：奴隶制时代》，人民出版社1984年版。

一、多疑是从美化转化为丑化的关键

易中天从哪里讲起呢？从曹操刚刚出道不久，就杀了对他友好的吕伯奢一家开始讲起。

易中天先生提出，历史上曹操杀吕伯奢这事是有争议的。《三国志》的原文是说，董卓专权，天下大乱。董卓看中了曹操，提拔他，给他封了官，叫“骁骑校尉”，但是曹操很清醒，拿准了董卓成不了气候，偏偏不买账，没有去就任，改了姓名，溜掉了。溜到一个地方，给人家抓住，有人认出就是曹操。出于对这个“天下雄俊”的尊敬，就把他给放了。把曹操当成“天下雄俊”是孙盛的《杂记》里的话，可能是太夸张，《三国志》把它省略了。《魏书》则说，曹操和几个死党到“故人”——老朋友吕伯奢家去。此人不在，五个儿子在家，想抓曹操。在马厩——大概是拉马，准备动手。曹操就先下手为强，在吕伯奢家里杀了几个人。易中天先生认为，如果按照这样的记载的话，曹操干的事也不是太坏，至少是有防卫性质的。严格要求的话，那是“防卫过当”——误伤。魏国的史官对开国的“太祖”，对自家的老爷子的丑事难免要回护一番，打埋伏的可能性很大。虽然如此，易中天并没有回避与之相矛盾的历史资料。在裴松之的注解里，还保留了一些与之不同的说法：《世语》里说，曹操逃出去了，经过吕伯奢家里，正好吕伯奢出行了，有五个孩子。这五个孩子非常有礼貌，款待他。但是，曹操有点心虚，他想：我是一个逃犯，你怎么这样来招待我，肯定有问题。所以说呢，他就先下手为强，把人家给杀了。[①] 这里就没有“防卫过当”的问题了。这里，请大家注意，曹操这个人，当时还是个好人，但有一个毛病：多疑。人家还没动手，他就想“你太热情了、太可疑”。按曹操的逻辑，你太热情了就可疑了，相反，如果你不热情，就不可疑。这就显示出这本书的作者对曹操的批判了。碰到曹操这种人，真是好人做不得，越好越倒霉。这个批评是很严酷的。我们这个世界，为什么坏人这么多，而好人这么少呢？就是因为曹操这样的家伙太多。

另外一本书呢，《杂记》也说曹操杀人了。什么原因呢？吕伯奢的儿子好心招待他，他听到厨房里有食器声——锅碗瓢盆之类的响声。那易中天就解释了，锅碗瓢盆之类的响声之中，可能还有刀的声音，但是究竟有没有刀，我们就不去追究了。反正是曹操这个人多疑，以为是：这帮家伙要动手了，还不如我先下手。于是呢，就把人家给杀了。杀了以后发现搞错了，所以心里有点“凄怆”地说：“宁我负人，毋人负我！”易中天解释说，曹操的意思是：现在我在这种情况下，走投无路了，别无选择。该出手时不出手，那等到你出

---

①（晋）陈寿：《三国志》（上），（南朝宋）裴松之注，中华书局2005年版，第4页。

手的时候，我就没命了。我没办法，那么宁可我先对不起你，我不能让你对不起我。易中天先生说，曹操还是有点自我排解、自我安慰、自我解脱：我实在没办法！曹操还是有点“凄怆”，还不是天良丧尽，不是恶心透顶，还是有一点心里不安的吧，还不是没有一点点善心，虽然那点善心不能洗刷他的罪恶。

易中天说，到了《三国演义》曹操就不是“宁我负人，毋人负我”，而是“宁教我负天下人，休教天下人负我”。这事情就大了，“宁我负人，勿人负我”是非常具体的，针对的范围是很小的：我宁可对不起这人家里几口人，不能教这几个人对不起我。就事论事，没有说到其他的事。而变成了“宁教我负天下人，休教天下人负我”针对的则是事情的普遍化。不是这一件事，而是所有的事情。这就是说，这是他的人生观，生活的准则，从来如此，一贯如此，而且将来还如此，大言不惭，理直气壮。这事情就可怕得多了，这个人的品质就恶劣、歹毒多了，那就是个最大的奸贼了。[①]

易中天说，《三国演义》把曹操彻头彻尾地抹黑了。

易中天痛切地感到，文学艺术的力量是很大的，影响力是超过了历史著作的。用历史的题材、历史的人物写小说，虚构和真实混为一谈，造成“虚虚实实”，或者半真半假。本来有关曹操的历史记载、历史材料都不一致，有一点“扑朔迷离”。有了《三国演义》就更加的“暧昧”了，更加稀里糊涂了。他感到更大的忧虑是什么呢？是人家都不是先看《三国志》，再看《三国演义》，有些人一辈子只看过《三国演义》，至死压根儿就没看过《三国志》，这造成了一种可怕的先入为主，到死也不知道曹操是个英雄，也不知道曹操是个可爱的奸雄。因而他觉得这是一个令有历史知识的人非常痛苦的事情。他当然承认，文学形象、民间形象虽然不是事实，但是它的流行不是没有道理的，文学的张冠李戴、移花接木、无中生有也能给人教益，也有好处。但他要做的事情是，研究这种虽然不符合历史事实的民间形象、文学形象那么流行究竟是什么道理？这话是非常对的。为什么这个文学形象并不是真的，但活了几百年还很鲜活。他的动机非常好，一方面要还原曹操原来的形象，另一方面研究一下，不是真的又为什么动人？

但是直到现在为止，我看到的《品三国》，他前面一件事做得非常好，后面一件事，即明明是假的，张冠李戴、移花接木、无中生有，为什么受到广大群众的喜爱？这个道理他始终没有真正地研究过。

正是因为这样，我觉得，作为易中天的朋友，或者粉丝，应该帮助易中天先生做一点事情。我认为粉丝有两种，一种是一味地跟着崇拜对象跑，像追“超女”一样。第二种是奋发有为的，像易中天先生怀疑《三国演义》一样，怀疑易中天先生的一些说法。怀疑和

---

① 参阅易中天：《品三国》，上海文艺出版社2006年版，第15页。

挑战是科学发展的动力嘛！这是很古典的话了。《三国志》是历史，易中天是根据历史的精神来廓清《三国演义》中的虚构的。历史的价值标准是什么呢？就是真实。历史是不能虚构的，真的，才有历史的科学价值；假的，就是造谣的、骗人的，就没有价值。《三国演义》中那么多假的、虚构的情节，对历史来说，无价值。但是，生活价值准则是丰富多彩的，不仅仅有历史科学求真的价值，虚构的文学艺术也有它独立的价值。这就是艺术价值，或者说得有学问一点是审美价值。《三国演义》虚构得特别天才，在当时的中国文学史、世界文学史中是天下第一的。

此话怎讲？我从易中天谈到的曹操杀吕伯奢一家的故事开始分析。

易先生说，《三国演义》的虚构丑化了曹操。这个说法不完全对。《三国演义》的虚构，不仅仅是丑化曹操，同时也美化曹操。《三国演义》不但写曹操很清醒地拒绝了董卓的任命，还虚构了他在中央大员们一个个只是痛哭流涕、计无所出之时，却哈哈大笑起来，主动提出自己去行刺董卓，借来一把宝刀，趁董卓在里面睡觉的时候去干掉他。这不能不说是非常勇敢，一个人单干，搞恐怖活动，绝对是个热血青年哪！（笑声）很可惜，他事前踩点不到家，没考虑到董卓的床靠里面有面镜子，他一举刀，董卓就看到了，喝道：“你干吗？”曹操很机智，就说：“我得了一把宝刀，正要送给您。”董卓可能反应迟钝，比较傻瓜：“送给我？很好很好！”曹操就此得以脱身。可董卓事后一想：不对啊，他事前没有禀告，莫名其妙地送一把刀，他莫不是要杀我啊？和他的干儿子吕布一琢磨，醒悟过来了。在这之前董卓是非常相信曹操的，还送他一匹好马，曹操就骑上这匹马，溜出城门去了。董卓再派人去追，哪里还追得到？再去抓他家属，曹操早就把他家里人全部转移了。这里，《三国演义》不仅没有丑化曹操，而且对曹操大大地美化了一下，这是一个有理想、奋不顾身的热血青年，是个大大的义士啊！（气氛活跃）

后来，曹操溜到陈留县给抓住了，县长叫陈宫，请记住这个名字。

《三国演义》虚构了曹操在死亡面前，大义凛然，英勇无畏，视死如归。他慷慨激昂地宣言：姓曹的世食汉禄——祖祖辈辈都吃汉朝的俸禄，拿汉朝的薪水，现在国家如此危难，不想报国，与禽兽何异啊！也就是，不这样做，就不是人了。燕雀焉知鸿鹄之志哉——你们这帮小麻雀哪里知道我天鹅的志向啊！今事不成，乃天意也——今天我行刺董卓不成，是老天不帮忙，我有死而已！用20世纪五六十年代形容英雄的话语来说，就是在死亡面前，面不改色心不跳啊。这时候的曹操就是这样一个英雄。“老子今天就死在这儿了，完蛋就完蛋！”（笑声）没有想到，他这一副不要命的姿态，反而把人家给感动了。陈宫感动到什么程度？这也是虚构的，他说：“我这官也不当了，身家性命、仕途前程都不要了，咱哥们就一起远走高飞吧！”从文学手法来说，这叫作侧面描写，或者用传统的说法叫作烘云托月，也就是写曹操，却用他在陈宫心理上的效果来表现，把曹操大大地美化了一番。

从艺术上来说呢，这样的虚构好在哪里？

好在写曹操原来不是个坏人，是个好人，大大的好人，英勇无畏，慷慨赴义，这样一个热血青年后来却变成了坏人、小人、奸人。《三国演义》的了不起，就在于表现了其间转化的根源在于这个人物的特殊的心理。这个好人、义士，心理上有个毛病：多疑。原来素材里也说他多疑了，“以为图己”，光凭食器声，就把人家给杀了。那么《三国演义》虚构得为什么更精彩呢？他这个多疑不是一般的多疑，而是一种可怕的多疑，罪恶的多疑。人家热情招待我，我不但不感激，反而怀疑他的动机，我跟他无亲无戚，他干吗要这么热情呢？《三国演义》的精致，就在于又加了一句话，听到里边在商量，要不要绑起来啊？这就增加了怀疑的程度。仍然不确定。绑什么呀？绑起来干什么啊？都不确定。而曹操却断定，肯定是要杀他了。这就揭示了曹操的心理特点，根据极其薄弱，而结论却十分、非常、绝对的肯定。然后告诉陈宫，陈宫这个时候也蛮崇拜曹操的，可能是曹操的“粉丝”——“曹迷”，（笑声）那就决定：干他娘的。两个人一下子杀了人家八口。杀到厨房里一看，糟糕！原来是绑了一头猪在那里。和曹操比，陈宫这个人的神经比较正常：“糟糕！老曹啊，我们怀疑错了，杀错好人了。”两个人就赶快溜。

以下的虚构就更为冷峻，更为深邃了。

二人碰到吕伯奢骑着驴，驴鞍上有酒瓶，手里拿着素菜和水果问：“贤侄啊，怎么不在我家里待着？我叫家里杀猪款待你啊！”这就更加证明曹操当时怀疑好人的错误了。曹操搪塞了：“我这避罪之人不敢在一个地方久留，赶快溜比较安全啊！”吕伯奢走过去以后，曹操突然回过身来，说：“吕老伯啊，你看那边，来了个什么人哪？”吕伯奢一回头，曹操咔嚓一刀，把他给杀了。这时候陈宫就说了：“刚才我们不知他是好人坏人，是误杀，现在知道自己杀错了人，杀人家好人，是‘大不义也’！”你要知道“义”在《三国演义》里是多么重要啊！为什么《三国演义》开头就是“桃园三结义”？一个人要是不义是要被人不齿的。曹操怎么回答？《三国演义》就把文献资料上的“宁我负人，勿人负我”变成了“宁教我负天下人，休教天下人负我”。

这个虚构，在艺术上实在是太精彩了。

一般评论说，曹操多疑，这是不准确的。《三国演义》中曹操的“疑”有特别深刻的特点：

第一，罗贯中抓住了一个要害，曹操从一个舍生取义的志士，变成一个血腥的杀人狂，源于一个心理要素：多疑。这是推动曹操从被动防御，到主动杀人，从奋不顾身的义士，到血腥屠夫的转折点。后来每每作为情节发展的关键，成为曹操一生的性格核心，甚至最后就死在多疑上。

第二，对这个多疑，进行深入的发掘。一般的怀疑称之为怀疑，其特点是不确定，就有多种可能性。原先肯定的善意招待，变为不确定，不一定是善意，但也不一定是恶意。怀疑，作为一种心理活动，就是不确定，怀疑别人的动机是不是良好，有两种可能：一是善良，一是安了坏心眼。但是，曹操听到的是碗具声，作为怀疑的动因，更带有不确定性。就根据人家锅碗瓢盆有响动之声，就断定这帮家伙肯定要杀我。《三国演义》揭露曹操怀疑的特点就是极端。其一，根据极端薄弱，结论极端确定。其二，确定对方有恶意，就不是一般的恶意（如告密之类），而是最极端的恶意。可以说，曹操的怀疑，是一种极恶疑。其三， 一般的疑，是一种心理内在的活动，汉语里，有“犹疑”“迟疑”“狐疑不决”这类词汇，就说明了一般的疑，行动是迟缓的。但是，曹操的疑，带来了速动，以果断出手为特点。他的多疑逻辑是：由极疑变成极恶，由极恶变成了极凶、极血腥，所谓穷凶极恶，此之谓也。

第三，极恶的出手，就造成更恶的后果。明知是错杀了好人一家以后，不但不悔过，反而又将好心的家长吕伯奢本人也杀了。错杀了，野蛮了，血腥了，以更错、更野蛮、更血腥来保全自己。极端的多疑心理推动了连锁的罪行，构成了恶性循环逻辑。

第四，从误杀到有意杀人，本来是极其丑恶的，是极其罪恶的，在原始素材中“宁我负人，毋人负我”，还是自言自语，有点“凄怆”，而在这里，“宁教我负天下人，休教天下人负我”却成了公开的宣言，大言不惭，理直气壮，坦然自得。罗贯中对曹操的批判，当然首先在不忠，但不忠不能引起后世读者的厌恶，而这样的不“义”、无耻，却令人战栗。

第五，可以想象，在《三国演义》的写作过程中，“宁教我负天下人，休教天下人负我”，完全是神来之笔，灵感的突发。这种情况，只有艺术达到高度成熟的时候才会出现。把一个复杂人物的性格逻辑集中到一句话，概括为一句格言，成为丰富而复杂的性格的简明纲领，成为家喻户晓的日常话语，成为一种精神现象的共同名称。这就是何其芳先生所说的“典型共名”，是艺术高度成功的极致。

第六，《三国演义》虚构的天才，重点不在于连续错杀了好人，而在于杀错了人后是什么感觉。这个杀人犯，有什么样的情感，有什么想法，这是历史不一定要考究的，历史从理性的角度看，曹操无非就是一个杀人狂。但是，艺术要探索的是他杀人时的体验。如果他是人，有起码的人性，起码的良知，起码应该感到后悔、痛苦，这是人性的及格水平，但是，他没有。如果是偷偷杀了人，没有忏悔，也就罢了。曹操却在自己的朋友陈宫面前，也不感到羞耻。

但是，易中天引毛宗岗的点评说，曹操虽然是小人，但是心口如一。易中天的结论是：

"大家都装作正人君子，只有曹操一个人坦率地说出了这话，至少，曹操敢把奸诈的话公开地说出来，他是一个'真小人'，不是'伪君子'。"[①]把内心的黑暗公开讲了出来，做个公开的小人，总比口头上不讲，做起事情来却和曹操一样，要好一点。我想，公开讲出来，是为了忏悔，这是一回事；而公开出来，引以为自豪，则是退化到动物性的本能上去了。"宁教我负天下人，休教天下人负我"，这就是恶棍逻辑，我是流氓我怕谁，我已经无耻了，不要脸了，我不承认我是人了，你把我当坏人，把我当禽兽好了，当狗好了，我就什么都不怕了。用某些流行的话语来说，就是，我是流氓我怕谁。（听众大笑、鼓掌）

《三国演义》虚构的曹操形象的伟大成就就在于揭示了他的性格逻辑：从极疑到极恶，从极恶、极耻到无耻，无耻到理直气壮。它把无耻无畏的生命哲学做这样的概括，把它渗透在虚构的情节之中。

对于文学来说，关键不在于杀了好人，而在内在感知。杀了人后非常难过、痛苦，忏悔，羞耻，痛不欲生，无面目见人，这是一种人。这种人，我们在陀思妥耶夫斯基的《罪与罚》中看到过了。从拉斯科尔尼科夫来看，杀人当然是恶的，但是，还不一定是丑的，因为他有羞耻之心，他最后忍受不住良心的折磨，去自首了。这就是还有人的感觉。而另外一种人——曹操，杀了好人，没有痛苦，没有后悔，没有惭愧，怡然自得，公开夸耀，大言不惭。为自己的果断，该出手时就出手，感到挺滋润的，怪不错的。这就说，无耻，就不是人了。这两种人，本质上是不一样的。

于丹教授解读《论语》，认为其核心价值观念是仁义，道德理性，是善恶的问题。善的就是好人、君子；恶的是坏人、小人。《礼记·中庸》说："子曰：'……知耻近乎勇。'"《孟子》曰："无耻之耻，无耻矣。"这样的人，无耻，不知耻，完全不是人。应该是十分可鄙的，可恨的。问题是，我们读《三国演义》，对这样一个人——寡廉鲜耻的人、恶人、坏人，一代又一代的读者，享受着阅读的快感，赞叹这个艺术形象的精彩，一次阅读还可能留下终生的艺术享受的记忆。

这是为什么呢？这是因为人类的价值观念并不是只有真和假，善和恶。

历史科学讲究的是，真和假；伦理讲的是，善和恶；而文学艺术讲的是，美和丑。

从易中天的角度来说，曹操这个艺术形象，不是真人，而是假人；从于丹的伦理观念来说，曹操这个人物不是善人，而是恶人。但是从文学的角度来说，曹操这个人物，却是一个很丰富、很复杂的生命，是一个不朽的艺术形象。为什么呢？因为他把丑恶人物的内心，他的生存状态，他隐秘的自我感觉表现得淋漓尽致。这样的人，不但是恶的，而且是丑的。我们说无私则无畏，在曹操那里则是无耻则无畏。读者之所以读得津津有味，就是

① 易中天：《品三国》，上海文艺出版社2006年版，第15页。

惊异于他良好的自我感觉，丑得很自豪、恶得很滋润。丑恶得没有丑恶的感觉，恶心得没有恶心的感觉，这叫作审丑、审恶。这不是曹操一个人偶然的、孤立的精神病态，而是让我们想起了许多类似的人，这是人性中的一种黑暗。在《三国演义》以前，甚至以后，还没有一个作家把人性的这种邪恶表现得这样深邃。阅读曹操是集审美、审丑、审恶于一体的令人惊叹的一种精彩体验。

《三国演义》通过曹操，把人类灵魂中最黑暗的东西暴露出来。但《三国演义》并不认为这样的黑暗是极恶的人物才可能具有的，作者对人物洞察的深邃在于，从一个慷慨赴义、视死如归的热血青年心灵深处，把这样的黑暗挖掘出来。这样一个英雄人物，之所以变成一个血腥的小人，原因不在外部，而在内部，都是由他心理毛病——多疑引发了他灵魂中最黑暗的东西，就是极恶、极丑、极耻、无耻无畏的大暴露。

所以我就感觉到，《三国演义》的虚构真是伟大！

当然，并不是所有虚构的情节都是精彩的。伟大的虚构并不是从天上掉下来的，而是从不伟大的虚构，经历了好几百年的流传，多少戏剧家、说书人、小说家的反复修改，对虚构进行再虚构，经过多次脱胎换骨才有了今天我们看到的伟大。

在《三国演义》定型以前，有过一些版本在说书人中流传，现在我们能够看到的，有一种是《三国志平话》。这个版本里有好多虚构，看来很幼稚。比如说，《三国志平话》里讲到诸葛亮奉了刘备的命令，到孙权和周瑜那里去说服孙权、周瑜和根本没什么部队的刘备（只有一两万人吧）联合起来抵抗曹操。就在人家的会议厅里边，见到曹操的一个来使，带来曹操的一封信，叫孙权投降。当然这封信写得水平也是很低，根本没有曹操的水平。你拉拢人家投降也要写得稍微客气一点，也要有点诱惑力嘛！这个曹操写的信怎么写呢？你赶快投降，孙权！你不投降，“无智无虑”，不管你有没有头脑，不管你是不是聪明，统统地悉皆斩首——你如果不投降，我一来就不客气，统统地，死啦死啦的。（听众笑）孙权看了这封信，身为江东一霸（他的坟墓就在你们南京，明孝陵的边上，吴大帝墓），这样一个大帝啊，讨虏将军啊，看了这封水平很低的信，怎么样？居然吓得浑身流汗。汗流了多少呢？“衣湿数重”，把衣服都湿了几层，这要有多少汗啊！（听众笑）我看肯定还有些其他的排泄物了。（听众大笑）这时诸葛亮在场，要知道诸葛亮是个使者啊，一个高级代表，在人家的会议厅上，诸葛亮有什么权力？没有啊，他要等待人家的决定。诸葛亮居然来了一个果断的行动，怎么样呢？居然就“结袍挽衣，提剑就阶，杀了来使”。这哪里像诸葛亮嘛！这样的虚构，这个诸葛亮完全是个神经质了。（听众笑）哪里有《隆中对》中那样的战略眼光和在空城计中处变不惊的儒将风度！这样的虚构，后来《三国演义》写舌战群儒的时候，被淘汰得无影无踪，这一类的虚构是水平太低了。

情节虽然是虚构的，但是，虚构并不是绝对自由的，它有个道理。我们在座的有学文科的，文艺理论里面有讲究。一些比较差劲的文艺理论讲，情节是什么呢？开端、发展、高潮、结局。这是从苏联的季莫菲叶夫的《文学作品的形式》中来的一种非常陈旧的“理论”，是非常“菜”的、陈腐的“理论”。其实，福斯特在《小说面面观》中早就说过，顺时间叙述，只是故事，而不是情节。只有在故事中包含着因果关系，才是情节。例如，国王死了，皇后不久以后也死了，这是故事。国王死了，皇后因为悲伤过度而死，这就是情节了。①并不是所有的情节都有这四个部分。四个部分的齐备，以情节的连续为特点。而现代小说，以契诃夫和莫泊桑为代表，则以生活的横断面，以不连续为特点。契诃夫的《渴睡》、莫泊桑的《项链》就省略了结局，鲁迅的《故乡》就只是几个片段的组合，这已经成了常识。其实，福斯特的因果说还不够深刻。关键在于这个因果有什么功能。什么样的开端、发展因果是好的，什么样的高潮因果是不精彩的，福斯特还是没有揭示。根据我的研究，好的情节因果，一般来说，是把主人公从正常的生活轨道里打出来，让他脱离正常的心理轨道，把埋藏在潜意识里的，连人物自己也不知道的东西暴露出来。好的情节的功能就是从生活的非常规发现心理的非常态。②以曹操为例，原来被提拔，一般的常规是，感恩戴德。而他却去行刺提拔他的顶头上司，差一点暴露，赶紧溜号。这就是打出正常轨道的第一层次的心理。然后他到朋友家里，怀疑人家可能要杀自己，又把人家给杀了，又一次打出常轨，又一层次的心理，多疑到了这种程度，把好人当作坏人。第三次打出生活轨道，在路上碰到好人的家长，然后他的心态的第三重不正常的心态冒出来，又把好人给杀了。杀完了，朋友怪他，第四重的超出常规，他把心里的话统统讲出来：“宁教我负天下人，休教天下人负我。”这是第四重的内心奥秘。

能把连人物自己都不知道的心灵最深处的奥秘给暴露出来，这叫好的情节。坏的情节因果呢，那当然像《三国志平话》里的诸葛亮那样，稀里糊涂地杀了一个人，心理没有什么新的层次表露出来，这就是低水平的虚构。而通过这里的情节，发现原来视死如归、慷慨就义的英雄，却变成了极坏的人、极恶的人、极无耻的人、无耻而无畏的人。

所以说，要会欣赏这个虚构，一般的虚构我们留不下什么印象，可这样的虚构，我们就被震撼了。我们看《西游记》，孙悟空、唐僧、猪八戒、沙和尚西天取经，一路上，都是打出了生活的常规的。妖怪很多，一个个妖怪都想吃唐僧肉，孙悟空顺利地把它们打倒，打不倒、打不过，怎么办？很简单，找观世音，妖怪再胡闹，观世音就把它消灭了。再往前进，又碰到一个，老叫观世音不好，就再换一个人，如来佛，又把妖怪给消灭了。（听众

---

① ［英］福斯特：《小说面面观》，花城出版社 1984 年版，第 75—76 页。

② 参阅孙绍振：《文学性讲演录》，广西师范大学出版社 2006 年版，第 397—408 页。

笑）可是读者却连妖怪的名字都忘掉了，因为在打的过程当中，孙悟空、唐僧、猪八戒、沙和尚的精神状态，有没有什么变化？没有什么变化。都是同心同德，一往无前。这就不是好的情节。但是，有一个妖怪我印象绝对深刻——白骨精。当然不是因为她是一个女妖怪。前排的女同学不要见怪，我对你们的印象比她还深。（听众笑）这个女妖怪她一出现，人物的感觉不一样了，孙悟空一看，白骨精，一棒把她给打死了。他火眼金睛啊！唐僧一看，善良的女子。我们往西天取大乘佛经就是要救人，让人们都长生不老，经还没有取到，你就把人杀了，这个问题可大了。而猪八戒一看，嘿，好漂亮，好精彩哦！（听众大笑，鼓掌）《西游记》的英雄平常都是无性的，唐僧是以无性为荣，孙悟空是不屑有性，他是石头里蹦出来的。猪八戒是唯一有性感觉的男英雄。（听众鼓掌）当然，沙和尚最差劲，他不但对女孩子没感觉，对男孩子也没感觉。（听众大笑，鼓掌）那四个人一起前进的时候，都是常规心态，都是和尚嘛，相安无事。但女人一出现就糟糕了，于是猪八戒的感觉就越出常规了。潜在的性意识就非常强烈地、非常坦率地就表露出来，于是戏就来了，造成了极大的灾难，弄得孙悟空被开除掉，猪八戒自己差点老命都送掉。平时同心同德的人，内心那些差异就暴露出来了，人变得不一样了或者说心理错位了，就有个性了。这样的情节，就是精彩的情节。这就叫艺术，艺术的感染力，艺术的震撼力。

所以说，《三国演义》最后的执笔者如果说是罗贯中的话，在曹操的虚构中是表现出了天才，他把英雄打出了常规，让他的心态超出常态，揭示了他的心理深层的缺陷会造成这么大的罪恶，而且把他的心理缺陷造成的极大罪恶最后归结为一句话，成为他的人生观，成为这个人的一种哲学。一读，就像钉子一样钉在脑袋里。因为他深邃地概括了一个人个性的密码。

我查过《四库全书》，有二十四条与这句话相匹配的，都是形容人的行为和思想极端自私无耻的。这个坏人坏到这种程度，太可恶、太可恨、太可耻了。确实是这样的。从这个意义来说，另外一个人，比如周瑜也很成功，他也有一句话概括了他整个的生命，他的人生观。（听众齐说："既生瑜，何生亮！"）这也是虚构的，没有历史根据的。这太深刻了。如果世界上有一个人，比我强，我就不活了。这多精彩呀！这个周瑜死了已经近两千年了，可是，他的这种妒忌，近距离的妒忌，他的这种对自己战友的妒忌，还活在我们心里啊！罗贯中，早在几百年前，就看穿了今天的我们的心理。在艺术上达到这样高度生动又深邃的概括力，是成功的表现。如，京戏《大闹天宫》，孙悟空的"皇帝轮流做，明年到我家"；在《红楼梦》中贾宝玉的"女人是水做的，男人是泥做的"；在《阿Q正传》中，"儿子打老子"；在西方文学中，哈姆雷特的"活着，还是去死，这是个问题"；等等。

苏联戏剧大师、导演斯坦尼斯拉夫斯基，这个"斯基"，是俄国人名字中常见的：别林斯基、车尔尼雪夫斯基、奥斯特洛夫斯基、捷尔任斯基等。斯坦尼斯拉夫斯基，是一个很大的“斯基”。（听众大笑）他在导演莎士比亚的悲剧《奥赛罗》时，对演雅古的演员说戏。雅古是个坏人，他破坏了奥赛罗和黛斯特梦娜美好的爱情，导致奥赛罗把自己的爱人黛斯特梦娜杀死的悲剧。这个“斯基”，对这做过这样的阐释：

扮演雅古的演员必须感到自己是个挑拨离间的艺术家，是挑拨这一部门中的伟大导演，他不但为自己的恶毒计划而动心，而且也为执行这一计划的方式而动心。[①]

《三国演义》在短短的故事中，就写出了这样一个人：明知错了，一错再错，不仅不忏悔，不难为情，还为自己的坚决而果断的不道德而“动心”，而自我欣赏，为自己的不要脸而感到了不起。《三国演义》，不但是让读者看到这样的丑恶，而且有一个潜在的眼睛，在引导着读者阅读这样的心理奇观，在字里行间，不动声色地让曹操的行为逻辑与读者的良知背道而驰，这在文艺心理学上叫作“情感逆行”，就是一味和读者的情感作对，让读者的良知受到打击，感到诧异，感到愤怒、痛苦。这就转化为艺术的享受，洞察人性黑暗，是一种痛快，这种痛快，结合着痛感和快感，亚里士多德的《诗学》中叫作“净化”，或者用音译叫作“卡塔西斯”，有人把它翻译成“宣泄”，我看把它理解成“洗礼”也可以吧。

懂得了这一点，才可能理解曹操形象的三昧。但是光有这些，还不足以解释几百年来读者欣赏《三国演义》的全部原因。还有一个原因，那就是作者的虚构不同于一般的虚构，不是诗的想象和虚构，而是小说的虚构。

二、陈宫的眼睛在小说结构中的“错位”功能

作者的创造，还在于他把一个本来与这个凶杀案八竿子打不着的人拉了进来，让陈宫先前非常崇拜曹操，说他和曹操生死与共，用陈宫的眼睛来看曹操，追随曹操，后来和曹操一起杀人，等到杀错人再杀人时，两个人分化了，“错位”了。这就更有戏了，更有性格了，就有小说了，就有艺术了。这艺术还不够，陈宫就想：这个家伙原以为他是好人，现在这么赖、这么菜，我怎么能和他在一起？夜里起来的时候想把他杀了，但是还没有杀。他转而一想：我当时跟他跑，是为了国家，现在我无缘无故把他给杀了，也是“不义”，我不干了。于是，陈宫溜掉了，跑掉再也不见曹操了。

陈宫后来去辅佐吕布，很有谋略。吕布这个家伙，很有本事，打仗很行啊！刘关张三个人打他一个打个平手，但是他没有头脑，（听众：有勇无谋）不但有勇无谋，而且言而无

① 参阅孙绍振：《文学创作论》，海峡文艺出版社 2004 年版，第 507 页。又见孙绍振：《文学性讲演录》，广西师范大学出版社 2006 年版，第 437 页。

信，不讲信义。这在《三国演义》可是很严重的道德缺陷。陈宫很有谋，吕布却不能听从良谋。吕布还有一个毛病，相信老婆。后来陈宫好多计策他都没听，都是因为听信了老婆，包括一个著名的小老婆貂蝉的话。陈宫后来被捕。曹操很得意："你怎么样啊，那天跑掉了，现在又被抓住了！"陈宫大义凛然："你明为汉相，实为汉贼！今天我被你抓住了，一死而已！"曹操抓住了陈宫的心理弱点，他是个孝子，说："你死得倒轻松，那你老妈怎么办啊？"陈宫也抓住曹操的心理弱点，他说："你现在提倡以孝治天下，你不会为难我的母亲。"曹操居然被他打动了，把陈宫杀了，却很好地款待他的母亲，给她养老。

这里可以看出来，《三国演义》作者虚构的水平有多高啊！老是说人物要有个性，怎么才有呢？在这里告诉你，让原来志同道合的人，在一件事情上分化，情趣和感觉发生"错位"，势不两立。就像在一个美女面前，猪八戒和孙悟空的感觉"错位"一样，就有个性了。你知错不改，俺就不跟你干了，从此以后势不两立，死在你手里也无所谓。"错位"的幅度越大，艺术水平就越高。我觉得，我有责任来讲一讲陈宫这个人物在小说结构中的功能。

首先，让读者用陈宫的眼睛来看曹操作恶。这是小说，尤其是长篇小说非常成熟的手法。一般的小说只是通过作者的眼光看人物，坏蛋，坏透了。光是这样，就可能单调。除了作者鄙视他，又弄一个人来看他，构成双重视角的错位，这个视角，和作者不一样，原来非常尊敬他，情愿为他而放弃官职、身家性命逃亡，做他亡命天涯的战友。但是，看到他第二次把对他十分友善的人杀了以后，良心上就受不了。这个人物的功能，就是从崇敬到厌恶曹操的凶残。对这样的人物，我无以名之，暂且名之曰"错位中介人物"，让这个人物和主角（一个或者多个）发生感觉的"错位"，发生冲突。这是《三国演义》作者驾驭得很熟练的艺术的法则（如在草船借箭中、赤壁之战中让鲁肃夹在周瑜和诸葛亮当中），常常运用得出神入化。

这种人物的"错位"结构，正是中国古典小说的想象、虚构走向成熟的一个标志。因为，这种想象和虚构与古典诗歌的审美显示了极大的不同。在诗歌里，情人可以心心相印、生死不渝，而在小说作品中，情人、友人如果一直心心相印、生死不渝，就只有诗意，却没有性格可言了，所以在成功的小说中，情人、友人，不管原来多么情投意合，最后都是要发生分化，心心相"错"。两个人，各有各的感觉，即使是爱得昏天黑地，也要误会，闹矛盾，闹别扭，对同一事物拉开感觉的距离，才有性格可言。《西游记》如此，《红楼梦》亦如此。林黛玉和贾宝玉，如果感情知觉没有分化，没有错位，没有误解，没有吵吵闹闹、哭哭啼啼，就没有《红楼梦》了。而在《西游记》里，一直没有自己的感觉，一直不和朋友的感觉"错位"，随大流到底的沙和尚，就一直没有生命。照此推理，如果陈宫眼看曹操一错再错，一杀再杀，陈宫的感觉如果没有什么分化，一直和曹操一样，这个人物就浪费了，就像《西游记》中的沙僧了。陈宫之所以有生命，就是因为他很快从情投意合到错位，拉开了情感的距离。陈宫从与曹操有了不同的逻辑起，就活起来了。相比起来，曹操身边许多谋士，如程昱、郭嘉、荀彧虽然有比陈宫更高的智慧，出过许多好主意，但是，艺术上并不见得有多精彩，原因是这些人和曹操的直觉、想象、思绪没有发生严重的分化、错位，从这个意义上来说，这么多人都是跑龙套的，纸人纸马，加起来还不如一个陈宫。

当时的陈宫，是有血性的，他想过杀曹操，但是作者不让他杀成，为什么呢？是不是杀了曹操，就没法安排后面的情节了，这是可以设想的。但是，我想，还有一个理由，是为了避免雷同。曹操多疑，一旦对人不满，就动刀子杀人；陈宫一旦厌恶曹操多疑，也杀人，就和他一样了，这样，是不是套路太简单了？《三国演义》里说，陈宫想：我追随他，是为了国家，如今如果杀了他，就不义了。这不但是有道理的，而且是很艺术的。在《三国演义》里，知识分子，也就是谋士，都是要依附一个政治人物的，最高的原则是从一而终。要改变主子是非常痛苦的事，内心挣扎是很曲折的。这是当时的一般“老九”一下子做不出来的。他一走了之，不但和曹操拉开了距离，而且和其他谋士撇开了距离。不要以为这是一点小技巧，其实是大艺术。我们当代不少的长篇小说（例如陈忠实的《白鹿原》的某些章节）至今还不懂这个几百年前就普及了的规律。在他们笔下，许多同道人物，在同一场景中，感觉知觉、行为逻辑常常是永不“错位”的。人物处在这样的情况下，是一加一等于零，两个人物还不如一个人物。

陈宫对这一段小说的艺术结构十分关键，这表现了《三国演义》作者艺术虚构的精致。但是，《三国演义》在艺术上的价值长期没有得到认真的研究，以致一直有一种否定的倾向。当然，否定的往往是大师，易中天可以说是那些大师的追随者。

鲁迅就不太喜欢《三国演义》，他在《中国小说史略》里说，《三国演义》里边主要人物写得不行，一个诸葛亮——“多智而近妖”①。智慧太丰富了，太神奇了，连天气预报准确度都超过中央电视台，（听众笑）还会借东风啊，今天都很难做到，人工降雨，炮打上去也许根本下不了雨。借风？到哪儿借？问谁借呀？你说说看，哥们儿！（听众大笑）但是，诸葛亮借得到。所以鲁迅说他“多智而近妖”。不是人，根本就是妖怪一个。鲁迅还说，刘备写得也不好，老是强调他是忠厚长者，实际上很虚伪，“长厚而似伪”②。我就觉得写一个军阀头子很虚伪，这是成功的啊，他完全是个地主阶级政治家嘛！他又不是无产阶级政治家，他不如我们啊！（听众大笑）鲁迅就对他特别不感冒，但是鲁迅也不得不承认，《三国

①《鲁迅全集（第九卷）》，人民文学出版社2005年版，第135页。
②《鲁迅全集（第九卷）》，人民文学出版社2005年版，第135页。

演义》里有一段特别精彩，是哪一段？“华容道义释曹操”。他在《中国小说史略》中，写《三国演义》一共就三页：光是华容道就占一页，引文很长，几百字。华容道的情节也是虚构的，虚构得好，符合我刚才所讲的道理。诸葛亮原来安排各路人马去堵截曹操，去扩大战果的时候，所有人都分配了任务，就没有关公的。关公就不服气了：“为什么没有我的事？”诸葛亮就说：“你干不了的。”关公说：“我怎么完不成？”诸葛亮说：“你不能完成就按军法处置。什么事？你到华容道去等曹操，把他抓来。”关公想：这小事一桩，残兵败将而已。诸葛亮说立下军令状。关公说没问题。什么叫军令状？保证书、军事保证书。完成任务奖赏；完不成任务，“咔嚓”杀头。

结果你们都知道，等到曹操的残兵败将到了华容道，关公一声炮响带领部队出来：“我奉丞相将令，在此等候多时！”曹操的部队已经溃不成军了，人困马乏，在泥泞中滚爬，根本不成其队形了。关羽要催动三军杀过去，可能就如话本小说中所写的一样，“如砍瓜切菜一般”。曹操这个“汉贼”啊，就手到擒来了。但是，关公这个人内心深处有一个毛病，他在诸葛亮那里夸口的时候是不知道的，一看到曹操以后，就突然冒出来了。曹操说：“你放我一马吧。我当年俘虏你的时候，待你不薄啊——上马一提金，下马一提银，三日一小宴，五日一大宴，还请皇帝封你一个官，叫‘汉寿亭侯’，也就是在寿亭那个地方，可以坐收捐税，拿干薪。”关公说：“你对我的恩义，我已经报答过你了。白马坡前斩颜良、诛文丑，我就给你立功了，我们两清了。”曹操说：“固然如此，但是有一件你没报答我，你溜走的时候，过五关，斩了我六名大将，当时好多人要去追你，我让他们不要追，这点你没报。”关公听了以后，长叹一声，因为他有个信条，有恩不报，就是“不义”。关公不能忍受人家说他“不义”，哪怕造成杀头的后果也无所谓。这就是关公灵魂深处的毛病，这个毛病，是他个性的核心，和曹操的多疑一样，在艺术上异曲同工。他觉得与其做个为刘备立功的不义之将，还不如做个光明磊落的义士，就长叹一声，马头一拨，曹操的残兵败将就赶快溜。溜了一半，关公有点后悔，“嗯”的一声，吓得那些人屁滚尿流，感到“糟糕了”。关公看那些家伙一个个那个样子，就算了，放走了。

这就是最上乘的情节虚构。为什么呢？第一，把这个人物打出了常规；第二，把人物内心深处的奥秘，连自己都不知道的，让它自己暴露出来，关公就是这样一个只讲义气、没有原则的人，明明知道回去以后要杀头的，也还是要这么干；第三，让他和自己的战友，发生心理的“错位”。回去诸葛亮假装发怒，要推出去斩了，但是刘备不同意了：我们当时桃园三结义，不能同时生，要同日死，你斩了他，我也难活了，算了算了。这是“错位”，而不是对立，不是冲突得不可开交，而是有拉开距离的一面，又有互相重合的一面。这才叫作“错位”。

话说回来，这个印证了“陈宫看曹操杀吕伯奢”情节的审美价值——虚构得好。

三、不疑的背后：智慧优越感

我们可以看到，《三国演义》的这个开头很精彩，以后对曹操性格的理解离不开这一点。当然，这个易中天先生也说了，曹操这个人是非常丰富、非常复杂的人。易中天讲了一段话，蛮对的，他说：“他可能是历史上性格最复杂、形象最多样的人。他聪明透顶，又愚不可及；奸诈狡猾，又坦率真诚；豁达大度，又疑神忌鬼；宽宏大量，又心胸狭窄。可以说是大家风范，小人嘴脸；英雄气派，儿女情怀；阎王脾气，菩萨心肠。看来，曹操有好几张脸，但又都长在他身上一点都不矛盾，这真是一个奇迹。”[①]但是他讲的是历史上的曹操，他没有分析到《三国演义》里的艺术创造——虚构的情节的审美价值比历史上的曹操要高级得多了。

审美形象是高级的、艺术的，它比日常的要高级，高在哪里？就是，历史虽然是丰富、复杂的，但是又可能是混沌的，交织着错综复杂的矛盾，其统一性却可能是被淹没了的。最明显的就是，就连易中天这样有学问的人都觉得，好几张脸长在曹操一个人脖子上，一点都不矛盾，简直是个奇迹。为什么一点都不矛盾呢？这一点光看历史是不清楚的。分析一下曹操的形象就不难看出其中的奥妙。几张脸好像不是一个人的，但恰恰又是一个人的。

不管曹操的心理多么复杂，但他又是单纯的，因为其间是有逻辑关联的。首先，作为个性的核心、起点，就是多疑（或者其衍生心理：奸诈）。他的多疑可以说是多方面的，但又是统一的，因而，从某种意义上，他又是相当单纯的。但是，不管多么单纯，也没有陷入单调、单薄。因为，他的性格当中还有不疑的成分，这就使得他个性的统一变成了深刻的统一。最明显的就是——他对刘备就不疑。其实，后来的事实证明，刘备是他身边最大的定时炸弹。早期刘备打仗败得落花流水，几度老婆孩子都被俘虏，没地方安身，一会儿投靠袁绍，一会儿投靠曹操。到了曹操手里，曹操知道他是个人物，把他养着，因为刘备是皇叔啊，可能他想做出一个胸怀宽广的样子。但是刘备有野心，他念念不忘的就是自己的血统，中山靖王之后，按辈分说还是皇帝的远房叔叔辈。这就是他时时夸耀的、最大的政治资本。他接受了傀儡皇帝的衣带诏，要把曹操给灭了。可他表面上，伪装成胸无大志、庸庸碌碌的样子。刘备装傻装得很成功，装成没有政治野心，成天在家里种菜、养花的人，麻痹曹操，让曹操对自己没有警惕，一警惕，杀掉他是小事一桩。有一次曹操把他请到家

① 易中天：《品三国》，上海文艺出版社2006年版，第20页。

里的园子里喝酒，“青梅煮酒论英雄”，曹操得意了：“你看，这个天下逐鹿问鼎的领袖，有哪几个是可以称为‘英雄’的啊？”刘备就说，袁绍是英雄。啊，不行。孙权是英雄。啊，也不行。吕布是英雄。那更差了。问来问去，那没有英雄啦？曹操说：“天下英雄，唯使君与操耳！”天下的英雄就是你跟我啊！刘备一听，吓到什么程度啊？他没有像《三国志平话》里那个孙权一样吓得“衣湿数重”，而是筷子掉在地上。曹操说：“怎么你筷子掉了？”刘备说：“刚才打了一声雷，我一吓，筷子掉地上了。”曹操就更放心了，这个家伙原来胆子那么小啊，英雄居然怕打雷的啊！更放松了警惕。后来呢，刘备就更装傻、装笨、装土，这个也是功夫啊！一个笨人要想装聪明是不容易的，一个聪明人要装笨更是困难啊。终于机会来了，有一路人马需要去攻打，刘备说：“派我去吧。”曹操这个多疑的人突然不疑了，给他五千兵马。命令一发出去，曹操身边的谋士程昱、郭嘉就说：“不行啊，当年早就叫你杀了他，你不杀，现在还给他兵马，去了肯定不回来了。”于是呢，赶快派五百人马去追。当然，刘备不会回来。谋士就跟曹操讲，这说明刘备心里有鬼。曹操怎么样？曹操觉得自己既然决意放他走，就只能是正确的，他不怀疑自己的才能，就说：“我既遣之，何可复悔？”所以说，曹操多疑的特点是深刻的，因为它和对自己才能的不疑是紧密相连的。虽然多疑，但是他对自己的计谋、自己的才能、自己的水平、自己的雄才大略是不疑的。

刚才讲到草船借箭，从诸葛亮那边说来，他的胜利是冒险主义的奇迹；从曹操这边说来，他的失败是什么原因呢？也跟他对自己的“不疑”有关。曹操说：“这个诸葛亮平时做事情非常谨慎，今天居然大举进攻，而且江上大雾，肯定这个家伙有诡计埋伏，我早就看穿了，不要迎敌，我们就用箭射死他。”其实他如果不是那么自信，不怀疑自己的判断，只要稍稍和身边的谋士商量商量，结果就大不一样。赤壁之战前夕，蒋干到周瑜那儿去睡了一觉，周瑜故意弄了一封假的信，暗示曹操水军的将领蔡瑁、张允跟周瑜有勾结。蒋干把这封信拿给曹操看，曹操没有怀疑，一下子把这两个人的脑袋砍了，等脑袋砍下来以后捧上来，终于醒悟，糟糕，上当了！他是不会承认错误的，他说：“二人怠慢军法，吾故斩之。”

曹操的多疑和不疑，是矛盾的，又是有机统一的，其中包含着相当精致的内在逻辑。他的多疑是疑别人，他的不疑是迷信自己，而且很顽固，不怀疑就不怀疑到底，就是错了也错到底。很明显，曹操这个人，其不疑的实质就是绝对相信自己，矛盾而统一，高度的统一。历史上的曹操是没有提供这样丰富的统一性的，也没有这样深邃的矛盾统一性。曹操跟刘备、跟孙权有极大的不同。在当时那个情况下，军阀混战，三个方面力量对比，本来悬殊是很大的，刘备、孙权力量是不如曹操的。《三国演义》里写刘备之所以像个丧家之犬一样被赶来赶去，最后能够成事儿，跑到蜀州去称王称霸，就是因为用对了一个人——

诸葛亮。而赤壁之战之所以能够胜利，就是一连串地用对了人，用对了计策。先是一个“苦肉计”——黄盖，后来是一个“连环计”——庞统，然后当然是有诸葛亮的借东风，还有其他的，等等。

《三国演义》是一部军事小说，专门写打仗的。可是你看它写打仗写得很奇怪，有些不可信。大致有两种打法：第一种，两军对垒，有的三千人马，有的五千人马，去打仗好像几千人马都不打，都站着看热闹，让两个大将去打。大将打赢了，“哄”一下几千人马就过去了；大将打输了，几千人马呼啦啦地就退回去了。这个事是很奇怪的，蛮好玩的，完全是个人的武功决定一切，是不是这样？这种情况，我也不知道是怎么一回事，可能《三国演义》受了舞台戏曲的影响吧。第二种打法呢，全要靠计谋。不管兵力多么悬殊，完全看谁的计谋高，用对一个妙计就能打赢。把你粮草一断，你就完蛋；一个计谋失策，我就完蛋。所以我觉得《三国演义》显示了我们中国知识分子的一种观念，叫什么啊？“人才决定论”。小兵打仗没有用，会打仗的大将、会出主意的谋士，有了这样的人才就行了，三千人马、五千人马无所谓，八十万人马渡江，计谋上有失误，也还是全盘皆输。这里讲究的不是一般的才能，而是奇才，不是一般人才决定，而是“奇才决定论”，一般人没用。什么叫作“奇才”？他有奇谋。有时一个人物，就是一个奇谋，就决定了战争的胜负。哪怕此人后来就不见了，可是这个人物还是很突出，如徐庶、庞统。这里可以归纳出这样一条：叫“奇谋决定论”，人才决定一切，奇谋决定胜负。

曹操手下的人马是很强的，武将一大堆，谋士水平很高的有三个，荀彧、程昱，还有一个郭嘉，这三个人是很有本事的，有洞察力，有预见，往往比曹操强。刘备那边有诸葛亮，孙权那边有周瑜、鲁肃，相比起来，曹操这边的谋士还比较多一点。但是孙权和刘备跟他们谋士的关系，跟曹操和荀彧、程昱还有郭嘉的关系是不一样的。刘备对诸葛亮“以师视之”，把诸葛亮当老师，什么都听诸葛亮的，他自认不如，甚至于他临死之前跟诸葛亮讲，“我这个儿子不行，你能辅佐就辅佐，不能辅佐就‘取而代之’”，这样的军阀、领导人是很少的。孙权呢，他用周瑜，他肯定不会想：我比他本事大。他的哥哥孙策，和周瑜一起攻克了皖城，战利品中有两个美女，要是曹操肯定是把她们送到铜雀台上去一人独享。而孙家的传统不是这样的，孙策把周瑜当成自己的兄弟，有了美女，大乔、小乔，一人一个。（大笑声）《三国演义》上说：“瑜曰：‘大乔是孙伯符将军主妇，小乔乃瑜之妻也。’”曹操呢，不一样，曹操对待谋士，是非常爱才的，一听说这个人有才能，就千方百计把他弄来。特别是徐庶，原来是刘备的人，曹操说这人很行，弄到手就最好了。有人说，这个徐庶是个孝子，你把他的老母亲绑架来。当然，徐庶被骗来了，人家很生气，就来个“徐庶进曹营——一言不发”。这说明曹操爱才到不择手段、不讲信义，甚至不考虑后果的程度。又譬如说关公，这是个人才啊。关公投降的时候有个条件："我现在找不到我老哥了，我就投降你，如果发现老哥刘备出现了，我还要去找他的。"对人家这样不可靠的承诺，曹操居然就这样答应下来了。这很是宽厚啊，是吧？就是后来看出他要溜号了。大家说你不要让他立功啊，立功了他就要溜的啊。曹操还是让关公立功，曹操可能很自信：我这样尊重关公，关公还不感动吗？这里有曹操的自信啊，他迷信自己啊。可关公不给他面子，不为所动，还是溜，溜了一关又一关。报到他曹操那里，结果他说："人家去志已坚，各为其主，不要为难人家。"他这样讲了，他底下的部队还在挡着，还卡在那个地方，曹操就干脆发了一道文书，一个红头文件，"让他走"。

他对人才是这么尊重的一个人啊。可是啊，虽然如此，他跟刘备还是不一样——他不会把他底下的人才当老师。他总是觉得：我是你们的领袖，我这领袖的资格不是由于我的权力，而是由于我的智慧、我的远见、我的谋略，高于你们，高出一个档次。他有一种优越感，这种优越感和刘备是不同的。刘备是典型的血统论，血统优越感。有了这个优越感，他就甘愿承认智慧不如诸葛亮。而曹操的优越，当然在行政权力，但是，他的兴奋点不在这方面，而在智慧方面。他最大的优越感，在智慧方面，能不能把它叫作"智慧优越感"？我看是可以的。他的这种优越感有时膨胀到非常可笑的程度，不但表现在胜利的时候，就是失败了，全军覆没，一败涂地，他还优越！到了华容道，两面高山啊，路很狭窄啊，残兵败将，都累得走路都走不动，人困马乏，泥泞里翻滚啊，真是个惨败啊，连老命能否保住，也是很难说的啊！可他却突然哈哈大笑起来，他笑什么啊？他说："我笑诸葛亮用兵还是不行啊！如果是我的话，在这埋伏一支部队，我不是当俘虏了吗？"当然，他的笑，也就是几分钟，最多是五分钟吧。（听众笑）曹操在任何时候，都不缺乏一种智慧自豪感，就是惨败了，他的军事智慧也比诸葛亮强，比你们就不用说了。他的自信和多疑是合二而一的，他自信到什么程度啊？自信到执迷不悟的程度，连环计献上来以后，他的谋士说："不行啊，你把船连在一起，人家火攻怎么办？"他哈哈大笑，火攻怎么可能？现在这是冬天，只有西北风，没有东南风，它火攻只能烧到他自己，烧不到我，很自信到能够自圆其说的程度。他当然料不到诸葛亮会借东风。当然，我们也料不到。（听众笑）

曹操多疑的，往往是别人的智慧，而不疑、自信的是自己的智慧，他绝对不怀疑自己，更不会怀疑自己多疑的正确性。曹操对自己的多疑和不疑，都很迷信。他总以为自己的见解高人一等。别人不疑，他多疑，是高人一等；别人怀疑了，他有把握，也是高人一等。他那种笑，说明什么呢？他的智慧优越感、智慧权威感，是他的生命，他必须让自己深刻感觉自己永远在众人之上。就是在败得很惨、老命都丢掉半条的时候，如果有那么一点小地方，让他感到自己的才能胜过对方，也比自己的部下高出一等，他就会把失败不当一回事，反而乐不可支。类似的事，不止一次地发生。曹操的笑，内涵是十分复杂的。以华容道的笑为例，既有自己比对方强上一点点的自豪，又有为了鼓舞士气高瞻远瞩的做作，可能还有黄连树下弹琴——苦中作乐的意味。就像谚语所说，断了脖子的鸭子，嘴巴还是硬的。这么复杂的笑，亏得罗贯中写得出来。我小时候，听评书听说，说书人学曹操的笑，很难，一般的三个月都不一定能到位。这可能是真的。

曹操的自我感觉太良好了，他自觉不但是一个领袖，是一个军事统帅，而且文笔上，很有文采，引以为豪。你们看赤壁之战前夕，有没有感到奇怪？要打仗了，曹操日理万机，可是他居然抽空干了一件什么事啊？跑到江面上去吟诗——“横槊赋诗”。这不是有点混吗！打仗，那时是冷兵器交接，白刀子进，红刀子出。去赋诗什么用啊！曹操的自豪感，智慧的自豪感、智慧的优越感，还不够，还要加上一感，叫作“文采优越感”，加上这一感，优越感就不一般了，这个优越感才完整。曹操想：我不但会打仗，我的诗也很棒呢。文韬武略，雄才大略，我哪一样不行啊！所以跑到江面上，“对酒当歌，人生几何？譬如朝露，去日苦多”。大唱一番，那诗真是很精彩。在那个时代，早是五言诗的天下了，四言诗早被人忘掉了，他居然用四言诗的形式写了一首千古绝唱。这是曹操对自己的才能的自负和自迷，和他的多疑，构成了性格深层的张力。

曹操迷信自己的才能，必然认定他的部下，或者敌人，不如他，因而，他的智慧优越感有时对即使十分讨厌的人也能比较宽容。其中就有一个祢衡，对曹操非常不礼貌，光着膀子——还光着屁股！（听众大笑）这是真的，在大庭广众之间，全身脱光。“裸体而立，浑身尽露。坐客皆掩面。衡乃徐徐着裤”，就摆这么个架势——“击鼓骂曹”。曹操也没有杀他，把他送到黄祖那里去，让那个大草包把他杀了。但是，这可能不是全部理由。可能还有一点，因为曹操觉得，这个祢衡在智慧上不是自己的对手，不足以让他发火。有时，他的宽厚到令人惊讶的程度。有个人在他的敌人（袁绍）阵营里写檄文骂他，后来被抓住了，曹操也没杀他。这就是陈琳。陈琳不但骂曹操，还骂到他的先人那里去了，说他先人是当太监的，也就是没有生殖能力的。曹操说：“你怎么搞的？你骂我就骂我了，骂我先人干什么啊？”可也没有杀陈琳。这是为什么？可能还是因为这个陈琳，虽然也是建安七子之一，是没有多少政治智慧的人物。可怜得很，和自己没有什么可比性，与其大开杀戒，不如把他放在一边，以显示我的宽宏大量。这也是智慧自信啊！这也是政治智慧高出一筹的证明啊！

但是曹操这个人性格是非常多变的，有的时候他又很疯狂地杀文人。有一个名人——“孔融让梨”的主角，长大了命运不好，性子比较直。曹操南下打孙权和刘备的时候，孔融讲了个老实话，不要打，打不赢的，要失败。曹操不听他的。孔融背后又发了一个议论：

“以至不仁伐至仁，安得不败乎！”这是背后发的牢骚啊！有人打了小报告，曹操二话不讲，“杀头”，非常随意性地就杀人了。如果他一贯这样的话，他何必让祢衡来骂呢？何必再让陈琳再活下去呢？在他自信自己文韬武略、智慧文采、“冠甲天下”的时候，他随便你骂，他真的要做一件事情，对做这件事，他自信得有点糊涂的时候，你知识分子再来说三道四，他杀了你拉倒。哪怕是杀错了，也无所谓。要杀就杀到底，连孔融七八岁的两个孩子都斩草除根。你碰了他的自信心，他就变得凶残了。为了维护他的权威，绝对正确，一句顶一万句，句句是真理。

最能说明问题的，是杨修的事。曹操不喜欢部下在智慧上超越他。他也妒忌，他和周瑜不一样，周瑜不妒忌自己的部下，只妒忌眼前的盟友，将来可能成为敌人的人，而曹操容不得智慧比他强的部下。在曹操的阵营里，思维最敏捷的就是杨修。曹操每有所暗示，往往都是被杨修猜出来。曹操是很恼火的。但是表面上不发作，“曹虽称美，心甚忌之”，“操虽言笑，而心恶之”。一连两个“愈恶之”。有一个故事的原始素材是在《世说新语》上的，原意是：他和杨修从一个碑背上见题着“黄绢幼妇外孙齑臼”八字，他问杨修说：“你懂吗？”杨修说：“我懂了。”他说：“你可别讲，让我想想。”走了三十里，他才想出来。让杨修另外记在纸上，原来两个人一样。杨修说：“‘黄绢’，色丝也，于字为‘绝’；‘幼妇’，少女也，于字为‘妙’；‘外孙’，女子也，于字为‘好’；‘齑臼’，受辛也，于字为‘辞’，就是‘绝妙好辞’也。”曹操就叹气：“我才不及你，差你三十里。”罗贯中把曹操也猜中了取消，让他在杨修说出来之后，含糊其词地说“正合孤意”。一些评点家就说，他根本没有猜出来。要不然，他为什么不像周瑜和诸葛亮那样把“火”字写在手心里呢？罗贯中艺术家的魄力还表现在，又加上了一些后续的情节，曹操打仗，打得上不上、下不下，就考虑退兵。有人问夜间口令，曹操随口说了“鸡肋”，杨修就知道曹操要退兵了，让人们打点回家。人问为什么？杨修说，鸡肋，“食之无肉，弃之可惜”。这事让曹操知道了就“愈恶之”了。曹操的智慧优越感、智慧权威感，屡屡受到杨修的打击。终于把杨修杀了。这是罗贯中对曹操这一性格逻辑的勇敢推演。其实，在历史上，杨修之死，是因介入了曹操接班人的斗争，他支持曹植，失败了，被曹操处死。一年以后，曹操也死了，曹植的对手曹丕当了皇帝。《续后汉书》上说，就是曹操不处死他，曹丕即位，他也是老命不保。但是，艺术上的曹操，比之历史上的奸雄，要可爱得多、好玩得多。当然，就是光从历史上来说，曹操这样的心态，也是一个缺点，一个局限性。所以在唐太宗那样心胸宽广的伟大人物看来，曹操这个人，虽然有些本事，但是，缺乏当皇帝的才能和心胸。唐太宗在经过邺时，为文祭曹操曰：“临危制变，料敌设奇，一将之智有余，万乘之才不足。”[①]这样的人

① （宋）司马光：《资治通鉴 · 唐纪十三》，，甘肃民族出版社 1998 年版，第 2737 页。

物，作为一个将军，绰绰有余，可当皇帝，万乘之君，囊括天下之人才，以为己用，这样的胸襟，曹操还差得很远。

艺术上的曹操，非常复杂只是其一，非常统一，统一在多疑与不疑、爱才与智慧优越感的矛盾之中。历史上的曹操，就没有艺术上的心理这么有机。当然，这可能只是曹操心理“常态”的一条主线，围绕着这条主线的曹操还有多侧面的心理“变态”。其丰富多彩就令人眼花缭乱了。往往是，他刚做了一件非常慷慨激昂、光明磊落的事，马上又做了一件阴险毒辣的事；他刚做了一件雍容大度的事，不久就做了一件心胸狭隘的事；他刚做了一件非常叫人肃然起敬的事，马上又做了一件让人“恨得人牙咬得痒痒的”的事。他有时是和蔼可亲的，有时是极其可怕凶残的。他是一个野蛮的家伙，但他讲仁政的时候，也不完全是假的。当他做出爱民的样子时候，他是非常认真的；当他残忍起来，是非常野蛮的。有一次他父亲要到他那儿去，半路上被一个县的强盗杀掉了，曹操就打过去，要把这个县的人，不管是谁，统统杀光。他有的时候又非常“爱民”，爱民到什么程度啊？他颁布纪律，说军马不能踩老百姓的麦子，踩了麦子要怎么办？要杀头。结果呢，他自己的马不知道发了什么神经，跑到麦田里去了，他居然跑到“纪委书记”那儿去说，请以军法从事。谁敢杀他啊？骗鬼的事，亏他做得出。有时候，他非常讲究信义，有时，又公然践踏信义。

曹操的个性固然有着规律性逻辑，但是，也有许多不一定合乎逻辑的东西，具有某种令人捉摸不定的随意性。他有时是和蔼可亲的大人物，有时又是恐怖的（吉平骂他，先打昏后令割其舌），有时又是公然不讲信义的（杀弱者，如刘琮投降时，答应永守荆州，结果让他到青州为吏，路上又差人把他母子杀了），有时是宽容的（不杀起草骂他祖宗三代的陈琳），有时又是心胸狭隘的（杀杨修），有时是可笑的（长坂坡被张飞大喊大叫吓得退兵），然而有时又是可怜的（明明权倾天下，把皇帝当成傀儡，当成招牌，当成玩具，但是，他就不称帝，很怕在历史上留下篡位的骂名。想学周朝的文王，作为臣子，不担造反夺权的骂名，让他的儿子周武王去消灭暴虐的皇帝。等到他儿子把傀儡皇帝扫地出门了，他就是文王，他儿子就是武王，却不料曹操死了以后，他儿子曹丕却尊他为魏武帝，自己当魏文帝。曹操真是白操心），有时甚至是可敬的（放了关公成全了陈宫，养其父母）、可叹的（华容道上的大笑以为自己的才气胜过诸葛亮，就忘记了大败），有时简直是可杀的（借一管粮的小官的头来保守军事秘密）。在汉语中，以“可”为首的双音词组，是很丰富的，除了上面已经提到的以外，还有可悲、可鄙、可怖、可贵、可欺、可气、可惜、可喜、可憎、可疑、可歌可泣、可杀可剐等等，把这些都加起来，都不能穷尽曹操性格的全部丰富复杂内涵，不是一个“可爱的”所能概括周全的。而《三国演义》的曹操形象的伟大，就伟大在这里。

四、中国传奇的权欲和西方传奇的性欲

《三国演义》在中国小说史上在权力欲的人性刻画上达到了当时辉煌的顶点。而在孙权、刘备、诸葛亮、司马懿身上，权力欲对人的歪曲方面，没有一个能像曹操这样，达到这样丰富和复杂，达到这样高度的艺术完整性。当然，稍后的《水浒传》中的宋江，可能有可比之处。这个人物也是很复杂的，作为一个县级基层官员，他一直支持、包庇朋友上梁山，可是他自己就是不上梁山。后来受了连累，甚至被绑上杀场，差一点丢了脑袋，幸亏被众好汉救了出来，再退缩没有任何理由，加上当时的形势大好，对他的个人崇拜的声势更大，“三山聚义打青州，众虎同心归水泊”。一路上浩浩荡荡，可谓是义无反顾了。可是走到半路上，他又开溜了。他的动摇性和他策略上的远见性，他的仗义疏财的理想光辉和他的反复用送钱解决一切问题的狭隘性，形成多元的矛盾，有时，简直是不可思议。如，他一方面不亲女色，另一方面，他又包二奶。（听众大笑）可是，在权力欲的深度上，特别是，在传奇性和平民性的多元交织上，远远不如曹操。要知道，《三国演义》是中国第一部长篇小说，产生于元末明初，最迟是15世纪左右，居然达到这样高的艺术水准，实在是令人惊叹。就是拿到世界文学史上去看，《三国演义》在莎士比亚以前，莎士比亚的创作高潮在1600年前后，是16、17世纪之交。与莎士比亚差不多同时，西方的小说最有名的是《十日谈》，全部是短篇，人物的精神线索很单纯，只有一条线索，就是男女之爱。与《三国演义》差不多同时，欧洲文学史上，只有骑士小说，虽然也有长篇，而且风行一时，但是，却没有经典。不外是重复着一条主要线索，就是情爱，为女人献身才高贵。这些小说，写的是很公式化、概念化的，塞万提斯在《堂吉诃德》这样批评过它们的“千篇一律”“荒诞不经”“胡说八道”：

> 我实在觉得所谓骑士小说对国家是有害的……因为千篇一律，没多大出入……都荒诞不经，只供消遣，对身心没有好处，和那种既有趣又有益的故事大不相同。尽管这种书的宗旨是解闷消闲，可是连篇的胡说八道，我不懂能有什么趣味。人要从实际或想象的事物上看到或体味到完美、和谐，才会心赏神怡。[①]

可以这样说，我国的传奇，以《三国演义》为代表，把丰富复杂的人心以权力欲为焦点，集中起来，真正达到了塞万提斯所向往的“完美、和谐”“心赏神怡”；而西方小说，则是以情欲为焦点，但是，至少在15世纪，还没有达到《三国演义》的丰富和深邃。值得

① ［西］塞万提斯：《堂吉诃德》，杨绛译，人民文学出版社2013年版，第440页。

注意的是，离开了情爱线索，那时候的西方人，可能就不知道小说怎么写了。当然，后来比《三国演义》晚了两个世纪左右，西方出现了《堂吉诃德》，也没有脱离情爱线索。大概可以得出这样一个看法：西方传奇小说的结构原则就是情爱一元化、一体化的原则，而我们的《三国演义》则恰恰相反，当然，不是爱情多元化的原则。（听众大笑）爱情就不能多元，是吧？我们在《三国演义》那个时代，有点禁欲，并不禁食欲，而只禁情欲。我们离开情爱，玩别的多元，花样翻新，是吧！（听众大笑）《三国演义》就是离开了情欲去搞权欲，同样开拓出无限广阔的精神空间，创造了艺术奇迹。你看在“三顾茅庐”中，刘备请诸葛亮出山。主动登门，从新野跑到南阳，几百里，诸葛亮庄上，什么人没有见到啊！弟弟啊、丈人啊、朋友啊、家童啊，连周围的农夫啊，都见到了，可就不见诸葛亮的太太。没有情欲线索，一样能写出震撼人心的艺术来。为什么要“三顾”？因为实现政治权欲，需要这个超人的天才。如此礼贤下士，可还是反复找不到孔明，一个个又都像孔明，被误认为是孔明，这是一种手法，从自然环境和舆论环境，来渲染孔明的超脱权欲，这种氛围越是强调，刘备为权欲而来的目的越是难以达到，情节的悬念就越强。诸葛亮的环境越来越明确地显示，刘备的权欲心与诸葛亮的隐居心是冲突的。这与其说是情节，不如说是情景的连锁，也就是环境的转移，阻碍诸葛亮出山的氛围越来越浓，而刘备的虔诚随之同步积累，又越来越显示出孔明可能的转化。这里有多少戏啊，多精彩啊！在当时的西方人看来，不让诸葛亮太太出场，小说可能没有法儿写。设身处地想想，诸葛亮答应刘备出山，参加他的军事集团，一去几十年，是不是要和太太商量一下呢？是不是有点难舍难分呢？是不是要缠绵一番呢？（笑声）这些在骑士小说作家看来，不写这些，拿什么去吸引读者呢？没有情欲，他们可能就没有招儿了。而《三国演义》却不屑一顾，丢开这些情欲一元化，想象的空间大得很哪，那才叫作多元化呢！（大笑、鼓掌）不是有个电影吗？叫作什么？《战争让女人走开》！（听众大笑）我们的传奇美学是，为权力欲而奋斗的英雄才是英雄，没有性欲才是英雄，有了性欲就不是英雄了。曹操、关公、孙权、赵云、张飞，都是超越了爱情的一元化思路，开拓出多元的英雄的精神境界的。《三国演义》的美学，就是没有女人的美学。这不是说，《三国演义》无视女人的存在，相反，它是承认了女人在做出决策时候的重大作用的。曹操跟袁绍打仗，打到一定程度的时候，坏了，没有粮食了，部队里头要都知道了，军无斗志，都要饿死了，还打个什么劲啊！曹操就叫那个管军粮的人，叫王垕，“我教你一个办法：发粮食时你把那个斗啊，弄小一点，搞个小号的，搞点短斤少两”。后来部队就闹起来了，“怎么搞的，粮食为啥克扣啊，肯定是部队粮食不够了”。曹操又把王垕叫来，“你来，我跟你商量个事儿”。王垕说：“什么事啊？”“你借我个东西。”王垕说：“什么东西？”“把脑袋借给我。”“脑袋要来干吗？”“你把脑袋砍下来，我明天号令示众，说‘这个粮食克扣，都是王垕搞的。我把他就地正法了，我们的粮食很多’。你脑袋虽然掉了，你放心，你的老婆、孩子，你的父母亲，我好好地奉养他们，给他们非常高的物质待遇。”王垕为什么同意把脑袋借给曹操呢？因为老婆有保障了。可见，老婆在他心目中比脑袋还重要一点。但是，《三国演义》作者正面突出的事，不是老婆死了丈夫的痛楚，而是，曹操把军心给稳定了，仗也打赢了。这就是曹操为权欲服务的权术，他的政治观就是这样的，只要能达到目的，什么坏事都可以干。让西方骑士小说家来写，可能就要给他老婆一个场面了，一点缠绵了。

我们的传奇英雄是无性的。不仅《三国演义》《水浒传》如此，《西游记》更是如此。但是，艺术形象不是也一样不朽吗？这方面，很有些好玩的东西。以后看《笑眼看中国古典小说：美女难逃英雄关》，你们就知道了。

那么，这里又看出来，从世界文学史上来说，把人的政治权力欲刻画得这么丰富、这么复杂、这么深邃、这么伟大，充分表现了我们的民族独创，几百年来，代代相传，得到不同时代读者认同，得到韩国、日本和越南的读者欣赏，我们岂可以小觑啊！应该充分研究它的伟大成就。这一点，从阅读实践来说，大家都为曹操这个形象激动，这是没有疑问的。可是要从理论上阐释清楚就不那么容易。因为大凡理论常常有两种倾向，一种是把我们的阅读快感加以澄明，一种是把我们的阅读快感加以摧毁。有同学在底下嘀咕了，有这样的事吗？有。有太多这样的理论，读起来很难懂，折磨你，学到手了，你可别指望它有多少用处。以鲁迅之伟大，也未能免俗。在他的小说史里，有时澄明，有时摧毁。摧毁阅读快感的例子很多。如他认为《三国演义》艺术水平不高。我们开头提到过，他说诸葛亮的形象“多智而近妖”，又说刘备的形象“长厚而似伪”。当然，鲁迅没有点到曹操，好像没有正面地说。但是，他在《中国小说的历史的变迁》第六讲《清小说之四派及其末流》中这样说：

> 至于说到《红楼梦》的价值，可是在中国的小说中实在是不可多得的……和从前的小说叙好人完全是好，坏人完全是坏的，大不相同……总之自有《红楼梦》出来以后，传统的思想和写法都打破了。[①]

其实，这种说法是不够准确的，在《三国演义》中的曹操，并不属于“好人完全是好，坏人完全是坏的”，而是又好又坏，亦善亦恶，又美又丑，集智慧、权术、意志、情感、文采多元价值交融的无限丰富的矛盾的统一体。把人性中的权欲、野心的邪恶、民本的善良、自负、自信、政客的多疑猜忌、智慧和愚昧、伟大和渺小，凝聚在一个形象之中。作者虚构、想象、概括之多元错综，比西方差不多同时的经典名著《十日谈》，那种单色的人

①《鲁迅全集（第九卷）》，人民文学出版社2005年版，第348页。

物，一味拘守单线情节，不可同日而语。就是比起晚出两个世纪的《堂吉诃德》在人物的深邃性方面至少也是各有千秋，在线索多元和价值复合交融上，可能还要略胜一筹。中国小说出现了这个多元的、多条线索结构起来的人物，实在应该是我们民族的骄傲，是不应该加以任意性的轻薄的。易中天这样的智者，过分强调了历史，就免不了忘记了艺术。有的时候，讲话也不免走火，他太推崇《三国志》了，对《三国演义》有时憋不住要调侃一下。有时，用语就不免有点轻薄了。譬如说，“舌战群儒”，诸葛亮到江东去说服周瑜、鲁肃以及孙权等等这些人联合起来对付曹操。这是一场不亚于赤壁之战的心灵大战啊！周瑜呢，是孙权最器重的将领，在鄱阳湖练兵回来，那些武官来找他说：“不行啊，那些文官要我们投降啊，这怎么行呢！”周瑜说：“你们讲得对，我自有道理。”然后文官也来了，说：“现在不能打啊，一打就输啊，自取灭亡啊！”周瑜说：“你们讲得对，我自有安排。”这表现周瑜不但是军事家，胸中自有雄兵百万，而且也善于驾驭两派干部心理。心里是有数的，但是，表面上两面不马上得罪，深藏不露，不到时候不出手。然后由诸葛亮来说服周瑜，由诸葛亮来反照孙权、鲁肃、周瑜几个人的心理的多元化的“错位”，打破常规后的心理潜在的奥秘，心灵电波纵横交错。这是一曲心灵错位的交响乐啊！但是呢，由于是虚构的，仅仅从历史学家求真的眼光来看，就觉得很可笑。易中天说，诸葛亮“智激周瑜”，“是一场滑稽戏”。周瑜、诸葛亮、鲁肃“三个人形象都不好”。“鲁肃迂腐迟钝到可笑的程度，周瑜和诸葛亮一个装腔作势，一个阴阳怪气。”①我觉得，只用历史学家的一只眼睛看，是不够的，从另外一只眼来看看，它让我们看到了人的灵魂的错位啊，因此它才是不朽的啊，我的朋友！

所以说，我们既要有易中天那种科学的、追求真的精神，又要有于丹女士追求善的人格理想，但满足于这些，就很可怕了！人没有感情了，既不爱家乡，也不爱祖国；既不爱父母，也不爱老婆，一个个都变成没有感情的机器人，这种机器人不但猪八戒做不到，连孔夫子都做不到。所以说，要理解人，要理解人的内心。我们毕业出去，就是进入一个群体，一个团队。如果群体里面，都是机器人倒也好了，可惜只要是人，就没有像一个机器人那样正常的，一个个都是和你不一样的人，有点不正常，有点让人感到奇怪的人。我看过一本美国的关于人际交流的书，第一章就是，当你交流时，得有个自觉，你的对象，不管是父亲、母亲、老婆、孩子，还是你的同事，还是你上司，一个个毫无例外，人心不同，各如其面。有一本美国的成功学的书认为，一个人的成功，百分之三十取决于他的才智和能耐，百分之七十取决于他的人际沟通能力，这叫 communication。交流之难在于你周围的人，都是和你不一样的，有点怪的人。要知道，人类就是一种怪怪的动物，一个人一辈子

① 易中天：《品三国》，上海文艺出版社 2005 年版，第 207 页。

如果没有遇到几个怪人，就不太像人了。生活中，真是充满了怪人，和曹操一样的，或是比曹操还要怪的人。最重要的并不完全是你个人的操作啊、发明啊、管理啊等等的，而是和怪人交流，和怪人打成一片，达到见怪不怪、水乳交融、怪怪相怜的程度。毛泽东说过，知识分子如果不和工农民众相结合，则将一事无成。能不能稍稍修改一下，大学生不和群体中的怪人协作，打成一片，将一事无成。一事无成的大学毕业生，就是大学里的次品。

我们学理科的、工科的同学，将来你们要有出息，不要满足做电脑的操作匠，或者做一个机器人的制造者——要做更有出息的人，做领导人、企业家，甚至于政治家、省委书记、中央常委，或者是国家主席。可能需要超越曹操的本事，这就要懂得点艺术，要懂得人。再说一次，人是一种怪怪的动物，曹操就是一怪。曹操摆在你面前，你都看不懂。人家罗贯中几百年前就洞若观火了。只用一只历史学家的眼睛看曹操，是不够的，还要用艺术家的眼睛看他，才可能让你的心灵升华，上升到一个崭新的档次。这就是我的结论。

谢谢大家了。

（录音整理：胡秀娟、游奇伟；统稿：李福建）

第三辑　演说《水浒传》

青眼看宋江，法眼看武松：人性、神性和匪性

武松无疑是一个英雄，一提起这个名字，我们脑子里就呈现一个非常高大的形象，可以说是某种民族精神的标志。而对宋江则有争论，是英雄还是狗熊，有不同意见。但武松是非常崇拜宋大哥的。不只武松，《水浒传》里所有的英雄都毫无例外地崇拜宋江，这是怎么回事？如果宋江不是英雄，而是狗熊，那武松崇拜他什么呢？是不是臭味相投，两个英雄都值得怀疑呢？

一、仗义疏财的内在矛盾

武松为什么是英雄？首先因为他参加了反对贪官污吏的武装集团，这个集团一般被认为是农民起义的集团。讲农民起义，讲了几十年，我在 20 世纪 50 年代念大学的时候就讲了。可是仔细推敲一下，水泊梁山里的头领有没有一个是真正的农民呢？据我了解，没有。领导集团里肯定没有农民，第一把手宋江是山东郓城县的押司。押司是什么呢？顾名思义，政府文书的管理签署者，可能相当于县委办公室的主任。第二把手卢俊义，他是北京城的员外，很有权势很有钱的一个大财主。军师吴用好像跟农村有联系，但是他是农村小学校的老师，所以不能说他是农民。至于其他的一些领袖，如林冲，原来是京城八十万禁军的教头，相当于我们国家军事学院的教务长，相当高级的一个军官。青面兽杨志也是军官，大刀关胜、霹雳火秦明、双枪将呼延灼都是军官，级别还相当高。当然，他们当中也有些出身中下层的，比如李逵、白胜、阮小二、阮小七、阮小五等，这些人都是来自下层社会的。李逵是贫农出身，但是这个家伙早就脱离了土地，混到城里面以后，到一个劳改农场

去当了一个看管。白胜是什么身份呢？好像没有什么正常的职业，有点接近二流子。阮小二、阮小五、阮小七是渔民，阮小二娶了老婆，因此比较安分，阮小五比较好赌，不爱劳动，也不能算是纯粹的劳动者。唯一比较像农村劳动人民的是谁呢？是两个猎户，叫解珍、解宝，这两个人射中了一头老虎，老虎滚到一个地主庄园去了，地主毛太公把这个老虎贪污了，不但贪污了，还闹了一场官司，把他们两个抓起来了。这两兄弟最接近农民了，但是，也还不能算是标准的农民。

从这个意义上来讲，参加水泊梁山军事斗争的这些人，真正意义上的农民是没有的。最多是些有一点接近农村游民，大量的是脱离了农村土地的游民。用马克思主义的理论来说，这些人属于流氓无产阶级。

当然，凭这一点就判定他们不是农民起义，这有理论上的漏洞。为什么呢？根据经典理论，判定一个集团是不是农民起义，不能完全看领导集团和参加的人是不是农民，而要看施行的政策是不是对农民有利，能不能代表农民的理想。从理想意义上来说呢，好像有一点，但是这样笼统地说，也有一点儿危险。《水浒传》核心指导思想是什么呢？就是“义”，所以有“聚义厅”。通过这个“聚义厅”的“义”达到替天行道的目的。什么叫“义”呢？这很难下一个定义，因为《水浒传》讲“义”，和《三国演义》有点相通，《三国演义》，“桃园三结义”，好像都讲“义”。但是《三国演义》的“义”和《水浒传》的“义”根本上是不相同的。《三国演义》的“义”是从属于刘家王朝正统，刘关张三结义是为了打败篡夺汉室正统王位的曹操，而《水浒传》的“义”实际上是讲一种平等的观念，大家上了梁山以后，都是兄弟，“八方共域，异姓一家”，以兄弟相称，表示血缘关系。中国古代是宗法社会，最为可靠的人际关系就是血缘关系。国民党最初在党内称同志，共产党把自己的追随者也叫同志，强调思想的认同。但是，那时血缘关系，比思想认同要紧密多了。素不相识的人，来自五湖四海，只要到达这里，就像亲骨肉一样平等。那为什么要这样一个平等的社会呢？因为社会上不平等、不义。社会上为什么不义呢？因为社会上有等级，经济地位、政治权利不一样，行政权力和经济手段不平等，因而产生了很多不义的事情。要让社会“义”，就要取消不平，这是很困难的，因为是法律规定的，再加上，贪官污吏在法制以外迫害老百姓。那怎么办呢？只有一个办法，就是让一种特别有力量勇敢的人，路见不平，拔刀相助，用个人的、强大的暴力，用生命去帮你拼。所以才有一个英雄叫作拼命三郎石秀。这很有象征性。能够路见不平、拔刀拼命的，就叫“义士”。这个“义”不但充满平等的社会理想，还渗透着人格理想，这个“义”在《水浒传》中充满了反抗意识。但是，为“义”拼命的英雄在《水浒传》中并不是最高的义士，最高的义士是谁？最高的权威是谁？宋江。他有没有路见不平、拔刀相助的能力呢？没有，这个家伙根本不会打架。可所有的拔刀拼命的义士，见了他，莫不“纳头便拜”。他为什么受到这种无条件的崇拜？不管是强盗、土匪、英雄、豪杰，一听到宋江的名字，就磕头，为什么？他有一个品格，叫仗义疏财。只要一看到你有困难，不管认识不认识，马上就拿二两银子、十两金子给你，请你“笑纳”。这就代表了另外一种理想。这个社会太坏，弱者为什么老是受欺侮？就是因为弱者没钱。梁山泊劫富济贫，进行大规模的军事集团的斗争，一般的小百姓，都是孤单的，等不到你梁山部队开过来，都饿死了。而宋江的绰号叫作“及时雨”，因为那个大规模的雨，不及时。及时，就是一旦有需要，有钱的人马上主动奉献，我钱太多了，请你收下，你一定要笑纳。这样就有了两种义士。第一种是路见不平、拔刀相助的义士，也就是《水浒传》电视剧里面说的“路见不平一声吼，该出手时就出手”的这样一种人，为了他人，哪怕是不认识的，甘冒生命危险。当然，不一定都要用刀，也包括你被通缉了，我立刻通风报信，把自己的身家性命都搭进去，在所不惜。第二种就是仗义疏财，人人都拼命聚财，我则拼命散财，主动用钱来填平社会的不平。在这两种义士里面，哪一个更难得呢？最高的义士，是什么人呢？是仗义疏财的。如果有钱的人都能够像宋江一样，把钱主动送出来，这个社会就平等了。这其实就是农民起义的理想，和宋江差不多同时代的农民领袖王小波，就提出过“均贫富”的口号，但，那是要用流血的办法，打很多的仗，才能实现太平天国正式颁布的《天朝田亩制度》：“无处不均匀，无人不饱暖。”这样的理想，当然是空想。全世界有这样理想的人挺多的。直到19世纪，俄国还有一个伟大的文学家够得上宋江的水平，谁呢？托尔斯泰。他说：“农奴这样惨就是因为地主占有了土地，我是贵族，我有这么多土地，又有这么多农奴，我太惭愧了，我要把土地送给农奴，他们就解放了。”可他老婆不同意，吵得一塌糊涂，托尔斯泰八十多岁时，从家里出走死在了火车站。他老婆也不是坏老婆，是好老婆，很有文化的，老婆说：“你又不会劳动，把土地送出去，这一大家子，吃喝排场，还有儿子女儿怎么养？这一大帮人怎么过？”宋江比较幸运，没有正式结婚，没有老婆，没有人管他，就可以把钱不断地送出去。但还是产生一个问题，你的钱是从哪里来的？一个县政府办公室主任，你的合法工资能有多少？你有没有贪污？钱从天上掉下来，不过转手一下，就成了天下第一号义士！这说明什么？这种理想人格是空想的。

另外一个大财主柴进，也是仗义疏财。柴进的祖先是柴荣，当年宋太祖赵匡胤在柴荣那里发动政变，夺了皇位，答应了条件，给予“誓书铁券”，“你的后代我都保护”，因而很有钱。但是他与宋江最大的区别在于：柴进的钱是有限的，宋江的钱是无限的。必然的推理就是：宋江应该是最大的财主。这样就产生了一个悖论：最大的义士，却是最大的财主。

其中隐藏着很深刻的矛盾。第一个矛盾，农民起义的目的是什么？是希望公平，“杀尽不平方太平”。公平的目的是消灭财产的不平等，实现公平的前提却是，要有一个财富无穷无尽的大财主。目的和达到目的的前提迎头相撞。第二个矛盾，第一，水泊梁山光基层领导就有一百零八个人，加上小兵成千上万，他们的后勤如何保障？粮食哪里来？也不能老吃鱼啊！第二，兵器。有没有兵工厂啊？肯定没有，倒是军衣可能保障，有个天才的裁缝，通臂猿侯健。但是，他只会缝，不会种棉花，不会织布啊，还是不行啊！第三，梁山好汉们打运动战，打阵地战，要消耗多少钱啊？美国到伊拉克去打了一下，已经消耗好几千亿美元了，这么多钱哪里来？第四，英雄们在梁山很快活，大碗吃肉，大秤分金银。肉可以说是小喽啰们饲养有方，但是金银哪里来的？他们又不开金矿，《水浒传》露了一点马脚——他们经常抢劫，不完全是“智取生辰纲”，那是不义之财，是抢劫过路客商得来的。林冲要上梁山，当时梁山泊主——白衣秀士王伦，这个人心胸狭隘，狭隘到了跟周瑜差不多，只要有才能的人上梁山他就害怕，就故意刁难。他就说：“好啊，你要上可以，一个条件，就是你到山下去杀一个人上来，也就是过路客商，你把他杀了，把钱抢过来。”林冲就只能答应再说。但是林冲这时比较倒霉。他碰到了杨志，杨志这个人力气大，又没有什么钱。这一条财路，是很不光彩的，也是《水浒传》比较讳言的：碰到过路客商，留下买路钱来，不然，就人头落地。这个强盗方法与他们声言要反对的地主恶霸、贪官污吏，有什么区别呢？还有一个方法，就是干脆攻打一个庄子，把钱粮抢过来，也是写得比较隐晦。从残忍性、破坏性来看，农民起义的黑暗面，是不是也有点土匪的味道呢？不过是以土匪反对恶霸罢了。这就走向自己的反面了，自己变成有组织的匪帮了。

还有一种矛盾，《水浒传》里面虽然隐藏着崇高的理想，就是义、平等，包括人格平等、财富平等，但是，又碰到一个难题，这是军事斗争啊，大规模的啊，再平等，也不能将领和小兵一样啊！因而还是要把人分成档次，怎么分呢？第一档次，就是仗义疏财的；第二档次，是拔刀相助的。两个大档次中又分为若干小等级，三十六天罡，七十二地煞，是上天规定的，命中注定的，不可更改的。

这个理想表面上是辉煌的，但是空想的，理想是义，实践的操作是匪，文雅一点，就是帮派团伙。何以见得呢？《水浒传》一味美化他们，但是从最大的英雄身上，可以分析出光辉里面的黑暗。

水泊梁山所建立的，就是一个义的王国。不管是忠义堂还是聚义厅，都是以义为最高原则的。在江湖上，被无条件认同的这种义的原则是与官方不义的权力和财产的等级制相抗衡的。“替天行道”大旗下所建立的，就是这种义的理想国。在这种理想国中，人人在精神上都像兄弟一样平等，但也不是没有等级，不过不是以财产和政治权力，而是以义的程度来划分，让仗义疏财者占有最崇高的社会等级。这不仅是一种军事等级，而且是一种道德荣誉。它的道德自律性远远要超过军事的约束力。

二、全面理解宋江

前些年拍摄的电视连续剧《水浒传》给广大观众留下了一个相当矛盾的感觉：一方面是在制作的精良上，可以说是古典名著改编的冠军，收视率高达百分之四十，创造了空前纪录；一方面又在一个最主要的人物身上犯了一个在美学上低水平的错误，把这部家喻户晓的英雄传奇中的领袖宋江，表现得极其窝囊、猥琐，使人倒胃口、反感。这就提出了一个很深刻的问题：编导和演员们辛辛苦苦，难道就是为了获得如此煞风景的效果？报刊上已经有了许多解释，在我看来《羊城晚报·花地》(1998 年 3 月 16 日第 10 版）上章明先生的文章最有代表性。他认为："宋江是一个有错误的悲剧的人物。"基于此，他提出："对宋江应当分析批判，但不能把一念之差铸成不可逆料的大错的悲剧英雄写成奸佞小丑。"他暗示，这可能是出于某种"政治上的怀旧"，说穿了，就是还没有从"文革"时期的"批林批孔批宋江"的投降主义的阴影下走出来。

在我看来，这里不仅有"批林批孔"的影子，而且也有与《水浒传》唱对台戏的《荡寇志》的味道。尽管二者有根本的不同，但是，在把宋江的形象加以尽情糟蹋方面却是一致的。《荡寇志》把宋江写得"假仁假义"，最后死于两个名叫"贾仁""贾义"的人之手，和电视剧《水浒传》在刻画宋江在仁义上的虚伪可以说是异曲同工。

我想电视剧的改编者，在思想上可能有一个很坚定的信念，即一百二十回原著悲壮投降的结局，只能拿宋江政治上的投降主义路线来解释。除此以外，没有任何其他合理的解释。章明先生的文章，根据充分的史料和《水浒传》形象的分析非常雄辩地提出：这是农民起义的历史局限性所决定的。李自成、张献忠都曾受过招安，黄巢也为招安进行过讨价还价。不受招安，最多也不过是像李逵幻想的那样"杀到东京，夺了鸟位，晁盖哥哥当大宋皇帝，宋江哥哥当小宋皇帝"，大不了不过是像朱元璋那样重新建立一个换汤不换药的专制政权而已，更何况，以梁山当时的力量根本不可能实现这样的幻想。农民起义从来就不是一个阶级所能胜任的，向来都是农民、小生产者和地主阶级的在野派的统一战线。这种起义从某种意义上讲，不但在思想上没有自己的意识形态，而且在组织上具有妥协、投降的内在因素。稍有西方文论修养的读者都不难从恩格斯对拉萨尔的《冯·济金根》(也是写农民起义失败的剧本）的评论中得到解释。恩格斯在那封著名的信中说济金根悲剧的根源是“历史的必然要求和这个要求的实际上不可能实现之间的悲剧性的冲突”。

理解了这一点，才能全面理解宋江。为什么这个梁山一百零八条好汉之首，对于上梁山那么犹豫，那么动摇？这个人物，虽然是个县级基层官员，级别不高，但是，有一点，他是比较有理性的，深藏不露。他除了仗义疏财以外，他还有一点，是梁山英雄所不及的，就是政治上的远见，他比较有战略眼光。你看他一直支持、包庇朋友上梁山，可是他自己就是不上梁山。后来受了连累，甚至被绑上杀场，差一点丢了脑袋，幸亏被众好汉救了出来，再退缩没有任何理由，加上当时的形势大好，对他的个人崇拜的声势更大，“三山聚义打青州，众虎同心归水泊”，一路上浩浩荡荡，可谓是义无反顾了。可是走到半路上，他又开溜了。他的动摇性和他策略上的远见性，他的仗义疏财的理想光辉和他的反复用送钱解决一切问题的狭隘性，形成多元的矛盾，有时，简直是不可思议。

所以受招安不但是宋江的理想，连林冲等人在上梁山前后，也有过“有朝一日，受了招安，到边庭上拼个一刀一枪，博得个封妻荫子”的想法。正是因为这样，受招安不但有一定的思想基础，而且有组织基础。

为了缓和起义与招安之间的矛盾，原本《水浒传》中提出了民族矛盾，招安的第一件大事不是电视剧中所强调的征讨方腊农民起义军，而是胜利地抗击辽国的入侵。没有这个民族矛盾的缓冲，宋江的个人权威就会动摇，也就无法统一这支队伍去进行那样惨烈的战争。

很可惜，电视剧的编导可能过分相信金圣叹加进去的晁盖与宋江的不同意见，又曾经历了“批林批孔”时期，目标在批周恩来的所谓“批投降派”思想路线，捕风捉影地将宋江和晁盖的某种不同，夸张为革命路线与投降路线的斗争，甚至发展到把征辽这个缓冲环节莫名其妙地取消。把宋江写成一个小丑，必然把梁山英雄写成了一群没有头脑的武打机器。

这本来并不是一个很复杂的理论问题。改编者如果用武打设计方面所花的百分之一的心思来思考这样关键、严肃的问题，我想，就不致在耗资上千万人民币的大制作上弄出这样的致命伤来了。

这还是从一般农民起义的普遍规律来看问题的，就《水浒传》这个具体作品来看，还有一个非同小可的特点：在《水浒传》原著中，梁山英雄的投降不是像历史上许多农民起义那样，在军事上面临败亡之时，恰恰是在军事上获得节节胜利之时；不是在败亡前夕组织上发生分裂，而是保持了组织上的完整走向投降的。《水浒传》的作者特意安排了他们主动投降，让它戴上了英雄主义的光圈。但所有这些深刻的方面，都被电视剧的改编者忽略了，其结果是改编者把宋江肤浅化，不但把一切罪孽都归咎于他，而且把他写成一个猥琐的小丑（为他设计了一种小女人的脚步），这就太肤浅了。改编者恰恰是在这一点上暴露了他们缺乏对于人物历史深度的理解力。

从艺术上来说，这种矛盾正增加了这个人物的复杂性。这本来不应该是难题，恰恰是为大手笔的改编者提供了大显身手的广阔天地。然而，可能是出于对传统历史教科书上对于农民起义的过分美化的教条的迷信，忽略了马克思主义经典著作反复强调过的：农民不但不是先进生产力和生产关系的代表，而且从某种意义上来说，是“反动的”。如果把他们的反抗的正义性和历史局限性，甚至是反动性结合起来考虑，就不难理解宋江上梁山之前的反复动摇为什么并不影响他在梁山英雄中的威望，上梁山以后的投降也没有破坏这支武装队伍的团结了。

三、义的帮派性和纪律准则

宋江这个人物之所以重要，不仅因为他是梁山英雄平等理想的代表，而且是他们军事、行政规范的代表。除了宋江、卢俊义、柴进等人以外，绝大多数梁山英雄都不是仗义疏财的英雄，而是路见不平、拔刀相助的英雄。后者的道德荣誉感，除了它积极的一面以外，还有它消极的、自发的、盲目的、破坏社会文明秩序的一面。

不少观众和读者都十分欣赏李逵式革命的彻底性。但是李逵式的彻底性，如果再加上武松、石秀、孙二娘等人义的盲目性，危险的人身残害就会对社会文明产生颠覆性的作用。武松醉打蒋门神是痛快的，是大义凛然的义士，但是他所支持的施恩和蒋门神有什么本质上的区别？如果他最先碰到的不是施恩，而是蒋门神，那倒在他拳头底下的，就可能不是蒋门神了，而是施恩了。

有良好艺术感受力的读者想必不会忽略，《水浒传》的定稿者，每逢写到李逵，并不是像对宋江那样烘托其正剧的崇高风格，相反，他的出现往往是伴随着喜剧性的调侃。他任性而天真，常常自作聪明造成弄巧成拙的荒谬结果。这对于他的个性来说是美妙的，然而对于一支起义队伍来说，如果不加制止，却是具有毁灭性的。他第一次见宋江说谎，为了招待宋江，借钱去赌，想翻本，结果输了，就去抢张顺的鱼，完全没有道德观念。头脑简单，出于误会，不问情由就砍倒梁山的军旗（杏黄旗），后来劫法场乱杀人，都是一种破坏性的表现。这种自发性与梁山的军事组织性和纪律性，是不相容的，如果不加制约，只能导致梁山事业的崩溃。所以，《水浒传》作者总是让李逵在宋江的眼皮底下任性。与李逵荒谬性的后果相对应的是宋江理性的目光，这种目光是批判性的，同时又是充满人情味的。这一点与夏志清先生在评论《三国演义》时指出的关公老是在诸葛亮更为睿智的审视之下极其相似。而批林批孔思想的继承者，却把李逵当作革命性坚定不移的代表，这是很幼稚的。其实李逵的破坏性，在某种意义上，比反革命的破坏性还要严重。

这不仅是一种思想的深度所在，而且是艺术的奥秘所在。同样是喜剧性人物的还有鲁智深。他大闹五台山的喜剧性，不但在于他对于佛门清规戒律的冲击，而且在于上有方丈的睿智眼光，下有金老的无可奈何。这双重的目光，使得鲁智深的喜剧性更显丰富。在鲁智深上梁山以后，失去了这两方面目光的交织，鲁智深的喜剧性就丧失了。而李逵的性格，不但没有消失，反而有所发展，就是因为每逢有冲突，常有宋江睿智的目光代表读者在审视着他鲁莽的行为。

没有宋江人格权威作为理性规范，没有宋江绝对权威的纪律约束，英雄们在上梁山以后的打家劫舍与土匪、强盗是很难有根本区别的。没有宋江宽容的理解和批判性目光，李逵性格的喜剧性是不可能焕发出如此光彩的。

从纯艺术上来说，即使宋江政治上是一个“投降派”的代表，也不能成为在艺术上丑化他的形象的充分理由。作为一个文学形象，一个政治上的“反面人物”，绝不意味着他就是一个猥琐的家伙。反面人物和正面人物属于实用理性评价，只能说明善与恶的区别，但是善与恶属于道德理性，它与审美价值既有统一的一面，同时又有错位的一面。政治上、道德上的恶，并不等于审美的丑。当实用理性价值和审美价值统一的时候，作者是容易把握的，但是仅仅这样，文章比较好做，也就很难显示出作者的才华。在更为广阔的想象空间里，对两种价值的错位关系（既非统一，又非分裂）的把握，就成为对作家才华和创造力的考验了。

电视剧的编导，在美学上犯了一个基本的错误。这种错误之所以不可原谅，是因为犯得很肤浅，大大地落后于古典文学和当代文学乃至电视文学已经普及的水平。在这方面，导演的肤浅比之编剧、演员更为触目惊心，居然为宋江设计了女人式的小碎步，在外部动作上把一个深刻的历史悲剧英雄丑化为一个精神上的武大郎，其艺术上的幼稚达到如此的程度，真是令人扼腕。

改编者把政治的实用价值凌驾于艺术的审美价值之上的逻辑推行得很彻底：因为宋江是投降的罪魁祸首，所以他的形象就是猥琐的。这种简陋的类似政治标准第一的价值准则，是曾经导致我国几十年的当代文学创作和文学评论公式化、概念化的根源。对这种理论，我们已经从各方面清算了十几年，“反面人物”已经不像南霸天、胡汉三那样语言无味、面目可憎了，但是从电视剧《水浒传》来看，其流毒还远远没有肃清。在这样严肃的古典名著改编中居然出现了美学上如此幼稚可笑的错误，实在令人深思。在创作中简单地把所谓的“反面人物”当作丑恶的符号，无异于艺术上的作茧自缚。

四、四种不同的古典英雄

二元对立的正面人物和反面人物，是历史留给我们的框框，但是在框框之中，既可以有对立的关系，也可以有从属的关系，更可以有错位的关系。对于错位关系的忽略，严重地束缚了我们的思想。

对于艺术家来说，任何人物，首先不是正面或是反面的对立，而是活生生的人的情绪互相做网络式的丰富的错位。即使有什么绝对的反面人物，和正面人物的感觉、情感、思绪也不一定是针锋相对的，除了绝对对立的一面以外，还有相互包容的一面。他和正面人物的意志、才智、想象、爱情的幻想以及他独特的行为逻辑是千头万绪地纠缠在一起的，是一个复合的整体。一句话，他的心灵也应该有立体空间，这种空间之间的关系，并不是互相分裂的，而是互相错位、互相渗透的。如果单纯用政治上的反动和进步来划分人物，就意味着人物的关系只有一种形式，那就是对立，结果就不能不导致人物心灵的平面化、单线化。持有这种思维模式的作家，实际上是对自己的才智实行自我蒙蔽和扼杀。

想一想《三国演义》吧。从阶级分析来说，不管刘备、曹操、孙权，都是军阀，刘备和曹操还是镇压农民起义的刽子手。可是在《三国演义》的主要人物中，特别是曹操，并不是一个精神上的空壳。曹操虽然有政治上乃至品质上的污点，但是他仍然是一个活生生的人物。有他的可爱之处，有他的可恨之处。他的政治野心和军事才干，他的爱才和妒才，他的多疑和不疑，他的凶残和韬略结合得水乳交融。在复杂的情感世界方面，他和宋江同样是立体的。他的凶残、卑劣一面是远远超过宋江的，但是《三国演义》的作者并没有把他丑化、矮化，相反，有时也给他以性格上的某种光辉。这一点我在《另眼看曹操》中已经讲过了。

曹操仍然是个英雄，不过是一个特殊的英雄，多少年来被称为“奸雄”。同样，刘备和孙权这两个军阀，则分别被称为“枭雄”和“英雄”。光是在《三国演义》中，就有了三种英雄。

《水浒传》中又为我们提供了另一种英雄，如果硬要给他命名的话，宋江也许是一个

"义雄"。

宋江以他的精神号召力，被当作一个精神的高峰，一面团结的旗帜。不仅《水浒传》中的所有头领，而且千百年来的读者都是认同的。为什么《水浒传》的改编者却写出这样的败笔来呢?

这是因为当审美价值与实用理性产生错位、矛盾时，作者的修养出了问题。

我同意《文艺报》上一个评论家的说法，经典名著是大手笔，因而改编也需要大手笔。

我们从电视剧《水浒传》对宋江的处理上，看到的不是大手笔，而是令人想起毛泽东所说的"小脚女人"。

造成这种"小脚女人"的原因来自两个方面：第一，是历史上遗留下来的，政治实用价值压倒艺术价值；第二，是作者在修养上的缺陷，当审美价值与实用价值发生矛盾、错位时，忽略艺术的根本准则，以及缺乏对人的心灵的立体、复合的理解。

自然，电视剧《水浒传》总的来说，比当前一般电视连续剧，在水准上是要高出一筹的，如果不是在宋江这个关键人物上弄出了这样显眼的败笔的话，本来应该是更精彩的。但是，正如一些观众说的"一泡鸡屎坏了一缸酱"，这句话虽然刻薄了一些，但对电视编导来说，除了奋发提高文化修养、扩大知识面以外，还有什么可以回答观众的热切的期待呢？从观众方面来说，面对耗资数千万人民币而水准又是不俗的作品，对于它的败笔，难道能像对杨志脸上那碍眼的青痣一样，以礼貌的无视显示我们高雅的大度吗?

五、武松的匪性

前面提到金圣叹认为，从《水浒传》理想人格来说，武松是《水浒传》第一大英雄。这是有一定的道理的。但是，他忽略了《水浒传》理想的局限性，也在武松身上体现出来。

武松是非常大的义士，我们说义士就是为了朋友或者为了受难的人，拔刀相助、以命相抵都无所谓的人。武松打虎、武松杀嫂我们都后面再讲。先讲拔刀相助，该出手时就出手。他怎么出手？帮的是什么人呢？武松去劳改，这是很卑贱，很痛苦的，还好当时有一个人对他比较尊重，就是劳改场场长的儿子，叫施恩，非常讨好他。武松感恩，就问他："有什么事要求我，你好好跟我讲。"施恩就讲了。这一段我念一下：

小弟此间东门外，有一座市井，地名唤做快活林。但是山东、河北客商们，都来那里做买卖。有百十处大客店，三二十处赌坊兑坊。往常时，小弟一者倚仗随身本事，二者捉着营里有八九十个拼命囚徒，去那里开着一个酒肉店，都分与众店家和赌钱兑坊里。但有过路妓女之人，到那里来时，先要来参见小弟，然后许他去趁食。那许多去处，每朝每日，都有闲钱。月终也有三二百两银子寻觅。

每天都有“闲钱”，这些钱哪里来？赌坊、典当、妓女，按我的理解，就是保护费吧。“月终也有三二百两银子”，这就不简单了，当时一两银子相当于现在上百块钱人民币啊，好几万啊！不得了啊！施恩其实就是个地痞嘛！恶霸嘛！但是好景不长，来了一个张团练，他带来了自己的亲信，叫蒋门神，把施恩打伤了，赶跑了。施恩见武松的时候手上还吊了绷带，保护费被蒋门神收去了，施恩心里就不舒服，他为什么要对武松那么看得起呢？就是觉得武松是条汉子，有义，看不惯弱者被人欺负，施恩勾引他，和他结拜为兄弟，不愿同年同月同日生，但愿同年同月同日死，这样一来，武松就义无反顾了。武松说这人敢欺负我义弟，就是欺负我。这天喝醉了，施恩说喝醉了不能打架，第二天武松说要去打了，施恩说不能去啊，喝醉了，怎么打得过呢？武松说喝醉了才能打，谁也挡不住他，他就去了。过一个酒店喝三碗，施恩一算十几家酒店要喝三十几碗啊，武松说没关系，他就是喝了才有本事。于是施恩就派人跟着他，看他喝了三十几碗之后到了快活林，一看蒋门神正好坐在那个地方，旁边还有一个小女人，武松就买酒，先喝说不好，后来换了一种还说不行。那蒋门神的小老婆哪里受得了这样的气。武松说：“你少啰唆。”七八个酒保都过来打武松，都被武松打倒了。小女人，被武松扔进了酒缸。然后武松和蒋门神打了起来，蒋门神哪里是他的对手！武松本来就武艺高强，喝了酒，武艺就更高强了。蒋门神被打得落花流水，磕头如捣蒜，于是武松就完成了一大义举。为了自己的义兄弟，打败了恶霸。而且武松宣布，要“打天下不明道理的人”，他如果路见不平，就要真正地拔刀相助。我们来分析一下，施恩和蒋门神有什么区别呢？没有区别，都是收保护费的恶霸嘛！蒋门神收保护费，是“不明道理”，但扶持施恩收保护费，就是明道理吗？本质是一样的，这就是《水浒传》的英雄概念里面最大的问题，我的概括就是：如果你是我的兄弟你就是义，我为了你打别人我就是英雄，你是不是英雄我不管，这种思想贯穿于《水浒传》全书。只要是我先认识的，恶霸也是英雄，后认识的，就是英雄也是恶霸。如果武松先认识蒋门神，那么倒霉的就是施恩，这种思想至今仍然活在我们心中，因为你是我的朋友我就要帮你，要不就叫不仗义。

所以我们说武松是英雄，是因为他有义的思想，这个思想确实是农业社会的很辉煌的理想，包括财产的平等、人格的平等、权利的平等，但是这个理想是空想。除了有经济方面的原因外，还有义的方面，武松讲义，但什么是义，不清楚。实践证明，他的原则就是：我先认识的人，我的兄弟，我为他的利益拼命就是义。如果这么分析的话，武松醉打蒋门神，夺回快活林，到底是英雄的行为，还是盲目的团伙、恶霸的行为，值得研究。这是一点，当然，武松做了好事。读者不同情蒋门神有一个原因，就是因为蒋门神勾结官府张都监，施行恶毒伎俩，致武松于死地。

张都监就用一种计策，表面上信任武松，让他当一个小官，麻痹他，突然，说家里被盗，让他来抓强盗。等武松一到，却把他绊倒，诬陷他是强盗，结果就把他流放，又用了高太尉对付林冲的办法，派了两个公差，想在路上把他给弄死。另外蒋门神又派了两个徒弟，带了家伙，要把武松置于死地，来个"双保险"。

武松表面上好像大大咧咧，好像不在意，其实很机警。一个戴着枷的人，居然把四个有武器的男人杀了。一般人这样也就走了，但是武松有他的原则：人不犯我，我不犯人，人若犯我，我一定要把他弄死，杀个痛快淋漓。武松就到孟州城张都监的家里去，楼上正在喝酒。武松躲在马房里面，一个养马的人进来了，看到武松就问他叫什么，武松一听火了，就把这个人头给割下来了，什么道理呢？没道理，武松讲了一句话"却也饶你不得"。然后呢，就杀上了楼去，先到楼上去看到两个丫鬟，在那埋怨这帮家伙喝酒喝到现在还不去睡觉，都烦死了，累死了。这不是很值得同情吗？不，留着你们会嚷嚷，于是咔嚓，把无辜的丫头给杀了。张都监、张团练和蒋门神正在那里喝酒，庆祝他们的胜利，武松先给蒋门神脸上一刀，然后给张都监头上一刀，都倒了。张团练虽是一个武官，但是哪里打得过武松呢？然后武松就把刀拿起来，咔咔咔，三个人头。中国古话说，有仇不报非君子，武松不属于君子一类，但是，他是英雄，有人不杀不痛快。杀了这么多人以后武松很痛快了，要发泄一下自己的情绪，但是武松不会写诗，干脆把张都监的衣服割下一块，蘸着地上的血，写了几个字"杀人者打虎武松也"。大英雄，行不更名，坐不改姓，这时候该走了吧。武松兴犹未尽。正好两个管家上楼来，其中一个认得武松，跪下求饶，也是"却饶你不得"，一不做二不休。楼下老夫人听到了说吵什么，武松说吵什么？我来了！老夫人不认识武松，但是武松说"却也饶你不得"，想把脑袋割下来，结果割了几下，割不动，刀口都卷起来了，就到厨房拿了把菜刀，继续杀，然后武松往下走。看到唱歌的叫玉兰，还有两个小丫鬟，三个女孩子，这些个弱者，没有什么威胁，就算了吧。但武松把玉兰杀死之后把丫头也杀了，《水浒传》上，写这时候武松讲了一句话"如此我才心满意足"。杀了多少人？统计一下，加上前面的公差一共十六个。

武松作为一个复仇之神，这样惨烈的反抗，惨烈的复仇，惨烈的杀人，引起文学理论家刘再复的忧虑。有一次我看他的一个材料，他讲了一段话：

武松血洗鸳鸯楼，他报仇最充分的理由顶多可以杀蒋门神、张都监、张团练三个人，那已经过分了，可是他杀了十八个人，其中十五个是无辜的，丫鬟、马夫，还有那些夫人，都是无辜的，问题还不止于此，问题是杀了人之后，他还理直气壮，在墙上写了字，“杀人者打虎武松也”，这种以杀人为荣的态度是我们中国文化的糟粕。[①]

他认为，有的作家给孩子的暑假读物竟然是《水浒传》。教育部给初中孩子的语文课本里面开的必读书单中就有《水浒传》。“听说香港电视台从明天开始，又要播放《水浒传》了。可是我们应该注意《水浒传》作为文学作品，确实是一个好作品，是很杰出的作品，但是，它的文化价值观念，却有很大的问题，它的妇女观念、英雄观念、凡造反干什么都合理的观念等，都很有问题。我在城市大学中国文化中心讲课当中，专门讲了两讲，一讲是《三国演义》，一讲是《水浒传》，都是从文化上进行批评的。从文学上，比如它的战争描写、人物塑造、故事、语言，都有它的成就，但是从文化批评来说，也就是从它的文化价值观念上说，有大问题。”[②]他又继续讲道，《水浒传》和《三国演义》都讲义气，义气是什么？“它是‘组织原则’，就是：我们三个同生死，然后我们就去夺天下，这跟我们现今社会三个小伙子，他们抢银行之前先讲讲义气，差不了多少。这个义气变质了。”

刘再复这个话我感觉很多是对的，义气刚才不是讲了嘛，里面有矛盾，义气平等里面有很多帮派的黑暗的东西。但是我觉得有一点他没有好好分析，没有讲清楚。他承认《水浒传》的文学价值，“这是很好的文学作品”，好在哪里呢？比如，第一英雄武松的文学形象好在哪里呢？他说人物、情节都挺好，好在哪里呢？不解决这个问题，就可能陷入混乱。

他说武松这种义气，和三个小伙子抢银行差不多。因为武松的义气是帮派的，武松的义气是凶残的，他特别讲到一点，武松杀人太过分了，武松去鸳鸯楼报仇，他有充分的理由杀人，但是顶多杀三个人，张都监、张团练、蒋门神，杀三个就已经很过分了。刘再复这个人比较天真，打仗的时候我杀两个留一个，这人就可能成为后患啊。十六个人当中可能有九个是无辜的。可是，江湖上有句话叫作斩草除根，留下一个？这人报信怎么办？最过分的是他杀人之后还写字，很自豪，很正派，行不更名，坐不改姓。英雄就英雄，一人做事一人当。不要去冤枉别人，有本事找到我就是了，找不到？那就是你没有本事，拉倒。

这里我们就能看到英雄气概，不觉得武松杀人过分，为什么？这就是艺术的成功，艺术的创造。古典文学的宝贵，就在于创造了这个刘再复觉得太野蛮的人物。我感觉刘再复没有回答一个问题，那就是为什么这样一个凶残的人，杀了十六个人的人，杀了很多无辜

---

① 《明日教育论坛》（总第 14 期），教育部北京师范大学基础教育课程研究中心、教育部福建师范大学基础课程研究中心、福建教育出版社主办。

② 《明日教育论坛》（总第 14 期），教育部北京师范大学基础教育课程研究中心、教育部福建师范大学基础课程研究中心、福建教育出版社主办。

者的人，我们还是喜欢，觉得他有英雄气概，李逵、宋江就没有这样的气概？所以要分析一下，为什么武松形象感动人？如果就一般说，武松就是英雄，我没有感觉，但是这个英雄非常具体，非常特殊，有特殊的感觉，那就不同。第一，他不是主动杀人的，他是被欺侮得走投无路，忍无可忍，身陷绝境了，才被迫杀人的。他是一个复仇的英雄。他不像李逵那样，乱杀人，劫法场，杀得起劲，连看客也排头砍去。第二，武松杀起人来，也不像李逵那样，不顾自身安危。他是一个心细的人。他尽情杀人的时候，有一个考虑，这个人去报告怎么办？故此他杀一些无辜者时，说了“却也饶你不得”。饶了你，我可就没命了。第三，他是个沉默寡言的人，不像李逵那样，喊喊叫叫，不管多大的冤屈，他都闷在心里，叫作“憋着一口鸟气”。一旦爆发出来，仍然很少用话语表达，只有连续不断的动作。这时，他是冷峻的、血腥的、不动声色的。直到杀了一系列的人以后，才说了一句“我方才心满意足”。逃出城以后，又说了一句：“这口鸟气，今日方才出得松臊。”英雄之所以感动人不是因为他做了什么，做对了什么或者做错了什么，而是他做的时候，有人的感觉。这就是有条不紊、心满意足的感觉，具体来说，就是凶残得很满足、很冷峻、很平静，一点没有惊慌的感觉。且看，武松杀人以后，从城墙上跳下来，仍然是有条不紊的：

> 把哨棒一拄，立在壕边。月明之下，看水时，只有一二尺深。此时正是十月半天气，各处水泉皆涸。武松就壕堑边脱了鞋袜，解下腿护膝，抓扎起衣服，从这城壕里走过对岸。却想起施恩送来的包裹里有双八搭麻鞋，取出来穿在脚上。听城里更点时，已打四更三点。武松道：“这口鸟气……今日方才出得松臊。”

杀了这么多人，犯下了弥天大罪，逃出城了，如果是一般人物，三十六计，走为上策，还不赶紧溜。可是武松，居然从容到在月光下看城濠里的水，只有一两尺深。看得这么细致，端的是，寓从容于紧迫之中。在这样的危机中，心思不乱，动作有层次：脱鞋袜，解腿护膝，扎脱衣服，蹚水走过对岸。还顾得上把湿鞋袜换了，还有闲心去想，干鞋是哪个朋友送的。写武松过河的从容，就是写武松的平静。更精彩的是“听城里更点时，已打四更三点”，充分写出了听觉的放松，听觉的放松暗示了心情的放松，“这口鸟气”终于出了。说明，在这以前，是憋着一口鸟气。憋气憋得这样深，这样冷峻，这样清醒，这样有余暇、余心，实乃《水浒传》之大手笔也。

一个人做了事情，小孩子往往问，是好人还是坏人，什么意思呢？就是用道德的观点来看，做了好事还是坏事。如果不道德的事、凶残的事，是被逼出来的呢？他为什么会有这种杀人解气的感觉呢？他为什么会这样酷呢？因为他被压抑得太厉害了，憋气憋得太厉害了。他为什么杀人一家？因为那是那个时代的文化观念，复仇就是家族的复仇，就是血缘的复仇，因为家在当时是一个社会生活单元，不仅是血缘，还是利益的共同体。所以封建社会往往满门抄斩，罪诛九族，因为家是经济共同体、政治共同体，也是复仇的共同体，要杀就杀全家。李逵杀老虎也不是杀一只老虎，而是杀四只老虎，杀一家，这是当时的形势逼的。我们来看武松这个人，其实是一个非常正派的人，不是一个随便侵犯别人的人，但又是一个自认为是好汉的人，自认为自己不是一般人的人，瞧不起一般人，有好汉优越感的人。如果光是这样，那武松的精神，就离我们太远了。但是，实际上，武松这样的英雄，又是和我们小百姓，离得很近的，和我们又是差不多的人。这一点，从武松打虎过程中，就可以充分显示出来。

不管武松有多少局限性，但是，他给我们的印象，还是大英雄。

《水浒传》的评点家金圣叹说，《水浒传》里面有一百单八英雄，所有的这些英雄，在某种意义上说，都比宋江强，比宋江有作为，比宋江神气，但是大家都崇拜宋江。论武艺，论人品，一百零八英雄，一百零六个，都没有武松那样“超群绝伦”。金圣叹说，“武松天人者”。“固具有鲁达之阔，林冲之毒，杨志之正，柴进之良，阮七之快，李逵之真，吴用之捷，花荣之雅，卢俊义之大，石秀之警者也。断曰第一人，不亦宜乎？”[①] 林冲可算是英雄了，可是赶不上武松。林冲本来是正派人，逆来顺受。顶头上司高太尉的儿子高衙内调戏他老婆，他都忍辱负重。遭到冤案，流放劳改。高太尉安排了两个公差要在野猪林把他谋害，幸好鲁智深救了他，可是他还是不选择造反，还自己跑去服劳役。他还想有朝一日回去，恢复他东京的户口，但是当他发现，就是在这种情况下高太尉还不饶过他，派了他朋友陆虞候来烧草料场，想把他烧死，于是林冲把他背义的朋友杀死之后开始义无反顾，像变了一个人，变成了一个非常“毒”的人，成了主动反抗、反对招安、革命到底的人物。“杨志之正”，杨志是三代将门之后，五侯杨令公之孙啊！怎么会造反呢？没办法。“柴进之良”，柴进是皇帝的后代啊！是比较善良的。“阮七之快”，阮小七是很痛快的人，快人快语。“李逵之真”，李逵很直率的，没心没肺的。“吴用之捷”，吴用是智多星，脑子很快。“花荣之雅”，号称小李广，有文化修养的啊！“卢俊义之大”，卢俊义很大气啊，与小人是相对的。“石秀之警”，很机警啊！所有这些加起来，都不如武松。武松是第一大英雄。但是这个英雄，是不是绝对的呢？是不是在一切时刻，在一切条件下，都英雄盖世呢？具体来说，就是在他打死老虎的那个过程中，他是不是从头到尾都是大英雄一身都是胆呢？好像不是。

这是很值得重新思考的。

---

① 参见陈曦钟等辑校：《水浒传会评本（上）》，北京大学出版社 1981 年版，第 486 页。

六、武松的人性

（一）武松打虎可信吗

武松既远在古代，又近在我们内心。要真正理解一个故事人物，越古，太遥远了，当然越难，但是，越近呢，也越难，就在自己心里，反而更是可意会而不可言传。人可以知道月球上、火星上发生了什么事情，可对自己心里的活动，还是一个黑箱。正是因为武松又远又近，要对武松有真正的理解，真正读懂武松，不是那么简单。不理解，读不懂的，大有人在。不但一般老百姓读不懂，就是很有水平的人物，也有读不懂的。话说到了晚清时代，就有一个学者，叫作夏曾佑，在近代史上是一个有点重要性的思想家，又是最早的小说理论家，出版过一本《小说原理》，他突然发现武松打虎不可信。他说写小说很难，难处很多：其中之一就是"写假事非常难"。他引用《水浒传》的评点家金圣叹的话说，最难的是打老虎。夏先生说，李逵打虎，只是持刀蛮杀，不值一谈。而武松打虎，就非常不真实。他说，《水浒传》上写武松用一只手把老虎的头捺到地下，另外一只手握紧拳头，猛捶，就把老虎捶死了。这是不可信的。他解释说，老虎为食肉动物，有个特点，就是它的腰又长又软。你一只手把它的头按到地下，那它的四个爪子，都可以挣扎。不相信，怎么办？到动物园里去试试？当然不行。他又说，你家里有没有猫，如果有，可以"以猫为虎之代表"。我这里要替他补充解释一下，猫有什么资格代表老虎。因为老虎威武雄壮，猫虽然躯体的长度和体积都望尘莫及，但是，在动物学上，老虎却属于猫科。猫是老虎的形象大使，（笑声）也许是远祖的形象缩影，总之是当之无愧。夏先生说，你用武松打虎的方法打猫，打得成打不成，一试，就一清二楚了。[①]我就遵照他的教导去试了一下，那猫虽然不像他说的，四只脚都会挠动，但它的后脚却是扭过身来，拼命捣乱。（笑声）

这倒真的让我感到，武松打老虎的办法很不科学，因而很危险。（笑声）

试想，武松一只手按着老虎的头，大概左手吧，另外一只就是右手，握起拳头来，砸老虎的脑袋。一般的哺乳动物，比如兔子，头被按住了，它的后脚就没有办法了，但是别忘了作为猫科的老虎，身量特别长，腰又柔软，把它的头按下去，它的前脚无所作为——《水浒传》上写它只能刨出一个坑来，这是可信的。但它后面那两个脚干什么的？它不会闲着，肯定会拼老命，千方百计地翻过来，垂死挣扎，去抓武松。在此情况下，武松别无选

① 夏曾佑：《小说原理》，《中国历代文论选（第四册）》，上海古籍出版社1980年版，第244页。

择，只能把另外一只手也按下去。一只手按头，一只手按屁股，就是这个样子，做两手分别按老虎头腚形状，（听众大笑）其结果当然是僵持。如果就这样僵持下去，对武松是极其危险的。老虎以逸待劳，它就这么趴着，你就看着办吧！（笑声）你还不敢不使劲，一松劲，就翻过来了。但老是这么使劲压着它的脑袋，也不是个事儿，因为劲是有限的，而时间是无限的，劲总有用得差不多的时候，总有精疲力竭的时候。到了没有劲可用的时候，吃亏的是谁呢？不言而喻。（大笑）

夏曾佑先生提出的是一个相当深刻的问题，就是艺术形象的真和假的问题。武松打虎的方法是不真实的，不真实、假的，还能动人吗？但是武松打虎艺术生命力特别强，成为经典文本，至今仍然有鲜活的感染力。一般读者并不那么死心眼，去计较武松打虎方法的可行性、真实性问题。

武松作为英雄是神勇的，体力是超人的。如果就是超人，完全是个神人，那就是太无畏、太伟大了，我们除了崇拜，承认自己渺小，就没有别的可干的了。但是，艺术家和我们不一样，他可能觉得人并不那么简单，一个英雄，如果永远伟大，就有点近乎神，如果百分之百是神，一点人味都没有，就有点不够精彩、不够可亲、不够可爱了。如果，我说的是"如果"，让他碰到一只老虎，这在一般情况下，是不可能的事，是超越常规的，超越了常规，他还会不会自始至终还是那么英勇无畏、那么伟大呢？会不会有不伟大的感觉冒出来呢？

（二）为什么不能让老虎把武松吃了

那就让武松碰到一只老虎，让老虎把他吃了，那也是可能的，但是他一死，他心里可能出现的那些不伟大的东西，就没有人知道了。这不够过瘾。如果，我说的"如果"，也就是"假定"，假定武松没有死，而是把老虎给打死了，这就超越常规了，看他的内心有没有超越常规的感觉，他还是每一秒钟都那么伟大吗？他有没有害怕过啊？他有没有紧张过啊？这是只有"假定"他没有被老虎吃掉才有可能探索一番的。这个办法，是一切小说情节构成的最基本的方法，那就把人打出生活的常规，折磨他，反反复复，逼得他的心理也越出常规，检验一下，他那个老样子有没有改变，看看他内心深处有什么奥秘。

施耐庵把武松送到景阳冈，干什么？就是要看看他这个英雄，有什么超越常规的心态。正是为了这个，在遇见老虎以前，施耐庵先让武松喝酒，超越常规地喝。我们看到，这位武松老哥来到景阳冈下的酒店，门前的招旗就是"三碗不过冈"，意思说是，喝酒不能越过三碗。但是，武松就自以为不是普通人，往下一坐，"敲着桌子"要酒。一碗一碗地喝，连喝三碗，还要喝。店家说，不能喝了，我们这里是“三碗不过冈”。这酒叫作“出门倒”，一般人喝过三碗，一出门就要醉倒的。可武松自我感觉特别良好，硬是要喝，说，“喝醉的，不算好汉”。要记住武松的这个字眼，“好汉”，好汉是和普通人不一样的，武松觉得他不是普通人。店家好心相劝，他威胁说，你再啰唆，老爷把你的屋子打个粉碎，连店子都给你翻倒过来。结果是真的让他一口气就喝了十八碗，又吃了好多斤牛肉，并没有醉。

这里我要说明一下十八碗酒，这么多，就是十八碗水，肚子也够胀的，弯腰也困难了。居然还没有醉。这可能有几种解释。

第一，当时的酒，度数可能很低，是农家的那种米酒，我猜想，类似上海那种“酒酿酒”。在《智取生辰纲》中，白日鼠白胜卖的那种酒，可以大口大口地喝，是可以解渴的，有点像今天的啤酒吧。

第二，这是一种假定，吃得多，力气大，在中国古典传奇小说中，是英雄气概的象征。孟子引告子的话说：“食、色，性也。”中国古典英雄，在这两方面很有特点。在农业社会，吃饱饭固然不容易，但是，食欲有个特点，就是很容易满足，有明显的限度，过度了，肚子就受不了，就痛苦了。但是，英雄不是普通人，在食量方面超越常人，体力才能超越常人，这就不能不令人肃然起敬。

第三，这里下肚的，除了牛肉以外，主要是酒，酒这种饮料，和一般的饮料不一样。不是解渴的，它的特点，是刺激、麻醉神经的。饭吃过多了，人会痛苦，酒喝高了，醉了，不但不痛苦，还能把一切痛苦都忘记了。喝到神经都有点麻醉了，迷迷糊糊，打架还能打出威风来，就更加了不起。所以《水浒传》的理想就是：“大碗喝酒，大块吃肉，大秤分金银。”《水浒传》的英雄观，在这方面颇有特点。大凡要让英雄搏击，往往就要让他喝酒。不是随便小酌，而是大喝，甚至喝得有点醉，不太清醒了，还能大发神威。

第四，酒不但能麻醉神经，而且能解放人的神经。在《水浒传》里，酒是豪杰之气不受羁勒的象征。精神不清醒了，规矩啊，法律啊，礼貌啊，都滚一边去了，人就比较自由了。鲁智深醉打山门，因为不够清醒，才不管他佛门的清规戒律；武松醉打蒋门神，因为醉了，才显英雄本色。要不然清醒地想想，蒋门神固然是坏蛋，在快活林收取商家的保护费，你的朋友施恩，不也是仗着自己父亲的权力，收取保护费吗？除了和你武松是哥们以外，在本质上，和蒋门神是一路货。因为酒醉了，就不用费神多想了，英雄本色，也就是意气用事，或者叫作快意恩仇，才能淋漓尽致地表现出来。

酒喝足了，平日里，社会性的约束就松弛了，人的潜在本性更能自然地显示出来。酒在中国英雄事业上，是很重要的，许多英雄的心声和酒联系在一起，不过意味稍有不同，宋江浔阳楼上醉题反诗，是酒醉把掩饰了多年潜在的豪情壮志，解放了出来：“他日若遂幸运志，敢笑黄巢不丈夫。”关公温酒斩华雄，酒放在桌子上，还没有变凉，华雄的脑袋已经割下来送到统帅的帐前。现代武术中有一种拳法叫作“醉拳”。为什么要“醉”？就是精神更加自由，进入艺术的想象境界，是一种假定境界。

这是不是可以称作中国的“酒神精神”？当然与西方的酒神精神有很大的不同，但是在梦幻的境界里，从人的心灵深处，从性灵里，升起的这种狂喜的陶醉，获得的力量和精神的自由，中国和西方，可能是一致的。

（三）从不怕老虎到害怕老虎

武松歪歪倒倒就往店外走，店家告诉他，这不行。怎么不行？这酒是出门倒，透瓶香，三碗都过不了冈，如今你却喝了这么多。武松不买账，店家把官方的文书拿出来，山上有老虎。他还是不信，他跟普通人不一样，就是有老虎，“也不怕”。“怕什么鸟！”话说得很粗，还反咬人家一口，“莫不是你想半夜三更，谋我财害我性命，就拿老虎来吓唬老子”。这完全是狗咬吕洞宾，太自以为是了。后来证明，他犯了一个错误，用今天的话来说，叫“不相信群众”。（笑声）

等到了冈子上，发现一棵大树上，树皮刮了，上面有文字，说得有鼻子有眼的，有老虎。可是他实在太自负了，不相信，以为是店家为了招揽客人要的诡计。直到在一个败落山神庙前看到了县政府的布告“阳谷县示”，红头文件啊！“景阳冈有大虫，伤害人命，行路客商人等，须于巳午未三时结伴过冈。政和年 × 月 × 日”，下面还有县政府的大印。武松这才“方知端的有虎”，感到糟了，《水浒传》上这样写：

武松欲待转身再回酒店里来，寻思道：我回去时，须吃他耻笑，不是好汉。

武松这时最实际的办法就是回去，因为时间很紧迫，政府的布告上限定的时间是巳午未三时，也就是早上十点到下午两点，还要大伙儿一起过冈。可当时是申时已过，快到酉时，也就是下午五六点钟了。真有老虎，三十六计，走为上策。这样比较实用，明显的好处是，生命不至于有危险，但武松觉得，有一条坏处，“须吃他耻笑，不是好汉”，“须”就是一定，一定给人家笑话。怕被人家嘲笑：“我说嘛，你看这家伙，刚才是个小气鬼，舍不得几个住宿费，现在变成了胆小鬼、怕死鬼，溜回来了不是！”武松受不了被人家瞧不起，被人家看成“不是好汉”，就做了一个决策：继续前进。这样，武松就犯了第二个错误，把好汉的面子看得比生命的安全还重要，这就是上海人讲的，死要面子活受罪。（笑声）

走了一段，哎！没有老虎，又乐观起来了，哪有什么老虎不老虎的，人就是会自己吓唬自己罢了。加上酒劲又冲上来了，看见一块光溜溜的青石板，不妨小睡片刻。（笑声）你看这个武松啊，又犯错误了，这是第三个，没有看见老虎，并不说明就真的没有老虎啊。后来证明，这个错误，说得轻一点，就是麻痹大意。没有看见的、没有感知的，并不等于不存在啊！说得重一点，就是唯心主义呀！（笑声）

还没有来得及睡下，刮过一阵狂风，一只吊睛白额大老虎出现在眼前。这时，武松怎么感觉呢？大叫一声“啊呀”！原来在酒店里宣称不怕什么“鸟大虫”的武松这么一惊，“酒都做冷汗出了”。原来，他也害怕了，怕得还不轻呐，都出了冷汗。（鼓掌）武松此时几乎面临绝境，只剩下和老虎拼命一条路。人和老虎搏斗，有什么优势呢？没有。牙齿不如老虎利嘛，指甲没有老虎的爪子尖嘛，连脸上的皮都不如老虎的厚！（大笑声）但是，按照马克思的说法，人有一点比动物厉害，就是能制造工具。武松有什么工具？一条哨棒。这是金圣叹在评点《水浒传》这一段的时候反复提醒，一共提了十七次。可见其极端重要。工具的功能是什么？是手的延长。我打得到你，你够不着我。照理说，这是武松唯一可以克敌制胜的工具。在敌强我弱的情况下，反击战应该怎么打？首先要“慎重初战”。这不是我的发明，是毛泽东《中国革命战争的战略问题》中讲的①。当然武松不可能精通这么高深的军事思想，至少他不应该“仓促应战”。但是，武松却用尽吃奶的力气举起哨棒，猛打下去，只听“咔嚓”一声，老虎没打着，却把松树枝打断了。松树枝断了，问题不大，只要哨棒在手，还可以继续打它个痛快。但是武松用力过猛，把哨棒给打断了。工具失去了长度，就没有手的延长的优越性了。这说明，武松在心理上是如何的紧张，如果要算错误，这是第几个？（听众笑答：第四个了）这个错误在心理上，可以定性为“惊惶失措”。这和他在酒店里，一再说“怕什么鸟”，和在山神庙里大大咧咧的武松相比，可以说是另外一个人了。

这下子，武松没有什么本钱了，横下一条心，老子今天就死在这儿了。就用了前面被思想家夏曾佑先生怀疑的那种不科学的办法，把老虎给收拾了。这完全是偶然的，是奥林匹克运动会上所说的“超常发挥”。（大笑声）《水浒传》上说，武松怎么把老虎打死的？花了多少时间？可以从《水浒传》所说“五七十拳”推算。现代中国人思想比当时精确，一般说五六十拳，或者是六七十拳。就算中间数，六十拳吧。每拳这么高地砸下去，（作挥拳状，笑声）大约是一秒钟，一共是六十秒，一分钟。但是收回来也是要花时间的，就算同样花一秒钟吧，六十秒再加六十秒，就是一百二十秒，两分钟。两分钟，就把一只活生生的老虎搞完蛋了！（大笑声）这点时间，我看连打狗都不够。（鼓掌声）打猫怎么样？可能

---

① 毛泽东：《毛泽东选集（四卷合订本）》，人民出版社1967年版，第200页。

也不太充分。(笑声)但是，老虎被打得七窍流血了，头盖骨破裂了，武松去提老虎时，是在“血泊里”，那就说，砸得稀巴烂了。老虎骨头的质量怎么这么差呀！要知道它的骨头和你拳头里成分是一样的呀！基本上都是碳酸钙啊！(大笑声)而武松拳头不但骨头没有发生断裂，而且连皮肤，不管是表皮、真皮，都没有任何破损。可能是那头吊睛白额大虎，是缺钙，患骨质疏松症吧！(大笑声)这个，现在是没有办法考证了。但不管怎么说，两分钟打死一只老虎这太夸张了。

这是可以谅解的。因为，艺术家反正是要让武松把老虎打死的。要让他超越常规嘛！表现出那隐藏在内心深处的超越常规的心态嘛！我们可以设想，为了可信度，那就把拳头的数额，扩大十倍，算他六百拳，二十分钟，再考虑到起初的拳头，挥得比较快，比较利索，后来的拳头，力量差一点，慢一点，还有老虎快死的时候，武松还可能要喘喘气，把这一切可能性都算进去，再加十分钟。充其量也就不超过半个小时。就是凭着这半个小时，武松就成为民除害的英雄，成就了伟大的历史功勋，半个小时的老本就使得他千古扬名。这就难怪金圣叹在评点这一回时说，武松是“神人”[①]，至少在胆略和勇气上是如此。但是，有了老本以后，这时“神人”武松变得实际了，他想，这老虎浑身是宝——主要是，那时又没有野生动物保护法(笑声)——把它拖下山卖出一点银子来。我想，至少可以做老哥武大郎的见面礼。《水浒传》这样写道：“就血泊里双手来提时，那里还拖得动？原来使尽了力气，手脚都酥软了。”

活老虎打死了，死老虎居然拖不动。倒是自己感到“苏软了”，这不是怪事吗？这一笔很精彩。这是对英雄，也是对人的一种发现呀！这个“神人”，超人的力量是有限的。这时，施耐庵写武松“在青石上坐了半歇”。是不是休息一下，再拖呢？可能是吧，但是，武松一边休息一边“寻思”：“天色看看黑了，倘或又跳出一只大虫，却怎地斗得他过？且挣扎下冈子去，明早却理会。”施耐庵对武松的心理又有了发现：还是趁早溜吧，如果再来一只老虎，可就危险了。他就一步步“挨下冈子去”了。注意这个“挨”，连走路都勉强了。哪知山脚下突然冒出两只老虎。这时，我们神勇英雄的心理状态怎么样呢？《水浒传》写得明明白白，武松的想法有点煞风景：“阿呀，我今番罢了。”

用今天的话说，也就是“这下子完蛋了”！(大笑声)一向自以为是不同于寻常人，夸过海口“就有大虫，我也不怕”的武松，在读者心目中的英雄武松，竟然再看见老虎，还没有搏斗就认输了，悲观到绝望了。

从这个过程中，读者当然关注武松打虎的过程的奇妙，但是，那个奇妙的过程却有点

① 陈曦钟等辑校：《水浒传会评本(上)》，北京大学出版社1981年版，第415页。

经不起推敲。除了前面已经说的以外，经不起推敲的还有，老虎向人进攻，只有三招，一招是，“一扑”，就是猛地向你扑过来。扑不着，就用屁股“一掀”。掀不着，就用尾巴“一剪”，也就是一扫。这有什么根据？老虎又没有进过少林寺，哪来这么规范的武术化的三个招数？（大笑）而且用过了这三个招数，就没有招了。把老虎写得这么死心眼，这么教条主义，（大笑）无非是方便武松取胜。读者如果要抬杠的话，小说就念不下去了。

（四）李逵杀四虎为什么不及武松打一虎

如果真要讲究杀死老虎的可信性的话，武松打虎远远不如李逵杀虎，李逵一下子杀了四只老虎，战果比武松辉煌得多了，可是在读者记忆中留下的印象很淡，许多读者都把它忘记得一干二净了。

李逵上得梁山，想到母亲在家乡受苦，就向宋江请了假，下山去搬母亲上梁山来享福，又碰到官府通缉他，只好背上母亲赶路。母亲口渴，李逵把她安顿在山岭上，自己盘过两三处山脚，到一座庙里拿了个石头香炉到山下溪里弄了一点水。回来却发现母亲不见了，只找到草地上一团血迹。等到寻到一个大洞口，只见两个小虎儿，在那里舐着一条人腿，李逵才意识到自己的母亲被老虎吃了。这时李逵，“赤黄须早竖起来。将手中朴刀挺起，来搠那两个小虎”。描写的重点是杀虎的特点各有不同，第一只是在进攻中被搠死的，第二只在逃走中被搠死的。那第三只，又不一样：李逵却钻入那大虫洞中，伏在里面，等到那母大虫张牙舞爪往窝里来，把后半截身躯坐到洞时去。李逵“放下朴刀，胯边掣出腰刀”：

> 把刀朝母大虫尾底下，尽平生力气，舍命一戳，正中那母大虫粪门。李逵使得力重，和那刀靶也直送入肚里去了……李逵拿了朴刀，就洞里赶将出来。那老虎负疼，直抢下山石岩下去了。

杀这第三只的情节，是很精彩的，李逵用力如此，把刀插到肛门里，居然连刀把也给它带走了。李逵恰待要赶，只见就树边卷起一阵狂风，这时，又来了一只猛虎。这次的猛虎不像前三只那样。而是和武松打的那只一样采取一扑的攻势：

> 那李逵不慌不忙，趁着那大虫势力，手起一刀，正中那大虫颌下，那大虫不曾再掀再剪，一者护那疼痛，二者伤着他那气管。那大虫退不够五七步，只听得响一声，如倒半壁山，登时间死在岩下。

李逵杀虎的可信性比较大，没有可疑之处，因为和武松不同，李逵用的是刀，自然比用拳头捶要容易得多。施耐庵很有心计地让李逵带了两把刀：一把朴刀，一把腰刀。腰刀，不难想象。朴刀，是个什么样子？辞书上说，是一种旧式武器，刀身窄长，刀柄比较短，有时双手使用。施耐庵是江淮一带人氏，在他家乡一带至今口语中还有“朴刀”这个词语，就是普通的菜刀，厨房里用的，刀柄也是很短的，和我们常见的一样，刀身并不长。施耐庵为什么要让李逵带两把刀？原因很显然，一把插进了老虎的屁股，让老虎带跑了。又来了一只老虎，如果只有这一把，就要像武松那样用拳头捶，那就和武松打虎差不多了。施耐庵显然是要避免这个重复，很有匠心地让他们杀虎的特点各不相同。李逵用刀割了老虎的脖子，老虎倒下来，“如倒半壁山”。

金圣叹极口称赞李逵和武松打虎写得完全不一样。金圣叹在评这一回时说：“二十二回写武松打虎一篇，真所谓极盛难继之事也。忽然于李逵取娘文中，又写出一夜连杀四虎一篇，句句出奇，字字换色，若要李逵学武松一毫，李逵不能；若要武松学李逵一毫，武松亦不敢。各自兴奇作怪，出妙入神；笔墨之能，于斯竭矣。”①金圣叹的确看出了作者的用心在于与写武松打虎求异，但是，他的称赞未免过分了一些。因为，在读者感觉中，李逵杀四虎绝对不如武松打一虎那样有动人的效果。为什么呢？虽然李逵杀虎比武松打虎更有可信度，但是，读者和作者要有默契，就是通过假定的想象，用超出常规的办法，体验英雄非常规的内心，关键是在杀虎的过程中，人物内心有什么超出常规的变动。李逵一连杀四虎，他的内心只有杀母之仇。这种仇恨到了什么程度呢？李逵看到母亲的血迹，“一身肉发抖”，看到两只小老虎在舐着人的一条腿，“李逵把不住抖”。等到弄清就是这只老虎吃了自己母亲以后，李逵“心头火起，便不抖”，金圣叹在评点中说：“看李逵许多‘抖’字，妙绝。俗本失。”②所谓“俗本”，就是金圣叹删改以前的本子，也就是一百二十回本的《水浒全传》，“抖”，就是没有的。而他删改、评点的这个本子，七十一回的本子，经过他重新包装过，在文字上加工过的，才有。一百二十回本的《水浒全传》现在还存在，的确是没有“一身肉发抖”，“李逵把不住抖”，“心头火起，便不抖”。事情明摆着，三个“抖”法，都是金圣叹加上去的。这是他耍的花招，无疑是在自我表扬。但是那个时代传媒并不发达，没有报纸，也没有电视，就是有人发现了，也不会炒成一个文化事件的。（笑声）

问题是金圣叹为什么要加？就是因为原来的本子，功夫全花在不让它重复武松面前的老虎那一扑、一掀、一剪上，而李逵内心的感受是否超越常规，却大大忽略了。原来的本子，写到李逵看到地上母亲的血迹时，不是“一身肉发抖”而是“心里越疑惑”，看到两只小虎在舐一条人腿，他居然还是没有感觉，倒是让叙述者冒出来了一段“正是”：

> 假黑旋风真捣鬼，生时欺心死烧腿。
>
> 谁知娘腿亦遭伤，饿虎饿人皆为嘴。

---

① 陈曦钟等辑校：《水浒传会评本（下）》，北京大学出版社 1981 年版，第 790 页。

② 陈曦钟等辑校：《水浒传会评本（下）》，北京大学出版社 1981 年版，第 803 页。

这就完全背离了李逵的内心痛苦加仇恨的感受。要知道李逵是个孝子呀！他回来就是为了把母亲接到梁山上去“快活”的。母亲被糟蹋得这么惨，“假黑旋风真捣鬼”，老虎吃他母亲，和“假黑旋风”一点关系都没有。“饿虎饿人皆为嘴”，这是旁观者的感受，近乎说风凉话，这完全是败笔。金圣叹把这煞风景的、不三不四的四句韵语删去了，谨慎地加了三个“抖”，应该说，是很艺术的。第一个，是意识到是自己母亲的鲜血，不由得发抖；第二个，是看到母亲的一条腿，控制不住自己发抖；第三个，是仇家相对，分外眼红，尽情砍杀，忘记了发抖。金圣叹加得是很有才气的。但是，并没有从根本改变艺术上的缺陷，李逵在发抖了以后，杀虎过程那么长，内心居然就没有什么变动了。最为奇怪的是，他本是为母亲杀虎的，杀完了四只老虎。他这个孝子应该想起母亲了吧，对死去的母亲有什么感觉？不管是原本还是金圣叹的本子都是：

那李逵一时间杀了子母四虎，还又到虎窝边将着刀复看了一遍，只恐还有大虫，已无踪迹。李逵也困乏了，走向泗州大圣庙里，睡到天明。

这也许是想表现李逵杀得筋疲力尽了，毕竟是人嘛！武松打虎以后不是也浑身无力吗？但是，武松是与老虎偶然遭遇，而李逵是为母亲讨还血债。母亲的鲜血未干，残腿还暴露在身边不远的地方。这个孝子，怎么能睡得着！还能“一枕安然，不知东方之既白”。像苏东坡那样呀！（笑声）刚才的失母之痛还使得他发抖，才半天不到，就忘得一干二净？其实，李逵是不会忘记的，而是作者忘记的，他为了刻画四只老虎，让它们死得各有特点，忙中有错，忙中有漏。直到第二天早上才让他想起母亲的腿来，收拾起来，埋葬了。这是一笔交代，可以说是平庸的交代，对一部精致的经典作品来说，好像一架钢琴上，一个不响的琴键。煞风景的还在后面。李逵走下冈子去，下面的情节，几乎是武松打虎以后的低级重复。又是埋伏在那里的猎户，又是不相信，又是上了山，见了老虎，才相信，又是无限崇拜，又是热热闹闹把虎抬下山去。

金圣叹是个艺术感觉极其敏锐的评论家，但就是他也无力从根本上挽救原本李逵杀虎的败笔。金圣叹无限推崇李逵而贬抑宋江。另一个评点家李贽，更是把李逵称为“佛”。但是，就连金圣叹也对李逵在这一段内心活动的平淡，没有多少可以称赞的，金圣叹只好替他加上一些字眼，然后来个台里喝彩。而对武松呢？可以称赞的就多了：

尤妙者，则又如读庙门榜文后，欲待转身回来一段；风过虎来时，叫声“阿呀”，翻下青石来一段；大虫第一扑，从半空里撺将下来时，被那一惊，酒都做冷汗出了一段；寻思要拖死虎下去，原来使尽气力，手脚都苏软了，正提不动一段；青石上又坐半歇一段，天色看看黑了，唯恐再跳出一只出来，且挣扎下冈子去一段；下冈子走不到半路，枯草丛中钻出来两只大虫，叫声“啊呀，今番罢了”一段。皆是写极骇人之事，却尽用极近人之笔。[①]

金圣叹最为欣赏的这些部分，都是“极近人之笔”，也就是武松在心理上比较平凡渺小、不伟大的方面。和我最为欣赏的几乎一样，不过，我欣赏的还有一处，就是武松使尽平生力气，一棒子打下来，把哨棒和松树枝一起打断了，说明他有点惊慌失措。虽然有这么一点小差异，相隔百年以上，还有这么多共同点，虽然我们都不是英雄，但也所见略同。（笑声鼓掌）

武松这些渺小的方面，在一般人的内心，并不是奇观，但他是英雄，他自己也认为自己是“好汉”，在武松的心目中，可能没有用“英雄”这样堂皇的说法，而是说“好汉”。他在赤手空拳和老虎搏斗的过程中，他的英勇，他的无畏，他的力量，都不能不使读者对他肃然起敬，五体投地，不能不同意金圣叹的说法，他是“神人”。这个神人，本来离读者是比较遥远的，谁能喝那么十八碗酒还不醉，还能把一头活老虎给打死呀！这武松的确是太厉害了，太伟大了。但，施耐庵让他和老虎遭遇一下，自以为英雄好汉的心理就越出了常规，体力上神化了，而在心理上却“近人”，也就是凡人化了。越来越和凡人，越来越和读者贴近了。他上山打虎并非出于为民除害的崇高目的，而是由于犯了错误。一是，他不相信群众；二是，也会为面子所累；三是，麻痹大意；四是，惊慌失措。他的力量也有限，也会活老虎打死了而死老虎拖不动。他的心理也平常，打死一条老虎以后，并不是明知山有虎，偏向虎山行，而是唯恐再有虎，趁早我先溜。再见到老虎，心理上完全是悲观绝望。这英雄的体力和勇气是超人的，但他的心理活动过程完全是凡人的，跟你我这样见了老虎就发抖的人差不多。（笑声）因而，你又不能不又同意金圣叹的回目总评，他是“神人”，但在心理上却是“近人”的，小小老百姓而已。

经过打虎这样的假定，读者发现了伟大的武松的内心，还隐藏着一个渺小的武松，两武松互相矛盾，又水乳交融，这时的武松比原来的武松更武松了。而经过杀虎这样的事变，当然也是假定，读者所看到的李逵基本上还是那个李逵。不但没有增加多少心灵的奥秘，反而有些缺损，例如，他对母亲的感情反而给人淡漠之感。又例如，他杀虎之前，和武松是不一样的。武松是喝酒，不是一般地喝，而是大喝，用文雅的语言，叫作豪饮。豪饮是豪杰之气不可羁勒，而李逵上山之前，也吃了东西，什么呢？人肉。

李逵回家接母亲，路遇一个小土匪，居然冒充他的名字打劫。他本要手起刀落，结果了土匪，可是，那假李逵，却说，他家有九十老娘，杀了他，她可也要饿死了。李逵是个

---

① 陈曦钟等辑校：《水浒传会评本（上）》，北京大学出版社1981年版，第415页。

孝子，就把土匪放了。走到村子里，肚子饿了，就在一家人家，给了些钱让做些饭吃。不想那就是假李逵的老婆。饭还没有吃，这个假李逵回来了，看到了李逵，就告诉他老婆，说这是江州劫法场的，官家通缉的黑旋风李逵。悬赏三千贯。三千贯，是多少钱？那时流通的，是硬通货，是铜钱，当中有个方洞，用绳子把它串起来。三千贯，就是三千串，而一串是多少呢？一千文，一文，为什么叫“文”？因为铜钱上有文字，一文，就是一个铜钱。这样算起来，一千文乘以三千，就是三百万个铜钱。[①]这么一大笔钱，可能是一大车子，可真是一辈子都赚不到的。两口子就商量着如何把李逵绑了，去领钱。这些都给李逵听到了。李逵三下五除二，就把假李逵杀了。他肚内饥饿，自己盛锅里已经煮熟的饭来吃。李逵的这一顿饭吃得读者惊心动魄：

三升米饭早熟了。只没菜蔬下饭。李逵盛饭来，吃了一回，看着自笑道：“好痴汉！放着好肉在前面，不会！”拔出腰刀，便去李鬼腿上割下两块肉来，把些水洗净了，灶里抓些炭火来便烧，一面烧，一面吃。

这样一个吃人肉的人物，又是在母亲血淋淋的现场和老虎搏斗，应该有多少和不吃人肉的武松甚为悬殊的内心活动啊！至少是应该把他打出心理的常规才是。可是，没有。

为什么呢？第一，要怪施耐庵，他让李逵拿的刀太快了，三下五除二，就把四只老虎相当轻松地摆平了。（笑声）第二，要怪金圣叹，他只让李逵的肉跳了三下，就不跳了。（笑声）如果让他在老虎死了以后，还跳，那就可能有比吃人肉更惊心动魄的情节了。而现在呢？除了累一点，没有什么越出常规的心态。同样是在老虎面前，武松却被打出了心理的常规，把心理的纵深层次立体感就暴露出来了。

这就是经典与非经典在艺术上的重大区别。

并不是人人都有碰见老虎的运气和晦气的，但是，大英雄的小心眼，活老虎打死了，

---

① 据考：明代人除了使用白银和铜钱，还有纸币。《金瓶梅》第五回，郓哥向武大揭发王婆撮合潘金莲、西门庆通奸，自告奋勇要帮武大捉奸。武大感激说：“既是如此，却是亏了兄弟。我有数十贯钱，我把与你去。你可明日早早来紫石街巷口等我。”当时就给了。然而，武大身上怎么会带着“数十贯”铜钱呢？按明初制定的换算比率，一两白银等同于一贯铜钱，“数十贯钱”相当于数十两白银，武大显然没有这样的财力。即便是财主西门庆，出门时身边也只带“三五两银子”（金瓶梅第三回）。一贯铜钱重六七斤，数十贯铜钱，几百斤，武大怎么扛得动？人民文学出版社《金瓶梅词话》校点本将“数十贯”改为“数贯”，是有道理的。《水浒传》上，李鬼说的三千贯赏钱，合起来，就是两万斤。三千贯，了不得的一笔钱，武松打虎的赏钱才一千贯，怪不得李鬼要动心了。有学者怀疑武大怀里揣的应当是政府发行的贬了值的纸币，元朝末年，大概也就是《水浒传》成书的时代，使用纸钞比较普遍。元代的纸钞号称“宝钞”，用特殊的纸张印刷，单位仿照铜钱，有“贯”有“文”，面值分为十文、二十文、三十文、一贯、两贯等。后来又发行一种“银钞”，单位和白银一样，分为“两”“钱”“分”“毫”“厘”等面值（郭彦岗：《中国历代货币》）。元代文献上，说到多少贯、多少文，或是几锭、几两、几钱，指的大都是纸钞。那么，李鬼期望所得者，可能是政府的贬了值的纸币。然而，《水浒传》写的是并不是元朝的事，而是宋朝的事，小说家夸张，整整一大车子的铜钱，似乎还是一种真实。（参阅《食货金瓶梅》）

死老虎拖不动，却引起我们许多切身的经验和回忆。这种回忆是一种无声的体验。本来我们已经把它忘记到无意识的黑暗深渊中去了，在读到武松如此这般的心理时，我们的记忆一闪，这就叫作感染，心头一动，又叫作感动。这种感动，就是一种享受，一种对自我、对人性、对心灵体验和发现的喜悦。用学术语言来说，就是审美体验。

马克思说："人不仅通过思维，而且以全部感觉在对象世界中肯定自己。"对人的英勇且平凡光是从抽象的理论去理解是不够的，还要从文学作品中，获得一种感性的体悟。读者在打虎英雄身上确证人类自己的丰富的生命，正是因为这样，这种审美享受作为一种心理体验有着和科学和道德理性同样的重要性。

武松打虎比之李逵杀虎在中国文学史上的地位要重要多了。以武松为代表的英雄形象的出现，标志着中国古典英雄传奇，对于英雄的理解达到一个新的高度，是英雄走向平民的一个历史里程碑。在这以前的传奇小说，我们看到的英雄，大都是神化的、圣化的，很少有什么普通人的感觉的。比如，有个曹操的大将，眼睛里中了人家的箭，他就把它拔出来，连眼珠子都带出来了，都没有什么武松这样的，紧张、冷汗、惊惶失措、悲观等等的心理反应。关公中了人家的毒箭，骨头里中毒都发黑了。医生给他治疗。用刀在骨头上刮，都发出咯吱咯吱的声响，关公还是和人家下棋，谈笑自若。用当代的话来说，面不改色，心不跳。一点生理的痛苦表现都没有，这种《三国演义》式的英雄，在《水浒传》中也有，但不是最生动的。最生动的，是超人的、神化的英雄走向人化的英雄。武松，就是这样的代表。武松在平时，威风凛凛，一直是很酷的样子，只有在老虎面前，越出了常规，把那深邃的平民心性泄露了出来。

《水浒传》设计武松打虎的情节，其妙处，就在于假定武松与老虎相遇而且不被老虎吃掉，显示了武松的两面性：一方面是神人，天人；一方面是凡人，小人物。但，《水浒传》作者并不满足于此，又来一个假定，让武松这个非常英俊、非常帅、非常酷的英雄，碰上一个美女，而这个美女竟然对他非常有意思，主动投怀送抱，那么我们可以看到武松买不买单。

但是，今天，时间已经不允许我讲下去了。好在，我们还有一个题目，叫作《笑眼看中国古典小说：美女难逃英雄关》，到时我们再细说。现在我们开始对话，你们可以向我挑战、质疑了，好吗？

（众：好，掌声热烈）

附：

现场问答

问：孙老师，您好，您的演讲使武松这个角色变得更加立体了，我的问题就是，我们都知道武松的结局就是上庙当了和尚，您对武松的这个结局有什么看法？谢谢！

答：你这个问题提得太好了，为了逃避追捕，化装当个和尚，叫行者武松，当和尚是暂时的啊！等到他加入梁山的时候，还是头陀的样子，这说明作者的潜意识里认为英雄无性，这是理想中的英雄，他最后的辉煌就是当了和尚、当了头陀，不让他有任何可能再跟女性发生任何瓜葛，断了他的烦恼根。试请想想，一个好好的男子汉，一个英雄，身体很强健，路见不平，拔刀相助，要造反就造反，要杀人就杀人，又不想结婚，对女性没有“性”趣，这样一个人，就是结束了奔波，安定下来，你说把他往哪儿放？让他当和尚，是最高的褒奖了。符合这样条件的好汉，还有鲁智深，都是一流的好汉。当然，有这样的资格的，还有不少人，像宋江啊、吴用啊、林冲啊、花荣啊，可能都有过婚史，都与女人有过瓜葛，就是与女人无缘的，如李逵，也入了这一档。像李逵那样的，一旦宋江想起来，塞给他一个什么女人，他是会接受的。而武松，是经过考验的，过得硬的，不为女色所迷的好汉。在《水浒传》作者来看，可能是比较理想的人物。这样的人物，没有宋江、林冲那样的最后向往“到边庭上拼个一刀一枪，博得个封妻荫子”的愿望，因而也就可能造反到底。事实也正是这样，到了受招安的时候，武松和鲁智深反对得最激烈。

问：孙教授，您好，刚才听您讲了武松以后，感觉这个作品在艺术方面算是成功的，但是在文化方面，多少有些凶残，现在中小学生年龄不大，辨别能力不是很强，面对这样的情况，怎么样才能帮助他们取其精华，去其糟粕呢？谢谢！

答：你的忧虑跟有些人士是一样的，是很有道理的。对待这种情况有几种做法，一种是干脆不让中小学生看《水浒传》《三国演义》。另一种，还是叫他们继续看，哪怕有毒也叫他们吃，如果没有吃过一点点毒，就没有免疫力。我讲话的时候，空气里有好多细菌进入我的身体，但是，我并没有死啊。因为我从小就这样在空气中不断中毒，我才有抵抗力。我今天能够站在这里，就说明，我的肌体抵抗力超过了细菌的毒性。第三种做法就是1949年前，一些大家大师，包括茅盾、周振甫、宋云彬等，他们当时提出叫“洁本”《水浒传》《红楼梦》《三国演义》，当时就把它们改编一下，删掉了一些，把一些迷信的、涉及性事的东西删掉。当时茅盾就改写了《红楼梦》，连回目都改掉了，比如说，“刘姥姥进大观园”“探春理家”等，是开明书店出版的。我曾经有一次在会上讲过，如果我们当代有志之士对经典著作，做这样的工作，对于青少年读者，应该说是功德无量的。

问：孙教授，我想问的问题就是您刚才说的杀人，描绘了武松是一个纯粹的感性主义者，而作者是希望人们在性情当中，得到一定的解放，可在对待性方面又很避讳，就像您刚才说的男性不应该对女性感兴趣，女人不应该红杏出墙。而在其他方面，比如说暴力方面可以解放，而在性的方面不能解放，我就想问一下，他们的解放为什么是这样的不纯粹？他们觉得男人和女人之间应该是什么关系？应该产生什么距离？谢谢！

答：十年前左右吧，我看过美国哥伦比亚大学的教授夏志清的《中国古典小说导论》，他讲，中国白话传奇小说里有个倾向，一方面是非常禁欲的，一方面是非常纵欲的，禁的是性欲，纵的是食欲。当然法国的一部经典小说拉伯雷的《巨人传》里边也是大吃大喝，那大概是幻想。但是在文艺复兴以后，有经典著作，如《十日谈》，对性的禁欲主义进行了无情的讽刺和调侃，对性的追求用幽默的语言加以赞美。中国长期的禁欲，可能跟孔夫子的那个理性主义——“唯女子与小人难养也”有关，到了宋元以后，朱熹的那种扼制人性的思想，饿死事小、失节事大的思想也有关系，对人性压抑得太严酷了。所以我不是很同意于丹把孔夫子和他的思想完全地美化。民间文化，在一定时期，就走向反面，从禁欲走向纵欲。在《三言二拍》里有直接写性欲的章节。《金瓶梅》，有一个本子，全称叫作《金瓶梅词话》，就是特别标榜，用诗词来描写性交，这在全世界是没有的。20世纪60年代，我看过东德的一个短篇小说里讲，面包供应很紧张，面包房经常把质量差的面包拿出来卖，好面包留着，把其中一块最好的面包挂在门口，不卖，谁给他一本《金瓶梅》，他就把这块面包卖给谁。禁欲，物极必反，走向反面；纵欲，其放肆的程度，世界第一。我想，这就说明，人性最好是去遵循它，去规范它，不要去压抑它，压抑的反而更糟，洪水泛滥。“文革”期间，大学的时候不让谈恋爱。有一次，我演讲，学生递一个条子给我：“你反对大学生谈恋爱吗？”我的回答是：“反对不反对，反正都一样，不过是地上和地下的区别。有时地下的更热火。”他们就给我热烈鼓掌。现在可以谈恋爱，不见得人人都去谈，你不让我谈，我非谈不可，你让我谈了，我还不一定。

问：孙教授，您好，我曾听到过这样一种讲法，不知道是不是真实的。刘备、关羽、张飞他们三结义之前把各自的老婆都给杀掉了，是不是当初他们都已经有老婆了？他们是为了结义，我认为是成就大业而把自己的老婆杀掉，这样不会有后顾之忧。还有一个说法，是为了招待刘备，把自己的老婆杀掉的。在我们现在看来，肯定是非人性的，但是在当时的那种以英雄气概来成就一番大业的环境下，他们这种做法是英雄的还是狗熊的？谢谢！

答：现在我要纠正一下，桃园三结义以前，刘备、关羽、张飞没有杀老婆，杀老婆的事是以后别人干的事情。有一次，刘备打了败仗，落魄得不得了，到了一个农民家里，这个农民崇拜刘备，因为刘备是正统的汉朝的后裔，又实行仁政，当时，饥荒，没东西吃，就把老婆杀了给他吃，刘备这个时候不知道。杀老婆的事在中国历史上是有的，在中国的古典戏剧史上有个《斩经堂》，就把老婆在经堂里斩杀掉了。那是因为刘秀要推翻王莽的政权。王莽的一个女婿经常在外边带兵，女儿在经堂里念经，希望丈夫早点回来，结果回来的时候恰恰是丈夫接受了刘秀的任命，要起兵反王莽，为了获得刘秀的信任，以及自己的内心平安，那就是跟老婆讲清楚，你给我死吧！结果就在经堂里把老婆杀死了。这是中国文化里非常凶残的一面。女性是政治工具，四大美人都是政治工具，那么如果不能当政治工具，你就死吧。所以你看《三国演义》的孙夫人，老太太喜欢刘备，就把她嫁给年过半百的刘备，也不管他当时已经有两个老婆，有孩子了。刘备心里怎么想，没有交代。刘备被陆逊打败，死了，孙夫人投江自杀。[①]这表明了一个观念，女人在政治斗争里就是工具，工具的主人死了，那就没有使用价值了，最好死掉。貂蝉是政治工具，当初要搞掉董卓和吕布的时候，分别和他们睡觉，让他们两个吃醋，完成了政治任务，以后怎么样？嫁给吕布。嫁给吕布以后感觉怎么样，不值得一提。最后，吕布快死的时候、快被打败的时候，谋士陈宫劝他转移，留得青山在，不怕没柴烧。吕布听了小老婆貂蝉的话，不走，结果是被俘虏。这个貂蝉最后又发挥了一下工具的性能，让吕布死掉。这是对女性的偏见，但是非常艺术地表现出来。

问：孙教授，您好，我想问一下，就是您在刚刚的演讲里面一直讲到英雄，那么英雄是什么样的？作者心目中的英雄是什么样的？您心目中的英雄又是什么样的？我们青少年应该学习怎样的英雄形象？谢谢！

答：我想最理想的英雄是既能把老虎打死，又没有出冷汗的。但是见了老虎一点没有怕的感觉，又不是人了，就谈不上英雄了。如果是英雄，首先得是人，是人就有矛盾，有缺点，那缺点很多，虽然不是英雄了，但是他还是人。比如说我的女儿，她不是英雄，她经常地任性，乱吵乱闹……如果没有这些，不管什么方面，都很标准，那就不可爱了。我觉得标准的、没有缺点的女英雄是很可怕的，而有缺点却是可爱的。在生活里如此，在艺术里就更是如此了。甚至，有一些恶，都不一定是丑的，恶的可能是美的。你们看过曹禺的《雷雨》没有？《雷雨》里边有个蘩漪，知道吗？既是周朴园的老婆，又去跟周朴园的儿子私通，她不但不忏悔，还要阻止周萍终止这种关系，利用儿子对四凤的感情，叫儿子去追求她，破坏她和周萍的恋爱，这个母亲像个母亲吗？这个妻子像个妻子吗？这个里面

① 在毛宗岗以前的《三国演义》的本子里，孙权的妹妹，在刘备死了以后，并没有死，她的投江而死，是毛氏加进去的。但是，这不能说是毛氏一个人的思想，这个本子的流行，说明这个观念得到广泛认可。

有恶，但是她不是丑。她是一个形象，她是个常人，她是有热情、有感情的。她爱起来像一团火，她恨起来也像一团火；她爱起来像一团火把你燃烧死，恨起来，把自己烧死，这就是恶转化为美，叫作“恶之花”。如果蘩漪她规规矩矩地做周朴园的老婆，也没有跟周朴园的儿子发生关系，也没有跟四凤发生矛盾，很可能是没有灵魂的人物。从艺术创造来说，她的形象是不完美的，美的这个价值标准和真的价值标准、跟善的价值标准是不一样的。这个人可能是一个美的形象，我上次讲曹操，他做了好多恶事，但是他是一个美的艺术形象。什么叫丑呢？从艺术上来说，没有思想、没有感情，比如说沙和尚，可以说是不美的形象。而猪八戒很美，虽然他不是英雄，但他有男人的感觉，他是个真实的人，他是《水浒传》《西游记》《三国演义》里边唯一的一个男人，是不是？他见到女孩子会激动的，多么直率啊！这是多么艺术！这么一个有丰富心灵的人，却被降职，他原来是天蓬元帅，在天宫里边享有很高的职位，但是，调戏王母娘娘的宫女，然后玉皇大帝就把他下放、发配到人间。这是没有道理的，玉皇大帝自己有老婆，将军没有老婆，人家想找个老婆，就这样惩罚他，这没有道理嘛！这是第一。第二，你惩罚他你就惩罚他，把他的脸搞得那么丑干什么？！这个猪八戒美在哪里？就算你惩罚我，我还是爱女孩子，到处找对象，这就是美！

问：孙老师，您好，我想向您提出一个挑战，就是关于宋江的观点，宋江的第一特点是仗义疏财，我的观点就是关于宋江他身上有一种领袖的超乎别人的潜质，他虽然各个方面，用我们现在的话讲比较猥琐，但是他知道怎么拿捏大局，他知道作为一群土匪，啸聚山林，不管多么红火，但终究要被皇帝灭掉，落下个江洋大盗的名声。所以他想绕过这个，转化为名垂青史。所以他用一切的手段，比如，在李逵看来是逛窑子，令人不齿的手段，他要做什么？他要招安，要忍受非人能忍受的委屈，避免现时的英雄成为历史上的狗熊。所以我想美学上是不是也有一种曲线的英雄。比如说一条路，最近的路是直线，但，也可以横向走，经过一个大的圆绕过来，最后回归，创造一种具有震撼力的美感。

答：我觉得你提得非常对，我讲的跟你的想法好像没有多大的矛盾。《水浒传》中的英雄，有两种：一种是力的化身，路见不平，拔刀相助。但是，这种人，不能当领袖。另一种，则是像宋江那样，没有什么力气，但是，他代表更高的理想，那就是仗义疏财，也就是财富的平等，有钱人主动把钱拿出来，穷的就不穷了。这样的人，更有威信，加上更有文化，更有人格魅力，受到绝对的个人崇拜，这样的人，才能够成为领袖。可以这么讲，这是当时小生产者的一种幻想，把希望寄托在好汉、清官、好皇帝，或者一个好的领袖身上，对他绝对崇拜。为什么？第一，作为土匪，他们需要权威来领导着前进。第二，要执行纪律，没有权威就没有纪律，像李逵这样的人破坏性是很大的，只有像宋江那样的人，才能把李逵这样的流氓无产者制服。第三，他比较现实，当大家觉得造反没有问题反对招安时候，他觉得在梁山泊待下去，没有出路。我刚才讲了，政治、经济都不允许他长期打下去。

一般地说农民起义都是内部分化、被瓦解了以后才被粉碎。《水浒传》却写在宋江的领导下，在打了胜仗以后，主动地归顺朝廷，然后找了光荣的台阶，去攻打外族（辽）的入侵。打家劫舍，是不能持久的，越是人马众多，越是兴旺，越是不能持久，那怎么办呢？必须要找到一个现实的出路，出路是什么？就是归顺朝廷。但是名义上，又不是投降，而是“到边庭上，拼个一刀一枪”，然后博得个“封妻荫子”，就是，老婆继续能够当贵族夫人，儿子能够继续享受高级干部待遇，这一点是很现实的。现在我犯罪了，回不去了，怎么办？从现实的层面来说，宋江非常有远见，又有现实的可操作性，他主张招安，能下台阶就下台阶。

（录音整理：王梦）

第四辑　演说《西游记》

第一讲

三打白骨精的艺术奥秘：心理“错位”和轻喜剧风格[①]

《西游记》九九八十一难，为什么遭遇白骨精最为生动？这个问题看来小儿科，但是，具体来说却不简单。几百年来家喻户晓，艺术生命不朽。要揭示其中奥秘，就要做具体分析，但是，经典文学形象天衣无缝，分析缺乏差异或矛盾的切入口。鲁迅在《不应该那样写》中提供了一个很具操作性的方法，必须知道了“不应该那么写”，这才会明白原来“应该这么写”的，[②]最好是有作者的原稿，与之对照。

但是，作者的原稿不得而知，分析无从下手。孙绍振先生提倡“还原”作为揭示矛盾切入口。早于《西游记》一百多年的《大唐三藏取经诗话》中有关故事，是“过长坑大蛇岭处第六”：师徒七人过火焰坳，先是，见“一具枯骨，长四十余里”。为《西游记》“三打白骨精”留下了第一素材：“枯骨”。路走了一半，猴行者说起，此岭有白虎精，常作妖魅妖怪吃人。这里出现了第二素材，吃人的“白虎精”。接着从云雾出现，“一白衣妇人”“面似白莲，十指如玉”。正是“白虎精”，张口大叫一声，满山都是白虎。这里出现了第三素材，女性白虎。白虎精被猴行者化作一团大石，在肚内千万猕猴渐渐胀大。肚皮裂破，七孔流血。悟空乃喝起夜叉，浑门大杀，虎精绝灭除踪。[③]这是第四素材。

这个神魔故事情节本来只与悟空有关，与唐僧、八戒没有关系，到了《西游记》中，

① 本文系研究阐释党的十九届六中全会精神国家社科基金重点项目“中华优秀传统文化创造性转化、创新性发展在文学领域的理论与实践研究”（项目编号：22AZD068）的阶段性成果之一片段。

② 鲁迅：《不应该那么写》，《鲁迅全集》第六卷，人民文学出版社2005年版，第321页。

③ 朱一玄、刘毓忱编：《西游记资料汇编》，中州书画社1983年版，第50—51页。

作者知道“不应该那样写”，而是按小说的艺术规范重新创造。[①]

第一，排除了白虎精肚子里生猕猴的情节，将之转移到孙悟空打败铁扇公主的情节中去。第二，将其余三种素材（枯骨、白虎精、白衣妇人）融合为女性白骨精。第三，将情节发生之因归结为妖精要吃唐僧肉以求“长寿长生”。第四，最艺术的是：此前所遇妖孽，大都为男性，师徒心态皆属常规，故同心同德降妖伏魔，此番所见乃是女妖，引起了猪八戒的色心。清代张书绅在《新说西游记》中说：“才子遇佳人不奇，和尚遇佳人则奇；和尚遇佳人犹不奇，猪八戒遇佳人则更奇”[②]

这位《西游记》爱好者的艺术感觉颇高，但是没有在理论上解释为什么斯文猪八戒遇佳人就更加奇妙。这是因为由于他的心理变化，把本来师徒同心同德的感知打出了常轨，引起了猪八戒、唐僧、悟空心态的“错位”：唐僧的善良、慈悲而糊涂，孙悟空的机智、忠勇，反遭谴责、开除，猪八戒出于自私、色心的挑拨，使得本为同心同德的师徒心理发生一连串的错位，而且幅度逐步拉开，妖精得以施行花样翻新的诡计，情节就大起大落，人物个性也递次深化，正剧性和喜剧性交相辉映。

在吴承恩笔下，白骨精先是“变做个月貌花容的女儿”，见三藏饥饿，主动奉献食品，唐僧秉慈悲之心，看她不过是给作田的丈夫送饭，称之为“女菩萨”。而在猪八戒看来，那女子生得“冰肌藏玉骨，衫领露酥胸”，“就动了凡心”，乃与之搭讪套近乎。三藏不好意思接受农妇的饭食，猪八戒埋怨：现成的饭三份儿不吃，等那猴子来，做四份才吃！不容分说，一嘴把个罐子拱倒，就要动口。猪八戒和唐僧的矛盾是双重的，一是贪色，二是贪食。小小的私心，却造成了大大的隐患。这还仅仅是唐僧和猪八戒之间的二维错位，《西游记》的精彩就是将之扩展：孙悟空火眼金睛，看出那是个妖精，拿起铁棒，当头就打。而唐僧却认为女菩萨。 二维错位的加上和唐僧的，就变成三维“错位”。三人之间不同的感知，一般都叫作矛盾，但是，矛盾是对立的，而三人之间并不完全是对立的，三人利害相同，性命相关。师徒之间感知有重合在取经目标的一致性。唐僧本来依赖、信任悟空，但是，此番认定是“女菩萨”，而孙悟空则认为是妖精。二人之间的感知“错位”渐趋扩大。在读者看来是个小小的悬念，而作者匠心在于以信与不信作为推动情节发展的契机。接着是扩大错位。孙悟空故意挖苦唐僧：

> 师父，我知道你了，你见他那等容貌，必然动了凡心。若果有此意，叫八戒伐几棵树来，沙僧寻些草来，我做木匠，就在这里搭个窝铺，你与他圆房成事，我们大家

---

① 以下“三打白骨精”之引文均据人民文学出版社《西游记》第二十七回“尸魔三戏唐三藏，圣僧恨逐美猴王”。

② 吴圣燮辑评：《西游记：百家精评本》上，崇文书局 2019 年版，第 222—223 页。

散了，却不是件事业？何必又跋涉，取甚经去！

悟空这话明显并不认真，显然是调皮、开玩笑，挖苦老实巴交的唐僧，“软善的”唐僧羞得“彻耳通红”。心理“错位”就带上一点轻喜剧的风格。

吴承恩的艺术魄力在于继续扩大心理“错位”：悟空乘着“三藏正在此羞惭”，把妖精打死，唐僧唬得战战兢兢，责备悟空“无故伤人性命”！这个错位虽然扩大，但是不难恢复“重合”：悟空把罐子打开，并不是什么香米饭，而是拖尾巴的长蛆、癞蛤蟆。“长老才有三分儿信了”。如果到此为止，双方刚刚扩大的心理错位，一下子重合了，情节就无以为继了，人物的生命也就有限了。

吴承恩的才华就在于控制重合，延续错位，不轻易让他们同心同德，而是让他们互相折磨，一重错位刚刚重合，另一重幅度更大的错位又接踵而来。

吴承恩让猪八戒私心和色心挑拨：悟空把善良妇女打死了。怕你念“紧箍儿咒”，使个障眼法儿，逃避惩罚。吴承恩让三藏相信了八戒的撺唆，三人的感知错位的幅度扩大了。三藏念起紧箍咒来：悟空“头疼”得满地打滚求饶。唐僧性格核心原则乃是取经就是为了救人，不能容忍无故杀人。“你回去罢！”开除！态度决绝。没有你孙悟空，被“妖精蒸了吃，就是煮了”，也无所谓。

吴承恩的在驾驭“错位”的艺术，不但连锁性的扩大，而且在扩大中，插入小幅度的重合。使情节起伏，富于弹性。悟空软化唐僧：“若不与你同上西天，显得我知恩不报非君子，万古千秋作骂名。”唐僧耳根子软，回心转意，师徒之间的感知错位暂时重合。如果仅仅如此，那情节就无以为继。

吴承恩的艺术家气魄就在于，决不心慈手软。在小重合之后，酝酿着大“错位”：改变用笔方向，从妖精方面制造师徒之间感知错位的契机：白骨精变作个老妇人，哭着走来。其效果是让猪八戒介入，让唐僧与悟空之间的“错位”进一步扩大。八戒认定是妈妈来寻女儿来了！孙行者认出是妖精，举棒照头便打。妖怪逃脱留下假尸。唐僧见打死了老妇人，立刻把“紧箍儿咒”颠倒足足念了二十遍，把孙行者的头痛得滚将来哀告。唐僧认定他“无心向善，有意作恶”，又一次下决心开除孙行者。猪八戒从私心出发以为悟空是要散伙，分行李。“跟着你做了这几年和尚，不成空着手回去？你把那包袱里的什么旧褊衫，破帽子，分两件与他罢。”这一笔不但是扩大心理错位，而且是调侃猪八戒在取经途中，在降妖伏魔神圣大业中，坦然说出内心的可笑的粗俗和卑琐。

鲁迅在《中国小说史略》中说，“作者禀性，复善谐剧”[①]。在《西游记》中，这种谐趣，在猪八戒身上表现最为突出 。需要补充分析的是，在猪八戒的“谐剧”不是一般的喜剧

① 鲁迅：《中国小说史略》，《鲁迅全集》第九卷，人民文学出版社2005年版，第171页。

性，而是属于轻喜剧风格。小小的私心，导致大大的倒霉，唐僧被黄袍老怪捉去，差点被吃掉。毕竟没有造成不可挽回的后果，如果导致取经事业失败，那就是悲剧了。

悟空无法得到原谅，要求把头上的金箍脱了就走人。但是，唐僧说，他只有紧箍咒，并没有"除箍咒"。唐僧再饶他一次，行者服侍师父继续前行。师徒之间的错位又一次重合。

情节稍稍缓和，是为了让人物感知更大幅度地错开之前，节奏有所缓和。接下来，让妖精变成一个老公公。新的错位又产生了。在唐僧看来，是念经的老公公。在八戒看来，大祸临头，杀人偿命，悟空可以轻轻松松使个遁法溜号，"苦了我们顶缸"。虽是从犯，至少也问个充军；猪八戒的一心只在为自己打算的小心眼和严重的危机之间的错位，又一次为小说带来了轻喜剧的幽默感。

而孙悟空的幽默感则另有风格。他在危难面前总是很轻松自在的，明明看出是妖怪，说话却很是调皮："老官儿，往那里去？怎么又走路，又念经？"但是，悟空调皮中有机智，可心里想：念动咒语叫当地土地、山神作证这老头子是妖精。大圣金棍起处，打死了妖魔。

妖怪除了，本是功德圆满，悬念结束。但是，吴承恩的情节展开、心理"错位"的起伏曲折的才华还未用尽，又让猪八戒出来挑拨：才走了半日路，倒打死三个人！撺掇唐僧念咒，悟空指出那是"一堆粉骷髅"，"指着妖怪脊梁上一行字'白骨夫人'"，唐僧闻说，倒也信了。

这样悟空和唐僧感知完全重合，万事大吉了。可吴承恩不让猪八戒消停，说是悟空变法，掩人耳目哩！唐僧果然耳软，感知错位又一次拉开。唐僧又念起紧箍咒，悟空痛得跪地。这次吴承恩让唐僧和悟空的错位往思想深度发展，唐僧拿出出家行善不能行恶那一套，把问题说得极其严重：在这荒郊野外，一连打死三人，倘到城市之中，人烟凑集之所，乱打起人来，撞出大祸，教我怎的脱身？又下令开除悟空。这下子悟空，也不留恋，有点绝情了：这下子，吴承恩作为艺术家的魄力就在表现在对悟空没有心慈手软，让唐僧"恼怒"起来，写了一纸贬书："执此为照，再不要你做徒弟了！如再与你相见，我就堕了阿鼻地狱！"吴承恩把唐僧和悟空的"错位"拉开到极点，表现了他的坚定信念，但是，吴承恩的艺术家的分寸感在于，既不让他们的感知重合，也不让他们感悟完全脱离。悟空极端悲愤只有决绝了，感知错位到脱离的程度，那情节就无以为继，人物的性格也就戛然而止了。吴承恩至此有神来之笔，不管唐僧多么绝情，悟空单方面恋恋不舍之情不改。悟空临去一拜。唐僧居然不接受：悟空使个分身法，毫毛拔了三根，吹口仙气，变了三个行者，连本身四个，四面围住师父下拜。那长老左右躲不脱，好道也受了一拜。悟空的性格既悲壮又调皮，带着某种轻喜剧感，不过悟空的轻喜剧，不像猪八戒的“呆”而是颇有机智，而且真诚。唐僧勉强接受悟空之拜别，就是为了不让感知错位不到彻底脱位，为后面悟空回归留下伏笔。

在《西游记》的大多数章节里，师徒四人为了共同的取经事业，可谓同心同德，“心心相印”，一路上妖怪的招数也五花八门，师徒四人在感知上却是基本统一的。而在这一章中，吴承恩显示出一个小说家的“狠心”，让孙悟空，唐僧，猪八戒各有想法，错位越大，个性越强。如果他们自始至终都是同心同德，那就也许只有诗意，却毫无叙事文学的情趣，如果错位大到完全分裂了，孙悟空一去不返，唐僧被妖怪拿去，与孙悟空无关了，猪八戒开小差回高老庄当他的女婿去，《西游记》的情节也就无以为继，人物个性也就没有深化的余地了。艺术家的才华就在让关系最为密切的师徒，在同一件事上的认知始终错位，既不让重合，又不让他们完全脱离，在错位与重合之间保持着张力，在扩大与缩小之间极尽开合腾挪之能事，情节才波澜起伏，人物性格的差异才从深处浮现。这就是鲁迅所说的应该这样写。

《大唐三藏取经诗话》有关素材不足，显而易见，只是强化了孙悟空降妖本领的高强，无论从白虎精肚子里吐出多少只猕猴，对孙悟空降妖除魔的能力也只是做了线性的延展，不断叠加它的降妖本领，可就看不到它内心世界的变化和深化，这一切都足以印证鲁迅所说的，“不应该那样写”。而“三打白骨精”则显而易见，让猪八戒男性心理小心眼，造成轻喜剧，展开唐僧的善良到愚昧的可爱与可笑。在与唐三藏、猪八戒和孙悟空的形象反差中，显示孙悟空的忠诚、机智、调皮，无辜被谴而不改初衷，三者形成了有机结构，结构的感染功能大于要素之和，形象的感染力无异于乘了三次方。所有这一切，都在印证鲁迅所说的“应该这样写”。

当然，“三打白骨精”也不是绝对完美无缺，其中一个人物——沙僧，之所以形象并不突出，就是因为他没有自己独特的想法，几乎没有与孙悟空、唐僧、猪八戒在任何感知上的“错位”，因而也在艺术上没有生命。

很可惜，这一点长期被忽略了，以致新时期的电视剧《西游记》的导演和编剧都没有意识到，剧中的沙僧一直在跑龙套，成了第六个指头。

第二讲

猪八戒形象：以丑为美[①]

在讲座开始以前，我先问各位一个问题：《西游记》师徒四人历经九九八十一难，你们现在能记住的有几难？（台下议论纷纷：三打白骨精、铁扇公主、女儿国、盘丝洞）大家的答案我都听到了，为什么其他七十多难都记不清了，这四难却记忆比较鲜明？（观众：因为碰到的妖怪都是女的）不错，但是为什么有了女妖怪印象就深刻呢？因为在这之前碰到的都是男妖怪，师徒四人也是男的，同性并不相斥，而是同心同德，精诚团结。但是，一碰到女妖怪就不一样了，用我的话来说，就是打出常轨了，就有性意识的萌动了，感知就错位了，内部矛盾就尖锐起来了，就有戏了、精彩了。

与《三国演义》回避性意识、《水浒传》惩罚性意识不同，《西游记》是坦然面对，在表现性意识方面有很宝贵的发展，或者叫作突破。不过它不是从英雄主义方面去突破，也不是如《红楼梦》一般向诗意的、美化的方向去突破，而是向反诗意的、幽默的、喜剧的甚至是“丑”角化的方向发挥。这应该说是很了不起的，在世界文学史上都是很独特的创造。

一

《西游记》里的英雄本来在男妖怪面前都是中性的，但是，突然来了一个村姑，而且是“月貌花容”的。唐僧不要说心动了，眼皮都不会跳一下，因为他是和尚。孙悟空对女性也没有感觉，沙僧更是这样。不过唐僧是以美为善，美女一定是善良的；孙悟空相反，他

① 本文根据孙绍振先生在东南大学的演讲记录整理。整理者：阎孟华、李国元；统稿：李福建。

的英雄之眼，从美女的外表看出了妖，看出了恶。可以说，孙悟空的美学原则是以美为假，以美为恶；对方越是漂亮，他越是警惕，甚至顿起杀机。与他相反的是猪八戒，他对美女有感觉，一看见美女，潜在的性意识就被唤醒了，整个心灵就激动起来了，《西游记》中将其称作“顿起凡心 ”。猪八戒的美学原则是以美为真，不管她是人是妖。他是中国古代小说中唯一的一个唯美主义者。

三个人，三种美学原则，聚焦在同一个对象身上，就发生了冲突，用我的话来讲，就是“错位”了。因为他们并不是敌对的，在去往西天取经这点上是完全一致的，一致而有分化，这就产生错位了。唐僧怪罪孙悟空，他认为去西天取经就是为了救老百姓，现在人还没救，却把一个善良的姑娘（指白骨精）给杀死了。孙悟空对唐僧解释说：这是一个妖怪，是假的，要吃你的肉，想长生不老。唐僧将信将疑。如果这时候猪八戒配合孙悟空劝唐僧说：师父啊，你要相信师兄，他是火眼金睛，面前这个假美女、真妖精，在他眼中是无所遁逃的。如果这样，就什么事都没有，也就没有错位了。但是猪八戒的性意识很强，他内心有些骚动，这么多天就是在和尚堆里混，连妖怪都是男的，好端端一个姑娘，刚刚搭讪了几句，还没有过瘾呢，就被打死了，太遗憾了。于是猪八戒就挑拨，《西游记》中叫作“撺唆”，说这个猴子草菅人命，师父绝对不能饶过他。这就弄得孙悟空被唐僧开除了，结果唐僧被黄袍老怪捉去，差点被吃掉。

性意识，小小的；吃的亏，大大的。这就是对猪八戒的嘲笑。谁让你这么“色”，自讨苦吃嘛！同样是“色”，猪八戒比《水浒传》中那个矮脚虎王英可爱多了——王英那是单纯的“色”，上阵打仗，一见来的是个漂亮的女将（一丈青扈三娘）就流口水。为什么呢？这里有个讲究。

第一，吴承恩在折磨猪八戒的时候，反复揭露他，明明出于私心，却冠冕堂皇说了一大套话：哥哥把人打死了，“就栽他是个妖怪 ”。猪八戒心口错位很大，喜剧性就很强，不是王英式的只流口水。

第二，唐僧把孙悟空赶走了，结果被妖精抓住，小命难保，狼狈得很！后果很严重，几乎断送了取经的事业，祸闯得越大，越有喜剧性。

第三，猪八戒因为“性趣”，屡犯不改。在白骨精面前顶不住；到了盘丝洞，只见女儿身，不见妖怪，还是顶不住；到了女儿国，就更顶不住了。死心眼，出洋相，活受罪，喜剧性层层加码。越是可恨，却越是可笑，也就越是可爱。

第四，猪八戒可爱，看他的恋爱史，不但不可恶，反而值得同情。他本来是天上的天蓬元帅，一个将军，因为在王母娘娘宴会上调戏嫦娥被下放，弄成个猪脸。这种丑脸，并不妨碍他的“性趣”，他一如既往地喜欢女孩子。

第五，猪八戒的可爱，还在于他的坦诚。他被孙悟空收服了，一路去取经，但是他取经的意志并不坚定，迷恋浑家的意志却很坚定。这在常人，应该是掩饰的，而他却傻乎乎地公开讲出来，临行的告别词是这样的：上拜老丈人，此番西天去取经，若能取成正果，那是最好；如果不成，我还回来做你的女婿。孙悟空就骂他憨货。还没开拔，就公然说想当逃兵。有私心，却没有起码的自我保护意识。孙悟空经常说他是个“呆子”，这一点很关键，不呆，干那么多后果严重的事，就不可爱了。

第六，猪八戒的可爱，焦点在孙悟空所说的“呆”。呆是智慧的缺乏，也是心地的坦然，是缺点；但他不虚伪，又是优点。从《西游记》作者的角度说，是对猪八戒的“呆”进行调侃。从当代读者的角度说，猪八戒的“呆”恰恰是人性未灭。男人的本性就是爱好女性，这是老天决定的，或者叫作天性，但是这在中国传统文化中却是丢脸的事。猪八戒则觉得喜欢女孩子谈不上什么丢人现眼。吴承恩就是把常人眼中的“呆”，转化为了艺术形象：猪八戒呆得深刻，带有喜剧性的美。相比起来，猪八戒比唐僧、沙僧更可爱。当然，孙悟空火眼金睛看到敌人，一棒子打死；看到女孩子，面不改色心不跳。这种英雄值得尊重。但是，猪八戒看到女孩子动“凡心”了，还公开化地表现出来，更有人情味，更有艺术性。这并不妨碍他坚持到西天，所以他也是英雄，不过是个呆英雄，充满喜剧性的英雄。

二

猪八戒是古典小说的一个伟大创造。伟大在何处？给猪八戒设计一个猪脸，又给他那么强的爱好女性的心态；让他皈依佛教，又不让他六根清净。他的好“色”，并不是他个人的孤立的现象，而是带着男性普遍的本性。所不同者在常人把欲望遮蔽起来，但是他很坦然，从来没有害羞的样子。

与西方文学相比，猪八戒不像薄伽丘《十日谈》中那些教士好色而耍弄诡计，成为被讽刺的角色；也不像雨果《巴黎圣母院》里的神父，迷恋美女爱斯梅拉达，一味虚伪。猪八戒是公开的，别人笑话也好，调侃也好，都无所谓，即便被嘲笑、被惩罚，他也大度得很，“宠辱不惊”，不管孙悟空怎么调侃他，他反正活得挺滋润。他与《巴黎圣母院》里那个外貌极丑、迷恋美女爱斯梅拉达的卡西莫多，又有不同。卡西莫多只爱爱斯梅拉达一个，是无声的、谦卑的爱，碰都不敢碰一下，至死不渝，等人家死了，才敢爬到人家身边，死在一起。这个卡西莫多也是以丑为美的典型，却是很浪漫的、理想的美。猪八戒并不浪漫，他只有男性的本能，见一个爱一个，把男性多情的弱点表现得淋漓尽致。他是一个自发的男人，不是神，不是一身是胆的大英雄，也不是卑琐龌龊的小丑。他在许多方面有自尊，把小私心掩盖起来，但在性方面很坦然，自己不以为丑，读者也不觉得他不要脸。为什么？因为他很真诚，很坦荡，呆而有点痴。丑和美是对立的，其转化的条件就是“呆”，呆得本性难移，但他又不是贾宝玉那种“痴”，他没有那么深刻，他的“痴”其实就是“呆”。如果说贾宝玉是情痴，是以痴为美，那猪八戒就是以呆（傻）为美。痴是有智慧的人，只是在一个异性身上着了迷；傻（呆）是比较笨的人，见了异性都着迷。以痴为美，用情很专一，贾宝玉只爱林黛玉，就算换了漂亮的薛宝钗也不成，可能是抒情的正剧，最后是悲剧。以呆（傻）为美，因为笨，从世俗观之，很反常，很荒谬，很可笑；从人性、从艺术观之，却深刻。二者反差，故构成喜剧。这种喜剧性不仅表现在性质上，而且表现在程度上——小心眼，大失算；更表现在量上——积累性，不断失败，永远快乐。融可笑可叹、可悲可喜、可爱可恨于一体，充满矛盾、错位，又统一在弄巧成拙的行为逻辑和自作聪明的语言中。这叫作化丑为美，以丑为美，以傻、以呆为美。

吴承恩把美与丑的尖锐矛盾放在猪八戒的形象上，又以一个中介成分“呆”而使之和谐，这是世界古典小说、戏剧史上，乃至世界文学史上的一大奇观。当然莎士比亚的戏剧中也有小丑，中国的戏曲中也有三花脸小丑，但只是配角，作用仅仅限于插科打诨。猪八戒则是贯穿首尾的重要角色，丑、呆、美三元错位又三位一体，达到水乳交融的和谐程度。高尔泰说，美是自由的象征，猪八戒的丑、呆、美三元错位交融的自由，在美学史上值得大书特书。

三

对于读者来说，能不能、会不会欣赏猪八戒的这种三元错位交融，是内心美感是否自由的试金石。不会欣赏他，不同情他，就说明没有看到不可抑制的人性。他所有的狼狈都是因为对异性爱好的不可更改，都是对我们古代文化中禁欲主义的冲击。

当然，《卖油郎独占花魁》话本也是公然坚持对异性的追求。卖油郎为了与青楼花魁一度良宵，经营了好几年小生意，才积累了一点钱去青楼，却碰上花魁应酬回来喝醉了，卖油郎尊重她，并没有发生什么。这样的人物，道德太高尚了，就算是英雄，但不如猪八戒可爱，因为他没有猪八戒那么丰富的内心。卖油郎太理性了，而且长得很端正，美好的外貌和道德化的内心统一得很单调。把丰富的人性与一个长得非常丑的外貌结合起来，这种喜剧性的想象，实在是了不起的。这喜剧性是对诗性美化的颠覆。

很可惜，“三言”“二拍”、宋元话本，没有猪八戒这样的喜剧性。虽然《说唐演义全传》中的程咬金、《说岳全传》中的牛皋、《大明英烈传》中的胡大海也有某种喜剧性，但是都没有在性意识中开拓，七情六欲独独回避了性欲，人性深度就与猪八戒那种可爱、可笑、可同情、可怜悯的不可同日而语。在古典小说中，把性与恶相联系的比比皆是，把性与善相联系构成喜剧美的绝无仅有。在《红楼梦》中，有把性与善结合为美的，如贾宝玉梦游太虚幻境，但那是诗的和谐，而不是喜剧的，没有荒谬感。当然，《红楼梦》中还有贾瑞和薛蟠，但那是真正的淫荡，那是闹剧。猪八戒则是轻喜剧，丑中有美，恶中有真，化丑为美，最关键的是，没有造成严重的、不可挽回的后果，如果后果严重到不可挽回，就不是轻喜剧，而是悲剧了。吴承恩的分寸感很值得赞赏。可惜这一轻喜剧传统没有得到继承，这个历史的断层是我们小说史的一大遗憾。人的色欲是排他的。食欲不同，有了好吃的东西，可以与别人分享，但是妻子不能分享。《水浒传》里有一个理想，就是大块吃肉、大碗喝酒，异性却是不可以共享的，可能导致内斗，于是就干脆共同禁欲。英雄和性的关系，一直是个矛盾。从《三国演义》到《水浒传》都极端压抑。《西游记》也是含着微笑的调侃。物极必反，就会走向反面。

后来，对于性的描写就泛滥起来。《金瓶梅》中就很直接地描写肉欲，有时还用诗词来描写、赞颂性事。感官刺激很强，以至于在很长一段时期里，《金瓶梅》成为禁书。越是禁止，人们就越要偷偷看一下，这叫偷尝禁果，可能连上帝都束手无策。

极端禁欲导致极端淫滥，极端淫滥又导致极端禁欲，长此以往，导致当代产生了一种“革命”戏剧，男主人公没有妻子，女主人公没有丈夫，母亲没有亲生的儿子，孩子没有亲生的父母。这样的极端，导致改革开放后另一个极端——性事主题涟漪遂起，起初还偷偷摸摸、羞羞答答，后来，就出现了张贤亮的《男人的一半是女人》，其后是王安忆的《小城之恋》等，再后来就产生了《上海宝贝》[①]之类，这是必然的。禁欲的极端不可避免地走向它的反面——躲避崇高，变成了欲望的旗帜下的走卒。

---

①《上海宝贝》，当代女作家卫慧的半自传小说作品，描写女主人公与中外两个男友之间的恋情，其中对女性情欲和性爱场面的大胆描写，引起很大的震动和争议。

附录

演讲体散文的幽默风格①

孙绍振认为，作为一种现代公共交流方式，演讲已经积累了充分的经验，但是作为一种文体，却并未得到起码的重视。实际上，它更多地属于文学，从根本上来说就是散文。

在福建师范大学，孙绍振是最受欢迎的学术明星。用福建省评论家南帆的话说："他的大名如雷贯耳，各种逸事充斥坊间，直率的语言风格一如既往……这种语言风格不仅显现于书面文字，而且显现于课堂和寓所的客厅里。他的辩才往往所向披靡，长驱直入。"

孙绍振1960年于北京大学中文系毕业后，在福建师大任教，一待就是六十年。无论在福建师大的讲台上，还是五花八门的各种讲坛，他的讲演总是别出心裁，语惊四座，幽默风趣睿智，让人拍案叫绝，有人誉之为"学术的讲演，审智的散文"。

孙绍振认为，作为一种现代公共交流方式，演讲已经积累了充分的经验，但是作为一种文体，却并未得到起码的重视。实际上，它更多的属于文学，从根本上来说就是散文，和当前最为流行的学者散文、审智散文在精神价值上异曲同工。

问：《孙绍振演讲体散文精选》精选了您的演说古典诗歌、演说经典小说，兼具智慧和幽默的表达。其实您的演讲远不止这些，想知道您选择的标准是什么？

答：我大概出版过四本演讲体散文，《演说经典之美》《演说〈红楼〉〈三国〉〈雷雨〉之魅》，都是福建教育出版社的；《孙绍振演讲体散文》是海峡书局出版的；济南出版社这本是第四本，是精选的。这个精选本主要是讲古典诗歌、经典小说的。演讲体散文，不取抒情叙事，不取诗化，不取审美。从内容来说，讲我的理论发现和智慧，用我发明的术语

① 本文为答《中华读书报》舒晋瑜女士的访谈，原题为《孙绍振：演讲体散文古已有之》。

来说，是审智的；从表现风格来说，不重情趣，而是谐趣，就是幽默。

问：您应该是国内首倡演讲体散文的学者吧？您认为演讲体散文有何特点？

答：是不是第一个提出“演讲体散文”？如果你几年前问我，我不敢正面肯定。作为文体，我早在2009年就提出了，但是，不论是刊物上连载，还是刊印成书籍，编者都把“演讲体散文”字体小到可以略而不计的程度。前不久，我在一个相当权威的大型文学刊物上发表长达三万字的《幽默与雄辩》，标题前面的“演讲体散文”被删掉了。编者的谨慎，我心知肚明，毕竟全中国，乃至全世界都没有这样的文体啊。而这一次济南出版社不但公然把“演讲体散文”作为书名，而且把孙绍振的大名放进去，我就顺水推舟，干脆公开一下老夫的雄心。

说到演讲体散文，回忆起来，有一个从自发到自觉的过程。

这要感谢东南大学。他们的人文讲座。遍邀海内外学者，每人只讲一次，而我2002年偶然去了一次，就被他们揪住不放，特邀每年两次。可能是我花言巧语，很对这所985大学的学生的胃口，连续近二十年。更要感谢他们的厚爱，每次都录音记录转化为文字。我修改了一下，拿到《名作欣赏》上去连载，很受欢迎。福建教育出版社出了《演说经典之美》和《演说〈红楼〉〈三国〉〈雷雨〉之魅》两本演讲录，多次重印。一位东南大学的干部告诉我，他一整夜，一口气把一本读完。十几篇啊，三十万字啊，这时我才意识到这样的“散文”，可以像读小说一样让人放不下的。脑海里猛然出现了“演讲体散文”这样的念头。征求朋友的意见，都摇头，中国文学史、世界文学史上从来没有这名堂啊。

我还是不死心。为什么呢？因为我讲时虽然满堂欢笑，但是，并不纯粹是搞笑，而是研究经典，学术上有独特见解，其中《鲁迅作为小说家和杂文家的矛盾》《红楼梦八大美女之死亡》还被《新华文摘》转载了。第一本演讲录，随便拿到教育部评奖，还得了个三等奖。我有严肃的理论基础。例如，关于小说人物个性化，传统理论在共性个性上纠缠不清，我从创作论出发，提出把关系密切的人物打出常规，人物情感行为发生错位，个性就出来了。例如《西游记》师徒四人九九八十一难，读者记忆最深刻的只有三打白骨精，因为此前所遇的妖怪都是雄性的，而白骨精却是女的，师徒四人的关系就打出常规，个性就鲜明了：

> 《西游记》的英雄，在女性面前都是中性的，唐僧看到女孩子，不要说心动了，眼皮都不会跳一下的。在座的男生可能是望尘莫及吧，因为他们是和尚啊，我们却不想当和尚。孙悟空对女性也没有感觉。沙僧更是这样，他不但对女性没有感觉，就是对男性也没有感觉。（大笑声）唐僧是以美为善，美女一定是善良的，孙悟空相反，他的英雄性，就在于从漂亮的外表中，看出妖、看出恶来。可以说，他的美学原则是以美

为假，以美为恶。你越是漂亮，我越要下杀手。和他相反的是猪八戒，他对美女有感觉，一看见美女，整个心就激动起来。他的美学原则，是以美为真。不管她是人是妖，只要是漂亮的，就是真正的花姑娘。（大笑声）他是中国古代小说中，唯一的一个唯美主义者。（大笑声）三个人，三种美学原则，在同一个对象（美女）身上，就发生错位、冲突，就都有个性了。

把“美学原则”用在西天取经的师徒四人身上，在学术论文中，绝对是胡闹，然而在演讲中，却是交流互动的亮点。首先，“美学原则”，是表层语义上歪曲，但深层有理，三位主人公的确有三种不同的观念。把猪八戒说成是“唯美主义者”是对他的调侃；语言上显而易见的荒谬构成了幽默感、喜剧性，生动地说清了把人物打出常规个性分化的规律。同时对听众进行轻度的调侃，说在座的男生不想当和尚，见了女性绝对不会像唐僧那样无动于衷。以绝对虚拟的可能，调动听众会心一笑，让听众和我的心理距离缩短，而笑则是通往心灵最短的桥梁，达到心理的零距离。没有这样的现场感知的零距离，纯粹的书面散文，是不可能有这样的效果的。

问：演说古典诗歌中，您对中国古典诗歌的艺术奥秘、唐人绝句的意脉等都有论述，但是却因为“演说体”和您的幽默，使得内容精彩生动，读来兴致盎然。您是否觉得演说体对任何文体都适用？比如诗歌、小说或其他？

答：我刚才讲《西游记》中师徒四人在女性面前的分化就回答了人这种讲法是否适合于小说的问题。问题不在小说还是诗歌，而是演讲和为文是两路功夫。阅读文章可能中断甚至弃置，并不影响文章的价值，但是演讲必须凝聚全体听众，哪怕有百分之十的人厌倦，交头接耳，也会造成会场精神涣散，打击演讲者。最好的办法就是营造幽默的氛围。特别要放低姿态。我曾这样讲到中学时着迷苏东坡：

> 把课外时间都全部奉献给《东坡乐府》，数学作业两个月不交（同学大笑），在上海《青年报》上发表诗歌，有个漂亮女同学看我眼睛都发亮，我毫无感觉，因为她哪里赶得上苏东坡笔下的“冰肌玉骨”。（大笑，鼓掌）期中考试数学57分。老师很疼我，把我叫到讲台前，就说了一句，“你怎么搞的？”（上海话：侬哪能啦？）行了，我心里有数了（阿拉晓得哉）。怎么办？把《东坡乐府》放一放，努力两三个星期，好，下一次考试，89分，好了，够了！没有必要考太多分！分数又不能吃！（同学大笑，鼓掌）。高考填写志愿，我不知道当化学家还是文学家好，犹豫不决。后来老师说，你肯定要考北大中文系。那时老师的话就是圣旨，托苏东坡在天之灵，一不小心，考取了北大。（大笑，热烈鼓掌）这当然是好事，可是对于中国的化学，损失就太大了，弄到现在还没有人得诺贝尔化学奖（大笑），都怪那让我考北大的老师。（热烈鼓掌）

这在幽默学中叫作自我调侃，把自己讲得挺糊涂而好高，傻呼呼，笑声和掌声就是幽默的胜利，很轻松地和听众的心理融为一体。

有了这样的效果，我的自我感觉就比较良好，觉得自己创造了一种从来没有过的散文，无以名之，姑且名之为“演讲体散文”。但是不久，我就感到我错了，演讲体散文，古已有之。

问：演讲体散文在中国、在古希腊罗马，都有浓厚的历史积淀，为什么却没有得到长足的发展，甚至有“失语症”的情况？您认为有哪些方面的原因？

答：纵观中外散文史，演讲体散文，其源头非但在中国，而且在希腊罗马，演讲体还是一切散文经典的鼻祖。被刘勰称为六经之首的《尚书》，其中不乏首长讲话。《盘庚》篇记载商朝的第二十位君王，告喻臣民搬迁，硬话软说，软硬兼施，把拉拢、劝导、利诱和威胁结合得水乳交融，绵里藏针，怀柔结合霸道，神态活灵活现，实在是杰出的情理交融的演讲体散文。

在古希腊罗马对话与演说式文体也不约而同地繁荣。演讲是公众生活最重要的形式，经典之作比比皆是，如苏格拉底的《在雅典五百公民法庭上的演说》。亚里士多德的《修辞学》，主要论述演说术。罗马时代产生西赛罗那样的演说家和他的理论经典。演说风行西方近千年不改，到了18世纪，在鲍姆嘉通的《美学》中说：“美学同演说学和诗学是一回事。”①

西方的演说经典云蒸霞蔚。差不多每一时代之大政治家，都有相应的经典演说。举其要者就有西赛罗的煽动性的《对喀提林控告的第一次讲话》、华盛顿的《向国会两院发表的就职演说》、法国大革命时期革命家丹东的《勇敢些，再勇敢些》、罗伯斯庇尔被宣判死刑时的《最后的演说》、林肯的《葛第斯堡演说》、马丁·路德·金的《我有一个梦想》等。

到了辛亥革命前夕，演讲突破了语录，产生了新的经典。孙中山《在东京〈民报〉创刊周年庆祝大会上的演说》、章太炎的《在〈民报〉纪元节大会上的演说》、李大钊《庶民的胜利》、蔡元培《以美育代宗教说》、梁启超《为学与做人》、鲁迅《魏晋风度及文章与药及酒的关系》《在左翼作家联盟成立大会上的讲话》、毛泽东《改造我们的学习》《反对党八股》、闻一多《最后一次演讲》等，经典层出不穷。作为一种文体已经积累了充分的经典，是时候了，应该以“演讲体散文”命名，否则名不正则言不顺。

问：您是从什么时候开始注重演讲的技巧，甚至形成自己完整的理论？幽默在学术演讲中难能可贵，如何在严谨的理性逻辑中融入幽默，这个分寸其实很难把握。您能谈谈自

① ［德］鲍姆嘉通：《美学》，刘小枫选编《德语美学文选》（上卷），华东师范大学出版社2006年版，第2页。

己的经验吗？

答：在这方面我有过系统的研究，有三本比较重要的著作《幽默心理和幽默逻辑》《幽默理论基础》《幽默谈吐的自我训练》出版于1990年，因为比较通俗，在台湾和香港都出版了。1992年，中央电视台科教频道的领导，在香港看这本书，就请我去录制了20集的《幽默漫谈》讲座。前几年，上海电视台一个节目组，培训主持人的幽默感，从网上搜到了我，我介绍了上海专门研究幽默的学者，他们去谈了，无果，又来找我，我只好给他们写了一个小册子。其副作用是，我的那本《幽默心理和幽默逻辑》脱销了。

你说到逻辑，我简单提一下。理性、抒情和幽默逻辑是不一样的。理性逻辑以形式逻辑的同一律为中心，辩证法也讲究对立统一，讲究全面性，力戒片面性。而抒情逻辑则是片面的，如情人眼里出西施。这些都是正理，而幽默是歪理，相声艺人说，理儿不歪，笑话不来。幽默逻辑的特点不是统一，而是不一致，妙在偷换概念（如说猪八戒是唯美主义者）。用西方的话来说，就是incongruity。更复杂一点的特点是逻辑的"二重错位"。但是，幽默的歪理只是在表层，在其深层却是更深邃的理性，那就是我们古诗词理论中的："无理而妙"，只是"于理多一曲折耳"。在歪理歪推中，歪打正着。

问：您从20世纪90年代以来进行幽默散文创作，又有《孙绍振幽默文集》（三卷）、《幽默五十法》、《幽默逻辑探秘》等相关著作。您觉得幽默是可以培养的吗？

答：有人哀叹自己没有幽默细胞，这是把幽默神秘化了。我觉得只要会开玩笑，会打情骂俏，就有幽默感基因。不过幽默的类型不一样。比如我，追求的是谐趣，以自我调侃来表现智慧，以笑来缩短心理距离。钱锺书的幽默，就比较冷峻，甚至比较尖峭，居高临下，世人皆醉，而他则"欣然独笑"。鲁迅的幽默，则很丰富，对敌手是冷嘲，对于长妈妈那样的小人物是宽厚地欣赏其愚昧中的善良。最高贵的幽默大师乃是俄国的契诃夫，在洞察对方的愚昧时仍然不动声色，自我贬抑，把对方虚荣中解放出来。在我的朋友中，已故挚友张毓茂教授是东北人草根式的幽默，而畏友洪子诚教授有点接近钱锺书，在美国幽默学中，叫作干幽默，不动声色，坏坏的笑；舒婷的幽默，挖苦得人家好不痛快；南帆的幽默：不动声色，平静而隽永。

问：您在福建师范大学是位学术明星，是否也与您幽默洒脱又不乏生动深刻的文风与为人处世的风格有关？看到很多学生写您的文章，我发现孙老师是位学术界的英雄豪侠，对学生也有侠骨柔肠。您如何评价自己的性格？这样的性格给您带来什么？

答：这太溢美了，我只是有点道家的顺其自然，加上儒家的独善其身，藐视争名夺利，守住清高底线，向往武侠小说中那种侠义精神；无条件回护有才华的学生，不惜徇私，公然反抗学术霸权，有时骂骂学阀，感到很潇洒，很滋润。